GUENIÈVRE

Nancy McKenzie

GUENIÈVRE

OUVRAGE PUBLIÉ SOUS LA DIRECTION DE PATRICE DUVIC

Titre original : *THE CHILD QUEEN*

Traduit de l'américain par B. J. WILLIS

Un livre Del Rey®, publié par Ballantine Books
Première édition : août 1994

ISBN 2-84228-139-X
N° d'éditeur : 153

www.lepreauxclercs.com

Pour Meg et Bruce

Ceux qui ont lu la trilogie de Merlin, de Mary Stewart (*The Crystal Cave, The Hollow Hill* et *The Last Enchantment*), sauront à quel point je me suis inspirée de sa vision de l'île de Bretagne au Ve siècle. Ce sont ces livres, avec d'autres, qui m'ont aidée à recréer ce récit qui conte la vie de Guenièvre, d'Arthur et de Lancelot ainsi que l'environnement dans lequel ces personnages légendaires évoluent. Je suis redevable à tous ceux qui ont contribué à la tradition arthurienne, qu'ils soient historiens ou simples conteurs. Comme j'ai bâti mon récit en partant du travail d'autrui, j'espère que des écrivains voudront bien, plus tard, construire à leur tour en partant de mon travail. Après tout, ce serait le plus beau des compliments : devenir ne serait-ce qu'une infime part de la tradition qui entoure ce vénérable récit qui a su si bien passer l'épreuve du temps.

Je dois remercier tout particulièrement plusieurs personnes qui m'ont aidée et encouragée et qui sont directement responsables de la publication de mon livre. Meg Gossmann, ma sœur, qui a été ma première lectrice. Elle fit beaucoup pour que je me trouve un agent littéraire ; Bruce McKenzie, son mari, m'insuffla le courage d'essayer ; Virginia Kidd, mon agent, me donna de judicieux conseils et sut répondre patiemment à toutes mes questions ; Deborah Hogan, mon éditeur, travailla longtemps et avec opiniâtreté pour donner à mon récit une forme convenable.

Je remercie aussi ma très chère amie Kate Delaney pour son cadeau, *Sur l'art équestre*, de Xénophon, et aussi John Downey, du Planétarium Andrus, le musée de l'Hudson River, qui a toujours répondu si promptement à mes questions d'astronomie. Karen Kramer m'a apporté une aide inappréciable et des conseils non seulement concernant le fond mais aussi la forme de mon histoire ; Caroline McKenzie m'a secondée dans mes recherches à travers les écrits de T. H. White et Malory ; l'enthousiasme sans faille de Marsha Gorelick et Lydia Soifer m'a grandement aidée, enfin Joellen Finnie a su écouter avec patience ce qui, rétrospectivement, devait être une avalanche de détails fort ennuyeux.

Je vous remercie tous d'avoir rendu possible ce qui suit.

Nancy McKenzie,
novembre 1993

Prologue

La nuit de ma naissance, la célèbre sorcière Giselda, la femme la plus laide de toute la Grande-Bretagne, vint rendre visite à mon père, le roi des Norgales. Nous étions la dernière nuit du mois d'avril, une nuit froide et venteuse, battue par une fine pluie verglaçante. Mon père et ses compagnons (du moins ceux de ses barons et vassaux qui avaient pu déléguer le gouvernement de leurs terres) étaient rassemblés dans la salle du château près de l'âtre monumental. Ils buvaient, alors que les femmes s'affairaient auprès de ma mère. Toute la nuit, elles allaient et venaient pour leur raconter le déroulement du travail.

Les gardes laissèrent entrer Giselda, ne sachant pas vraiment qui elle était. Elle semblait surtout vieille et voûtée, avec des mains abîmées et tuméfiées. La prodigalité de mon père envers les malades et les pauvres était bien connue, mais Giselda ne voulut nullement s'attarder devant le feu de la cuisine, où quelques marmitons s'affairaient à faire chauffer de l'eau pour l'accouchement de la reine. Giselda voulut tout de suite venir dans la salle, au-devant du roi. Quand un garde s'avança pour l'en empêcher, elle releva simplement la tête et repoussa son capuchon, puis plongea son regard dans celui du garde. Face à cette vision, il demeura coi, pétrifié, et la sorcière put poursuivre son chemin.

À son entrée dans la salle, elle n'eut qu'à répéter son petit manège quand des regards soupçonneux se tournèrent vers elle et que s'éleva un tollé général de protestations. Elle les fit tous taire simplement en se découvrant la tête.

— Sire Léodagan ! s'écria-t-elle.

Mon père se tourna. Il avait toujours su comment se conduire pour être le premier d'entre les braves.

— C'est bien moi, sorcière. Que me veux-tu ? Sois brève. Tu viens en un moment de réjouissance et nous n'admettons pas d'être ainsi interrompus. Ne sais-tu donc pas que ma jeune reine accouche cette nuit même ?

Les barons l'encouragèrent joyeusement et le roi alla même jusqu'à adresser un sourire à la vieille sorcière. Il était après tout le père de cinq fils, tous en âge de combattre, ainsi que nouvellement l'époux de la plus belle femme du pays de Galles. Il pouvait se permettre d'être magnanime, surtout ce soir-là.

Mais la sorcière le fixa sans bouger, comme en transe. Dans la pièce devenue soudain silencieuse, tous les regards se braquèrent sur elle.

— Prends garde, mon roi ! Ne ris point avant que la nuit ne soit passée ! C'est une nuit faée ! À l'est, la reine des étoiles a chu en une éblouissante gerbe. Et voici qu'à présent, à sa place s'est levée une nouvelle étoile d'une magnificence à nulle autre pareille, la plus belle dans les cieux ! Ce sont là signes annonciateurs de grandes choses. Il y aura de la magie cette nuit en ton palais.

Mon père n'était nullement chrétien, pas plus que les barons assemblés dans la salle. Il était un adorateur de Mithra et sacrifiait des taureaux, surtout quand il partait en guerre, comme tous ceux qui combattaient sous les ordres du haut roi Uther Pendragon. Mais en temps de paix, il vénérait plutôt la Grande Déesse. Il croyait toujours aussi aux anciens dieux, ceux de ses ancêtres, les dieux des routes et des rivières, des orages et du tonnerre, des bois et des collines, ceux-là mêmes que l'on vénérait avant que les Romains n'occupent notre île de Bretagne. Lui parler de magie, c'était faire vibrer une corde sensible dans son cœur et, cette nuit-là tout particulièrement, il était assez angoissé.

— Que veux-tu dire, femme ? rugit-il, tentant de cacher sa peur sous le masque de la colère.

La sorcière fit alors une étrange grimace, dévoilant ses dents noires et gâtées. Sa voix devint plus faible, elle parla sur un ton monocorde et les personnes présentes tendirent l'oreille pour mieux entendre.

— Cette nuit naîtra une fille qui gouvernera le plus puissant en ces terres.

Ses paroles ne rencontrèrent que le silence. Le roi, mon père, la fixait intensément.

— Elle sera la plus belle femme que le monde ait connue et la plus haute dame de tous les royaumes de Bretagne. Son nom vivra dans les esprits des hommes pour les siècles des siècles. À travers elle, vous accéderez à la gloire...

Soudain, elle s'interrompit et passa sa langue sur ses vieilles lèvres desséchées, craquelées. L'un des convives osa lui tendre une coupe de vin parfumé aux épices. La sorcière la but.

— Mais elle ne vous apportera que des peines, mon roi, avant que de vous apporter un peu de joie. Aimée des rois, elle trahira son seigneur et se trahira elle-même. Le sort qui sera le sien, nul ne l'enviera. Elle sera la blanche ombre couronnant la plus illustre gloire de Bretagne.

Enfin, la sorcière se tut, puis parut s'éveiller de ses visions et, après avoir accompli une révérence devant mon père pétrifié, se précipita hors du château avant que quiconque n'ait eu la présence d'esprit de l'arrêter.

L'instant d'après, la salle devint le siège d'un indescriptible brouhaha. Chacun interrogeait son plus proche voisin sur la signification de ces paroles, mais tous s'accordaient pour dire que c'étaient là de bien bonnes nouvelles pour mon père... sauf lui. Il vint s'asseoir sur sa grande chaise, l'air soucieux, répétant sans cesse « la blanche ombre, la blanche ombre ». Il prononçait ces mots en gallois, la langue qu'avait utilisée la sorcière : *gwenhwyfar*[1].

Peu avant l'aube, les nuages se dispersèrent et le vent faiblit. On était le premier jour du mois de mai, période sacrée pour les adeptes de l'ancienne déesse, et le travail de la reine s'était enfin achevé. Terrassé, comme la plupart de ses barons, par une nuit d'ivresse, mon père s'éveilla brusquement avec une sorte de pressentiment. Il vit alors le

1. Prononcer : *gouënouïvar. (N.d.T.)*

chambellan à ses pieds, tremblant et gémissant, chargé d'un douloureux message. La bonne reine Hélène avait donné une fille au roi, mais elle était morte en couches. Dans son dernier souffle elle m'avait embrassée et m'avait donné mon nom : Guenièvre.

1

Les Norgales

MA SEPTIÈME année fut la dernière que je passai à la maison. En ce temps-là, ce n'était pas la coutume pour les garçons ou les filles de noble extraction que de passer leurs jeunes années comme pages ou dames de compagnie en terre étrangère. Nous vivions une époque troublée. Le pays n'était pas en paix et les hommes ne se faisaient pas confiance. La loi était détenue par celui qui savait manier le mieux son épée. Qui plus est, des brigands infestaient les collines, rendant tout voyage extrêmement périlleux, au point que même les chevaliers ne se déplaçaient que par nécessité, ce qui voulait dire le plus souvent pour partir à la guerre.

Il n'y avait pas de véritable forteresse au pays de Galles. Nos places fortes étaient des châteaux où les armées du roi dormaient à même la paille jetée sur une terre battue, les murs de pierre n'étaient pas tapissés de tentures pour éviter les courants d'air comme c'était le cas à la maison, dans nos chambres cossues du palais royal. Caer Narvon, sur la frontière du nord, était la plus grosse forteresse en Galles. Construite par les Romains, on l'avait laissée quelque peu à l'abandon au cours des siècles, mais elle restait suffisamment préservée pour servir de place forte contre l'envahisseur irlandais. On la disait imprenable. Avec le Y Wyddfa, le pic des Neiges, juste derrière et la mer Occidentale à ses pieds, elle faisait la fierté de tout le pays de Galles.

Aujourd'hui, n'importe quel roitelet possède un château en pierre de taille avec des tapisseries, des soieries précieuses, des coussins et des tapis, car nos terres sont en paix depuis plus de vingt ans et nous avons eu, période bénie, assez de loisirs pour nous consacrer aux arts de la paix. Mais, dans ma prime jeunesse, le palais royal était une bâtisse à l'architecture plutôt fruste. Les Gallois sont des gens terriblement fiers et un palais royal ne devait en aucun cas surpasser excessivement par sa magnificence la demeure d'un simple soldat, sinon on pouvait s'attendre un jour ou l'autre à quelques problèmes.

Le palais de mon père à Caméliard était fait de clayonnage, avec une vaste salle pour les festivités et les réceptions officielles. Un gros trou était percé dans le plafond pour laisser échapper la fumée. De grandes tentures murales empêchaient le vent hivernal d'entrer. Mais ce qui était le plus important pour moi se trouvait sous la paille fraîche : les mosaïques romaines. Craquelées et effacées par endroits, elles demeuraient néanmoins bien visibles. Je me souviens de cette panthère alanguie, d'oiseaux au plumage vif et au long cou, et d'un lion doré, accroupi et serein, qui était juste devant ma chaise, près de mon père assis sur l'estrade. Je crois qu'il se sentait terriblement seul. Pendant les interminables audiences privées, ou même au cours des discussions avec ses barons, j'étais toujours à ses côtés. Je m'amusais souvent à contempler les animaux par terre et je les imaginais vivant et parlant entre eux. Les hommes se préoccupaient peu de moi. Je présume qu'ils s'imaginaient que je ne pouvais guère comprendre leurs conversations et je n'ai jamais tenté de les convaincre du contraire.

Il est vrai que grandir sans une mère comporte quelques avantages non négligeables. Au lieu de passer tout mon temps avec les dames de compagnie de la reine, à apprendre la couture ou la broderie sur les lourdes capes des chevaliers, j'avais la liberté de me promener où bon me semblait, mais toujours accompagnée, soit de ma servante, Ailsa, soit de l'un des jeunes valets du roi. En outre, j'étais libre de galoper un peu partout. Dans ma jeunesse, les chevaux me donnèrent une grande liberté et le goût de l'indépendance ; plus tard ils furent mon réconfort et un refuge. Pouvoir vivre en si bonne entente avec ces merveilleuses créatures, les plus honorées dans toute sa création, je le pris comme un signe de Dieu. Dans mon enfance j'eus pour compagnons et professeurs de robustes petits poneys gallois. Je devins aussi téméraire, libre et sauvage qu'un garçon, ou du moins c'est ce qu'on disait de moi. Au cours de ma septième année, durant l'automne, je provoquai quelques ennuis, perdant par la même occasion mon meilleur ami. J'appris aussi une importante leçon sur l'amitié et le pouvoir.

Mon père, le roi, était à la chasse au sanglier avec tous ses fils et les veneurs. Chaque année, au début de la saison, on organisait une battue afin que ses gens puissent rapporter du gibier, du sanglier pour qu'on le sale, le préservant ainsi pour tout l'hiver et les quelques festivités de la mauvaise saison.

Au village, les femmes s'occupaient de la cueillette dans leurs jardins ou de petits lopins de terre. Elles récoltaient les derniers fruits et baies ou préparaient le lin pour la filature hivernale et les teintures. Tous les hommes étaient à la chasse, aussi bien le roi et ses fils que le plus humble des paysans. À travers l'ensemble du pays de Galles, les animaux devaient se terrer ; dans les marais, les étangs ou les lacs de montagne, les poissons aboutissaient invariablement dans les filets du pêcheur. Chacun était affairé à sa tâche, même les enfants. Mais, en tant que rejetons royaux, mes cousins et moi devions juste ramasser les fruits du verger tombés à terre, et quand les jardiniers en avaient fini nous grimpions dans les arbres pour secouer les branches et faire tomber les derniers fruits mûrs. Puis on les ramassait et on les mettait dans des paniers d'osier.

En réalité, mes compagnons de jeu à cette époque n'étaient pas mes cousins, mais mes neveux : les fils de mes demi-frères, issus du premier mariage de mon père avec dame Gwella. La plupart étaient déjà âgés, assez pour avoir des enfants. Mon frère aîné, Gwarthgydd, avait vingt-sept ans. C'était un robuste gaillard à la tignasse brune, velu à souhait, surtout sur le torse. La majorité des enfants le craignaient. Il avait un tempérament assez colérique, mais à mon égard il fut toujours bon, souriant, avec un cœur généreux. Son fils cadet,

Gwillim, avait tout juste un an de plus que moi. C'était mon meilleur ami. Il n'y avait pas beaucoup de filles dans la famille. Aucune ne me ressemblait et je ne leur ressemblais guère, mais plutôt à ma mère, disait-on. Les deux sœurs de Gwillim, un peu plus âgées que nous, furent à cette période mes principales tortionnaires. Elles outrageaient la mémoire de ma mère, se moquaient ouvertement de l'affection que me portait mon père, que je chérissais par-dessus tout. Elles se moquaient aussi de mes membres frêles, loin d'être aussi solides et forts que les leurs, et de la blancheur de ma peau. Je n'avais pas la peau foncée comme elles et même la couleur de mes cheveux les offensait, comme si j'avais pu en changer à ma guise ! Dans mon innocence, je ne les comprenais pas.

Par une belle journée d'automne, au mois du Corbeau, Gwillim et moi n'avions pas pu résister. Dès que l'occasion s'était offerte, nous nous étions évadés, juste une heure, pour jouer dans les belles collines boisées environnantes. Nous jouions à la chasse, traquant notre proie le long des berges d'un ruisseau, jusqu'à sa source, dans une clairière moussue. Pour nous délasser, nous nous étions couchés par terre, à plat ventre, et buvions l'eau claire, sans oublier de faire une libation à l'intention du génie du lieu, car, comme chacun le sait, les sources sont sacrées. De la clairière, nous pouvions entr'apercevoir les flancs enneigés de l'Y Wyddfa, la plus haute montagne du pays de Galles, au sommet recouvert d'une brume constante, et où les dieux séjournaient.

Parfois, quand je réussissais à arriver à la clairière avant Gwillim, il prétendait que je trichais. Je n'étais qu'une fille et je n'aurais pas dû me trouver là. Au lieu d'une robe, je portais des braies en peau de daim, bien plus jolies que les siennes. J'étais aussi plus grande que Gwillim, mes jambes étaient plus longues. Je courais un peu plus vite et surtout j'étais plus agile. Il ne m'en voulait pas vraiment car il aimait les défis, mais il n'appréciait pas que l'on se moquât de lui, comme le faisaient si souvent ses frères et cousins qui soutenaient que, s'il continuait à jouer avec des filles, il finirait par en devenir une. Je ne lui tenais pas rigueur de sa conduite. Il supportait leurs cruelles railleries, et je ne l'en aimais que plus quand il prenait ma défense contre mes ennemis et savait répondre à leurs injures à ma place.

Ce jour-là, Gwillim parvint le premier à la clairière. Il avait déjà posé un genou en terre pour accomplir la libation quand j'y arrivai enfin. Nous nous agenouillâmes ensemble, murmurant un remerciement au génie des lieux, avant de boire. Nous nous assîmes côte à côte pour admirer le lointain Y Wyddfa, dont les flancs scintillaient sous le beau soleil de l'après-midi.

— Gwen, tu crois que quelqu'un a déjà vu un dieu ? demanda-t-il brusquement.

— Évidemment, lui répondis-je, un peu surprise. Les saints hommes leur parlent. Les magiciens et les sorcières leur donnent des ordres. Ils sont partout, tout autour de nous.

— Oui, dit-il lentement, le regard posé sur la montagne. C'est ce qu'affirment les hommes. Mais s'ils étaient vraiment partout, pourquoi ne peut-on pas les voir là, maintenant ?

Je fus étonnée par son étroitesse d'esprit.

— Mais enfin, c'est parce qu'on a besoin de pouvoirs spéciaux pour les voir tentai-je de lui expliquer calmement. C'est ce qui fait que les saints hommes sont saints.

— Exactement, répondit-il en se tournant vers moi. Ce qui les rend saints, c'est qu'ils peuvent voir et parler avec les dieux. Mais nous, on ne peut pas les voir ni leur parler, à moins d'être saints. Ne vois-tu pas ?

— Voir quoi ?

— Qui en décide, alors ? Est-ce simplement le fait de se dire saints qui les rend ainsi ? Si je prétendais être un magicien, est-ce que cela ferait de moi un être surhumain ? Qui pourrait me contredire, si je disais que je peux parler aux divinités ?

— Gwill, qu'est-ce que tu veux dire ? Que tu ne crois pas aux divinités ?

— Mais non. Bien sûr que j'y crois. N'a-t-on pas prié il y a un juste un instant ? Ce que je veux dire, eh bien... Ma mère craint la malédiction d'une sorcière, parce qu'elle croit aux pouvoirs de cette sorcière, et c'est sa croyance en ces pouvoirs qui rend la sorcière si terrifiante. Ne vois-tu toujours pas ?

Je fus particulièrement impressionnée par ce raisonnement. Mais j'avais un esprit un peu plus terre à terre.

— Qui est la sorcière qui a jeté un sort sur ta mère ? Qu'est-ce qu'elle lui a dit ?

Il parut embarrassé. Je compris immédiatement qu'il était censé n'en parler à personne.

— Jure par Mithra les pires tourments ! me dit-il.

Je jurai solennellement par Mithra d'amener sur moi et ma famille ainsi que sur ma descendance les pires tourments si jamais un seul mot prononcé par Gwill ressortait de ma bouche.

— Eh bien voilà, dit-il, un peu plus rassuré. La sorcière Haggare de la Colline vint un jour déguisée en mendiante alors que ma mère et mes sœurs étaient en train de laver la lessive à la rivière. Haggare demanda à boire un peu d'hydromel, qu'elles avaient emporté dans une gourde. Elle avait très soif et était toute couverte de poussière. Ma mère lui fit remarquer que pour étancher sa soif il n'y avait rien de meilleur que l'eau de la rivière et mes sœurs prétendirent que les petites gens risquaient de tomber malades si jamais ils buvaient l'hydromel de la maison royale.

J'acquiesçai à ces propos, sachant que Gwill trouvait sa mère bien trop vaniteuse de mettre constamment en avant ses liens avec la famille royale. Glynis était la fille d'un des vavasseurs de mon père et ne représentait donc pas vraiment une dot parfaite pour Gwarthgydd, mais elle avait été une très jolie jeune fille. Mon frère était finalement resté avec elle et l'avait épousée quand elle était tombée enceinte. En guise de remerciement, Glynis prenait tout le monde de très haut et rendait la vie impossible à chacun, la plupart du temps.

Un jour prochain, fort probablement, elle deviendrait reine, si Gwarthgydd vivait assez vieux, et elle ne laissait personne l'oublier. Malgré cela, Gwill lui était tout dévoué. Souvent, il se levait à l'aube pour aller pêcher pour sa mère, dans la rivière, quelques truites, son poisson favori. C'était son préféré. Elle lui pardonnait toutes ses bêtises.

— Alors, Haggare révéla qui elle était et fit appel aux puissances du vent. Ma sœur affirme que le ciel s'obscurcit, mais je ne la crois pas. Je n'étais pas très loin de notre maison ce jour-là et moi je n'ai rien remarqué. La sorcière maudit la vanité de ma mère et lui annonça que bientôt le plus élevé serait ramené tout en bas, que le plus humble serait élevé, que les espoirs de ma mère ne se réaliseraient jamais, que sa lignée se flétrirait, que sa maison serait détruite et que son mari mourrait en terre étrangère.

Il déglutit péniblement, puis poursuivit :

— Et que le royaume des Norgales serait avalé par un grand dragon et qu'il disparaîtrait de la surface de la terre pour toujours.

Je le fixai, horrifiée.

— Les Norgales avalées ? murmurai-je. Voyons, Gwillim, ce n'est pas possible ! Qu'est-ce que cela veut dire ? Tu parles des Saxons ?

Il fit non de la tête. Mais il était plus préoccupé par le sort de sa famille que par le destin du royaume.

— Ne comprends-tu pas ce qu'a fait ma mère ? Elle a mis en colère cette vieille femme et à présent elle croit tout ce que celle-ci lui a raconté. Mais suppose que la vieille femme ne soit pas vraiment une sorcière. Rien ne va se passer comme elle le dit, sauf si nous, on fait tout ce qu'il faut pour que ça arrive vraiment.

Je le regardai, étonnée, avec un nouveau respect.

— Tu es le plus courageux des garçons que je connaisse, Gwillim, fils de Gwarthgydd. Tu crois que tu peux sauver les Norgales avec ta foi... C'est merveilleux ! Est-ce que cela signifie que la sorcière n'a pas de pouvoirs sur toi ?

À ces mots, il rougit de satisfaction et me sourit.

— Elle ne détermine pas mon destin, Gwen. À moins que je ne croie qu'elle en a la capacité. Voilà ce que je pense.

— Et... et c'est vrai pour les autres sorcières ? Et les enchanteurs, aussi ? Qu'en est-il du magicien du haut roi ? Et Merlin alors ?

Il eut des frissons en entendant le nom du grand magicien, mais fièrement il s'accrocha à ses certitudes.

— Oui, c'est aussi vrai pour Merlin. Mais... peut-être que je pourrais croire Merlin, admit-il en fronçant les sourcils. Il est sage et aussi très puissant. Il n'a pas peur des rois.

L'atmosphère tout autour de nous devint brusquement très calme. Des lambeaux de nuages étaient comme suspendus au-dessus de nos têtes, immobiles dans le ciel, et les oiseaux se taisaient dans les arbres. Soudain, je réalisai que nous chuchotions et un frisson prémonitoire me parcourut l'échine.

— Et les dieux, alors ? dis-je dans un souffle, les yeux tout écarquillés. Est-ce donc la même chose ? Ont-ils du pouvoir uniquement sur ceux qui les invoquent ? De sorte que Mithra n'a de pouvoir que sur les guerriers et les anciens Esprits, que sur le peuple et les gens des collines, et le nouveau Kyrios Christos que sur les chrétiens ?

Il me regardait fixement. Dans ce terrible silence, nous osions à peine respirer.

— Tu me comprends, chuchota-t-il et nous fûmes remplis de terreur face à notre sacrilège.

Soudain, nous ne fûmes plus seuls dans la clairière. Nous ressentîmes cette présence nouvelle avant même que d'entendre ou de voir quoi que ce soit. Pendant un bref instant, le temps se figea et nous aperçûmes dans les yeux de l'autre la peur immense de notre perdition. Puis je vis derrière Gwill, au bord de la clairière, les doux yeux marron et le nez rose d'un poney sauvage des montagnes. Je soupirai, rassurée. Après tout, nous n'allions pas être kidnappés par des Esprits ! Un petit groupe de poneys venait se désaltérer à la source, tout simplement. Gwill se tourna avec lenteur et rougit quand il les aperçut. Quatre d'entre eux se rapprochaient à petits pas de la source. Nous restâmes assis sans bouger, jusqu'à ce que le groupe prît courage et vînt plus près. Trois d'entre eux baissèrent leur jolie tête pour boire alors que le quatrième nous observait avec circonspection.

Gwill, qui avait honte de sa frayeur, avait besoin de se sentir brave à nouveau.

— Ils sont très beaux, dit-il doucement. Et leur chef est tout noir. C'est très rare. Voyons voir si on peut arriver à en attraper deux.

J'étais enchantée. Depuis que mon père m'avait mise à l'âge de trois ans sur le dos d'un petit poney pansu, j'adorais les chevaux. Ils utilisaient un langage que je comprenais plus ou moins bien, et la monte était devenue quelque chose de naturel pour moi. À sept ans, je montais aussi bien qu'un garçon de onze ou douze ans prêt pour s'entraîner à la guerre. Et bien que Gwill fût juste à peine moins doué que moi, attraper des poneys sauvages était une autre paire de manche. C'était plus un travail pour un groupe d'hommes à cheval que pour deux enfants.

Cependant, j'acquiesçai immédiatement à sa proposition et pris à ma ceinture les quelques fruits que j'avais apportés pour notre déjeuner de chasseurs. Avec le moins de gestes possible, je m'avançai vers le poney le plus proche, un blanc, pour lui offrir une pomme. Alors que les autres, sentant un danger, avaient reculé, celui-là non. Poussé par la curiosité, il ne montrait aucun signe de frayeur. Je lui donnai la pomme et caressai son encolure en soulevant sa lourde crinière pour gratter son garrot. Ses yeux se fermèrent de plaisir, et c'est alors que Gwill murmura :

— Maintenant !

En un bond, je fus sur le dos du poney. Il hennit de peur, tourna sur lui-même, puis s'élança à travers les bois. J'enfonçais mes mains dans son crin et me retenais à lui comme à ma vie. Je me tins allongée, le plus bas possible contre son cou, alors que nous foncions à travers les bosquets et que des branches me fouettaient le visage. J'eus un instant le temps d'apercevoir Gwill qui luttait avec le poney noir, sa ceinture enroulée autour du cou de la bête, puis je ne vis plus rien derrière moi. Les autres poneys s'étaient enfuis et, si Gwill était avec eux, je n'en avais aucune idée. Je me mis à parler au poney terrifié. Je fredonnai tout bas, à la manière galloise, espérant qu'il pouvait m'entendre à travers le bruit de son galop effréné. Après un moment, il ralentit, peut-être calmé par ma mélopée ou fatigué par ses efforts infructueux. Je le tapotai pour le réconforter, mais ne descendis pas. Je resserrai un peu mes jambes autour de ses flancs pour qu'il sente bien que j'étais là, et puis je m'assis complètement. Alors qu'il commençait à avoir moins peur, il sembla comprendre ce que mes jambes et mon corps lui disaient. Parler aux chevaux est une sorte de magie, et une jouissance dont je n'ai jamais réussi à me lasser. Nous parcourûmes un sentier jusqu'à ce qu'il se calme et reprenne son souffle. Puis, chantonnant tout le long, je le dirigeai sur le chemin du retour aussi bien que je le pouvais. Il était couvert de sueur et continuait à transpirer de peur, au point que ses flancs étaient glissants. En arrivant près de la source, j'entendis soudain mon nom résonner du haut de la montagne. Le poney prit peur et se cabra. Je glissai de son dos aussi vite qu'une goutte d'eau dans une cascade et me cognai lourdement contre un arbre. La dernière chose dont je me souviens fut un cri strident : « Guenièvre ! » résonnant en écho dans les collines. Puis le monde devint tout noir.

Je perçus des voix, étouffées, lointaines. J'étais au chaud, bien protégée, blottie au tréfonds des ténèbres. Les voix se firent de plus en plus proches en un mélodieux crescendo, me berçant d'un côté, puis de l'autre. J'étais fatiguée, trop fatiguée pour bouger. Alors je restai immobile à écouter ces voix qui venaient et repartaient, loin, loin là-bas.

Petit à petit, je montai en flottant vers une surface lumineuse, et les sons devinrent plus audibles. Il y avait une bonne voix, profonde, qui parlait dans un placide désespoir, et une autre, plus aiguë, qui crachait des murmures de colère.

— C'est injuste, dit tout près la voix en colère. Il n'a pas le droit de tuer le garçon !

— Il a tous les droits d'un roi, répondit calmement la voix profonde, très lentement, comme usée. Mais il ne le fera pas, si elle survit. Fais donc ton travail et soigne-la, Glynis. J'en ai assez de ces querelles.

— Non, tu vas m'écouter, Gwarth ! Cette fille est une malédiction pour ta maison, pour ta famille et pour ta lignée. Elle fut maudite la nuit de sa naissance par la plus puissante des sorcières de Cambrie. Tu ne t'en souviens pas ?

— Silence, femme !

Glynis baissa d'un ton, mais son animosité ne fit que croître.

— Elle n'a apporté que des ennuis aux Norgales depuis lors. Elle a tué sa mère, la reine, le jour de sa naissance. Cette année, on a eu une sécheresse et l'année dernière de terribles gelées. Elle est complètement gâtée et pourrie par tous les valets du roi et par les serviteurs. Même toi ! Oui, même toi, avec de si beaux enfants, tu es plus tendre avec elle qu'avec eux. Ce n'est qu'une infâme sorcière. Je te dis que...

— Femme, je vais te renvoyer ! Tiens ta langue !

— Elle a jeté un sort sur Gwillim. Il est envoûté ! Il la suit partout ! Et voilà que juste une semaine après que cette sorcière a jeté son sort...

— Par le Taureau Sacré ! J'en ai assez d'entendre parler de cette sor...

— Elle a prédit que ma maison serait détruite et ma lignée

diminuée ! Et que m'arrive-t-il ? Cette… cette impudente sorcière a emmené mon fils dans les collines. Elle se blesse et voilà que le roi, ton père, veut prendre la vie de mon fils pour se venger ! Si ce n'est pas diminuer ma lignée, qu'est-ce donc ? Gwareth, c'est aussi ton fils ! Ne peux-tu l'en empêcher ?

La voix profonde se fit plus proche. Elle était mesurée.

— Allons Glynis, calme-toi. Fais ton travail et soigne la fillette. Ce n'est qu'une enfant. Ce n'était qu'un accident, ma chérie. Par rapport aux autres enfants, elle est l'héritière. Elle ne peut pas te causer du tort, sauf si elle meurt. Tu as vu tes propres enfants guérir de chutes bien plus graves que celle-ci.

— Oui, poursuivit Glynis, toujours aussi en colère. Mais mes enfants sont sains et vigoureux, pas gâtés et bichonnés comme celle-là. S'il ne s'agissait pas de Gwillim, je n'envisagerais même pas de la soigner. Oh, grands dieux ! s'écria-t-elle, s'étranglant. Dis-moi, dis-moi donc pourquoi les autres l'aiment tant !

Gwarth resta silencieux pendant que Glynis sanglotait bruyamment.

— Elle est laide ! lâcha-t-elle. Cette blondeur… cette blancheur… c'est d'un laid ! Ses os sont trop fins. Elle ne peut pas travailler. Ce n'est qu'une bouche inutile. Mes filles sont un bien meilleur parti pour devenir princesses des Norgales ! Elles sont fortes et, et… elles sont hâlées et saines… Je la déteste ! Je la déteste !

Glynis dut comprendre que cette fois elle était allée un peu trop loin, car elle tenta de murmurer des excuses et déposa un linge humide sur mon front.

Durant un long moment, Gwarthgydd se tut. Puis il parla de sa forte voix autoritaire.

— Tu as détruit ta maison ! Tu vas diminuer ta lignée ! Je te chasse. Emmène tes filles hâlées avec toi, Glynis. Va-t'en !

La femme cria et une douleur jaillit dans ma tête. J'attirai sur moi les calmes ténèbres et, en les bénissant, je me jetai dans leurs profondeurs.

Quand je m'éveillai, nous étions au début de la matinée. J'étais allongée dans mon lit, un feu avait été allumé dans la cheminée. Le médecin du roi était à mes côtés, m'observant attentivement. J'étais emmitouflée dans de chaudes fourrures, ma tête était bandée avec des linges rafraîchis. Quand je regardai autour de moi, le contour des choses me parut plutôt flou. Heureusement, ma vison s'éclaircit et le médecin prononça une prière à Mithra en signe de remerciement.

C'est alors que je sus ce qu'il me restait à faire.

— Où est mon père ? lui demandai-je. Le roi est-il ici ? Menez-moi à lui.

Le médecin acquiesça et me caressa la tête pour me calmer.

— Le roi Léodagan attend qu'on lui annonce votre réveil.

Il claqua des doigts et le jeune serviteur qui se tenait juste devant la porte se précipita au-dehors. Le médecin versa un breuvage chaud dans une coupelle et me tint la tête pendant que je bus. Cela avait un goût d'herbes médicinales, mais c'était réconfortant et cela dissipa rapidement mon mal de tête.

— S'il vous plaît, aidez-moi à m'asseoir, demandai-je.

Mais le médecin insista pour que je reste allongée sans bouger.

— Si mon père vient, je veux être assise, lui commandai-je, utilisant le ton que j'avais entendu chez Gwarthgydd.

Le médecin m'obéit aussitôt. La tête me tournait, mais je pus la maintenir correctement.

— Depuis combien temps suis-je ici ?

— Depuis hier, demoiselle. On vous a portée chez moi dans la soirée.

— Dites-moi, je vous prie, ce que vous savez avant que le roi ne vienne. C'est important que je l'apprenne. Je ne me souviens plus de rien.

Il hésita un instant, puis céda à ma requête :

— Au retour de la chasse du roi, le palais était en effervescence. Vous étiez introuvable. Personne ne se souvenait vous avoir vue depuis midi. Ayant pris peur pour leur vie, les jardiniers et quelques serviteurs partirent dans les bois et collines environnantes à votre recherche.

— Et aussi pour trouver Gwillim, ajoutai-je.

Mais il détourna le regard.

— Oui, demoiselle Guenièvre. Ailsa est tombée soudain malade avec une congestion à la tête. Elle continue toujours à délirer.

Ailsa était très gentille mais très fainéante aussi. Elle

s'occupait de moi depuis ma naissance. C'est durant l'une de ses siestes improvisées que j'avais pu m'échapper.

— Je pense qu'elle ira mieux dès qu'elle saura que je vais bien.

Le chirurgien n'était pas aussi optimiste.

— Il me semble que son cas est plus grave, demoiselle.

— Je ne le crois pas. Je la guérirai. Comment m'a-t-on retrouvée ? Et comment va Gwillim ?

Il parut gêné en entendant le nom de mon ami et soudain je fus très inquiète à son sujet.

— Gwarthgydd et ses hommes vous ont retrouvée, répondit le médecin, fronçant les sourcils. Vous veniez des collines. Vous étiez posée en travers d'un poney blanc conduit par Gwillim. Ce garçon était surexcité. Il vous avait crue morte. Gwillim raconta au roi Léodagan qu'il vous avait emmenée jouer avec lui dans les collines. Il a aussi dit que vous aviez remarqué des poneys sauvages mais que c'est lui qui vous avait défiée d'en attraper un. Il s'accusa d'être le seul responsable de ce qui s'était passé. Gwillim ajouta qu'il avait été puni à cause de ses mauvaises pensées.

— Le roi l'a-t-il cru ? murmurai-je.

— Nous l'avons tous cru, demoiselle.

— Et où se trouve-t-il à présent ? Parlez, vite ! J'entends déjà les gardes !

— Il est... il est dans la basse-fosse, demoiselle Guenièvre. Sa famille est déshonorée.

— Mais ce n'était pas sa faute ! m'écriai-je.

Je fus arrêtée net dans mon élan, car la porte s'ouvrit et mon père entra prestement dans la chambre.

— Gwen !

Il me prit tendrement dans ses bras. Je l'enlaçai et l'embrassai sur ses joues rêches.

— Louée soit Mithra, tu es en vie ! Comment te sens-tu ? Mais voyons, ne devrais-tu pas être couchée ?

— Pas encore, dis-je aussitôt, pour contrer une ingérence probable du médecin. Je dois te parler avant tout, mon cher père. Puis-je te voir seul ?

D'un geste de la main, il congédia tout le monde, bien que le médecin fût mécontent.

— Père, dis-je en le regardant droit dans les yeux, je dois

la vie à Gwillim. Il m'a rattrapée quand je suis tombée du poney et m'a ramenée au château. S'il n'avait pas été là, je serais en compagnie de maman en ce moment. Peux-tu me l'envoyer, s'il te plaît, pour que je le remercie ?

En évoquant ma mère je savais que j'allais apaiser sa colère. Et effectivement, il ne fut qu'un peu bougon.

— Ce n'est pas la version de Gwillim, objecta-t-il. Il a admis avoir mis ta vie en danger. Il n'a pas dit qu'il t'avait sauvée.

Je parvins à rougir un peu et pris alors sa grosse patte brune et calleuse dans mes petites mains blanches.

— Mais voyons, père, qu'attendais-tu qu'il te dise ? Que ta fille s'était conduite comme une larronnesse irlandaise ? Qu'elle l'avait distrait de sa corvée et qu'il s'était enfui dans les collines pour passer une agréable journée tout en sachant très bien qu'il serait obligé de l'escorter ? Qu'elle avait parié qu'elle saurait attraper et monter un poney sauvage, bien qu'il la suppliât de ne pas le faire ? Et que, quand elle se trouva désarçonnée et jetée à terre, inconsciente, il la retrouva et put parvenir à calmer le poney sauvage pour la ramener ? Aurais-tu cru une histoire pareille ?

Il écarquilla les yeux.

— Non, je ne l'aurais pas crue. Et je ne la crois toujours pas.

Je soupirai et pris une profonde inspiration.

— Et bien, mon très cher père, cela est pourtant très proche de la vérité. Je me suis très mal conduite, envers vous et Gwillim, et très humblement je vous demande pardon. J'ai été inconsidérée et égoïste. Je suis responsable des mensonges que Gwillim a dû proférer pour protéger mon honneur. Je suis navrée.

Il me scruta attentivement, mais je lui tins tête. Enfin, ses incertitudes furent balayées et il se résigna.

— Jures-tu par le sang du Taureau que c'est la vérité ?

— Je le jure.

— Bon, eh bien, dit-il enfin, je suis à la fois peiné et soulagé de l'entendre. Je vais t'envoyer Gwillim, après lui avoir parlé et si le chirurgien n'y voit pas d'inconvénient. Tu seras punie, Guenièvre, même si je ne m'en sens pas capable.

Toutefois, sois persuadée que Mithra s'en chargera à sa manière et en temps voulu.

— Il y a autre chose, dis-je.

Mon père s'apprêtait à partir. Il se tourna d'un air las, flairant à nouveau anguille sous roche. Je me composai le visage le plus innocent que je pouvais arborer.

— Puis-je avoir celle qui m'a soignée auprès de moi ? Je n'aime pas ce médecin. Durant mon malaise, je me souviens d'une douce main qui m'a réconfortée. Serait-il possible de me l'envoyer ?

Mon père parut très perplexe, mais ne put résister bien longtemps à ma supplique.

— Si tu parles de Glynis, dit-il, elle n'est plus ici.

En tant que plus haute femme de la maisnie [1] royale après moi, l'épouse de Gwarthgydd était la garde-malade attitrée auprès de toute personne de sang royal.

— Si elle a été chassée à cause de Gwillim, ne peut-on pas la faire revenir ?

Le roi s'approcha de moi et me toisa de toute sa hauteur :

— Guenièvre, veux-tu vraiment que j'aille chercher cette mégère cupide ? Tu la veux vraiment auprès de toi ? As-tu tous tes esprits ? Tu n'en as pas besoin... Et Gwillim sera en bien meilleure compagnie sans elle.

Oui, peut-être, mais il se sentira misérable et à jamais honteux sans sa mère. Je me mis à trembler, tant ces mots me coûtaient, mais je parvins à mentir :

— Elle est efficace.

Il me contempla d'un visage incrédule, puis secoua la tête.

— Soit ! Après tout, elle est tienne. Mais quand tu iras mieux, il faudra que nous ayons une conversation sérieuse, toi et moi, à propos de ton avenir.

— Oui, père, dis-je, soumise.

Glynis était là le matin suivant. Son visage avait vieilli. Il était rouge, avec des marques de coups. Elle avait pleuré, manifestement. Je me dis que Gwarth avait perdu son calme encore une fois. Il n'y avait aucune trace de tendresse sur son

1. Ce terme d'ancien français, issu du latin *manere*, « rester », et qui donna « maison », désigne l'ensemble des personnes (famille, domestiques, courtisans, soldats, etc.) attachées à la personne du souverain.

visage, pas même de compréhension ni de gratitude ; seulement la peur. À ses yeux, je n'étais qu'une sorcière. Elle était envoûtée et elle avait peur. Je ne lui adressais pas la parole mais la laissais s'occuper de moi, me soigner avec toute l'affection dont elle était capable, et nous nous entendîmes finalement assez bien.

Dans la soirée Gwillim fut amené à ma porte. Glynis aurait voulu l'embrasser, mais il garda le regard obstinément baissé. Glynis sortit sans un mot.

Je m'étais allongée sur des coussins et observais Gwillim. Il évitait de me regarder. On venait de le laver et il était habillé de vêtements neufs, mais on pouvait voir des marques rouges à ses poignets, là où les chaînes l'avaient entravé. Enchaîné ! Quelles choses terribles avait-il dû envisager durant ces derniers jours ! Je n'osais même pas me l'imaginer. Mais ce qui me déconcerta surtout, c'était sa peur. Lui aussi, il avait peur de moi et détournait les yeux pour ne pas devoir me regarder en face.

— Gwillim, murmurai-je, agenouille-toi près de moi pour que nous puissions parler.

Il m'obéit, puis attendit.

— Gwillim, j'ai tout pris sur moi. Je suis désolée qu'on t'ait emprisonné. Ce n'était pas juste.

Il ne dit toujours rien.

— Gwillim, raconte-moi ce qui s'est passé.

Ce n'était pas une question, mais un ordre. Il obéit.

— J'ai essayé de te suivre mais j'ai perdu le poney noir. Alors je t'ai suivie à pied. Je pouvais voir assez bien dans quelle direction tu te dirigeais, car les branchages étaient tordus et les herbes toutes penchées. Mais, bien sûr, je n'ai pu te rattraper. Au bout d'un moment, je réalisai que même si je continuais à te suivre je ne pourrais te rattraper. Je me suis alors rendu compte que tu faisais un grand cercle et que tu allais revenir à la clairière. Je savais bien que tu arriverais à lui parler. Je savais que tu ne tomberais pas de son dos à moins que... sauf si quelque chose lui faisait peur.

C'était donc ça. C'étaient ses cris qui avaient effrayé le poney.

— Quand je t'ai vue revenir, je n'ai pas pu retenir ma joie, Gwen... Je veux dire : ma demoiselle. Alors j'ai crié.

— Je connais cette partie, dis-je. Ce n'est pas grave. J'en aurais fait de même. Que s'est-il passé après ça ? Comment as-tu réussi à me hisser sur le dos du poney ?

L'ombre d'un sourire passa sur son visage, mais s'effaça aussitôt.

— Je ne savais pas quoi faire. Tu perdais du sang. Il y avait beaucoup de sang sur ta tête. Je croyais que tu allais mourir. Je me suis assis près de toi et je me suis mis à pleurer. Alors, alors...

Il baissa sa voix, qui devint un murmure à peine audible. Je dus faire un gros effort pour l'entendre.

— ... Alors le poney est revenu de lui-même vers toi. Il sortit des bois, vint droit vers toi et mit son chanfrein, tout contre toi. Il me laissa attacher ma ceinture autour de son cou, accepta quand je te plaçai sur son dos et se laissa conduire à travers les collines. Il marchait très précautionneusement entre les pierres. Tu n'as même pas glissé une seule fois de son dos.

Il y avait une crainte respectueuse dans sa voix et sur son visage, et je compris, dans un éclair de désespoir, que Gwill avait changé.

— Alors les soldats sont arrivés et ils t'ont emmenée, dit-il. Ils m'ont laissé mettre le poney dans l'enclos avant de me conduire devant le roi. Depuis, il s'y trouve toujours. Il n'a même pas essayé de s'enfuir.

Tout à coup sa timidité naturelle disparut, il parla avec ardeur.

— Ne vois-tu pas, Gwen ? C'est un signe. Après les mauvaises choses auxquelles nous avons pensé près de la source, nous avons été punis. Toi immédiatement après et moi un peu plus tard, et puis ces poneys qui sont venus d'eux-mêmes. C'était un signe des dieux !

— Mais de quel dieu, Gwill ?

Il parut affecté.

— Cela a-t-il une importance ? C'est la preuve, ne le vois-tu pas ?

— La preuve de quoi ?

Ma gorge me faisait souffrir, il m'était devenu difficile de parler.

— J'ai blasphémé, dit-il humblement, mais un signe me fut donné. Je ne doute plus, à présent.

— Tu y crois car tu as vu un signe. Mais tu n'as vu le signe que parce que tu voulais y croire.

— Ne dites pas cela ! s'écria-t-il vivement. Je vous en prie, ma demoiselle. Ne dites plus ces choses horribles. Vous seriez punie encore une fois.

— Je suis toujours punie, lui rétorquai-je. Pourquoi me vouvoies-tu ? Je ne suis plus Gwen pour toi ?

Il baissa le regard et je me sentis honteuse d'avoir prononcé ces paroles. Je le comprenais, bien sûr. Mais c'était le seul moyen que je connaissais pour sauver son honneur.

— Vous êtes la fille du roi, dit-il doucement, la tête baissée, observant obstinément ses pieds. Je suis votre serviteur. Votre intervention a sauvé ma mère d'un destin cruel, ainsi que mes sœurs. Je vous en suis reconnaissant. Même mon père vous doit obéissance et il a dû reprendre celle qu'il avait répudiée. L'honneur de ma maison est entre vos mains, ma demoiselle.

— Oui, eh bien... balbutiai-je, luttant contre mes larmes, vous feriez bien de me laisser, à présent.

Il se leva dignement, s'inclina et sortit. Je me tournai contre le mur et me mis à pleurer.

2

Gwynedd

LE JOUR de mon huitième anniversaire, je dus quitter ma demeure natale pour ne plus jamais y revenir.

Mon père me fit venir devant lui, au cours d'une de ces terribles nuits d'hiver gallois. Des larmes coulant jusque dans sa barbe, il m'annonça que le printemps venu, à mon huitième anniversaire, il m'enverrait au loin. Je me sentis mourir. Rien de ce qu'il me dit alors ne put me réconforter. Je ne devais pas aller très loin, pourtant, juste au royaume d'à côté, sur les rives de la mer d'Irlande, dans la maison de ma tante dont l'époux était le seigneur de ces terres. Mais en ce temps-là, et surtout à mon âge, c'était comme de partir à l'autre bout du monde.

Mon père me dit que c'était le seul lieu où je serais vraiment en sécurité, et je ne compris pas immédiatement à quoi il faisait allusion. Il ne voulait pas me révéler qu'il avait ressenti les premières et terribles prémices de sa mort prochaine. Je crus qu'il redoutait simplement que la guerre ne pût bientôt m'atteindre ici.

Le pays de Galles était en paix dans sa majeure partie. L'hiver avait barré la mer, les pirates irlandais ne quittaient plus leurs côtes et, des combats qui se déroulaient à l'intérieur des terres, à l'est et à l'ouest, contre l'envahisseur angle ou saxon, seules quelques bribes nous parvenaient de temps en temps. Mais les noms des endroits singuliers et de leurs rois, Cornouailles, Strathclyde, Rheged, Lothian, Cador, Hector, Urien, ou bien Lot, restaient pour moi des termes étrangers, des terres étrangères et des princes étrangers. Car le royaume des Norgales était ma terre natale et le pays de Galles représentait les limites du monde civilisé.

Quand mon père tomba malade cet hiver-là, il appela auprès de lui tous ses fils. À l'aîné, Gwarthgydd, il légua la majeure partie de son royaume ainsi que le palais royal de Caméliard. À ses autres enfants, il distribua des terres à gouverner de façon indépendante, à la condition qu'ils suivent le haut roi Uther Pendragon et combattent pour lui contre tous ses ennemis (et il fit en sorte que ses vœux soient consignés par écrit). Car le roi, mon père, croyait fermement que la sûreté et même l'avenir du pays de Galles reposaient entièrement entre les mains du haut roi et sur ses efforts désespérés pour contenir l'invasion saxonne sur les côtes orientales de l'île.

Il savait de quoi il parlait. Mon père n'était qu'un jeune homme quand le haut roi Vortigern invita les Saxons à venir en Bretagne, pour l'aider à se débarrasser des Pictes qui nous menaçaient directement au nord. Ces Pictes, race féroce et primitive de voleurs et de bandits, avaient constamment assailli le pays depuis des générations, en fait depuis que les légions romaines avaient quitté nos terres. Mais les Saxons se révélèrent pires encore. Au moins les Pictes n'étaient-ils pas très organisés et n'occupaient-ils jamais bien longtemps les terres conquises. Une fois leurs incursions terminées, ils retournaient dans leur pays pour chanter leurs victoires. Les Saxons, eux, étaient restés. Vortigern avait découvert à ses dépens qu'une fois invités ils ne voulaient plus partir. Il fut forcé de les récompenser en leur octroyant des terres pour les services rendus contre les Pictes. Il leur donna d'abord de petits lopins tout le long du rivage sud-ouest, pensant naïvement que les Saxons s'en contenteraient. Dans les cinq ans qui suivirent, leurs familles et leurs parentèles vinrent les rejoindre, et les colonies saxonnes grandirent toujours plus.

Comme chacun sait, leur nombre augmenta tant et si bien que leurs terres ne purent plus les contenir. Leurs chefs Hengist et Horsa constituèrent alors un danger bien plus grand pour le roi Vortigern que les Pictes ne l'avaient jamais été. Vortigern avait pourtant épousé une reine saxonne, la fille de Hengist. Mais, à la suite de ce mariage, plus aucun Celte ne voulut le suivre. Il perdit aussi tout son crédit parmi la horde saxonne. Ce fut Ambroise qui nous sauva. Aurèle Ambroise, le propre frère du véritable roi, que Vortigern avait fait assassiner. Il débarqua d'Armorique avec une armée de vingt mille hommes et triompha de Vortigern au cours d'une sanglante bataille. Mon père y était quand ce vieux loup et sa femelle saxonne furent jetés à bas de leur colline fortifiée, puis brûlés vifs. Mon père combattit aussi à la bataille de Caer Conan, où Hengist fut tué, et pendant laquelle Merlin en personne apparut pour la première fois, sortant de nulle part et prédisant la victoire d'Ambroise. S'il n'y avait pas eu Ambroise, nous serions tous devenus aussi dégénérés que les Pictes.

Le grand Aurèle et son jeune frère Uther rassemblèrent les plus grands rois de la Bretagne, du Lothian, du Rheged, du Dyfed et de Domnonée et ils leur firent jurer fidélité au haut roi de la Grande-Bretagne. Combattre sous les ordres d'un suprême chef de guerre charismatique était notre seule chance de bouter les Saxons hors du pays. C'est pourquoi mon père avait pris cette habitude de haranguer souvent ses troupes durant les froides nuits d'hiver, alors que la guerre pouvait paraître un peu trop lointaine et auréolée d'une certaine gloire. Mon père croyait en toutes ces choses quand il fut appelé à combattre à nouveau dans les rangs de l'armée d'Uther. Il mit tout en œuvre pour que ses fils puissent suivre son exemple.

Après plus de quinze ans de vigilance, de petites escarmouches en grandes batailles, Uther tenta de garder le royaume uni et de donner un peu de paix à ses habitants. Mais Uther se faisait vieux. Sans doute mon père croyait-il que la guerre allait venir jusque chez nous et sans doute m'envoyait-il temporairement dans le royaume côtier de Gwynedd sous la protection du roi Pellinor et de la reine Alyse, jusqu'à ce que les Norgales redeviennent une terre sûre.

Nos adieux furent bien tristes. J'adorais mon père. Il ne m'avait jamais tenue pour responsable de la mort de ma mère, et je pense qu'il m'aimait très tendrement. Il fut un bon roi. Un roi fort. Mais il ne tira jamais l'épée sans nécessité. Il n'aimait pas tuer. La pire des choses que je puisse lui reprocher est qu'il me gâtait trop et qu'il le savait. Je le chérissais.

— Ma petite Gwen, dit-il en me portant fermement dans

ses bras, alors que mon escorte se tenait prête à partir en ce premier jour du mois de mai, je viendrai te voir à la fin de l'été, si les dieux m'y autorisent. Tu dois te faire une place dans la famille de ta mère. Tu auras ta cousine pour te tenir compagnie. Ils t'apprendront à lire et à écrire, ce que je n'ai pas pu faire ici. Tu dois connaître plus de choses que moi, ma chérie, si on en croit la sorcière. Le roi Pellinor est un homme avisé et il a un maître à demeure chez lui. Il possède aussi de beaux chevaux, mon cœur. Tu n'y seras pas sans ton passe-temps favori. Allons, sèche-moi ces larmes et sois une gentille princesse. Et rappelle-toi toujours, ajouta-t-il plus bas, qui tu es et quel est ton rang.

J'avais l'habitude de ces constantes références à la prophétie de la sorcière et j'acquiesçai, obéissante. Dès ma naissance, je fus considérée comme un prodige par les Gallois. Plus d'une fois, j'entendis des histoires abracadabrantes à mon sujet, qui n'avaient aucun rapport avec la vérité mais auxquelles le peuple prêtait un grand crédit. À cause de cette prophétie de Giselda, ils attendaient de moi que je leur apporte fierté et dignité. C'était un poids difficile à porter, même encore aujourd'hui.

Ainsi donc, voilà comment je quittai les Norgales. Et plus jamais je ne revis ce visage aimé. Mon père mourut durant l'été et fut enterré avant même que la nouvelle de sa mort ne me parvienne.

Ma cousine Elaine était une intarissable bavarde, alors qu'elle n'avait que sept ans. Elle m'accueillit chaleureusement et me fit me sentir comme à la maison dès le premier jour, tant elle était impatiente d'avoir une amie de son âge avec qui parler et jouer. Sa mère et les nourrices étaient toutes très occupées avec ses trois jeunes frères. Elaine avait un tempérament joyeux et chaleureux, assuré, alors que j'étais timide, elle était ouverte aux autres et aimante alors que je restais plus distante. Je n'ai jamais oublié son affection pour moi en ces moments-là, qui furent parmi les plus importants de ma vie. En souvenir de ce temps, j'ai lutté pour oublier sa cruelle trahison envers moi, car sans son amour et son amitié, durant toute mon enfance, je n'aurais jamais eu le courage aujourd'hui de faire face à l'adversité.

Pendant qu'Ailsa déballait ma malle et mes maigres affaires

dans la chambre d'Elaine, celle-ci avait pris ma main pour m'emmener faire le tour du propriétaire. Elle me montra tout, du cul-de-basse-fosse aux échauguettes de la tour ouest, d'où les sentinelles surveillaient la mer à longueur d'année à cause des pirates irlandais. Ma cousine ne cessait de parler et de discourir. Elle savait tout : les rapports sur les combats contre les Saxons à l'est du pays ; lesquelles parmi nos reines étaient des sorcières et quel roi convoitait quelle terre ; qui dans le village était fiancé à qui ; et qui parmi les serfs des cuisines avait eu des enfants illégitimes. Je riais en écoutant toutes ces histoires, racontées avec une petite lueur malicieuse dans son regard bleu ciel illuminant son visage radieux. Il est vrai qu'une heure après mon arrivée il me fut possible d'oublier quelque peu les deux difficiles journées de voyage et le baiser d'adieu de mon très cher père.

Quand elle m'emmena dans l'une des tours, je vis pour la première fois la mer. Celle-ci me parut occuper un espace infini. Loin, si loin, tout en bas, là-bas, et si grise, et si vide, et immensément triste. Elaine fut ravie de mon étonnement.

— Alors comme ça, tu n'avais encore jamais vu la mer ? Eh bien, tu sais, les jours fériés, ou encore quand Iakos nous laisse une journée de libre, nous allons chevaucher sur la plage. Je suis même montée dessus, dans un navire doré aux voiles d'argent ! Enfin, ce n'était pas mal, de toute façon... Mon père est allé par la mer jusqu'à Caer Narvon en septembre dernier et il m'a laissée monter à bord avant de partir. C'était merveilleux... Le sol bougeait tout le temps. À gauche, puis à droite, comme un berceau. Enfin presque. J'aimerais bien avoir des aventures en mer !

Je lui souris.

— J'aurais peur de sentir le plancher bouger sous moi, lui dis-je. Mais j'aimerais bien faire du cheval sur le rivage.

— Oh oui ! On m'a dit que tu aimais énormément les chevaux. Allez, on va descendre à l'écurie et je te montrerai mon poney. Enfin, c'est-à-dire (elle eut un regard interrogatif) si tu n'es pas fatiguée. Grannic m'a expliqué que je ne devais pas te fatiguer. Elle dit que je dois faire très attention à toi. Tu es malade ou quoi ?

— Non, bien sûr que non ! Je pense qu'elle voulait

simplement dire que je suis la fille de la sœur de ta mère et donc ta proche parente... Enfin, c'est tout.

Elaine paraissait toujours dubitative.

— Mais tu es différente des autres personnes, n'est-ce pas ?

Je crus sentir comme une main glacée descendre dans ma nuque.

— Qu'est-ce que tu veux dire par là ?

— Oh, rien. Tu es fâchée, Gwen ? Je suis désolée. C'est juste qu'une fois j'ai entendu dire que... Enfin, personne ne m'en a parlé directement. Je ne sais rien de précis à ce sujet.

— Qu'est-ce que tu as donc entendu ?

— Tu promets que tu ne seras pas fâchée contre moi ?

— Elaine, je ne serai pas fâchée contre toi. Je te le promets.

— Eh bien, voilà. Est-ce qu'une sorcière n'aurait pas jeté un sort sur toi à ta naissance ?

Je fis l'étonnée, mais elle poursuivit, imperturbable.

— Pas un mauvais sort, un bon sort. Est-ce que tu vas te marier un jour avec un grand roi et nous gouverner tous ?

Un horrible frisson me parcourut. J'étais furieuse de constater que la prophétie m'avait suivie jusqu'ici. Je me demandais désespérément s'il y avait un seul habitant du pays de Galles qui l'ignorait.

— Je ne ferai jamais une chose pareille. Mon père n'est qu'un des rois de ce pays. Ses terres sont moins étendues que celles de ton père, le roi Pellinor. Tu crois à ces racontars de veilles bonnes femmes et tu te dis chrétienne ? Je pensais que ton dieu n'aimait pas la magie !

Elaine n'était pas convaincue.

— Mais, dit-elle, tout le monde sait que les sorcières existent. Et les magiciens aussi, d'ailleurs. N'as-tu jamais entendu parler de Merlin ? Il peut lire l'avenir dans une goutte de rosée et est capable de disparaître en un clin d'œil. Tout le monde sait ça.

— Souvent, des personnes qui ne possèdent aucun pouvoir se font passer pour des sorciers ou des magiciens, avec quelques tours de passe-passe et beaucoup de chance. Je ne suis pas différente de toi, Elaine. Puisque mon père est roi, il est probable qu'un jour il me mariera au plus preux des chevaliers gallois qu'il parviendra à trouver. Mais pour le reste ce ne sont que des racontars. C'est la vérité vraie. Gouverner tes terres, mais voyons ! Je ne te gouvernerai jamais, Elaine. De cela je suis bien certaine.

Elle sourit, soulagée.

— C'est bien, dit-elle, car j'aime être la première, toujours.

J'avais réussi à la rassurer et j'en étais assez satisfaite, mais c'était la première fois que j'exprimais à haute voix mon propre point de vue concernant cette prophétie et je fus bouleversée de voir à quel point je trouvais insupportable l'intrusion de Giselda dans ma vie. Il m'apparut, alors que je me tenais dans l'échauguette tout près d'Elaine, observant la mer féerique, qu'il se pouvait que je doive vivre dans la suspicion toute ma vie durant. J'avais pourtant bien insisté sur le fait que je n'étais pas différente. Mais tout le monde le croyait et en effet cela faisait de moi quelqu'un de différent.

Heureusement, dans les écuries, j'oubliais ma peur. Le roi Pellinor possédait beaucoup d'animaux dressés. Il y avait toutes sortes de ces petits chevaux de montagne bien solides qui se reproduisaient librement dans les collines galloises. Elaine possédait un gros poney, très mignon, avec une bonne petite tête et de magnifiques yeux noirs.

— Il s'appelle Petros, dit-elle. Cela veux dire « pierre » en grec. Iakos m'a dit que c'est un nom très convenable pour un poney de princesse. Il est paresseux et n'aime pas bouger, ce qui le rend facile à monter !

Elle rit joyeusement de sa plaisanterie et me laissa caresser sa chaude encolure et toucher son crin brillant.

— Ma mère m'a dit que tu sais bien monter. Tu avais ton propre poney aux Norgales ?

— Un joli poney blanc. Je l'avais trouvé gambadant librement dans les collines. Il se laissait monter...

Elaine parut surprise.

— Tu l'as amené avec toi ?

— Non, je... Avant de partir, je l'ai laissé repartir dans les collines. C'est son domaine.

Son visage s'illumina à nouveau.

— Mère a dit que tu pourrais faire ton choix dans le prochain lot. Enfin, il faut quand même qu'il s'entende bien avec

Petros. C'est un honneur rare, tu sais. C'est parce qu'on lui a dit que tu étais douée.

Je sentis mon visage devenir rouge de plaisir. Peut-être que le fait que l'on parle de moi n'était pas une si mauvaise chose, après tout.

— Je devrais la remercier de son offre si généreuse. Mais qui est Iakos ?

— Iakos est mon maître... Je veux dire notre maître à présent. Il m'enseigne le latin et aussi à écrire, et le calcul. Enfin pas trop, quand même, car je déteste tout ça. La musique également. Léonore, la dame de compagnie de la reine, nous apprendra la couture et la broderie, et aussi comment s'occuper de la maison quand nous serons plus grandes. Il y a beaucoup de choses à connaître pour être une bonne reine, tu sais !

Elaine pencha la tête sur le côté et m'observa attentivement. Elle me parut prête à tout. Pleine de confiance, désireuse de croquer la vie à belles dents. Je l'enviais beaucoup. J'ignorais tout des tâches ménagères ou de la couture. Mon enfance s'était déroulée entre mon père adoré et mes demi-frères plus âgés que moi. Je savais courir, monter à cheval, tirer à l'arc, et j'étais une aussi bonne fauconnière que n'importe quel garçon de mon âge. Pour mon cinquième anniversaire, Gwarth m'avait offert un faucon niais pour que je m'en occupe. Il était tombé de son aire. On avait pu le sauver de justesse. Gwarth m'avait aidée pour l'affaitage et j'avais appris à fabriquer les jets à partir de morceaux de cuir souples, ainsi qu'à recoudre correctement mon gant de chasse. Mais, d'instinct, je ne dévoilai rien de ces talents à Elaine, qui, je le craignais, pouvait se moquer de moi. De la couture et du tissage des capes de guerre, tâche que toute femme, même de basse extraction, devait apprendre avant de pouvoir se marier, je ne connaissais rien.

De la religion d'Elaine, l'adoration du dieu Christ, je ne savais également que très peu de choses. Il y avait un prêtre dans la maisnie et je devais être instruite dans tous ces domaines. Ceci avait été la seule réserve que mon père avait émise lors de mon départ dans la famille de ma mère. Elle était chrétienne depuis déjà deux générations, depuis qu'un martyr irlandais était venu sur ses côtes et avait, à force de persuasion, réussi à les convertir et à les détourner des anciens dieux. Que mon père ait vu dans ma conversion une conséquence inévitable des projets qu'il nourrissait pour moi, ou estimé que les vents du changement étaient en train de balayer le pays, je l'ignore. Néanmoins, il avait finalement consenti à mon instruction chrétienne. Ainsi donc, je fus amenée dans le sein du dieu jaloux des chrétiens. Mes pas vinrent à fouler la Bonne Voie, et les petits Esprits des bois, et des collines, et des rochers, et des hauts lieux, il me fallut les laisser derrière moi.

Nous eûmes un été très chargé. La mère d'Elaine, la reine Alyse, nous tint confinées à nos tâches habituelles, nous laissant juste assez de temps pour une ou deux bêtises. Comme je le découvris rapidement, sa parole faisait loi. À sa décharge, on peut dire qu'elle considérait que sa fille devait recevoir une éducation aussi juste et poussée que ses fils, et elle ne laissa jamais Iakos s'excuser à notre place. J'essayais de faire mon possible pour lui plaire, mais ce n'était pas facile. Elle n'était pas vraiment distante, mais elle n'était pas chaleureuse non plus. Grande et belle, portant haut la blondeur de sa famille, elle n'appréciait nullement les confidences des enfants. Même Pellinor avait peur de la mettre en colère.

À notre première rencontre, elle m'observa attentivement, posa une main sur mon épaule, puis exposa mon visage à la lumière.

— Ainsi, tu es la fille d'Hélène, dit-elle songeuse, après que j'eus débité mon petit discours de remerciement pour son hospitalité. Je compte sur toi pour bien te tenir. Nous allons t'apprendre les bonnes manières ici, Guenièvre, et nous ferons de toi une princesse.

Je fus tentée de lui rétorquer que j'étais déjà une princesse et que mon père m'avait aussi appris les bonnes manières. Mais je tins ma langue, de peur que ma réponse ne contredise mes paroles.

— Tu ferais bien, dit-elle froidement, de prendre Elaine pour exemple.

Ce fut un conseil que je suivis à la lettre.

Durant cet été, le haut roi, le vieux Uther Pendragon, qui avait gouverné presque cinquante ans les royaumes de

Bretagne, commença à décliner gravement. Chaque semaine, des messagers arrivaient au château, nous apportant de ses nouvelles. On disait qu'il n'était plus capable de monter à cheval, qu'on devait le transporter sur le champ de bataille dans une litière, comme une femme. D'aucuns se gaussaient de cette rumeur, jurant leurs grands dieux qu'aucun vrai soldat ne suivrait un chef alité. C'était même quelque chose d'impensable. Pourtant, le roi Pellinor en personne y croyait : il disait que le roi Uther était le plus vaillant des guerriers des royaumes de Bretagne, à pied, à cheval ou dans un lit, et que seul un imbécile trop orgueilleux refuserait de le suivre. Ainsi, tous les agitateurs maintenaient leur profil bas, maugréant dans leur barbe, affûtant leurs lances, polissant leurs épées et attendant.

Les Saxons se massaient aux frontières, disait-on. Nombre d'entre eux infestaient déjà nos côtes dans tout le Sud-Est. Leur chef, un certain Colgrim, allait s'allier avec les roitelets de là-bas, puis il réunirait ses forces pour attaquer le haut roi. Mais les semaines passaient et aucun messager royal ne venait pour appeler au combat le roi Pellinor et son armée. On eut des pluies tout l'hiver. Vint ensuite un printemps sec et chaud, puis, vers la fin de la saison, les cieux s'ouvrirent au-dessus du pays de Galles et noyèrent sous un déluge toutes les vallées fertiles. Les récoltes pourrirent sur pied, notre sol riche se déversa dans les rivières, entraîné par de profondes rigoles ; moutons et chevaux s'enlisèrent dans les pâtures bourbeuses. Ailsa n'arrêta pas de marmonner des charmes contre les mauvais Esprits. Les pâtres devenaient fous ou se jetaient dans la mer, le jardin de la reine était tout gâté et les cuisiniers n'arrêtaient pas de se plaindre. On vit même le prêtre se signer quand les nuages noirs arrivaient au-dessus de lui.

Chaque jour apportait son lot de nouvelles : des récits de diverses tragédies toutes proches, mais aussi des nouvelles lointaines, plus inquiétantes — soulèvements, invasions, combats. Le malheur avait gagné tout le pays. Certains affirmaient que Dieu était mécontent que des âmes ignorantes continuent à adorer Mithra et qu'Il ne voulait pas donner la victoire à des soldats païens, mais Elaine et moi, nous savions que c'était faux. Colgrim et ses Saxons adoraient des dieux bien plus barbares que Mithra ! Certains disaient que c'était une flétrissure dans le pays même, car le haut roi dépérissait et nul ne pourrait rien faire jusqu'à ce qu'on en ait un nouveau. Cette explication, d'abord chuchotée dans de sombres recoins par d'irritables guerriers, s'entendait à présent à forte et intelligible voix dans les dîners du roi, mais après le départ des femmes, bien entendu. Cependant, Elaine et moi, nous l'entendîmes de nos propres oreilles.

Bien sûr, nous n'avions pas été invitées à demeurer dans la salle. Nous espionnions. Au cours de la première semaine, Elaine me montra son secret. Sur le chemin de ronde, entre les tours sud et ouest, il y avait un petit interstice dans la pierre. De là, nous pouvions lorgner la grande salle enfumée. Cette fissure était protégée du vent oriental par le bâtiment des gardes attenant, autrement on l'aurait découvert à la première pluie un peu venteuse. Nous revêtions des capes noires et, ainsi encapuchonnées, rampions devant la maison des gardes alors que les sentinelles se réchauffaient devant le feu ou se tenaient à leur poste dans les tours. Nous arrivions à nous accroupir telles des ombres invisibles près de la fissure et à apprendre des choses importantes que les jeunes filles ne doivent normalement jamais savoir.

Il faut rendre ici justice aux gardes. C'étaient d'excellents soldats, très loyaux envers le roi Pellinor, mais il ne leur vint jamais à l'esprit que de jeunes princesses pouvaient déserter leur lit après le coucher du soleil ou qu'elles étaient assez curieuses pour écouter ce que des soldats se racontaient en privé. Oui, nous étions toujours curieuses et jamais effrayées de dresser l'oreille quand arrivait un nouveau messager. Seul le temps le plus exécrable pouvait nous empêcher d'organiser nos sorties nocturnes. Il faut remarquer cependant qu'Ailsa et Grannic, la servante d'Elaine, dormaient bien, juste en face de notre porte. Mais c'étaient de joyeuses ronfleuses et de très bonnes dormeuses, terriblement faciles à déjouer.

Ainsi, nous apprîmes tout sur les malheurs du pays et les menaces de guerre qui pesaient sur nous, une guerre qui allait changer notre vie, quelle qu'en fût l'issue. Tous les hommes du roi Pellinor étaient loyaux à la bannière de Pendragon et s'entraînaient quasi journellement dans la haute cour. Mais avec la fin de l'été, les récoltes et les animaux se mirent à dépérir en grand nombre. Les hommes devenaient fous de faim ou par manque de soleil. Alors nombre de soldats furent rappelés sur leur terre pour calmer les inquiétudes des fermiers et assurer par leur aide un peu de mieux-être à leurs familles. L'ost du roi fut dissous. On laissa juste assez de gens au château pour organiser la chasse, mais plus personne ne voulait chasser au faucon ou à l'épervier avec les nuages très bas qui recouvraient les terres. Les conversations au dîner revenaient invariablement à un seul sujet : quand le haut roi allait-il enfin rappeler son fils unique Arthur de sa cachette secrète et le révéler aux seigneurs, puis se mettre en branle pour nous conduire au combat contre les Saxons ?

Toute la Bretagne connaissait l'histoire. On m'avait bercée avec cette légende. C'était un récit bien plus célèbre que mon historiette, même sur les terres de mon père. Pendant son couronnement le haut roi Uther Pendragon tomba éperdument amoureux d'Ygerne, l'épouse du duc de Cornouailles, Gorlois. Elle avait à peine vingt ans, alors que le duc était un soldat quinquagénaire aux tempes déjà grisonnantes. Certains prétendaient que le mage Merlin avait jeté un sort sur Uther, le jour de son sacre, de façon que, dès sa rencontre avec Ygerne, il n'eût plus la paix avant que de la posséder, sans pour autant détruire le royaume en accomplissant son forfait. Cependant, connaissant l'attachement que portait mon père à ma mère, je ne trouvais pas que le fait de tomber soudain amoureux eût besoin d'une explication surnaturelle. Je croyais, comme tout le monde, que le célèbre mage était derrière l'ingénieux plan qui permit à Uther d'assouvir son désir secret. Gorlois enleva sa femme des griffes du haut roi aussi vite que les bonnes manières le lui permirent, puis il la conduisit dans sa forteresse inexpugnable de Tintagel, sur la côte de Cornouailles. Puis, Gorlois et son armée se retirèrent dans une petite forteresse qui gardait la route, au cas où le haut roi les aurait suivis. Et effectivement, dès que les festivités du couronnement furent terminées, Uther et Merlin arrivèrent accompagnés d'une grosse troupe et campèrent sous les murailles de la forteresse, à juste un trait d'arbalète.

Il paraissait inévitable que notre fragile royaume finisse par se retrouver coupé en deux à cause de cette guerre. Alors Merlin changea magiquement le roi Uther en un Gorlois très ressemblant. Sous ce déguisement, il chevaucha sur la route jusqu'à Tintagel. Les gardes le laissèrent passer, trompés par le stratagème. Tous les hommes pensent que la jeune duchesse fut, elle aussi, trompée par le déguisement magique, mais aucune des femmes que je connais ne le croit. Tout le monde sait qu'Ygerne fut une épouse fidèle et aimante, obéissant aux moindres désirs du roi Uther, jusqu'à la fin de ses jours. Manifestement, la flamme de l'amour ne s'éteignit pas dans son cœur. Je n'en dirai pas plus.

Tout au long de la nuit, ils furent donc ensemble. C'est comme cela qu'Arthur fut conçu. Gorlois conduisit ses troupes dans une attaque surprise contre l'armée du haut roi. (Une pure traîtrise, je vous le dis.) Mais le vieux duc fut tué durant les combats. Uther se maria avec Ygerne dès que ce fut possible, et surtout avant que sa grossesse ne fût trop avancée, mais il ressentait lourdement la culpabilité de la mort de Gorlois et refusa de reconnaître ce fils. Juste trois nuits après sa naissance, Uther le confia à la garde de Merlin pour qu'il l'élève. À partir de ce moment, le garçon se trouva entièrement sous la protection du mage. Personne ne savait où il était. Certains disent que même Uther ne le sut jamais.

Le roi Uther et la reine Ygerne n'eurent pas d'autre fils durant leur mariage. Désormais, on disait que puisque Uther était malade et que le pouvoir des Saxons se renforçait à l'est, il était grand temps pour le prince de se révéler au monde. Uther devait le reconnaître au plus tôt. C'était évident. Le pays de Galles suivrait Arthur comme un seul homme. Toutefois, à l'est du pays quelques terres se trouvaient sous la menace directe des Saxons et étaient beaucoup moins inféodées au haut roi. Lot, roi du Lothian, avait rencontré Colgrim le Saxon. Personne ne savait si Lot allait appuyer Uther le moment venu ou s'il tenterait plutôt de le supplanter. Le fragile royaume d'Ambroise pouvait bien se voir divisé pour toujours si le prince Arthur n'apparaissait pas bientôt au grand jour. Elaine et moi, nous faisions très attention à ne pas montrer que nous savions tant de choses concernant ces événements. Ne fût-ce qu'un commentaire mal placé, et nous aurions été démasquées.

Quand, au cœur de l'été, la nouvelle de la mort de mon père nous parvint, la reine Alyse me donna un cadeau pour me consoler : un nouveau poney. Elaine et moi, nous fîmes de nombreuses promenades à cheval sur la plage. Généralement nous étions en tête de notre escorte et nous bavardions souvent ensemble, mais Elaine n'aimait discuter que de bien peu de choses en dehors de son Arthur. Personne ne l'avait vu, personne ne savait s'il existait vraiment, mais Elaine savait déjà tout de lui. Elle savait même à quoi il ressemblait.

— C'est un beau brun, me confia-t-elle un jour. Il a les cheveux châtains et les yeux bleus. Un vrai Celte, quoi. Et beaucoup plus fort que n'importe quel homme de son âge.

— Ce qui fait qu'on est un homme à treize ans, lui fis-je remarquer, taquine.

Elaine resta impavide. Nous avions respectivement cinq et six ans de moins que lui. Mais on mariait les filles souvent vers l'âge de douze ans, alors que les garçons devaient attendre d'avoir quinze ans et servir comme écuyer ou valet.

— Il est également chrétien, c'est pourquoi les hommes le suivront.

— Comment pourrait-il être chrétien, alors que c'est le mage Merlin qui l'a élevé ? Tout le monde sait que Merlin est un païen, et un païen très puissant. On raconte qu'il parle aux dieux directement et il aurait même vu Mithra en personne sacrifier le Taureau.

Elaine se signa aussitôt, puis fit le signe contre les mauvais Esprits, qui, lui, n'avait rien de chrétien.

— Chut, Gwen ! Ne dis pas des choses pareilles ! Tu blasphèmes ! N'as-tu point peur ? De toute façon, la reine Ygerne est chrétienne, même si le haut roi ne l'est pas. Elle n'aurait pas admis que son fils soit élevé dans un univers païen. Et comment pourrait-il mener des soldats chrétiens à la guerre s'il n'était pas chrétien lui-même ?

— Le roi Uther le fait bien, lui. Je n'ai pas l'impression que ses hommes trouvent cela très important. Ce qui compte, vois-tu, c'est que leur chef soit victorieux. Mais je ne sais rien au sujet de la reine Ygerne. Enfin, je me demande quel genre de mère elle est pour laisser ainsi son unique fils être emporté trois jours après sa naissance. Elle n'a pas dû s'inquiéter beaucoup de son éducation.

Je remarquai alors que j'avais choqué Elaine, qui chérissait tant son prince Arthur. Je fus un peu honteuse.

— Ça ne fait rien, Elaine, dis-je. Tu as probablement raison. Je suis persuadée que c'est un bon chrétien, autant que le père Martin, et très bien de sa personne. Il est probablement capable de tout faire.

Voyant soudain sa bonne humeur retrouvée, je ne pus m'empêcher de la taquiner un peu à nouveau :

— Mais peut-être est-il blond ? Jeune, le roi Uther était roux, à ce qu'on dit, bien qu'aujourd'hui il soit tout grisonnant.

Elaine demeura inflexible sur ce point.

— Tu oublies ses ancêtres. La lignée d'Uther est brune. Le frère d'Uther, Ambroise, était brun et Constantin, leur père, aussi, et cela aussi loin qu'on remonte, jusqu'à l'empereur Maximus, fondateur de la lignée.

— Qui était d'origine ibérique et non pas celte, lui fis-je remarquer. Avec des yeux noirs et totalement ténébreux.

Elaine renifla dédaigneusement.

— Les cheveux noirs peuvent être celtes aussi et les yeux bleus le sont sans l'ombre d'un doute. Maximus a épousé une princesse galloise de pure souche, la princesse Hélène. Elle avait les yeux bleus et était célèbre pour leur grande beauté. Brillants, mais foncés, et aussi bleus qu'une mer déchaînée, l'été. Elle est mon ancêtre.

Soudain, elle s'arrêta, se souvenant qu'elle descendait par la lignée maternelle de la fameuse Hélène et que donc j'en descendais, moi aussi. Elle m'observa nerveusement. Je compris tout de suite ce qu'elle venait de remarquer. Toute ma vie, on compara la couleur de mes yeux à ceux de la princesse.

— Eh bien, dis-je rondement, pas étonnant que nous pensions si souvent au prince Arthur, puisque nous sommes toutes les deux de sa parentèle. Si on remonte assez loin, bien entendu.

Elaine parut ravie. C'était la chose la plus gentille que j'eusse jamais proférée au sujet de son Arthur. Elle le prit comme une victoire. Mais la vérité, c'était que je faisais semblant d'avoir Arthur en horreur, juste pour embêter Elaine. Cependant, mon attitude réprobatrice, une fois adoptée, me colla à la peau. À partir de ce moment-là, j'eus toujours quelque chose à redire sur Arthur, ne fût-ce que par esprit de contradiction, car Elaine le trouvait vraiment trop parfait.

Au mois de septembre, le soleil daigna enfin réapparaître, mais il était trop tard : une odeur terrible de pourriture végétale et de boue stagnante s'étendait dans toute la vallée. Les hommes comme les bêtes mouraient de fièvres inexpliquées. On apercevait d'immenses flaques d'eau un peu partout et les insectes pullulaient, répandant le mal. On ne pouvait pas enterrer les morts dans la terre détrempée, et il fallut les incinérer sur de vastes bûchers, comme le faisaient ces barbares de Saxons. La reine nous consigna au château, interdisant nos promenades à cheval sur la plage, craignant que nous n'inhalions quelques vapeurs méphitiques et ne tombions malades.

Par malheur, le plus jeune frère d'Elaine contracta une fièvre terrible et la reine resta prostrée dans une terrible douleur. Les hommes évoquaient, à voix basse, des mauvais sorts. Les femmes chrétiennes se protégeaient en secret avec des talismans contre les anciennes divinités ; quant aux autres, comme Ailsa, elles cliquetaient et sonnaient bruyamment alors qu'elles marchaient. La masse des amulettes qu'elles portaient était assez stupéfiante. Les villageois et les paysans n'avaient pas oublié les anciens dieux. Le roi Pellinor s'attrista, devint fiévreux, rappela les hommes de leur foyer et les fit s'entraîner sans merci en prévision des combats, n'importe quels combats, espérant détourner leur esprit du désespoir, de la mort et du marasme qui enveloppaient nos contrées.

Puis enfin, vers la fin de ce mois interminable, un courrier royal arriva. Elaine et moi, nous étions sur les remparts quand nous le vîmes galoper dans la vallée sur son coursier, couvert de boue et si fatigué qu'il tenait à peine en selle. Nous sûmes qui il était grâce à la grosse bourse de cuir qu'il portait à la ceinture. Nous échangeâmes immédiatement des regards complices dans le dos de la sentinelle. Songeant au moment où nous allions pouvoir ramper, cette nuit, pour espionner le conciliabule royal.

Les nouvelles étaient excitantes à souhait : le roi Uther Pendragon rassemblait enfin ses troupes à Caer Eden, à une semaine de marche au nord. Tous ses loyaux sujets bretons étaient appelés sous les armes pour le rejoindre en vue de contrer l'agression saxonne. Le temps était venu. Les acclamations emplirent la salle. Les hommes paraissaient ivres de joie, comme si le courrier avait apporté quelque joyeuse nouvelle. Le roi proposa un toast et, alors qu'on vidait les chopes et que le bruit des voix baissait d'intensité, nous perçûmes le nom d'Arthur.

« Arthur sera-t-il là ? » « Certainement. » « Mais alors, le grand enchanteur va-t-il le révéler ? » « Est-ce qu'Uther va le reconnaître, je me le demande, et lui donner un commandement aussi ? » « Mais ce n'est qu'un enfant… Comment pourrait-il ? » « Ah ! mais c'est un héritier royal, et avec un peu de magie noire comme alliée, nous le suivrons jusqu'au bout. »

Pellinor les fit tous taire en leur assenant son regard le plus sombre, celui qu'il savait si bien jeter de sous ses gros sourcils noirs. Le messager s'agitait, nerveux. Il n'était pas chargé d'un message officiel concernant le prince. Cependant, des rumeurs prétendaient que… (enfin ce n'étaient que des rumeurs, assurément) … qu'on était allé chercher Merlin. Et là où se trouvait Merlin, il y aurait forcément…

C'était la meilleure nouvelle parvenue au pays de Galles depuis des lustres. Dans les deux jours qui suivirent, tous les combattants valides partirent vers le nord faire la guerre aux Saxons, confiants en la victoire que le mythique Arthur allait leur apporter. Elaine était surexcitée, alors que moi, je pensais plutôt aux pertes humaines.

Puis il n'y eut plus de nouvelles et plus d'écoutes clandestines. Nous ne nous sentîmes plus partie prenante des événements, nous nous étions réduites à un petit groupe de femmes. Nos principales occupations furent de mettre plus ou moins en ordre le château, de rentrer le peu de récoltes qu'il restait dans les champs, de coudre et rapiécer en prévision des froidures hivernales qui allaient arriver et surtout, pour Elaine et moi, d'interminables leçons avec le père Martin et maître Iakos.

Nous ne sûmes rien concernant les événements pendant deux mois complets. Ce fut seulement quand tout fut terminé depuis bien longtemps et que la gloire du champ de bataille se fut évanouie dans les esprits des blessés et des estropiés, qui furent les premiers à revenir parmi les leurs, que nous apprîmes ce qui s'était réellement passé.

3

Le roi Arthur

LA REINE Alyse avait organisé un petit hôpital primitif dans des bâtiments attenants au château. Le local n'était pas vraiment primitif, si on le jugeait d'après les critères de l'époque, mais plutôt par comparaison avec ce que j'ai pu voir depuis lors. Nous n'avions pas de médecin à Gwynedd, pas de chirurgien non plus et pas de Merlin. Nous étions une communauté de femmes qui avait juste quelques talents pour soigner des blessures que les hommes pouvaient se faire à la chasse. Les soldats qui parvenaient jusqu'à nous étaient très satisfaits de nos attentions, mais en fait, avant même de mettre le pied dans la chambre des malades, ils étaient déjà à moitié guéris. Les plus gravement blessés étaient morts dans l'hôpital installé sur le champ de bataille à Caer Eden. Quant aux autres combattants, ils étaient déjà sur le chemin du retour.

Elaine et moi n'avions pas le droit de nous occuper directement des malades, à cause de notre jeune âge. Cette situation me convenait parfaitement, car les soins me rebutaient. Je n'avais pas assez de cœur au ventre pour supporter les membres sectionnés, les plaies ouvertes ou la puanteur des blessures infectées. Nous étions ravies d'aider les femmes à étendre puis à ranger les linges propres parfumés aux herbes, sentant si bon, jusqu'à ce que les infirmières en aient besoin. Nous aidions aussi à étaler les bandages sur les palettes de bois, au sol, et nous apportions de l'eau fraîche pour les hommes assoiffés.

Un jour, alors qu'Elaine et moi nous nous tenions près de la chambre des malades, rangeant des draps, je me mis à fredonner, puis à chanter à haute voix, une ancienne chanson galloise que j'avais apprise aux Norgales. Elle parlait de la beauté de mon pays, de ses fertiles pâtures où paissent les moutons en été, de ses lacs miroitants et de ses ruisseaux aux eaux écumantes, de ses éclatantes forêts giboyeuses et de sa glorieuse couronne, l'étincelant pic Y Wyddfa, où les dieux se promènent dans des nuées. Elaine appréciait ces chants et me demanda de les lui enseigner. Ainsi, je les chantais souvent pour lui faire plaisir. Or, quand nous apportâmes le linge bien plié à Cissa, la dame de compagnie responsable de la blanchisserie, elle s'inclina bas devant moi, à mon grand étonnement.

— Compliments de la reine, demoiselle Guenièvre, dit-elle aimablement. Pourriez-vous, s'il vous plaît, continuer à chanter ? Cela calme les hommes, ils se reposent à présent et paraissent souffrir moins. La reine m'a dit qu'ils en avaient les larmes aux yeux, ma demoiselle. Il est très agréable de vous écouter.

Je la regardai, incrédule. La reine me portait-elle une si grande attention ? J'assurai à Cissa que je serais heureuse de continuer à chanter. À partir de ce jour, chanter pour les blessés devint ma principale activité.

La reine Alyse avait préparé une chaise avec un coussin, juste sur le pas de la porte, pour que tous puissent m'écouter mais que je ne sois pas incommodée par la pestilence de la pièce. Pour me montrer leur gratitude, les hommes commencèrent à m'appeler le Rossignol de Gwynedd.

Quand ils se rétablissaient, ils étaient autorisés l'après-midi à aller s'asseoir à l'extérieur ou bien à prendre un peu d'exercice dans la cour. Elaine et moi, nous apprîmes d'eux tout ce que nous voulions savoir concernant les importants événements qui s'étaient déroulés dans le nord du royaume. Le roi Pellinor avait envoyé à sa reine un messager annonçant sa glorieuse victoire sur Colgrim et les hordes saxonnes, mais aussi la mort d'Uther et l'accession au pouvoir du jeune Arthur. Avec les rois bretons unis derrière lui, le nouveau roi repoussa les Saxons vers l'est et Pellinor les accompagna dans une grande poursuite, laissant le royaume de Gwynedd entre les mains très compétentes de sa reine Alyse.

Mais ce n'étaient que les faits bruts et nous cherchions à connaître ceux des convalescents qui pourraient nous apprendre ce que nous voulions vraiment savoir. Finalement, nous trouvâmes un certain Corwin, un simple homme d'armes, âgé d'une vingtaine d'années, qui avait eu la jambe cassée. Il avait de la chance, l'os n'avait pas transpercé sa jambe. Merlin en personne, disait-il, avait réduit la fracture et prophétisé qu'elle se recollerait convenablement et guérirait bien droite. Or donc, il s'était fabriqué des béquilles pour pouvoir se déplacer en claudiquant. Il avait la langue bien pendue ou plutôt un véritable talent de barde pour l'exagération, mais il était de nature plutôt paresseuse. Il aimait nous conter des histoires durant des heures et nous les croyions toutes.

— Racontez-nous la bataille ! s'écria un jour Elaine, assise à ses pieds, le visage radieux. Est-ce que le prince Arthur y a combattu ?

— Mais oui, en effet ! s'exclama Corwin avec un large sourire. Il l'a même gagnée, vous pouvez me croire. Et ce faisant, il se révéla à nous. Même s'il fut le dernier à s'en rendre compte.

— Que voulez-vous dire par *le dernier à s'en rendre compte* ?

Corwin se mit à rire :

— Eh bien, comme je viens de le dire, ma demoiselle, quand Arthur vint à Caer Eden avec le seigneur Hector de Galava, il était juste l'écuyer du fils d'Hector, le seigneur Keu, et non pas un prince. En vérité, il lui manque même encore un an ou deux pour pouvoir être adoubé chevalier. Il ne savait pas qui il était en réalité, pas plus que le seigneur Keu ou moi, ou n'importe qui d'autre là-bas, sauf Hector et le roi Uther, et ce fin limier de magicien, Merlin. Mais il était venu tout seul. Merlin se tenait silencieux, les mains dans les manches, avec un visage aussi ombrageux qu'un nuage annonçant la tempête. Il observait tout ce qui se passait, mais ne disait rien, gardant ses précieux conseils pour lui.

Personne ne jetait ne serait-ce qu'un regard au fils adoptif d'Hector.

— Le fils adoptif d'Hector ? questionnai-je surprise.

— Oh, on écoutera cette histoire plus tard ! coupa Elaine. Continuez, messire Corwin. Racontez-nous la suite !

Corwin se cala un peu mieux dans les moelleux coussins que nous lui avions apportés. Il avait cet amour typiquement gallois des belles histoires, et son récit pouvait fort bien durer tout un après-midi...

— La matinée était bien avancée quand ils arrivèrent à travers la plaine. Vous auriez dû les voir : des milliers de Saxons, des géants blonds avec des peintures de guerre sur le visage et d'énormes moustaches. Ils faisaient tournoyer frénétiquement leurs francisques au-dessus de leurs têtes en lançant des cris terribles. Ce sont des sauvages. Ils chantaient des chants de guerre terrifiants. Cela ne me gêne nullement de l'admettre devant vous, mes demoiselles : mes os tremblaient de peur.

Elaine ricana :

— Alors, vous n'êtes pas un vrai guerrier. Eux, ils ne sont jamais effrayés.

— Ils ne sont jamais effrayés, ma demoiselle ? Eh bien, je ne sais pas, peut-être. Je ne peux parler qu'en mon nom, bien sûr. Mais je suis persuadé que tous les hommes présents sur le champ de bataille auraient souhaité être chez eux dans leur lit.

Elaine était scandalisée :

— Vous traitez le prince Arthur de couard ? Et le roi Uther, alors ? Et Pellinor, mon père ?

Corwin fit fermement non de la tête.

— Certainement pas, ma demoiselle. Des hommes braves, oui, tous. Mais si un homme n'éprouve pas de peur face au danger, où est le courage ? Il ne serait qu'un imbécile, voilà tout.

— Allons, tout ceci n'est que sottises. Vous ne cherchez qu'à vous trouver des excuses. Continuez plutôt à nous décrire la bataille.

— C'est ce qu'il faisait, avant que tu ne l'interrompes, fis-je remarquer.

Elaine me récompensa par un regard furibond et un grand mouvement de tête plein d'irritation.

— Comme j'allais vous le dire, mes demoiselles, reprit Corwin, ils nous ont presque encerclés. Nous cherchions tous où était le prince Arthur. Alors les trompettes ont sonné. Mais personne n'arrivait à le voir : la moitié observait Uther, l'autre Merlin. Uther était couché sur son lit, avec sa garde autour de lui, Merlin s'activait dans l'hôpital de campagne, ne prêtant attention à personne. Les hommes ont commencé à douter que le prince viendrait. Quand les Saxons ont attaqué, nous avions abandonné tout espoir et suivîmes la litière du haut roi sur le champ de bataille.

La voix de Corwin se transforma en un chant rythmé de barde. Nous resserrâmes nos genoux et écoutâmes, captivées.

— Les Saxons s'avancèrent au centre de notre formation, là où se trouvait la litière du haut roi. Ils étaient très féroces, nous ne pouvions pas les contenir, et nous reculâmes devant leur attaque. Ils nous pressèrent durement, impatients de parvenir jusqu'au roi Uther, malade, pour obtenir rapidement la victoire. Le chevalier Hector de Galava commandait le flanc droit. Il comprit qu'une chance s'offrait à lui de couper les Saxons de leurs arrières. Quel sacré stratège ! Si le roi Lot, qui menait l'aile gauche, avait eu un peu de présence d'esprit et avait fait la même chose, ces chiens galeux auraient été encerclés et avalés. Hop ! Mais le roi Lot resta sur sa position, regardant ailleurs.

— J'espère qu'il sera pendu pour sa traîtrise ! dit Elaine, exaltée.

Corwin se mit à rire :

— Bien au contraire, ma demoiselle. Il chevauche à présent à côté du jeune roi. Ils sont à la poursuite de Colgrim, qui s'est enfui en direction de la mer.

Elaine voulut protester mais je lui coupai l'herbe sous le pied :

— Puisqu'il est en vie, c'est sa meilleure place, Arthur peut garder un œil sur lui.

Corwin me regarda, songeur.

— C'est ce que bien des personnes pensent, ma demoiselle. Merlin en fait partie. Si les rumeurs sont vraies.

— Eh bien, je l'aurais occis de mes propres mains si j'avais été le roi ! s'écria Elaine. Mais continuez donc, messire Corwin. Que s'est-il passé ensuite ? Et n'allez surtout pas prendre toute la journée.

— Pour l'amour de Dieu, Elaine... commençai-je, mais Corwin m'interrompit d'un geste de la main.

— Un peu de patience, mes demoiselles. Permettez-moi de poursuivre mon récit. Vous saurez tout ce qu'il y a à savoir en temps et en heure. Ainsi donc, nous étions face à ces hordes puantes de Saxons. Les Lothians s'étaient-ils donc enracinés sur les collines, pour qu'ils ne puissent pas bouger ? Étaient-ils en train d'attendre, pour voir quel côté allait gagner ? Si les Saxons parvenaient jusqu'au haut roi, les Lothians pouvaient les rejoindre sur notre flanc et nous couper en deux. Nos lignes se replièrent, incertaines. Le bon messire Hector mena une charge sur sa droite et s'enfonça profondément dans les lignes ennemies. À ses côtés, il y avait son fils, le seigneur Keu. Mais une hache atteignit la jambe du seigneur Hector et il perdit son épée : il dut se retirer du champ de bataille. Le jeune chevalier Keu tenta de prendre sa place à la tête des troupes — il se battit durement, c'est un vaillant guerrier —, mais ce n'est pas un grand général, si on examine un tant soit peu comment les choses se sont passées après. Il poussa trop fort et dans la mauvaise direction, les chevaliers pourraient vous le dire. Notre charge commença à s'essouffler et nos lignes à reculer. Les Saxons sentirent que la victoire était à leur portée ; un instant, on crut que tout était perdu, la charge, nos positions, le champ de bataille, le jour, le haut roi, le royaume, mais un instant seulement, car au même moment chaque homme sur le champ de bataille se figea. C'était un de ces moments où le temps s'arrête, où la balance hésite : la défaite et la victoire, la mort et la vie, le bien et le mal. Tout pouvait basculer.

Corwin marqua une pause. Dans ce silence, on aurait pu entendre une feuille tomber.

— Mais ce ne fut pas un pur hasard si notre jeune homme se porta en avant, leva une épée, donna des ordres d'une voix forte et ferme. Il renversa le cours des événements. Sortant de nulle part, il savait quoi faire et tous les hommes lui obéirent. Je le suivis, même si je ne sais pas vraiment pourquoi. Je ne l'avais encore jamais vu auparavant. Il paraissait si sûr de lui et il combattait avec une dextérité extraordinaire… Avant que cet infâme Colgrim ne comprenne ce qu'il lui arrivait, il se retrouva repoussé durement contre la colline où les Lothians attendaient avec à leur tête leur roi Lot. Ce dernier fut forcé de choisir son camp, voyant devant lui un nouveau commandant. Il fit son possible pour se placer à la droite du futur roi. Il choisit son camp, les Bretons, et se lança à l'attaque. Mais c'était déjà la fin de la bataille, en vérité. Tout était terminé, il fallait juste nettoyer le terrain.

— Et alors ? demanda Elaine, surexcitée. Sûrement tout le monde le savait déjà ? Le roi Uther proclama l'inconnu, n'est-ce pas ?

— Non, ma demoiselle. C'était un moment de dur labeur après la bataille, avec le champ à dégager et les blessés dont il fallait s'occuper. Nous sommes tous rentrés au campement pour faire le compte de ceux qui restaient.

— Alors vous vous êtes demandé qui il était, dis-je, et d'où il venait.

— Oh, bien sûr ! On ne parlait que de lui dans nos rangs. Qui était donc le nouveau commandant ? Personne ne connaissait son nom ni n'avait vu son blason. Le mot passa que ce n'était qu'un garçonnet, un serviteur, un enfant anonyme qui traînait dans l'équipage du seigneur Keu de Galava. Élevé par Hector, à ce qu'on disait. C'est-à-dire un bâtard d'Hector né d'une mauvaise coucherie. Tout juste bon à porter les messages et à faire le sale boulot.

— Non mais ! Comment osaient-ils ?

— Qui pouvait savoir ? Quelques petits malins se demandaient s'il ne se serait pas agi du prince Arthur incognito — un sacré incognito ! —, mais on ne savait rien de certain. Personne ne voulait faire des suppositions. Durant toute cette longue nuit, nous avons transporté les morts du champ de bataille et creusé les tombes, triant les affaires des morts, soignant nos blessés. C'est alors que je me suis cassé la jambe, dans un accrochage avec un Saxon à moitié mort. Il m'attaqua quand je tentai de prendre son bouclier. À l'hôpital, j'ai rencontré mon cousin Durwen, que l'on surnommait le « petit barde ». Il voulait en devenir un vrai et il était plutôt doué. Il délirait souvent à cause de la douleur, une sale estafilade en travers de la cuisse. Il avait néanmoins réussi à composer un chant décrivant la bataille. Il le nomma *Le Courroux du prince mystérieux*. Il l'avait chanté à Merlin, disait-il, alors que le magicien lui recousait la jambe, et Merlin avait souri.

Elaine plissa le nez.

— Le fils adoptif d'Hector ? Non, messire Corwin, ce serait trop abominable. Dites-nous plutôt que Merlin l'a éduqué dans les îles Enchantées, par-delà la mer Occidentale, et qu'il l'a ramené juste à temps pour nous débarrasser des Saxons !

— Je viens de vous raconter comment les choses se sont passées, si vous pouviez être aussi attentive que votre cousine et attendre que j'en arrive au fait.

Corwin me lança un clin d'œil et but une gorgée à sa gourde.

— Quand notre tâche fut accomplie, tous les hommes valides festoyèrent jusqu'au bout de la nuit. Hum, il y avait de nombreuses jeunes filles à Caer Eden pour célébrer notre victoire. Ah ! les jolies femmes du Nord...

Il s'arrêta net, se rappelant où il se trouvait, et se racla la gorge.

— Mille pardons. Ah ! que je hais la malchance qui a frappé ma jambe ! Au petit jour, nous remerciâmes Mithra dans une cérémonie officielle, en présence du roi Uther en personne, pâle comme un spectre de l'éther. Cette nuit-là, il devait y avoir une fête solennelle. Une rumeur prétendait qu'on allait enfin faire venir le prince et annoncer le successeur du roi. Uther était là en train d'agoniser devant nous, tout le monde pouvait le voir. On se mit à chercher le prince Arthur, mais personne ne réussit à le trouver. Pendant ce temps, le fils adoptif d'Hector était à l'hôpital avec Merlin, visitant les blessés et offrant son bras au seigneur Hector pour qu'il puisse marcher. À la lumière du jour, tout le monde pouvait constater qu'il n'était qu'un gamin imberbe. Nos espoirs étaient déçus.

Corwin s'arrêta.

— Ces choses, je les ai vues, de mes yeux vues, et je peux en jurer. Le reste, je le sais tout simplement parce que le camp grouillait de rumeurs. J'ai parlé aussi avec des hommes qui avaient participé à la fête de la victoire et... et... à tout ce qui s'ensuivit.

Nous nous regardâmes, Elaine et moi. Corwin fit le signe

contre les mauvais sorts derrière son dos. Nous nous demandions bien pourquoi. Nous n'avions entendu parler d'aucune magie par les rescapés, nous avions seulement recueilli quelques bribes sur le déroulement de la bataille.

— Puis, soudain, à l'heure où le soleil se couche, reprit Corwin, des rumeurs ont commencé à circuler. Le roi était mourant. Tout le monde s'arrêta. La garde fut doublée autour du pavillon d'Uther. Tous les chefs s'y assemblèrent, y compris mon seigneur Hector, son fameux fils adoptif et les seigneurs Keu, Merlin, et les rois du Rheged, de Strathclyde, Cornouailles, Elmet, Lothian et Gwynedd. Je ne peux pas vous raconter ce qui s'y est passé, car je n'y étais pas. Mais on dit qu'Uther, sur son lit de mort, proclama que le fils adoptif d'Hector était en réalité son fils et celui de la reine Ygerne. Il le proclama son héritier et demanda aux rois présents de l'accepter. Les seigneurs prirent la chose plus ou moins bien : Hector était aux anges ; Cornouailles, Rheged, Strathclyde et notre bon roi Pellinor acclamèrent le garçon et lui jurèrent fidélité. Mais le roi du Lothian était furieux. Lot projetait, depuis des années, de devenir le haut roi et s'était fiancé avec l'une des filles naturelles d'Uther. Elle était là, vous savez, la belle Morgause, pour persuader son père de faire le bon choix. Mais ces deux-là, ils n'avaient pas pensé à Arthur.

Il se tourna pour pouvoir cracher, puis, se rappelant qui il avait en face de lui, il se contenta d'un raclement profond dans la gorge.

— Ils auraient pu en venir aux mains, mais au milieu de ces palabres Uther expira. Cela mit fin à la petite fête.

La tristesse qui se lisait sur le visage de Corwin montrait à quel point il était attaché au roi Uther. J'en fus bouleversée.

— C'était un présage terriblement mauvais, avec ou sans victoire, le haut roi qui meurt alors que les Saxons campent de l'autre côté de la rivière et que la fumée de leurs bûchers funéraires nous fait tousser la moitié de la nuit. Un nouveau haut roi devait être désigné, et vite. Alors qu'il fallait proclamer Arthur roi, personne n'osait faire d'un enfant le roi avec notre ennemi mortel si près de nous... Dans l'intervalle, Lot prit le commandement.

— Le traître ! s'écria Elaine.

— Non, ma demoiselle, pas vraiment. Il fallait la poigne

d'un soldat expérimenté, auquel les guerriers pouvaient accorder leur confiance. C'était mieux pour tout le monde. Vers qui allions-nous nous tourner ? Merlin aurait pu se proposer, mais il ne l'a pas fait. Il revint à l'hôpital de campagne avec le jeune Arthur, le visage fermé et sombre. Lot proclama que nous devions organiser la fête de la victoire comme convenu, en l'honneur d'Uther ; et après, le Conseil du Roi pourrait discuter avec sagesse des recommandations d'Uther et choisir le prochain haut roi.

— Les recommandations d'Uther ! ironisa Elaine. Comment osait-il ! C'est de la haute trahison !

— Mais non, voyons ! répliquai-je, fatiguée par ces continuelles interruptions. On n'est toujours pas devenus romains, que je sache. Le roi a toujours été élu par les seigneurs qui ensuite le servent.

— Seulement si le fils du roi ou son neveu n'en est pas digne ! s'écria Elaine, hors d'elle. Mais Arthur est le fils du roi ! Il en est digne ! Étaient-ils aveugles ?

— Oui, répondis-je d'un ton calme, c'est assez facile d'être assis là, en sécurité au pays de Galles, et de parler ainsi. Mais imagine-toi en soldat sur le champ de bataille. Je comprends parfaitement ce que nous décrit messire Corwin. Ce sont tous des adultes, seigneurs, rois et barons, ils ne voulaient pas servir un simple garçon.

— C'est exact, ma demoiselle, dit tristement Corwin. C'est toujours ainsi, les hommes ne voient pas ce qui se trouve devant leurs yeux.

— Que s'est-il passé durant la fête de la victoire ? demandai-je.

Corwin fronça les sourcils.

— Eh bien, ils se mirent à se disputer dès qu'on apporta le vin sur la table. Je ne sais pas très bien mais Durwen, qui parvint à s'extirper de son lit pour accompagner Pellinor, me l'a raconté. Il y avait des barons du côté des Lothians. Ils s'opposaient à ce qu'un garçon de moins de quatorze ans puisse conduire une armée de vétérans, et je ne parle pas d'un royaume. Certains argumentèrent longtemps et vivement du côté de Lot : Cyndeg de Gore, ce serpent d'Aguisel et quelques autres. Lot, lui, se taisait. Soyez assurées qu'il avait acheté cette bande d'agitateurs. Ils disaient que la mort du haut roi face aux Saxons était un signe. La Bretagne allait disparaître si nous ne changions pas de lignée.

— Avaient-ils déjà oublié qui les avait conduits à la victoire ? Quel meilleur signe auraient-ils pu souhaiter ? s'écria Elaine.

— Les soldats sont superstitieux, répondit Corwin, comme vous le savez fort bien, ma demoiselle. Et les Celtes Noirs des montagnes sont les pires de tous. Il y avait un bon nombre d'hommes qui l'avaient pris pour un signe des dieux : la lignée d'Uther devait s'éteindre avec lui. On entendait des cris d'un côté de la salle « Lothians ! », « Lot doit être le haut roi ! » Alors que, de l'autre, certains criaient : « Arthur ! » Puis quand tout ce petit monde se fut bien échauffé et qu'une bagarre faillit éclater, le mage Merlin se leva devant eux tous. Un unique regard suffit à figer les langues trop bien pendues. Quand tout redevint calme, il leur adressa la parole. Le choix des hommes n'était pas important, dit-il, leur roi avait été choisi par les dieux, cent années avant que de naître. Il était la Lumière de la Grande-Bretagne ; son temps était venu. En ce jour, il avait prouvé son autorité devant son armée. Il était l'Élu, et les dieux, qui avaient fait les hommes, allaient le prouver cette nuit même. Lot se leva pour protester. Il est plus courageux que moi, je le lui concède bien volontiers. Interrompre Merlin comme ça, au milieu de tous... Donc, Lot se leva et objecta qu'une armée d'hommes avait besoin d'un homme comme chef, pas d'un petit garçon, et qu'évoquer les dieux, la magie ou une quelconque prédiction, ce n'était pas sérieux, juste des sottises, comme vous dites, ma demoiselle. Merlin, froid comme la glace, lui montra du doigt le garçon sans épée. Il dit que si Arthur ne portait pas d'épée, c'était pour une bonne raison. Ce n'était pas l'épée d'Uther qui allait lui donner la royauté, mais une épée donnée par les dieux eux-mêmes. Cette nuit-là, en présence de nous tous, les dieux allaient lui léguer l'Épée. Une épée qui allait protéger la Bretagne de ses ennemis aussi longtemps qu'Arthur la porterait.

Corwin fit une pause.

— Ce Merlin, il ne tire pas seulement son pouvoir des dieux, il est aussi bien plus sage que le plus sage des hommes. Merlin sait manipuler l'esprit des hommes comme personne.

Il laissa les questions courir à travers la salle comme un feu de paille, puis les murmures se tarirent, et le silence se fit. Quand tous les yeux et toutes les oreilles eurent son attention, il leur conta l'histoire de l'Épée. Il leur dit qu'elle avait été l'épée de l'empereur Maximus.

Elaine et moi sursautâmes. Tous les petits Gallois et Galloises avaient été élevés dans l'histoire du grand Macsen Weldig (c'est ainsi que les Gallois nommaient Maximus). Mais l'histoire de l'épée était inconnue de nous. Magnus Maximus avait été le dernier généralissime romain de la Bretagne. Quand les Romains se retirèrent, Maximus demeura sur place avec sa princesse galloise, Hélène. Ensemble, ils rassemblèrent les tribus des collines et des plaines, et en firent un véritable royaume. C'était l'épée de Maximus qui put repousser les Saxons, les Pictes et les Irlandais en cet âge que les hommes nomment les « Années du Déclin », quand la civilisation romano-britannique faillit s'éteindre à jamais. Heureusement, les troupes disciplinées de Maximus rejetèrent les barbares et il obtint pour sa Bretagne une longue période de paix. Maximus fut proclamé empereur de Bretagne par le peuple. Il préserva la paix à la manière des Romains.

Mais plus tard, il devint déraisonnable et trop ambitieux. Il déclara la guerre à l'empereur de Rome et fit transporter ses troupes, à travers la Manche, en Gaule. Il y mena campagne jusqu'en Italie. Certains racontent qu'il fut vainqueur de l'empereur de Rome, d'autres disent qu'il perdit le combat. Quelle que soit la vérité, il mourut là-bas, en Aquilée. Le reste de ses troupes rapporta dans notre île son armure et son épée, mais nombreux furent ceux qui restèrent en Gaule et s'installèrent sur les rives de la Manche, dans la région que l'on nomme souvent la Petite Bretagne. Les autres retournèrent en Galles. Son fils, Constantin, lui succéda. Il est l'aïeul de Constant, assassiné par Vortigern, d'Ambroise, le premier qui réunifia les rois de Bretagne, et d'Uther, qui ne parvint qu'à repousser les Saxons, et pour un temps seulement, jusqu'à la venue qu'Arthur.

— « C'était écrit dans les étoiles », nous dit Merlin d'une voix posée. Mais étrangement, le son de ses paroles se répercuta aux quatre coins de la salle. « En ces heures sombres la Lumière de la Bretagne doit se lever, portant l'Épée miraculeuse : la propre épée de l'empereur Maximus. Elle est cachée dans les ténèbres, depuis des lustres, attendant la main du plus grand roi de Bretagne pour revenir une dernière fois dans la lumière. »

Notre conteur s'arrêta et laissa le silence se prolonger quelques instants.

— Corwin, murmurai-je, vous êtes un vrai barde.

Il rit.

— Il se pourrait bien que je le devienne, sauf si mes jambes guérissent comme il faut. De toute façon, ce qu'a dit Merlin concernant cette fameuse épée, c'est Durwen qui me l'a raconté. Il était avec le roi Pellinor. Comme il était en train d'étudier pour être barde, Durwen avait appris une technique druidique pour retenir les choses par cœur en ne les entendant qu'une seule fois.

— Était ? demandai-je insistante.

Corwin soupira :

— Oui, ma demoiselle. Le pauvre garçon mourut sur le chemin du retour, à cause de ses blessures. On l'avait recousu, oui, mais les plaies se sont rouvertes. Il est remonté trop tôt à cheval, contre les recommandations des médecins.

— Mais l'épée, alors ? s'écria Elaine, très impatiente. Que pouvez-vous nous dire de plus ? Où est-elle ? Comment le prince Arthur réussit-il à l'obtenir ? Et quand a-t-il été proclamé roi ?

— Merlin a annoncé que l'épée reposait sous la colline de Lluden, laissée là par l'un des généraux de Maximus. Il l'aurait apportée dans le Nord quand la reine Hélène l'avait bannie de sa vue à cause de son profond chagrin. « Elle repose dans les ténèbres, dit Merlin, protégée par la divinité du lieu. Elle réapparaîtra à la lumière seulement dans la main du véritable roi de la Bretagne. » Il invita tous les seigneurs à chevaucher jusqu'à la colline, la nuit même, pour servir de témoins. Qu'allait décider Lot ? Tous les seigneurs dans la salle, que ce soient les rois, les barons ou même les simples sergents, auraient donné plusieurs années de leur vie pour avoir un aperçu des pouvoirs du mage Merlin. Lot n'avait plus aucune chance d'être proclamé roi. Son seul espoir était de rejoindre la troupe qui se rendait à Lluden et d'espérer qu'Arthur et Merlin se soient trompés.

Il rit, puis retrouva son calme.

— Le roi Pellinor n'emmena avec lui que le chevalier Durwen. D'après ce dernier, Pellinor sentait que le sacre d'un nouveau roi devait être vécu par un barde. À présent, je suppose qu'il me revient de vous conter cette histoire.

Il s'arrêta à nouveau, ferma les yeux, puis poursuivit doucement :

— Ainsi, ils prirent leurs chevaux et remontèrent le lit de la rivière Eden. Dans les heures encore sombres du petit matin, ils arrivèrent à l'île noire qui se trouve près d'un gué. Les gens de là-bas l'appellent la colline de Lluden. C'est un lieu sacré depuis des temps immémoriaux. Merlin les emmena sur la colline, puis, suivant un antique tunnel caché par la végétation, ils aboutirent dans une caverne titanesque, tellement grande que personne ne parvint à distinguer le plafond ni le mur d'en face. Les torches fumantes n'émettaient qu'une lumière blafarde, assez forte cependant pour qu'ils puissent ressentir la froide immensité des lieux et subir le poids de l'ombre oppressante.

Elaine et moi frissonnâmes involontairement, puis, bien que chrétiennes, nous fîmes le signe contre le mauvais sort.

— Quatre hommes avaient suivi Merlin. Ils se tenaient tous dans la caverne, déambulant lentement et murmurant, écoutant l'écho de leur propre voix se répercuter contre les murs inégaux, presque vivants. Un lieu hanté par des Esprits des jours anciens, Durwen en aurait juré. Merlin se tenait devant eux, ombre parmi les ombres. « Regardez devant vous, s'écria-t-il, et voyez l'épée de Maximus ! » Elle était au centre de la vaste caverne, fichée dans la fissure d'un énorme rocher. Elle était bien là ; pourtant, un instant auparavant il n'y avait rien. À présent, tous voyaient le rocher fissuré. Dans ce faible scintillement, la poignée paraissait flotter dans l'atmosphère. Merlin leur fit signe et ils se rapprochèrent. Même les plus braves tremblaient. Le fourreau était composé d'une antique matière soyeuse, ciselée avec les signes grossiers de l'ancienne langue brittonique que tous parlaient avant la venue des Romains. Merlin leva sa torche au-dessus des têtes pour qu'ils puissent voir l'inscription. Il la lut à haute et intelligible voix : « CELUI QUI EXTIRPERA CETTE ÉPÉE DE LA PIERRE EST LE ROI LÉGITIME DE TOUS LES BRITTONS. » « ROI LÉGITIME », « ROI

LÉGITIME », « DE TOUS LES BRITTONS », répondit l'écho. De quoi vous glacer l'âme.

— Corwin !

Elaine avait sursauté et s'agrippait à mon bras.

Les yeux de Corwin restèrent clos. Il ne l'entendit pas.

— Personne n'osait respirer trop fort. L'épée était dans son noir fourreau, raide et froide. Tout autour d'eux, l'air empestait la peur. « Qui osera prendre l'épée ? » demanda Merlin. Personne ne bougea. Finalement, le roi Lot s'avança : « Je suis le mieux placé de vous tous, qui êtes présents ici, pour être le haut roi, proclama-t-il, mais je ne fais aucunement confiance aux magiciens. » Merlin mit alors ses mains dans ses larges manches. « Sire, dit-il, il n'y a nulle magie en ce lieu, sauf celle que les dieux ont insufflée dans cette épée. Je suis sans pouvoir face à elle. Si elle est vôtre, prenez-la. » Tous retinrent leur souffle alors que le roi Lot tendait la main. Il la posa sur le pommeau, puis tira.

Corwin ouvrit les yeux. Il nous observait.

— Alors le terrible silence fut déchiré par un cri effroyable. L'épée ne bougea pas d'un iota. Or la main du roi Lot était brûlée. Sa paume était rougie là où il avait serré le pommeau. Lot regarda sa main, le visage blême de douleur. Il maudit Merlin, l'accusant de n'être qu'un menteur et un bâtard de païen.

Elaine et moi, nous fûmes choquées par ces propos grossiers. Corwin ne fit qu'une petite pause, pour reprendre son souffle.

— Tous reculèrent, effrayés. Quelqu'un, alors, s'écria : « Qu'on laisse essayer le garçon ! Où est le fils adoptif d'Hector ? » On poussa Arthur en avant. Voyant qu'il ne pouvait plus se dérober, il se plaça droit comme une lance devant Merlin. « Elle est donc pour moi ? demanda-t-il au grand magicien. Si vous le dites, alors j'essaierai. »

— Oh, comme il est brave ! s'écria Elaine.

— Comment cela ? tentai-je de protester. Alors qu'il connaissait Merlin depuis toujours, il n'avait pas entière confiance en...

— Oh, tais-toi donc, Gwen ! Tu gâches tout !

— Merlin lui dit alors, poursuivit Corwin, imperturbable : « Elle est vôtre, sire. Elle a été forgée pour votre main, avant même que Maximus ne la tînt dans la sienne. » Ainsi le garçon s'approcha, mit sa main sur le pommeau et tira l'épée du fourreau aussi facilement qu'un couteau ressort du beurre. Les lumières des torches se reflétaient sur la lame. On aurait dit qu'elle était en feu. Alors qu'Arthur la levait dans cette faible lumière, une grosse pierre incrustée dans le pommeau se mit à briller vivement. C'était une énorme émeraude, qu'on n'avait pas pu bien distinguer dans les ténèbres. Sa lumière verte transperça les âmes de l'assistance et tous s'agenouillèrent. Ils criaient à la fois : « Viva ! » et « Victoire ! » Arthur plaça l'épée bien au-dessus de sa tête. Il leur parut grandir. Son visage était éclairé par la lumière reflétée par la glorieuse Épée, un visage empli d'une fierté et d'une détermination sans faille. « Je te nomme Excalibur, annonça-t-il, ce qui dans l'ancienne langue signifie "invincible". » Tous les barons vinrent se prosterner pour lui prêter hommage et recevoir sa bénédiction. Lot s'avança aussi, mais il fut le dernier. Néanmoins, il parla sagement et promit de le servir avec fidélité. Ainsi, ils l'élirent, dans ce lieu sacré, roi de tous les Bretons. Ils le portèrent en triomphe hors de la caverne alors que le jour se levait à l'est. Derrière eux, dans la caverne, la pierre gisait, brisée en deux ; quand l'épée avait été libérée, le fourreau s'était changé en fine poussière.

Les yeux d'Elaine étaient si écarquillés qu'on aurait dit qu'ils allaient sortir de leurs orbites. L'immense grandeur de son héros avait été largement démontrée.

— L'histoire n'est pas encore finie, mes demoiselles, dit Corwin, tout sourire. Alors que Durwen était occupé à se souvenir de tout bien me raconter, divers barons, y compris Cyndeg et Aguisel, montrèrent leur mécontentement en prétendant que tout cela n'avait été qu'une vulgaire supercherie bien orchestrée et que Merlin n'avait rien fait d'autre que de les conduire à l'épée. Il avait bien pu jurer fidélité au garçon qui tenait l'épée, mais ils voulaient des preuves des pouvoirs de Merlin. Le fait de retirer l'épée n'était pas suffisant à leurs yeux. Ils en voulaient davantage.

— Voilà qui est bien stupide de leur part ! m'exclamai-je.

— C'est vrai, car Merlin les entendit. Et, alors qu'on allait repartir, notre nouveau roi en tête, Merlin se tourna sur sa selle et leva les mains. Un terrible craquement déchira le ciel serein. Une boule de feu apparut dans l'air et se dirigea tout droit sur la colline. Elle éclata dans l'entrée de la grotte. Les arbres se brisèrent en deux, les chevaux se cabrèrent de terreur et les hommes hurlèrent de peur. Mais Merlin resta assis calmement sur sa selle, à regarder le mont Lluden se transformer en un vulgaire tas de cailloux. Quand les rochers arrêtèrent de s'ébouler, juste au ras des sabots de son cheval, il se tourna et observa les incrédules. Tous tremblèrent face à son regard. Merlin reprit les rênes de son cheval et partit au grand galop vers le campement, derrière Arthur.

Nous apportâmes une coupe d'hydromel à Corwin et le remerciâmes beaucoup pour son récit. Elaine se tut pendant un moment, mais elle ne put résister bien longtemps et retrouva vite assez de courage pour poser des questions.

— À quoi ressemble le roi Arthur ? demanda-t-elle, plus passionnée que jamais. Dites-le-nous.

Dans un premier temps, Corwin ne sut pas très bien quoi lui répondre.

— Que voulez-vous dire exactement, ma demoiselle ?

— Allons, allons... Je veux savoir s'il est blond ou brun ? Petit ou grand ? Svelte ou imposant ?

Corwin eut un large sourire et me dit :

— Il me semble que la jeune demoiselle ici présente a une ambition certaine.

J'adressai un clin d'œil à Elaine, dont le visage s'empourpra vivement. Corwin reprit :

— Eh bien, d'après ce que je sais, il est plutôt grand pour son âge et assez svelte pour un guerrier, mais il est encore très jeune. Il manie l'épée excellemment. C'est l'un des meilleurs guerriers que j'ai pu voir se battre. Quoi d'autre ? Des cheveux châtains, des yeux marron, une peau blanche avec un visage assez sévère, des traits réguliers. Il ressemble à Uther, c'est incontestable. Dans sa jeunesse, Uther était considéré par toutes les dames du pays comme un bel homme.

Soudain, le regard de Corwin se fit plus lointain et sa voix plus posée.

— Mais le plus frappant à son sujet, c'est ce quelque chose que l'on ne peut pas définir. Les hommes nomment cela sérénité, calme intérieur, sagesse, force ou prestance. Oui, c'est tout cela à la fois et un peu plus encore. Un homme en paix avec lui-même. Il a une mission. Il sait qui il est.

— C'est un véritable roi, dis-je très sérieusement, car les hommes qu'il conduit sont des soldats aguerris et de grands seigneurs, épée ou pas. Des hommes comme le roi Pellinor ou mon frère Gwarthgydd n'auraient jamais suivi un simple garçon.

— Certes, acquiesça Corwin. Et il ne s'agit pas là d'un quelconque sortilège de Merlin. Il disparut juste après qu'ils arrivèrent au campement et depuis nous ne l'avons toujours pas revu. L'armée, avec le roi Arthur à sa tête, est sur les talons de Colgrim.

— Il vaincra les Saxons, proclama Elaine confiante. Il les boutera hors de nos terres à jamais.

— En vérité, ce sera un vrai miracle s'il y parvient, répondit Corwin. Les Saxons vivent sur nos côtes depuis que Vortigern les y a invités, voilà cinquante ans. Il y a des enfants de votre âge, mes demoiselles, dont les grands-parents sont nés ici, en Bretagne. Rien d'étonnant qu'ils considèrent désormais cette terre comme la leur.

— Mais nous étions ici les premiers, protesta Elaine.

— Nous, les Gallois ? lui demandai-je. Ou nous les Bretons ? Nous étions sous la conduite d'un descendant de Maximus, qui était un Romain, un étranger. Les Celtes habitaient cette île bien avant les Romains, mais les Anciens étaient là avant nous. Et personne ne sait qui vivait ici avant les Anciens. Il se pourrait bien que les Saxons soient les prochains.

— Ce sont des propos de traître ! s'écria Elaine, au bord des larmes. Gwen, je n'oublierai jamais ce que tu viens de dire, à moins que tu ne le retires immédiatement ! Comment oses-tu affirmer des choses pareilles ?

Même Corwin paraissait choqué.

— S'il n'est pas possible de rejeter les Saxons — et puis, où iraient-ils donc ? —, nous devrons parlementer avec eux. Oui, je connais le proverbe : « Un traité avec les Saxons, c'est comme de la fumée dans le vent. Sitôt signé, sitôt envolé. »

Il est probable que la plus puissante des épées vaincra. Peut-être que ce que dit Merlin est vrai. L'épée d'Arthur est la plus puissante. Alors, nous serons en paix avec les Saxons.

Je pouvais voir que mes compagnons s'étaient calmés. Elaine était sur le point de me pardonner.

— Qui sait ? Dans deux cents ans, même les Saxons seront devenus des Bretons.

Elaine ouvrit la bouche, horrifiée, et commença à me gronder. Corwin avait l'air inquiet.

— Demoiselle Guenièvre, ce n'est pas à moi de vous dire cela, mais ce sont des choses qui ne vous concernent pas, mes jeunes demoiselles. Ce sont des choses complexes, bien au-delà de mon entendement : elles ne doivent être discutées qu'au cours du Conseil du Roi. Vous avez une attitude, ma demoiselle, qui pourrait vous causer quelque embarras si vous vous laissez aller à dire tout ce qui vous passe par la tête. Il vaut mieux parfois ne pas tout dire à haute voix.

C'était un conseil judicieux, mais je ne lui fis pas remarquer que c'étaient justement les paroles entendues dans la chambre du Conseil du Roi qui avaient inspiré mes pensées, que j'énonçais pour la première fois. J'acceptai ses critiques, je fis mes excuses à Elaine et à partir de ce moment-là je gardai mes réflexions pour moi. Ce n'est que vingt ans plus tard que je rencontrai un esprit qui me comprenait vraiment, un homme qui accepta mes idées et alla même au-delà. Il croyait à la possibilité d'un compromis avec les Saxons et aussi à la valeur intrinsèque des autres cultures, en dehors de la sienne. Un homme qui voyait chacune des civilisations du monde comme faisant partie d'un grand tout. Cet homme, c'était Mordred.

4

Le crime

DURANT les cinq années qui suivirent, le roi Pellinor fut souvent absent de chez lui, pendant que les forces d'Arthur se battaient pour maintenir le royaume en vie. Les Saxons avaient été battus, et même bien battus, à Caer Eden. Colgrim, leur chef, était mort des blessures reçues sur le champ de bataille. Mais il existait d'autres chefs de guerre n'attendant que le moment opportun pour lui succéder. Caelwin, le lieutenant de Colgrim, organisa les Saxons de l'Est et parlementa avec les Angles. Ils unirent leurs forces pour rétablir une nouvelle tête de pont le long des côtes orientales de l'île. Si Lot des Lothians engageait des pourparlers avec cette coalition, l'île de Bretagne serait coupée en deux.

Dans cette région du littoral saxon, se leva alors un jeune homme qui osait se nommer roi des Saxons de l'Ouest : Cerdic l'Ætheling, fils d'Eosa. Il promit à son peuple la liberté et la justice, s'il parvenait à conquérir toute la Bretagne. Je me demandais qui était cet homme pour se conduire aussi hardiment. La loi romaine n'était-elle pas assez bonne pour lui et ses semblables ?

Arthur menait ses troupes de victoire en victoire, avec de grandes pertes pour les Saxons, et peu de son côté. Il était jeune, mais les têtes chenues lui témoignaient déjà un grand respect et les vétérans s'en remettaient à son opinion, car il n'existe pas de talisman plus puissant que la victoire. Arthur paraissait incapable de perdre une bataille. Partout où les Bretons étaient attaqués, ils se défendaient avec hardiesse, qu'ils soient rois ou fantassins, sachant que le haut roi viendrait à leur secours avec l'invincible épée, Excalibur, et son ost de guerriers et chevaliers.

Quand je n'avais que dix ans, il était déjà une légende dans son propre pays : Arthur le Conquérant était venu et il avait vaincu. Il n'avait pas perdu ne fût-ce qu'une escarmouche et son nom était synonyme de victoire. Les hommes disaient qu'il suffisait que sa silhouette apparaisse à l'horizon pour que les Saxons tournent les talons et s'enfuient.

Elaine croyait tout ce que l'on racontait à son sujet. Je dus cesser mes moqueries sous la pression de son adoration. Elle pratiqua même un jeûne le jour de son couronnement, pendant que tout le monde faisait bombance au château. Il n'était plus simplement notre espoir, disait-elle avec la plus sincère des passions, il était notre sauveur. En vérité, je ne pouvais pas en toute bonne foi me quereller avec elle, car les rois bretons se dépêchaient de s'unir derrière ce chevalier sans peur et sans reproche. Pour la première fois dans la mémoire des hommes, le pays de Galles, la Cornouailles, le Rheged, le pays du Lothian et les dizaines d'autres petits royaumes se sentaient liés les uns aux autres : nous faisions désormais partie d'un seul et grand royaume.

Mais cela prit un certain temps pour se réaliser. En fait, la première année de son règne, Arthur fut occupé à guerroyer à l'est, au nord et au sud-est, pour contenir les Saxons. Il était haut roi depuis plus de six mois avant que les Saxons ne lui laissent assez de temps libre pour organiser son couronnement.

Ce fut une cérémonie chrétienne, où il fut oint par un prêtre chrétien, le jour de la Pentecôte. Le tout se déroula dans la vieille forteresse de Caerléon avec un minimum d'apparat car, d'après les paroles mêmes du roi, on disposait de peu de temps. La majorité des personnes présentes étaient ses vassaux, plus quelques barons, bien que tous les seigneurs et dames des terres environnantes eussent été invités. Le roi Pellinor et la reine Alyse étaient là, car Caerléon, qui se nichait sur une colline surplombant la Severn, n'était qu'à quatre jours de voyage vers le sud. Nous étions au mois d'avril, le printemps était précoce cette année-là, et les routes bien dégagées. Ils arrivèrent juste à temps. D'après Elaine, Pellinor n'avait eu l'intention de se faire accompagner que de quelques soldats, mais la reine avait refusé de demeurer seule au château. Elle disait que cela lui était bien égal si elle devait dormir sous la tente. Elle voulait voir le couronnement du jeune roi.

Quand elle revint, la reine fut le centre de toutes nos questions. Un après-midi, dans un état d'esprit affable, elle nous rassembla : ses dames de compagnie, Elaine et moi, ainsi que nos servantes, et elle nous raconta tout.

La cérémonie ne fut pas si grandiose que ça, nous apprit-elle : bien plus une réunion entre chefs de guerre qu'une cérémonie avec la pompe royale. La mère du haut roi, dame Ygerne, était venue de sa Cornouailles. Elle était restée longtemps avec Alyse, l'une des rares reines à vivre assez près pour tenter le voyage. Ygerne portait toujours le deuil de son Uther, elle était pâle et très fatiguée. Son médecin était venu avec elle, mais Merlin lui prépara un breuvage qui lui redonna de jolies joues roses et lui permit d'assister à la cérémonie sans attirer l'attention de son fils sur son véritable état de santé.

— Merlin ! s'écria Elaine. Il était donc là ? Oh, mère, vous avez vraiment vu le mage Merlin ? Étiez-vous avec lui sous la même tente ? Comment est-il ?

La reine Alyse rit doucement.

— Mes demoiselles, vous avez grandi en écoutant le récit de ses exploits. Pour vous, il est un être de contes et légendes. Mais il est bien réel, je vous assure. Plutôt aimable, pour un homme possédant de si grands pouvoirs. Sans lui, le jeune Arthur ne serait pas roi aujourd'hui.

— Que tous les saints nous préservent ! s'écria Grannic en se signant, et Ailsa serra l'amulette qu'elle portait au cou.

— Vous fait-il peur, mère ? questionna à voix basse Elaine. L'avez-vous vu utiliser sa magie ?

— Non, mon enfant, mais il venait souvent voir Ygerne. Ils se connaissent depuis longtemps. Vous devez penser qu'il est très vieux, mais je ne le crois pas. Il a une silhouette svelte et il est plutôt silencieux. Non, il n'est pas très bavard, mais il écoute tout ce qu'on lui dit. On raconte qu'il aime le jeune roi comme un fils. Arthur se repose beaucoup sur lui. Sauf dans la bataille. D'après ses propres dires, Merlin n'est pas un guerrier. Mais tout ce qui touche à la direction de l'État, alors là oui, cela le concerne. J'imagine qu'il est le meilleur des conseillers qu'un roi puisse souhaiter.

— Comment s'est déroulé le couronnement, mère ? Êtes-vous restée sous un pavillon ? Avez-vous rencontré Arthur ? Est-il bien de sa personne ou plutôt inabordable ? Dites-nous tout !

Alyse posa une tendre main sur la tête d'Elaine. J'observai ses yeux. Son regard se perdait dans le lointain.

— Nous étions logés dans une maison à côté de celle d'Ygerne. C'était un grand honneur, car il n'y avait encore que peu de maisons, bien que j'aie entendu dire que le haut roi avait des plans pour construire tout un palais. Oui, j'ai vu le haut roi à la cérémonie et aussi après, quand il accueillit ses invités. Il n'a que quatorze ans, mais c'est déjà un chef de guerre expérimenté, un général. Vous pourriez le constater dans son regard, son port de tête, son assurance. Il est... Il est...

Elle s'arrêta, cherchant ses mots pour décrire le jeune homme qu'elle avait vu de ses propres yeux.

— Il est grand, mais pas trop. Il est beau, mais pas au point qu'on se pâme devant lui. Il ressemble beaucoup à son père, Uther, mais il n'en a pas le caractère, Dieu merci ! Visiblement, il a un tempérament modéré.

On n'avait pas besoin de nous rappeler qu'Uther était un coureur effréné. On disait qu'au cours de sa vie il n'avait jamais passé une nuit seul.

— Mais il y a quelqu'un qui ne le considère pas du tout sous cet angle. Ce que vous voyez n'est qu'une de ses facettes, la jeunesse, la force et la joie. Il est né pour ça, disait Merlin à Ygerne. Je crois bien qu'il sait de quoi il parle... En tant que mère, j'aurais aimé avoir un fils pareil. Si j'étais un peu plus jeune, j'aurais aimé l'avoir pour mari.

Elaine me jeta un coup d'œil et soupira profondément. Alyse poursuivit le récit de sa visite, décrivant les personnes qu'elle avait rencontrées, mais pour Elaine cela n'avait plus aucune importance. Ses délires fantasmagoriques sur le grand Arthur venaient d'être confirmés. Elle était aux anges.

Nos jeunes années furent de belles années. Elaine et moi étudiions le latin, le grec et le calcul, apprenions la couture et la broderie et toutes sortes de choses pour bien tenir une maison. Nous chevauchions le long des plages rocheuses sur nos poneys et assistions aux Hauts Conseils du Roi quand on nous y autorisait. Arthur s'activait à reconstruire les défenses du pays, rénovant les routes et les forteresses, mettant en place un système de communication par feux d'alerte sur le sommet des collines, relevant les villes et les châteaux sinistrés ou pillés, rétablissant la vie et la confiance à travers tout le pays. Il voyageait sans cesse, de royaume en royaume, renouvelant les traités, apportant une main secourable à ses barons, tentant de résoudre leurs problèmes du mieux qu'il le pouvait. En retour, ils lui prêtaient allégeance, acceptant à l'avenir de lui porter aide et assistance en cas de besoin. Autour de lui, Arthur rassemblait aussi de jeunes chevaliers, les fils des seigneurs et barons du pays. Ils les formait dans une atmosphère de franche camaraderie pour en faire un groupe soudé de compagnons fidèles. Avec l'aide d'un prince débarqué de la Petite Bretagne, un cavalier d'exception, Arthur partit chercher en Gaule de solides petits chevaux très rapides. Il les croisa avec les espèces locales de l'île pour obtenir un destrier puissant, rapide et intelligent comme on n'en avait encore jamais vu. La cavalerie d'Arthur devint une force mobile et rapide. Une arme terrible.

Mais, comme on dit en pays de Galles, toute chose a son contraire. Personne n'est à l'abri du scandale. Un jour, j'entendis le récit d'un drame monstrueux qui jeta une ombre sur la gloire de notre nouveau roi. Je me trouvais dans les écuries, à soigner mon cheval après une promenade. Je brossais sa jolie robe, travail que je fais habituellement moi-même, plutôt que de le laisser aux garçons d'écurie. J'entendis deux hommes discuter d'une voix forte.

L'un des hommes de Pellinor s'entretenait avec un sergent alors qu'il rentrait son cheval. Cela faisait déjà un moment que j'étais revenue de ma promenade, et j'étais restée dans le box un peu plus longtemps que d'habitude. J'étais censée être revenue dans le château avec Elaine.

— Alors, Stannic, comment va ?

— Bien, mon seigneur, merci de vous en inquiéter. Vous avez fait vite. Nous ne vous attendions pas avant la tombée de la nuit.

— Je suis venu en toute hâte de York, répondit le sergent.

Leurs voix se firent plus lointaines alors qu'ils se dirigaient vers le box du cheval. J'étais sur le point de tout ranger et de partir quand j'entendis distinctement le nom du haut roi et puis le mot « massacre ». Prestement, je me cachai dans un recoin et me tins le plus immobile possible. Le sergent sortit de l'écurie et longea le mur, parlant d'une voix forte. Apparemment, il aimait annoncer les mauvaises nouvelles.

— On en parle dans tout York, exulta-t-il. Deux cents bébés, dit-on, tous des garçons. Ils ont été envoyés sur un bateau de pêcheur, les voiles repliées, et lancés en direction des rochers. Je le sais d'un homme qui l'a appris de sa sœur qui vit à Dunpelder.

— Dunpelder ! La cité du Lothian. La ville de Lot.

— Le roi Lot est entré dans une rage folle. Mets-toi un peu à sa place, Stannic. Tu es loin de chez toi, en train de combattre au côté du haut roi, tu es marié depuis huit mois seulement, ta femme est bien en sécurité dans ton château, avec plein de gardes partout. Tu l'as laissée enceinte. Et qu'est-ce que tu découvres quand tu rentres chez toi ? Une femme toute maigre, un berceau vide, une histoire sans queue ni tête à propos d'une naissance prématurée et de la mort du bébé. Pendant ce temps, toute la place grouille de rumeurs à propos d'un enfant en bonne santé, né voilà six semaines, et qui ressemble autant à Lot qu'un dragon à un aigle.

Stannic marmonna quelque chose et le sergent rit. Je me demandais quel rapport il y avait entre cette histoire et le haut roi.

— Oui, elle a bien eu un enfant, pour sûr. Mais elle savait ce qu'elle faisait. C'est une sorcière, tu le sais bien. Ah, une véritable magicienne et une véritable beauté ! Je te dis qu'elle est capable de tout. Séduire et trahir lui sont aussi naturel que de respirer. Oh, c'est bien un fils, ça c'est certain. Lot l'a battue comme plâtre jusqu'à qu'elle perde presque connaissance mais il n'a pas réussi à obtenir la vérité de sa bouche. Tout York grouille de ragots.

— C'est pour ça qu'il aurait tué les enfants ? demanda Stannic. Pour retrouver le garçon ?

— Est-ce que je t'ai dit que c'était Lot qui avait fait ça ? Le bébé a d'autres ennemis. Tu peux imaginer qui est le père de l'enfant.

— Son esclave de bain ? Le capitaine de la garde ?

Le sergent s'arrêta de parler et j'eus peur un instant qu'il ne laisse l'histoire inachevée. Mais il ne s'était interrompu que pour boire une gorgée à la gourde qu'il portait à sa ceinture. Je l'entendis retirer le bouchon puis roter.

— Écoute, Stannic, poursuivit-il plus doucement, avec un timbre de voix étrange et énigmatique qui me donna des frissons de peur dans le dos.

Je rampai jusqu'à la porte de mon box pour mieux écouter.

— Tu ne peux pas t'imaginer pourquoi Lot est si furieux ? Non ? Voyons, si ce bébé avait été juste le bâtard de la reine, il l'aurait simplement banni, sans essayer de le tuer. Tu n'as donc jamais entendu les rumeurs ? Il y en a eu juste après Caer Eden. Sur Morgause et Arthur, je veux dire. Avant qu'elle n'épouse Lot et avant qu'Arthur ne soit proclamé haut roi et fils d'Uther.

Sa voix devint un murmure rauque et je fis de grands efforts pour entendre.

— Le jeune prince a partagé son lit, là-bas. On le dit, oui. Sa première femme, la nuit de la victoire. Elle portait l'enfant quand elle a épousé Lot, très vite après cette aventure. Tu peux être certain que Lot a entendu les rumeurs, lui aussi. Il ne voulait pas d'un petit dragon, un fils du Dragon, dans son nid, bâtard royal ou pas.

— Le haut roi est au courant ? demanda Stannic en sortant du box.

— C'est la question que tout le monde se pose. Les troupes de quelqu'un envahirent la ville et tuèrent tous les nouveau-nés mâles. Toutes les maisons furent fouillées, on arracha les enfants au sein de leur mère, ou les jeta dans une grosse barque. Certains racontent qu'on pouvait entendre les pleurs des bébés plusieurs heures après qu'on les eut perdus de vue de la berge. Bien sûr, les plaintes des mères, on les perçut des jours et des jours... Aucun des bébés n'a survécu. Les corps sont revenus avec la marée, il y a trois jours.

— Tu veux dire... questionna Stannic d'une voix tremblante, tu veux dire... que ces soldats étaient les propres troupes du haut roi ?

— Qui sait ? Ils ne portaient aucun blason. Et ça me paraîtrait logique que le haut roi veuille tuer l'enfant. Rends-toi compte, quel terrible danger cet enfant pourrait constituer plus tard pour lui ! Un fils bâtard élevé par la sorcière du Lothian !

— Pas lui. Pas notre roi, murmura Stannic. Il est trop jeune. Il n'y a aucun mal en lui.

— Mais qui se tient à ses côtés ? Merlin le magicien, grand maître des arts noirs. Ne me dis pas, cher compagnon, que c'est impossible. Avec les rois, tout est possible. Tout le Nord accuse déjà Arthur. Mais York est divisé. Dans le Sud, ils mettront la chose sur le dos de Lot.

— Moi, je te dis que c'est la faute de la sorcière ! s'écria Stannic.

Le sergent eut un petit rire.

— C'est probable. Elle est quand même à l'origine du problème. Si belle, disent-ils, qu'elle tourne la tête aux hommes. Mais aurait-elle pu donner des ordres pour assassiner des enfants innocents ?

— C'est possible. Pour protéger son fils. Des bâtards sont montés sur le trône par le passé. N'as-tu pas dit que Lot avait battu Morgause dans un excès de colère ? Hum... je connais des femmes qui auraient tout fait, même les choses les plus innommables, pour dissimuler un mensonge. Si elle a pu cacher le bébé, comme tu l'as dit, elle aurait pu tuer les enfants de la ville tout en mettant son fils en sécurité. Cela aurait calmé la colère du roi Lot et empêché les rumeurs de se propager.

— Hum... peut-être. Tu crois qu'une femme est capable de meurtre ? Je ne sais pas, moi. Mais c'était un acte monstrueux et la faute doit bien retomber sur quelqu'un.

— Je prie la Grande Déesse qu'elle ne retombe pas sur le jeune roi.

— Même si cela ne se produit pas, il en pâtira. Comment un renard aussi futé que Lot tuerait-il autant d'innocents, juste pour se débarrasser d'un bâtard ? Cela laisse comme un mauvais goût dans la bouche, n'est-ce pas ? Un sentiment atroce, non ?

Je crois bien que j'ai failli crier d'horreur. Mais je mis les mains sur ma bouche. Ils étaient en train de s'éloigner ensemble et ils ne m'entendirent pas. Le sergent était parti. Stannic revint, longea le mur, vérifiant une dernière fois les chevaux. Je me tins contre la porte, immobile. Il ne me vit pas, éteignit la lampe à huile, ferma la porte et sortit. Je m'approchai de mon cheval qui somnolait et mis les bras autour de son large cou chaud. J'enfouis mon visage dans son crin rêche pour y cacher mes pleurs.

Pendant que le sergent racontait les événements, je me disais qu'il devait y avoir plus, dans cette histoire, que ce que j'avais pu entendre. Le sergent en savait plus qu'il n'avait voulu en dire. Mais surtout, quand il avait prononcé le nom d'Arthur, j'avais compris de quoi il s'agissait. Morgause était la fille adultérine d'Uther, née avant qu'il épouse la reine Ygerne. Elle était la fille d'Uther, la propre sœur d'Arthur. Je me signai prestement alors que des visions malsaines m'assaillaient. C'était un péché que je n'avais jamais imaginé auparavant. Se pouvait-il que le haut roi ait accompli une chose pareille ? Je me souvins des histoires qui circulaient chez ceux qui étaient revenus du champ de bataille. Le prince ne connaissait pas ses parents, à cause d'Uther, jusqu'à ce que celui-ci le proclame son hériter sur son lit de mort, le lendemain de la bataille, quand on célébrait la victoire. C'était donc possible. Quand il se trouvait avec Morgause, il ne savait pas qui elle était.

S'il a péché par ignorance, il a probablement su la vérité le jour suivant, quand Uther l'a reconnu comme son propre fils. Corwin ne l'avait-il pas décrit comme hébété et sombre, juste après cette annonce ? C'était ce qui expliquait le massacre bien plus que n'importe lequel des arguments du sergent. Ce fils serait une tache sur son honneur, une souillure sur son nom, autant qu'une menace pour son pouvoir. Des hommes ont accompli des méfaits plus horribles encore et pour des raisons bien moins graves !

Je me mis à trembler fortement. Il ne semblait pas y avoir d'issue à ce problème. Arthur était coupable soit d'inceste, soit de meurtre, et peut-être même des deux à la fois. Notre nouveau roi, notre éclatant espoir sans tache... Si jamais la choses s'ébruitait, Arthur serait marqué à jamais par cette souillure diabolique.

Je réalisai soudain que le sergent était venu pour rapporter ces nouvelles devant le Conseil du Roi. Je tentai de me ressaisir et de maîtriser mes tremblements. Avec l'eau contenue dans le seau du cheval, j'aspergeai mes vêtements pour faire semblant d'être malade. Ainsi, Elaine ne pourrait pas me persuader d'aller espionner près de la tour cette nuit-là. Un jour, elle découvrirait la vérité, en tout cas si l'histoire se propageait à travers l'île de Bretagne à la même vitesse qu'au pays de Galles. Il était probable qu'Elaine l'apprendrait par quelqu'un, mais ce ne serait pas par moi. Elle était mon unique amie et j'allais tenter de lui garder son Arthur sans tache aussi longtemps que possible.

5

Le cadeau

LA REINE Alyse était assise en compagnie de ses dames et demoiselles dans les jardins royaux pour coudre ou se reposer un peu, profitant de la douce brise marine et du chaud soleil matinal. L'hiver avait été assez rude et certaines d'entre nous avaient attrapé une mauvaise fluxion il n'y avait pas si longtemps. C'était un luxe que de se prélasser comme cela, hors des murs de nos appartements, sous le soleil, au milieu des agréables senteurs des jeunes pousses et du chant des oiseaux.

Nous étions le premier jour du mois de mai. Comme c'était mon anniversaire, le père Martin nous permit d'arrêter nos leçons un peu plus tôt. On donnait une fête au village. Les jeunes filles, tout enguirlandées de fleurs des champs, dansaient avec les jeunes garçons. On pouvait voir du château les fumées des feux de la fête qui s'élevaient, serpentant au-dessus des collines. Nous étions le jour de Beltaine, fête consacrée à la Grande Déesse. Même si le roi Pellinor et la reine Alyse commandaient officiellement une maison chrétienne, la majorité des Gallois vénéraient toujours la Grande Déesse aussi bien que le Christ et observaient souvent les jours fériés païens.

J'attendais ce jour depuis longtemps, car j'étais persuadée qu'aujourd'hui Dieu allait enfin faire de moi une femme. J'avais prié très fort et très sincèrement, promettant d'exécuter à la lettre toutes les injonctions divines et de me plier même aux plus astreignantes des règles que la reine Alyse avait édictées aux dames de la cour.

Avec le temps, j'avais appris aussi, un peu aux dépens de ma fierté, il est vrai, à me placer dans l'ombre d'Elaine. Quand elle avait une idée fixe, je ne lui barrais pas le chemin mais tentais de trouver, si je le pouvais, quelques circonvolutions hautement diplomatiques pour tempérer ses égarements, tout en essayant d'éviter ses colères. Quand je n'y arrivais pas et que ses projets stupides se terminaient en désastre, je tenais ma langue si on m'accusait.

Un jour, Elaine et moi nous étions glissées dans le garde-manger pour voler un peu de crème fraîche, arrivée des fermes voisines dans des pots. Le cuisinier nous surprit et nous tança pour notre gourmandise. Sachant par expérience de qui pouvait venir cette brillante idée, le cuisiner gronda sévèrement Elaine et menaça de la dénoncer à la reine. Le jour même, Alyse fit la leçon à Elaine, stigmatisant son goût immodéré pour les sucreries et la crème fraîche, mais Elaine se retourna contre moi, m'accusant d'être la véritable instigatrice. Sachant que je serais tenue pour responsable de toute façon (que je nie les faits ou pas), je décidai de m'accuser. À partir de ce moment, Alyse en conclut que j'étais la responsable de la disparition de la moindre sucrerie dans les réserves.

Quand il fallait punir quelqu'un, c'était toujours moi. Après, Elaine m'adressait de plates excuses et promettait de se conduire mieux la fois suivante. Dame Alyse fronçait les sourcils et me jetait des regards désapprobateurs, disant que je n'étais qu'une jeune effrontée. Heureusement que je pouvais toujours compter sur la clémence de Pellinor. Il ne supportait pas de me voir malheureuse et tentait par tous les moyens de me redonner du courage. Il me faisait rire avec sa bonhomie et sa bonne humeur naturelles.

En contrepartie de ces sacrifices, j'étais persuadée que Dieu répondrait enfin à mes prières. Bien qu'Elaine eût un an de moins que moi, elle avait déjà vu sa poitrine pousser et sa silhouette s'arrondir. Moi, tout ce que j'avais fait, c'était de pousser en hauteur. J'étais devenue plus grande que la reine Alyse, mais restais aussi plate qu'un garçon, et aucun signe n'annonçait que cela allait bientôt changer. Mais j'étais persuadée que Dieu m'entendrait. Le père Martin m'assura qu'Il prêtait une attention toute particulière aux prières des jeunes vierges.

La reine Alyse et ses dames avaient cousu pour chacune d'entre nous une robe en prévision de la fête et nous nous précipitâmes pour aller nous changer. La robe d'Elaine était coupée dans un tissu bleu ciel, doux et souple qui allait parfaitement avec ses yeux. Elle avait une ceinture à taille haute et un col rond qui mettait en valeur son visage d'adolescente. Elle était vraiment très belle. Ma robe était d'un vert vif, couleur de jeunes feuilles, dans une soie qui venait de l'Orient lointain. La dentelle au cou était un signe d'amour et d'honneur, elle était rare en Bretagne et très coûteuse. La robe me collait au corps comme un gant. Je ne pouvais pas cacher ma silhouette longiligne. À côté d'Elaine, je ressemblais à l'un des grands épouvantails du jardin de la reine.

— Gwen ! s'écria Elaine.

Je me retournai et la trouvai en train de me dévisager d'un regard mauvais.

— Qu'est-ce qu'il y a ?

Elle était en colère.

— Tu n'as pas le droit de m'éclipser dans cette robe, lâcha-t-elle. Va te changer immédiatement !

— Quoi ? Qu'est-ce tu racontes ?

— Tu sais très bien ce que je veux dire ! Tu t'es admirée dans le miroir la moitié de la matinée ! Je te le dis, va te changer. Je n'admettrai pas qu'on me surpasse.

— Te surpasser ? lui répondis-je. Ce n'est pas bien de te moquer de moi, Elaine. Ce n'est pas parce que tu as l'air d'une jeune demoiselle de vingt ans et moi... moi... Un jour, j'aurai une silhouette de femme et je me trouverai un mari, mais pas avant toi, voyons !

— Ce sera toujours trop tôt ! s'écria-t-elle, en pleurs.

— Bonté divine, Elaine ! Tu es aveugle ou quoi ? Allez, viens te regarder ! Tu parais prête à te marier avec l'un des chevaliers du haut roi.

C'était le plus beau compliment que je pouvais imaginer, les chevaliers d'Arthur étant les hommes le plus nobles de notre pays. Mais cela ne lui plut pas. Elle se tourna vers moi, furieuse. Non, je ne me trompais pas. L'ambition d'Elaine était bien plus grande encore.

— Il est sûr et certain que je ne serai pas courtisée avant que tu te sois mariée, Gwen. Qui va regarder la petite Elaine, se tenant là dans l'ombre de la grande Guenièvre ?

J'attrapai le bras d'Elaine.

— Que signifient ces paroles insensées ? Tu es la fille du roi Pellinor ! Allons, ne dis pas n'importe quoi !

Elle se débattit, vraiment très en colère.

— Lâche-moi ! Va-t'en !

Elle se mit à courir, passa la porte et descendit le corridor avant que je pusse l'en empêcher.

— Qu'ai-je donc fait ? criai-je à Ailsa, qui s'était penchée pour ramasser les vêtements qu'Elaine avait jetés par terre avant de quitter la pièce. Qu'ai-je dit ou fait ? Tu sais de quoi il retourne ?

— Oui, en effet, je le sais, dit-elle souriante. Mais n'y prêtez point trop attention, ma demoiselle. C'est une maladie qui ne connaît pas de médecine.

— De quoi s'agit-il ? demandai-je. Je veux savoir.

Elle leva le regard vers moi, ses yeux se plissèrent dans une expression rieuse.

— Soyez tranquille, ma demoiselle. Si vous ne le savez pas encore, le moment viendra bien vite. Allez plutôt la rejoindre et tâchez d'être gentille avec elle. Vous pourrez peut-être la ramener à de meilleures dispositions, qui sait ?

Je pris mon courage à deux mains et descendis dans le jardin, où je savais que le reine se reposait. Elle nous attendait. Elaine était effectivement là. Mais elle garda obstinément les yeux baissés et ne me dit rien. La conversation tourna autour du grand événement qui devait se produire ce jour-là : le retour du roi Pellinor. Il rentrait de la cour du roi Arthur. Pour mon anniversaire, il m'apportait un présent spécial, le messager l'avait annoncé, mais c'était un grand secret. Alyse elle-même ne savait pas de quoi il s'agissait.

Cela faisait trois mois que Pellinor était parti avec son armée. Il était allé aider le haut roi pour maintenir nos défenses le long des côtes saxonnes. On racontait qu'il se trouvait avec Arthur quand celui-ci avait battu une grande armée de Saxons débarquée par surprise de navires. Les

Saxons étaient supérieurs en nombre aux forces royales. Face à eux, nous ne disposions que des fantassins du roi Pellinor et de divers autres barons du Somerset, mais les Saxons n'avaient pas de cavalerie. Les chevaliers du roi Arthur les défirent facilement.

Un jeune chevalier armoricain, Lancelot de Lanascol, avait été particulièrement honoré durant les festivités qui avaient suivi la bataille. C'était, disait-on, un grand éleveur de chevaux. Le haut roi avait proclamé que la victoire revenait en partie à Lancelot. Il en fit officiellement son bras droit, ce que Lancelot était officieusement depuis un moment déjà. L'Armoricain n'avait nulle parentèle en Grande-Bretagne et, par nécessité, il logeait sous le pavillon royal, voyageant toujours avec Arthur. Ils étaient devenus des amis inséparables.

Le messager avait dit que le roi Pellinor se trouvait dans le Nord du pays, à York. Nous espérions donc qu'il reviendrait vite chez lui, et pour un long moment. Le messager avait dit aussi qu'il rapportait une surprise.

Je repris mon ouvrage de broderie, sur lequel je travaillais depuis un certain temps déjà, et j'écoutai d'une oreille distraite le bavardage des femmes de la cour. Mes pensées étaient tournées vers mes problèmes de femme et ceux d'Elaine, ses constants changements d'humeur. Quand allait-elle cesser ses insupportables enfantillages ? Redeviendrait-elle un jour mon amie ?

— Méléagant est le roi du Somerset, expliqua Alyse, bien qu'en réalité ce soit sa sœur, dame Seulte, qui dirige le pays. Elle prétend être une sorcière. Mais les gens qui vivent là-bas, sur l'Ynys Witrin, disent que son méchant caractère ne repose que sur son amertume de ne pas avoir pu se trouver un mari.

Comme toujours, la reine Alyse, me dis-je en moi-même, avait le chic pour appuyer là où cela faisait mal avec Elaine.

— N'y a-t-il pas un temple dédié à la Grande Déesse sur l'Ynys Witrin ? demanda Elaine, tentant de détourner la conversation. Je crois que je l'ai entendu dire quelque part. Mais je pense qu'à présent il y a aussi un monastère. Je me demande bien comment cela est possible.

— Bonté divine, d'où tires-tu toutes ces informations ? Tu n'es jamais allée dans le Somerset. Je suis sûre de ne t'en avoir rien dit avant que le roi Pellinor y passe tellement de temps l'année dernière.

Naturellement, nous avions connaissance de tout cela grâce à nos écoutes clandestines. Je perçus un regard inquiet et rapide d'Elaine et je cachai mon sourire. Elle tourna un visage innocent vers la reine.

— Je ne sais pas, mère, je dois l'avoir entendu dans les écuries, je pense. Parfois les hommes parlent dans les écuries quand ils ne savent pas que les jeunes filles sont là.

Un frisson d'horreur me traversa tout le corps, et je faillis crier. Je me rappelais le sergent venu d'York. Était-il possible qu'Elaine connaisse aussi la terrible histoire ? Ou avait-elle proféré ces paroles au hasard ? Je me penchai très bas sur mon ouvrage pour cacher mon visage accablé.

— Eh bien, la petite marchande a de grandes oreilles, on dirait. Oui, Avalon se trouve sur l'Ynys Witrin, près de la forteresse de Méléagant. Un monastère chrétien a bien été construit sur le Tor. Les moines et les dames du Lac cohabitent plutôt bien. Ils sont tous au service de la religion et du sacré. Les prêtresses sont expérimentées dans l'art de la médecine et les moines prient et méditent. Il n'y a pas eu de problème, là-bas, enfin pas encore. Toutes les difficultés viennent de Méléagant. Il est jeune et bel homme, et assez plaisant, je crois, mais il regarde un peu trop souvent les petites pucelles. J'ai cru comprendre qu'il avait ruiné la réputation de plus d'une jolie novice. Et il n'a que vingt ans.

— Peut-être, renchérit une des dames, est-il temps pour lui de se marier.

— Probablement, Cissa. Mais sa sœur l'en empêche. Personne n'est assez bien pour dame Seulte. Alors que, et j'ose le dire, Méléagant, lui, n'est pas aussi regardant. Mais il ne veut pas déplaire à sa sœur, qui l'idéalise et le comble de louanges. Méléagant fait ses quatre volontés. Pellinor a peur qu'il n'y ait bientôt des problèmes dans la région.

— Au moins, il ne s'agit que de problèmes de femme, répondit Léonore.

— Peut-être, dit Cissa, devrait-il rechercher sa fiancée un peu plus au nord.

Elle se tourna vers Elaine et lui sourit. Elaine rougit

instantanément. Je lui jetai un regard en signe de soutien, mais elle m'ignora.

Alyse s'arrêta de parler pour nous observer toutes deux, l'air songeuse.

— Peut-être, dit-elle, mais le moment n'est pas encore venu. Et je ne vous ai pas dit le plus important.

La reine posa son travail de broderie et attira notre attention.

— Je pense que vous aurez tous les détails de l'affaire en question quand le roi Pellinor sera de retour, mais je ne vois pas pourquoi vous ne seriez pas mises au courant séance tenante. Comme vous le savez sans doute, le haut roi recherche, depuis un certain temps, un lieu où construire sa grande forteresse pour lui et ses soldats. Caerléon n'est plus assez grand. Il rassemble une très grosse troupe à sa suite, et je ne parle pas des chevaux. Il n'existe pas de château assez imposant dans le pays pour loger tous ses suivants. Or, il y a un mois de cela, ils sont tombés d'accord sur le lieu.

Cette nouvelle mit les dames au comble de l'excitation. Enfin, le royaume allait posséder une capitale, une cour fixe qui n'aurait plus besoin de voyager constamment de royaume en royaume, un endroit qu'Arthur pourrait faire sien.

— Ce lieu se trouve dans le Somerset, c'est ce qui m'a fait penser à Méléagant, poursuivit Alyse. Sur une haute colline pentue et au sommet plat, non loin des feux d'alarme sur l'Ynys Witrin. C'est près de la rivière Camel, il y a une source non loin du sommet. On rapporte qu'avant l'hiver les fortifications seront terminées et que les logis pour les soldats et les chevaux seront achevés. Le palais prendra bien sûr plus de temps à construire.

Pourquoi donc Arthur avait-il besoin d'un palais, me demandai-je, s'il y a déjà de bonnes fortifications et des écuries pour ses chevaux ? Durant cinq années, il avait pu s'en passer. Il avait été constamment victorieux partout où il avait levé son épée.

— Voilà une excellente nouvelle, ma dame ! s'écria Cissa. Et peut-être que, dans deux ou trois ans, quand il aura construit son palais, il y conduira une épouse. Oui, le haut roi pourra se marier.

Cela avait été une préoccupation pour toutes les pucelles

du pays, et ainsi que pour les demoiselles de mon entourage. Le jeune roi n'avait toujours pas cherché à se marier. Il était âgé de dix-huit ans à présent, bien bâti, bel homme, aguerri : sans l'ombre d'un doute, le plus beau parti parmi tous les célibataires du pays.

Ravie, la reine Alyse sourit.

— Cissa, ma chère, vous m'enlevez les mots de la bouche. Mais la nouvelle cour de Caer Camel ne constitue que la moitié de ce que je voulais vous dire. Écoutez-moi bien. Le haut roi s'est fiancé et il se mariera en septembre.

Il se trouvait qu'à cet instant précis je regardais Elaine. Je la vis devenir toute pâle. Elle baissa la tête et je vis des larmes couler sur ses joues. Dans un éclair de lucidité, je compris enfin.

— Qui est-elle ? s'exclamèrent les dames, impatientes. Qui l'a proposée ? Quelle est sa famille ?

La reine Alyse mit un peu de temps pour arriver à les faire taire, alors qu'Elaine tentait courageusement de faire comme si de rien n'était.

— Elle est la fille du comte d'Ifray. Il a été tué au côté du duc Cador, il y a quatre ans de cela. Sa mère est morte à la naissance de sa fille. Elle a été élevée dans la maison de Cador, depuis la mort de son père. Souvenez-vous que le haut roi avait fait de Cador de Cornouailles son héritier tant qu'aucun enfant légitime n'était né. Cador est aussi en excellents termes avec sa belle-mère, la reine Ygerne.

Les dames présentes acquiescèrent avec gravité. Dans tout le pays, personne n'était plus favorable à cette union que la reine mère et l'héritier présomptif, hormis Merlin.

— Elle a seize ans, poursuivit la reine, et elle est plutôt jolie, d'après tous les dires. Elle a pu s'entretenir une fois ou deux avec le haut roi. Au moins, ils se connaissent un peu.

Alyse avait épousé Pellinor par amour, chose incroyable pour l'époque, et on croyait fermement qu'il ne fallait pas donner les jeunes pucelles à des étrangers.

— Et son nom est, annonça Alyse, Guenwyvar.

Toutes sursautèrent de surprise, me jetant des coups d'œil de biais, comme si j'avais perdu la partie, mais juste d'un cheveu.

— Dieu soit loué ! murmura Léonore. Nous allons enfin avoir une reine et la lignée d'Arthur sera perpétuée.

— Oui, poursuivit la reine, je crois bien que lorsque son palais sur le Caer Camel sera terminé, le haut roi et sa reine auront besoin de compagnie et d'une cour, et ses compagnons d'épouses, si les guerres nous en laissent le temps. Il se pourrait que nous partions pour le Somerset d'ici deux ans.

Les dames nous regardèrent et sourirent, comprenant l'allusion.

La peine d'Elaine me fendait le cœur, mais, à part moi, personne ne semblait l'avoir remarquée. Aussitôt que je le pus, avançant une excuse, je quittai le jardin et Elaine me suivit de bonne grâce. Nous courûmes vers nos chambres et Elaine s'écroula en sanglots sur son lit. Je m'assis près d'elle et caressai ses beaux cheveux. Ils avaient la couleur du blé mûr — doré foncé — et brillant, et étaient plus beaux, d'après moi, que mes cheveux blond platine, couleur propre aux enfants, qui faisait souvent que les étrangers me fixaient. Je ne devais perdre cette couleur que plus tard.

— Je suis désolée, Elaine. Je ne savais pas. Enfin oui, je savais que tu l'idéalisais, il était ton héros depuis que tu avais entendu les récits qui circulaient à son sujet, mais sincèrement je ne savais pas que tu... vraiment... j'attendais que...

— Arrête ! sanglota Elaine. Je savais que c'était sans espoir, mais j'espérais tout de même ! Cela devait arriver ! À présent, mère va me marier à l'un de ses chevaliers !

— Ne serait-ce pas un honneur ? Il est certain que n'importe quelle jeune fille choisie par ses compagnons serait parmi les premières dames de la Bretagne.

— Je m'en fiche ! Oh, Gwen, ce sera trop horrible ! D'être là, à la cour du haut roi, mais mariée à quelqu'un d'autre... Je ne le supporterai pas ! Et je n'épouserai jamais quelqu'un d'autre ! Je ne me marierai jamais ! Jamais !

Je tentai de l'aider, de la calmer, mais elle semblait tellement s'enivrer de ses larmes qu'elle cessa de lutter et devint réellement hystérique. Il fallut demander l'aide de Grannic et d'Ailsa pour la calmer avec des linges froids posés sur sa tête et des couvertures chaudes pour son corps. Elaine, dans les moments les plus pénibles, appréciait parfois ce laisser-aller complet de ses émotions. Cependant, elle en souffrait toujours par la suite, avec des maux de tête qui pouvaient durer des jours entiers. Elle était étrange, je ne la comprenais pas, car, d'une certaine manière elle paraissait jouir de ses souffrances.

Je la laissai entre les mains des servantes, qui la calmèrent suffisamment pour qu'elle s'endorme, puis je me rendis aux écuries. Mon hongre marron, Peleth, était loin de ses jeunes années. C'était pour cela que le roi Pellinor l'avait pris à un cavalier et me l'avait donné. Mais il était volontaire et, dans sa jeunesse, il avait été un véritable athlète.

Pour ses vieux jours, je lui avais appris quelques nouveaux tours, comme de sauter des obstacles. Nous avions commencé avec des barrières naturelles sur les sentiers dans les bois, des arbres tombés, des rochers entraînés par les pluies, des murets, mais avec le temps ces obstacles étaient devenus trop faciles et, depuis un certain temps, j'avais érigé en secret un parcours avec des branchages, des rochers, de l'herbe, certains hauts, d'autres larges. Peleth avait appris à les sauter sans grande difficulté. C'était une sensation merveilleuse pour moi que de voler à travers les airs, avec le vent dans les cheveux. Et Peleth aimait beaucoup cela.

Je n'étais toujours pas une femme et je m'en assurai avant de sortir. La journée était seulement à moitié entamée, il me restait du temps. Je fis sauter Peleth jusqu'à ce qu'il accomplît un parcours sans faute, puis nous partîmes galoper sur la plage. La journée était belle et dégagée, et les embruns de la mer froids. Nous revînmes alors que le soleil dardait ses derniers rayons sur la colline, couverts d'écume, de sable, de boue, mais très heureux. Je ne conduisis pas Peleth directement à l'écurie mais le confiai au palefrenier, car je savais que j'étais très en retard et qu'on s'était probablement déjà inquiété de mon absence.

Ailsa était affolée :

— Mais, par tous les saints, où donc étiez-vous passée ? Le roi Pellinor est de retour et nous sommes conviées à dîner. Regardez-vous ! Vous avez déchiré votre tunique. Dieu sait sur quoi ! Vos bottes sont toutes crottées !

Je riais alors qu'elle me retirait ma tunique.

— Ce n'est rien, Ailsa. Si tu voyais dans quel état est Peleth !

— Qu'allez-vous devenir ? se lamenta-t-elle. Vous êtes aussi sauvage d'un farfadet irlandais. Dans ces conditions, vous ne trouverez jamais un mari !

Par ses paroles, bien involontairement, elle avait réveillé ma peur la plus profonde et je sentis mon humeur joueuse disparaître aussitôt.

Ailsa le remarqua et changea aussitôt d'attitude. Elle se mit à chantonner tendrement.

— C'est juste ma manière de parler, ma demoiselle. Ne prêtez pas trop d'attention aux paroles d'une stupide vieille femme. Vous êtes aussi jolie que le soleil printanier et, dès que la Bonne Déesse vous aura réglée comme il se doit, il n'y aura pas un prince dans tout le pays qui ne vienne frapper à la porte du château du roi Pellinor pour lui demander votre main. Souvenez-vous-en, ma demoiselle. Souvenez-vous de ce que la prophétesse a prédit. Vous serez la première dame du pays.

Les sanglots montaient dans ma gorge, mais je les retins. La prophétie de Giselda ! À présent, tout était clair pour moi : la sorcière avait dit vrai. Il se pouvait que je reste plate toute ma vie, une vieille fille, un poids pour ma famille. Mais tout cela n'avait plus aucune importance. La première dame du pays portait mon nom.

J'avais manqué l'entrée du roi Pellinor au château. Soudain, je me souvins que la fête qui allait avoir lieu se tenait aussi en mon honneur. Je levai ma robe bien haut et courus jusqu'à la salle de réception. Je fus surprise de constater qu'Elaine avait suffisamment récupéré pour être assise avec les autres dames, près de la cheminée. En général, après ses crises de pleurs, elle demeurait au lit un bon moment. Je suppose qu'on l'avait fermement priée de se joindre à ma fête d'anniversaire. Elle me parut bien pâlichonne et malheureuse.

Le roi Pellinor se trouvait à côté de la chaise de la reine, serrant sa main. Son amour pour Alyse était très sincère et il ne fit jamais rien pour le cacher. Il y avait deux visiteurs avec lui, un homme et un jeune garçon, qui se tenaient le dos vers moi, face au feu ; ainsi, j'arrivai tout près sans qu'ils me voient.

— Ah, voilà notre Gwen ! s'écria le roi en me souriant tendrement.

J'accomplis ma révérence la plus gracieuse.

— Je vous en prie, veuillez me pardonner, sire. Nous sommes très heureuses de vous voir revenu sain et sauf. Je ne voulais pas arriver en retard. C'était que...

Il se mit à rire et me pria de me relever, m'enlaçant tendrement dans ses bras.

— L'équitation, je suppose. Quoi d'autre ? Venez donc, je vais vous présenter deux personnes que j'ai ramenées avec moi de la cour.

Je me tournai et me retrouvai nez à nez avec deux robustes gaillards aux cheveux de jais, pas plus grands que moi. Le plus jeune des deux, après m'avoir regardée de pied en cap avec des yeux écarquillés, se mit à scruter le sol obstinément. Le plus âgé eut un regard souriant ; ses yeux noirs pétillaient.

— Gwarthgydd ! m'écriai-je, me jetant dans ses bras. Oh ! Gwarthgydd, mon frère !

Il se mit à rire et me fit tourner dans ses bras.

— Eh bien, ma petite Guenièvre, je ne t'aurais pas reconnue ! Mais regarde-toi donc, tu es plus grande que moi, par Mithra ! Une véritable beauté, Gwen, il n'y a pas à en douter. (Il se tourna vers le garçon à ses côtés.) Tu vas en avoir, des choses à raconter à ta mère, Gwillim, n'est-ce pas ?

— Gwillim ! m'exclamai-je, le fixant intensément.

Je ne l'avais pas reconnu tout de suite. Bien entendu, il avait grandi, mais ce n'était pas que cela. Il avait quatorze ans à présent, et avait laissé pousser sa moustache et une barbe. Il me regardait comme si j'étais une étrangère. Néanmoins, je le serrai dans mes bras. Nous avions été des compagnons de jeu, autrefois. Il se raidit et tomba presque à genoux, mais se ressaisit juste à temps.

— Oh, Gwillim, comme je suis heureuse de te revoir ! Comment se fait-il que vous soyez là ? Vous étiez en compagnie du haut roi ? Vous ne vous êtes pas arrêtés aux Norgales ? Vous êtes venus me voir tout spécialement ?

Gwillim demeurant sans voix, ce fut Gwarthgydd qui répondit :

— Mais oui, pour te voir, ma chère sœur, et pour honorer

mon seigneur le roi Pellinor, qui nous a invités ici si aimablement. Et aussi pour montrer la mer à Gwillim.

Le regard de Gwillim se posa un instant, presque imperceptiblement, sur la maussade Elaine. Je remarquai que Pellinor souriait à Alyse.

— Et pour lui montrer aussi les beautés de Gwynedd, acheva-t-il poliment.

Je compris immédiatement. Ils étaient venus pour observer Elaine.

Le roi Pellinor était enchanté, mais la reine Alyse ne paraissait pas partager cet enthousiasme ; son visage resta fermé. Après la conversation dans le jardin, je compris qu'Alyse avait de plus hautes ambitions pour sa fille qu'un simple chevalier gallois. Tout le monde resta très poli, bien entendu, et les conversations ne traînèrent pas non plus. La table du roi Pellinor, dont j'avais déjà entendu parler, était très particulière — car elle était ronde. La beauté de cet arrangement était unique, chacun pouvait voir et parler avec l'ensemble des autres convives. Il y avait aussi des tables rectangulaires sur des tréteaux, que l'on dressait de temps en temps pour célébrer avec la maisnie et les soldats une victoire ou un jour férié, mais la famille s'asseyait toujours autour de la table ronde.

On porta de nombreux toasts à ma santé. On parla de la guerre contre les Saxons, discussion qui ne concernait pas les dames présentes, mais que j'écoutai avidement. Elaine gardait les yeux fixés sur la table, comme n'importe quelle demoiselle timide et réservée, courtisée pour la première fois. Cependant, je savais que ce n'était pas la modestie mais l'accablement qui la mettait dans cet état. Gwillim qui avait, un moment, montré un peu d'intérêt, sinon de la curiosité pour cette jeune fille que son père lui avait choisie, regardait à présent sous son nez ou me jetait des regards furtifs. Malheureusement, je ne pus avoir la moindre conversation avec lui. La seule chose qu'il parvenait à me répondre était : « Oui, ma demoiselle » ou : « Non, ma demoiselle ». Et quand j'évoquais le temps que nous avions passé en compagnie des poneys sauvages, il répondait : « Je vous prie, ma demoiselle, de ne pas rappeler ces événements. » Que pouvais-je donc faire ?

Au moins, Gwarthgydd avait quelques nouvelles de la famille. Bien qu'en ce moment tous ses frères fussent au service du haut roi, il n'avait que de bonnes choses à dire au sujet d'Arthur. Quel chef ! Posé, instruit, responsable : jamais un acte inconsidéré ou une incursion armée non planifiée à l'avance. Courtois avec les dames, juste avec ses hommes, sans pitié pour ses ennemis. Il était toujours de bonne humeur et prêt à rire ; les hommes ne craignaient que ses rares colères. Arthur combattait non pas avec impétuosité mais avec fermeté et une froide détermination.

Quand il put m'entretenir au sujet d'Arthur, il me raconta enfin ce qui se passait chez lui. Il avait pu marier deux de ses filles et paraissait heureux de s'en être débarrassé. Ses frères avaient de grandes familles, plus grandes que le palais du roi à Caméliard ne pouvait en contenir. Ils vivaient sur leurs propres terres. Tout cela faisait qu'il passait du temps avec Glynis, ses deux filles les plus jeunes, Gwillim et ses deux fils plus âgés, qui partaient chacun leur tour servir le roi ou s'occupaient du royaume des Norgales. On se souvenait toujours de moi au pays, disait-il. Jamais les Celtes Noirs de ma famille n'avaient produit quelqu'un d'aussi blond. Je fis un mouvement de tête en direction d'Alyse, la sœur de ma mère, et de sa fille, la blonde Elaine. Gwarth me souriait. Oui, dit-il, tout le monde savait d'où venait ma blondeur. Il annonça que cela ne le gênerait pas le moins du monde d'avoir une nouvelle petite blonde aux Norgales. Je me sentis obligée de lui répondre que cela me paraissait improbable. Il regarda tristement vers Gwillim et acquiesça.

— On dirait pourtant que le roi Pellinor est satisfait de ma proposition.

— Probablement parce qu'il voit déjà sa fille rester finalement tout près de lui, répondis-je. Mais je t'assure, Gwarth, la reine croit que sa fille ne devrait pas se marier contre sa volonté… et notre demoiselle Elaine possède une très forte volonté.

— Hum, bien. Je pense que tu as raison. Je ne peux pas dire que pour Gwill cela soit trop important. Peut-être, après tout, est-ce aussi bien. Il ne veut regarder personne d'autre que toi, Gwen.

Je rougis. C'était ridicule, Gwillim était mon neveu ! Je dis à Gwarth à quel point j'étais heureuse de les revoir. Le roi Pellinor n'aurait pu m'offrir un plus beau cadeau d'anniversaire.

Il rit à haute voix.

— Mais nous ne sommes pas tes cadeaux, Gwen. Le roi Pellinor t'a apporté un cadeau très différent et plus précieux, que ne pourra jamais t'offrir le plus riche des princes gallois.

Pellinor, ayant entendu ces propos, se leva.

— Je dois confesser devant vous tous que le haut roi Arthur m'a accordé un très grand honneur. En récompense de mes services durant la dernière bataille, il m'a demandé ce que je souhaitais. Il exaucerait mon souhait, si c'était en son pouvoir.

Je vis tout le monde se regarder et acquiescer à l'extraordinaire prodigalité du roi. Pellinor sourit.

— Je me souvins de la jeune pucelle que j'avais sous ma garde. Je dis alors au haut roi que je souhaitais donner un cadeau à ma petite protégée. Je lui demandai de m'offrir une jument qui venait directement de ses écuries.

Je fus émerveillée, comme tout le monde. Un tel cadeau était tout simplement extraordinaire ! Les magnifiques chevaux que le chevalier Lancelot avait ramenés de sa Gaule natale, les poulains et pouliches, étaient gardés soit pour l'armée, soit pour la reproduction. Aucun de ces chevaux n'avait encore quitté les écuries du haut roi. Une pouliche de cette race était sans prix. Je dévisageai Pellinor, abasourdie.

— Il... il a accepté ? dis-je doucement.

Pellinor se mit à rire.

— Présentement, la pouliche est à l'écurie, dit-il. Le haut roi tient toujours ses promesses.

Je pus à peine retenir mon excitation. Si elle avait été mise à l'écurie dès le retour du roi Pellinor, elle devait déjà être dans son box quand j'étais rentrée de la promenade avec Peleth ! Je m'en voulais de ne pas m'être m'occupée de mon cheval à ce moment-là ; j'aurais pu la voir. Comme les choses se présentaient, je ne serais autorisée à lui rendre visite que le lendemain matin.

— Ô très cher sire ! m'écriai-je, me levant de mon fauteuil pour me jeter dans ses bras. Comment pourrai-je jamais vous remercier ? Comment est-elle ? Sa couleur, son pas, son caractère ? Quelqu'un l'a-t-il montée pendant le voyage ? Où est-elle, puis-je vous le demander ?

Le roi Pellinor rit à nouveau. Il m'assit sur ses genoux, exactement comme mon père quand j'étais petite.

— Personne ne l'a montée, ma demoiselle. Elle est tienne. C'est une pouliche, elle a seulement deux ans et elle est d'un gris sombre pommelé. Mais elle sera blanche comme les destriers du haut roi, ça, tu peux en être certaine. Elle n'est pas complètement débourrée — je te laisse le soin de finir son éducation —, mais les leçons qu'elle a déjà reçues viennent du meilleur des cavaliers. C'est le jeune chevalier Lancelot qui l'a entraînée en personne. C'est l'homme le plus habile avec les chevaux que je connaisse. Il était très triste de devoir s'en séparer. Il était persuadé que j'exagérais tes dons avec les chevaux.

Il me pinça tendrement la joue.

— Je lui ai dit que tu montais à cru, tout comme lui, et que tu sautais par-dessus tout ce qui se présentait sur ton chemin, comme le vent d'ouest.

Je rougis brusquement. Je croyais que mes exploits étaient restés secrets.

— Mon seigneur Lancelot me dit alors : « Voilà une dame comme il sied à mon cœur », et il m'a laissé emmener la pouliche. Tu pourras aller l'admirer demain matin, ma petite Gwen. Joyeux anniversaire.

J'étais totalement transportée de joie. Je nageais dans le bonheur le plus total. À la fin du dîner, j'embrassai Gwarth et Gwillim, et leur souhaitai une bonne nuit, puis je m'inclinai devant la reine Alyse et me précipitai dans ma chambre. Elaine était blême, soit de jalousie, soit à cause de son mal de tête, dû à sa crise de larmes du matin. Je n'aurais pu le dire et je ne m'en préoccupais guère. Une pouliche qui venait des écuries du haut roi ! C'était trop beau pour être vrai ! Je dis mes prières du soir très rapidement. Dieu n'avait pas voulu faire de moi une femme, mais après tout, ça m'était bien égal.

Je me levai tôt et m'habillai sans bruit. Je mis mes bottes et me glissai dehors sans réveiller Elaine ou les domestiques. Je me précipitai en bas, puis dans les écuries.

Stannic, déjà debout, m'accueillit avec son sourire narquois, pas surpris le moins du monde.

— Par ici, ma demoiselle. Je lui ai réservé un box dans le coin là-bas. C'est le plus spacieux. Ainsi, elle pourra regarder au-dehors, vers les champs.

Je m'arrêtai à la porte du box et retins mon souffle. Quelle merveille ! Haute, fine, avec des jambes droites, un cou long et racé, une jolie croupe plate, la queue haute. Elle observait justement les champs quand je poussai la porte. Elle m'entendit et tourna la tête dans ma direction. Elle était très jolie : le haut de la tête était assez large mais son chanfrein était plus fin, avec des yeux noirs tendres et très grands.

— Doux Jésus, murmurai-je en entrant.

Elle était plus haute que moi et bien plus grande que tous les poneys gallois à moitié sauvages avec lesquels j'avais grandi ; elle était aussi nettement plus fine que Peleth. Sa robe était d'un gris sombre pommelé. Elle avait les jambes noires, de même que la crinière, la queue et les naseaux. Je lui parlai doucement, en lui chantonnant une vieille et douce chanson galloise et en laissant mes mains bien visibles. De prime abord, elle recula, nerveuse, puis rapidement elle se calma et me laissa l'approcher. Quand je fus tout près, elle baissa la tête et mit ses doux naseaux dans ma main. Elle avait été élevée sans la peur de l'homme, cela voulait dire qu'on l'avait bien traitée toute sa vie. Je la caressai doucement et elle me poussa gentiment en signe de reconnaissance.

Je lui mis un licol et la sortis de son box. Elle marchait avec précaution, faisant très attention où elle mettait les sabots. Je me doutais qu'en terrain difficile elle se montrerait très prudente. Elle ne paraissait pas assez grande pour porter un chevalier en armes, mais elle avait dû supporter au moins le poids de Lancelot. Je n'eus pas peur de la monter. Je refusai de prendre la bride que me tendit Stannic, bien qu'elle fût ravissante, tout en argent, avec un beau travail d'orfèvre sur le frontal. La pouliche n'avait que deux ans, sa bouche avait encore probablement assez peu l'habitude du frein.

— Prêtez-moi, Stannic, je vous prie, votre bras.

— Mais, ma demoiselle, protesta-t-il, vous n'allez quand

même pas la monter sans bride ! Vous n'aurez pas la possibilité de la diriger convenablement.

— J'ai le licol avec la corde. Je pourrai la faire tourner si jamais elle s'emballe. Ne craignez rien.

Ma nervosité me rendait très impatiente. J'étais prête à grimper sur la palissade pour pouvoir la monter. Finalement, bien que Stannic me désapprouvât, il m'aida.

Comment puis-je décrire les sentiments qui m'animèrent quand je me retrouvai sur son dos ? La pouliche était légère et rapide. Elle ressentait tous mes mouvements, le moindre frémissement de mes jambes. Comme elle piaffait d'impatience, je lui tapotai l'encolure et lui parlai un peu. Elle se calma sous mes doigts. Je la laissai marcher dans la cour devant l'écurie, puis nous sortîmes sur le chemin qui menait à la vallée qui descendait vers la mer. C'était une belle matinée de printemps, avec la rosée encore sur l'herbe et un petit vent frais qui se levait comme le soleil à travers la brume rose.

L'air était empli des chants des oiseaux. La pouliche dansait le long du chemin, allant de-ci de-là, tirant sur la corde, ne demandant qu'à galoper. Je ne la laissai pas faire. Elle ne voulut pas s'opposer à mes ordres et baissa la tête. Elle marcha, gracile, vers l'avant. Elle avait déjà eu un bon entraînement, c'était indéniable, pratiqué par une main manifestement très douce. Je la ressentais au moindre de mes mouvements.

Quand nous atteignîmes le fond de la vallée, le chemin devint plus sinueux et je la laissai aller un peu. Quelle merveilleuse fluidité dans ses pas ! Il était plus facile de rester sur son dos que sur la chaise à bascule de la reine. Elle balança la tête et tira à nouveau sur la corde, mais je la retins. Elle m'obéit. Je sentais sa puissance sous ses jambes et le désir de courir qui l'animait tout entière. Je n'avais pas eu l'intention de la faire galoper dès sa première sortie, mais elle était en train de me convaincre. Néanmoins, je devais savoir si je pourrais l'arrêter quand il le faudrait. Je me mis bien droite et tirai fortement sur la corde, resserrant mes jambes. Elle comprit, passa au pas, et s'arrêta. Mais elle tremblait de frustration.

— Oh, ma bonne fille, ma beauté, ma belle, mon amour. Pour ça, tu vas avoir droit à ton grand galop sur la plage.

Nous descendîmes au trot sur la route qui menait à la mer et prîmes un petit chemin boisé qui s'en allait droit vers la plage. Les arbres devinrent plus rares d'un coup, la pouliche hennit et rua. J'attrapai sa crinière pour ne pas glisser de son dos. Elle se tourna et tenta brusquement de repartir sur le chemin de l'écurie. Mais je lui fis faire un demi-tour et la mis à l'arrêt, face à la mer. Bien sûr, elle n'avait jamais vu la mer ! C'était pour elle, probablement, une vision aussi étrange que pour moi la première fois. Je caressai son encolure couverte de transpiration. Petit à petit, elle se calma.

Je la poussai en avant et nous partîmes, chevauchant sur les galets secs, là où le sable est solide.

— Très bien, ma jolie, voyons de quoi tu es capable.

Je la laissai filer. Elle explosa littéralement sous moi, très vite. Je serais tombée si je n'avais enfoncé mes mains dans sa longue crinière. Je m'y accrochai, couchée sur son encolure, alors que le sol passait en dessous de nous et que les embruns salés frappaient mes joues. Le vent d'ouest me faisait pleurer. La pouliche volait au-dessus de la terre, divinement — je ne ressentais que la vitesse, pareille à une flèche en vol. Elle passa impétueusement à côté de l'emplacement où Peleth ralentissait toujours et dépassa sa dernière trace sur la plage. Je tirai la corde en vain. Quand elle sentit la pression, cette fois, elle tira, accélérant encore plus. Les arbres devinrent plus flous et le ressac de la mer se changea en un accompagnement, rythmant ses coups de sabots. Mais un peu plus loin, il y avait des rochers traîtres, je le savais ; aiguisés telles des dents de loup, des brisants noirs sortaient abruptement du sable mou — on les appelait les Crocs — et il était impossible de les contourner. Ils constituaient une barrière naturelle. Luttant contre mon affolement pour que la pouliche ne le ressente pas, je me mis encore une fois à lui chantonner un air, tout en essayant de reprendre mon souffle, puis me plaçai aussi droite que possible. Peut-être est-ce le chant, ou bien les mouvements de mon corps, je ne sais pas, mais, finalement, elle ralentit son galop et, quand les Crocs devinrent bien visibles devant nous, passa au trot, secouant la tête, heureuse.

J'arrêtai enfin ma monture et lui fis faire demi-tour. Ses naseaux étaient largement ouverts et ses flancs tressaillaient, mais elle ne me paraissait pas trop fatiguée. Elle n'était même pas couverte d'écume ; n'importe quel cheval que je connaissais aurait déjà été mort de fatigue.

— Bien, ma jolie, lui dis-je, caressant son cou et sa croupe alors que nous étions sur le chemin du retour. Tu es dans une forme éblouissante. Tu as été choyée par quelqu'un qui aime les chevaux, ce n'est pas difficile à voir. Je crois qu'il faut que je puisse, un jour, le rencontrer, ce chevalier armoricain qui t'a si bien élevée pour le remercier de son cadeau. Oui, quand Elaine ira à Caer Camel, je partirai avec elle pour le remercier. Car bien que tu sois un cadeau du haut roi, c'est Lancelot qui t'a faite ce que tu es. Je t'ai trouvé un nom, aussi. Je te nomme Zéphyr, car tu voles aussi vite que le vent, mais tu es aussi douce que la brise marine. Un jour, je rencontrerai ce merveilleux Lancelot et je le remercierai pour ma petite Zéphyr.

6

Merlin

LA VISITE de Gwillim ne fut que la première d'une longue série de princes gallois. Nous en eûmes, je crois, un ou deux par mois qui venaient offrir leur main à Elaine. Alyse et Pellinor étaient à la fois fiers et heureux mais ils étaient guidés par les décisions d'Elaine, qui refusait toujours ses prétendants. Au début, elle était à peine polie mais avec le temps, de plus en plus flattée par toutes ces attentions, elle devint plus courtoise, par condescendance. Personne ne demandait ma main et la jubilation d'Elaine se mua en une véritable compassion à mon égard. Je ne me formalisais pas trop de cette absence de prétendants ; ma tête était trop pleine de Zéphyr pour laisser une place aux hommes.

Mais la pitié d'Elaine m'agaçait quelque peu. « Je sais monter à cheval dix fois mieux qu'elle. » Je m'épanchais souvent sur Ailsa quand nous étions seules toutes les deux. « Et je couds deux fois mieux, aussi ! Je sais calculer de tête et lire aussi bien que n'importe qui et parler le latin mieux que beaucoup ! Et même si elle est très belle, ce n'est qu'une petite prétentieuse. Comme si sa beauté était quelque chose qu'elle avait réussi à gagner seule et non pas reçu de Dieu ! Comment peut-elle être aussi cruelle avec moi ? À ses yeux, je ne suis qu'une pauvre orpheline, sans dot — comme Cam, l'estropiée — parce qu'elle a un corps de femme et pas moi ! »

La douce Ailsa me serrait dans ses bras et calmait mes pleurs. Elle me raconta, de sa manière toute maternelle, que les choses changeraient et que la roue de la fortune tournerait. Le dernier serait le premier, déclara-t-elle en fredonnant, et celui d'en bas serait en haut. Je fronçai les sourcils et la regardai avec curiosité. Où donc avais-je entendu ces paroles auparavant ?

Au mois du Corbeau, juste avant l'équinoxe d'automne, presque cinq années jour pour jour après sa victoire de Caer Eden, le roi Arthur épousa Guenwyvar d'Ifray. On s'était beaucoup battu durant cet été, mais le haut roi réussit à trouver trois semaines de paix durant lesquelles il put organiser son mariage. Puis, après avoir accompli son devoir conjugal, à la satisfaction des patriarches, il s'en retourna guerroyer. La jeune reine fut laissée à Caerléon, bien gardée comme il se doit. Le peuple observait son ventre, pour voir si le haut roi avait réussi à l'engrosser. Elaine l'enviait terriblement ; je ne pouvais pas en dire autant.

Le roi Arthur volait de victoire en victoire alors que le travail se poursuivait dans la nouvelle forteresse de Caer Camel. Un certain Gaius Marcellus, petit-fils du chef architecte d'Ambroise, avait conçu l'ensemble des constructions — les fortifications, les fondations, les maisons et les cours. Il avait même donné des directives sur la découpe des pierres dans les carrières. La forteresse devait être la plus grande, la plus puissante et la mieux défendue de tous les royaumes, un lieu de ralliement pour les Bretons, un avertissement aux Saxons et pour tous le symbole du pouvoir du haut roi. Après la bénédiction de la pierre de fondation par l'évêque de Caerléon, on chuchota derrière les portes closes que le mage Merlin, lors d'une cérémonie secrète, avait scruté les flammes et vu un futur glorieux, puis auguré à son tour la construction. Arthur donna des ordres pour accélérer les travaux.

Merlin se rendit à Caerléon pour le mariage du haut roi et il resta sur place quand Arthur et ses troupes s'en allèrent vers le nord. Il était le plus déterminé des compagnons d'Arthur mais aussi le plus craint. La sœur du roi, Morgane, était promise en mariage à Urien de Rheged, et puisque les combats dans l'Est, près de l'Elmet, nécessitaient la présence du haut roi, Merlin fut laissé en arrière pour accompagner la princesse et son escorte en Rheged, en vue du mariage. Ils partirent par une chaude journée et montèrent vers le nord à travers le pays de Galles.

Le roi Pellinor et la reine Alyse avaient assisté au mariage du haut roi mais n'avaient emmené ni Elaine ni moi, bien que nous les eussions longuement suppliés. En guise de cadeau de consolation, ils avaient accepté que nous les suivions pour aller à la rencontre de l'escorte de la princesse Morgane, afin de lui présenter nos respects. Nous étions particulièrement heureuses. Elaine allait voyager avec la reine Alyse dans une litière. La reine pensait que c'était ainsi que cela se devait faire pour les dames et demoiselles, mais je l'implorai, ainsi que le bon roi Pellinor, de me laisser monter ma nouvelle pouliche. Ce n'était pas inconcevable pour une dame, et surtout pour les jeunes demoiselles, de monter un palefroi en voyage. J'étais persuadée qu'Elaine avait choisi d'utiliser une litière parce qu'elle ne possédait pas de monture aussi magnifique que la mienne. Quand elle s'était plainte à son père d'être trop âgée pour continuer à monter des poneys gallois, il lui avait simplement donné Peleth, et elle arrivait à peine à le tenir. Finalement, Pellinor accepta et annonça que je pouvais les accompagner à cheval, mais sur Peleth. Avec des larmes de frustration, je le suppliai de me laisser monter Zéphyr. Il trouvait ma pouliche trop jeune et trop fougueuse, mais je parvins à le convaincre de me laisser lui organiser une démonstration. En cinq mois, mon cheval avait appris beaucoup de choses. Il m'obéissait au doigt et à l'œil. À la fin de ma démonstration, le roi resta un long moment silencieux, se grattant la nuque tout en m'observant. Puis, enfin, il acquiesça.

— Utilise au moins une selle pour sauver les apparences, fut son unique remarque.

Nous partîmes par une éblouissante mais fraîche journée, avec une escorte de soixante soldats et douze mules chargées de transporter nos bagages, les tentes et les présents pour le mariage. Je chevauchais entre le roi Pellinor et la litière des dames, là où j'étais le moins exposée. Obéissant aux vœux du roi, j'avais mis ma plus belle robe, d'un vert profond, et un manteau vert clair pour me tenir chaud. J'avais cousu des fils verts et bleus sur la bride de Zéphyr et dans sa crinière tressée. Je me demandais si quelqu'un dans l'équipage de la princesse aurait reconnu mon cheval. Et si tel était le cas, je voulais être sûre qu'un bon rapport parviendrait au chevalier qui l'avait si bien entraîné.

Avec ce temps frais et tous ces chevaux autour d'elle, ma pouliche était nerveuse et plus difficile à conduire que d'habitude. Le roi Pellinor me jetait des coups d'œil, de sous ses sourcils broussailleux, mais je ne lui retournai qu'un sourire. Je réconfortai mon cheval avec une petite chanson. Zéphyr se calma, et je sus qu'elle serait parfaitement calme à la mi-journée et se conduirait bien.

Le matin du troisième jour, nous atteignîmes le point de rencontre des routes de Caerléon et de Glevum. Nous nous y trouvions depuis une bonne heure quand nous aperçûmes enfin l'escorte royale. De nos pavillons, on les regarda monter leur camp. J'admirai les belles montures, essayant d'apercevoir un membre éminent de la maisnie royale. Elaine et moi partagions aussi la tente avec Ailsa, Grannic, Léonore et Cissa — nous étions toutes très impatientes d'entrevoir, ne fût-ce qu'un instant, le mage Merlin ou bien la princesse Morgane. Cependant, il s'écoula un grand nombre d'heures avant qu'on nous mandât à une audience.

Nous mîmes nos plus beaux vêtements et suivîmes le roi Pellinor et la reine Alyse, qui traversèrent la foule de la maisnie voisine, des soldats et des gardes, jusqu'au pavillon royal. Nos serviteurs nous suivaient en portant les présents.

La princesse Morgane, fille du roi Uther et de la reine Ygerne, était assise sur une chaise dorée, habillée de lourds vêtements vermeils. Ses cheveux étaient châtain foncé, ceints d'un cercle d'or rouge ; autour de son cou et aux poignets, elle portait des bijoux de toutes les couleurs, et sur ses doigts on voyait des anneaux sertis de rubis, de perles et de saphirs. Elle n'avait que quinze ans mais elle en paraissait vingt. Ses yeux étaient d'un marron doré qui ne s'accordait pas très bien avec ses cheveux ; elle n'était pas vraiment belle, plutôt fière et distante. Elle était sur le point d'épouser un grand roi, un homme qui possédait des terres plus étendues que celles de Lot ou Pellinor et assez vieux pour être son père. Sans nul doute, son avenir avait été âprement discuté entre Arthur, Urien et la reine Ygerne. Je me demandais si elle ressentait une quelconque appréhension. Je frissonnai involontairement. Il était injuste que le bonheur d'une femme dût reposer entièrement sur les hommes.

Les gens de sa maisnie se tenaient à bonne distance. Nos serviteurs déposèrent les cadeaux à ses pieds et le roi Pellinor fit les présentations d'usage. Morgane sourit à Elaine, qui faisait sa révérence. Mais, quand vint mon tour, elle se contenta de m'observer étrangement et fit un imperceptible signe de la tête. Je rougis, embarrassée — c'était presque un manque de respect ! Qu'avais-je donc fait ?

Parmi les présents que nous avions apportés, il y avait des coupes à boire et des cratères, de grosses couvertures tissées avec de la bonne laine galloise, des parures en argent travaillé qui provenait des mines proches de Snowdon et des tapisseries de soie pour la nouvelle chambre de la reine. Alyse et ses servantes les avaient assemblées et nous avions toutes cousu des motifs décoratifs avec de nombreux fils de couleur. L'un des motifs attira plus particulièrement l'attention de Morgane. Au centre, il représentait une tête de cheval en soie blanche, et des poulains gambadaient dans des champs verts, à chaque coin. Elle fit signe à l'une de ses domestiques de le tenir dans la lumière.

— Voilà qui est bien singulier, dit-elle. Le point est très beau et l'utilisation des couleurs est la marque d'une personne de goût. Je vous remercie, reine Alyse. Je l'utiliserai pour mon lit nuptial.

La reine accomplit une profonde révérence.

— Je vous remercie, gente princesse. Mais je ne puis prendre crédit pour ce travail. Il a été réalisé par ma protégée, Guenièvre des Norgales.

La princesse Morgane posa ses yeux froids sur moi. Son sourire quitta ses lèvres, mais son éducation fut la plus forte.

— Voilà un joli travail, effectivement, pour une jeune pucelle. Merci, Guenièvre. Je m'en souviendrai.

Soudain, je sentis un autre regard se poser sur moi et un frisson me parcourut tout le corps — quelqu'un bougea dans l'ombre, derrière la chaise. Un homme se tenait derrière Morgane, venu de nulle part, semblait-il. Je supposai que je ne l'avais pas remarqué. Il était grand et maigre, avec des cheveux et une barbe noires, une peau aussi âgée que celle d'un chêne et d'une couleur semblable à celle de l'écorce ; ses yeux noirs insondables m'observaient intensément, avec une haine inébranlable. Je fus prise de tremblements violents, comme un insecte englué dans la toile d'un prédateur. Les conversations se poursuivaient tout autour de moi, personne ne paraissait lui prêter attention. Il était entièrement enveloppé dans une large cape noire et il s'appuyait sur un long bâton qu'il tenait de la main gauche. Je le reconnus aussitôt. C'était Merlin.

Elaine prit ma main et me tira un peu plus loin, comme Pellinor et Alyse quittaient la scène. Je tremblais si fort que je pouvais à peine marcher, et des larmes coulèrent sur mes joues.

— Gwen ! Qu'est-ce qui se passe ? Pourquoi trembles-tu ?

— Pourquoi me hait-il, Elaine ? Qu'ai-je donc fait ?

— Mais de quoi parles-tu ? Qui te hait ?

— Merlin.

Elaine parut surprise.

— Merlin ? Comment le sais-tu ? Qu'est-ce qui te fait croire ça ?

— N'as-tu pas vu comment il me regardait ?

Elle s'arrêta, m'observant, plutôt déconcertée et même un peu effrayée.

— Oui, je l'ai vu, répondit-elle enfin d'une voix hésitante, mais il ne te regardait pas, je crois. Il ne faisait que détailler nos cadeaux. Il m'a paru très aimable.

À présent, c'était à mon tour de la regarder avec incrédulité. Je me demandai si elle se moquait de moi, mais je réalisai que sa surprise n'était pas feinte. Personne, ni Pellinor, Alyse, Cissa ou Léonore, n'avait rien remarqué d'anormal. Aurais-je imaginé tout ça ? Non, je savais bien que c'était vrai.

Je gardai mes réflexions pour moi et ne dis rien à Ailsa, car il était fort probable que Merlin était la personne la plus puissante de toute l'île de Grande-Bretagne, un véritable magicien. Cela ne m'apporterait rien d'être son ennemie. Si jamais je partageais mes craintes avec mes servantes superstitieuses, elles mourraient de peur et serreraient fermement leur amulette.

Plus tard dans la soirée, je tentai de m'endormir comme d'habitude, mais le sommeil ne venait pas. Je restai allongée, incapable de m'endormir, troublée, emplie de peur jusqu'au cœur de la nuit, quand la lune disparut derrière l'horizon. Puis il me sembla qu'un poids venait se poser en mon esprit et je sombrai dans le sommeil. Presque aussitôt, le visage de Merlin m'apparut ; il n'était pas fâché cette fois, mais plutôt triste. Ses yeux noirs et graves me transperçaient avec tendresse, presque suppliants. Je n'en connaissais pas la raison. Je sentais ses regrets, du chagrin et puis un souffle, une bouffée d'amour sincère, puis, enfin, une sorte de requête inachevée. Il soupira profondément et tristement, comme une plainte venue des profondeurs de la terre. Il fit un signe de tête aimable, telle une bénédiction et disparut. Alors que je plongeais dans l'inconscience, je compris que ce n'était pas seulement un rêve. Je savais que le pouvoir de Merlin s'était posé sur moi, là où j'étais couchée, qu'il avait vu en moi quelque chose qui lui avait brisé le cœur et l'avait découragé.

Au matin, toutes les affaires avaient été rangées et empaquetées pour le voyage, mais on ne pouvait pas partir avant le cortège royal. J'étais malade de fatigue et de peur. J'aurais voulu rester sous la tente jusqu'à ce que tous les adieux aient été faits, mais les tentes et pavillons avaient été repliés tôt le matin et je n'avais nul endroit où me cacher. Elaine resta près de la reine Alyse et de Léonore. Je pus les quitter en me glissant discrètement quand elles eurent le dos tourné.

Le camp était en effervescence, les serviteurs et les soldats se pressaient partout, tout le monde voulait partir au plus tôt. Je me dirigeai vers les chevaux et attrapai une pomme pour Zéphyr. Elle hennit un peu pour me souhaiter le bonjour et prit délicatement le fruit dans ma main. Un écuyer lui avait déjà posé sa selle. Je réajustai la chabraque et les sangles ; je connaissais la façon qui lui convenait le mieux. Puis je lui coiffai la crinière, chantonnant sans cesse, tout en faisant bien attention à me tenir à l'écart de tous. Je savais pourtant que je ne pourrais me cacher du mage. Tout autour de moi, la magie emplissait l'air matinal. Ce calme et cette horrible appréhension je les avais déjà connus près de la source aux Norgales. Je fus stupéfaite que personne d'autre ne les eût constatés. Chacun vaquait à ses affaires. Les gens se disaient bonjour, échangeaient des banalités, joyeux ou de mauvaise humeur, s'agitaient et travaillaient. Il me semblait que j'étais la seule à être enchevêtrée dans une lumineuse bulle immobile où l'air même que je respirais était saturé de divers bruissements fantomatiques.

Soudain, il fut présent, à côté de moi. Je ne l'avais pas entendu approcher. Il était habillé très simplement ; seule, sur son épaule, la fibule en or et émaillée de rouge avec un dragon disait qui il était. Je crois bien que je suffoquai, et je m'inclinai dans une révérence.

— Seigneur Merlin...

Il me prit la main, me relevant rapidement. À ma grande surprise, le contact était chaud et réconfortant. Il ne lâcha pas ma main, mais la tint dans la sienne et me scruta avec sympathie. Je tremblais, et l'air autour de moi semblait des voix qui chantaient, mais il les fit taire. Je le vis agir. Il eut un petit mouvement de tête et le monde devint soudain silencieux.

— Ne soyez pas effrayée, dit-il tout simplement.

Je n'arrivais pas à parler, pas plus que je n'arrivais à détacher mes yeux de ses traits.

— Le désir de votre cœur sera exaucé dans six mois, dit-il. Mais pour le reste, cela repose dans la main des dieux. Vous ne pouvez pas changer votre destin, ma chère, pas plus que moi.

— Vous ne me haïssez pas, seigneur ?

Quelque chose brilla dans son regard, les bords de ses lèvres fines bougèrent.

— À cause de lui, je ne peux pas. La gloire et la grandeur sont bâties sur l'amour. Ce qui sera sera. Qu'il en soit ainsi.

Il me lâcha la main, et la stupeur emplit mes yeux car il s'inclina longuement devant moi avant de partir. La dernière chose que je perçus, alors que le monde s'assombrissait autour de moi, ce fut le cri de panique d'un écuyer :

— Demoiselle Guenièvre a un malaise !

Le roi Pellinor m'obligea à revenir à la maison avec Elaine, dans la litière. Il m'avait persuadée que j'étais souffrante. Bien entendu, je racontai tout à Elaine, et ses yeux s'agrandirent de stupéfaction quand elle sut que le mage Merlin s'intéressait suffisamment à moi pour venir me parler seul à seul.

— C'est vraiment tout ce qu'il t'a dit ? Qu'est-ce que cela signifie ?

— Je ne sais pas.

— Mais c'était plutôt une bonne chose, pas une malédiction, n'est-ce pas ?

Je me sentis glacée à cette pensée.

— Je ne sais pas, Elaine. Aurait-il tenu ma main alors qu'il me maudissait ? Se serait-il incliné avant de partir ? Pourquoi est-il venu me voir au milieu des préparatifs du départ, simplement pour me dire de ne pas avoir peur ? Comment aurait-il pu croire que je n'aurais pas peur ?

— Voyons, tu es courageuse, Gwen. Je t'ai vue, volant à travers les airs sur Zéphyr. Je me sens devenir toute faible rien qu'à te regarder !

— Bêtises que tout cela ! Je n'ai pas peur de Zéphyr. Je pense qu'il faut avoir peur pour être brave. Et j'ai vraiment peur de Merlin. Je n'y crois pas : un magicien mécréant exerçant un pouvoir sur une chrétienne ?

La conversation que j'avais eue, voilà bien longtemps, avec Gwillim, me revint en mémoire. Merlin commandait-il aux grandes puissances de ce monde ou seulement à mes pensées et à mes rêves ? Si seulement je pouvais ne pas croire à son pouvoir sur moi... Mais justement, c'était ça, le problème. Chrétienne ou pas, j'y croyais pourtant. J'en étais même convaincue.

— Demande donc au père Martin, me conseilla Elaine. Il saura. Il parle avec Dieu.

De retour au château, je dus convaincre la reine Alyse que j'étais bien remise de ma petite faiblesse. Je partis donc à la recherche du père Martin. C'était un bonhomme robuste et aimable, d'environ trente ans, qui aimait être en compagnie des paysans et des petites gens autant qu'avec les chevaliers de Pellinor. Ce n'était pas un érudit comme Iakos, mais il était chaleureux et accessible.

Je le trouvai dans son jardin, entouré par tout un groupe d'enfants au teint hâlé, en haillons, tout crottés. Ils écoutaient, bouche bée, l'histoire de Jonas et de la baleine. Je me demandais si certains d'entre eux étaient des fils de pêcheurs et ce qu'il leur arriverait quand ils partiraient à leur tour en mer.

Le père Martin se leva en me voyant et sourit. Les enfants sortirent en rang, les yeux baissés, et puis on les entendit se disperser dans les rues, bruyamment, braillant et criant, et le père Martin se mit à rire.

— Quelle énergie ! Que j'aimerais être jeune à nouveau ! Eh bien, demoiselle Guenièvre, à quoi dois-je l'honneur de votre visite ?

— J'aimerais avoir la réponse à une question, mon père, et je pense que vous seul avez la capacité de répondre.

Il ne dit rien, mais me mena vers un banc de pierre sous les pommiers.

— Je tenterai d'y répondre, ma demoiselle, dans la mesure de mes moyens.

— Est-ce que les magiciens païens possèdent un pouvoir sur les esprits ou est-ce seulement Dieu ?

Je ne sais pas à quelle question il s'attendait, mais, manifestement, ce n'était pas à celle-là. Il m'observa un long moment sans rien dire, puis eut un petit sourire gêné.

— Avez-vous quelqu'un de particulier en tête, ma demoiselle ?

— Oui. Merlin.

Il s'éclaircit la gorge et détourna le regard.

— Ah ! Merlin.

Il observa un moment le ciel et les formations nuageuses, puis se tourna vers moi.

— Est-ce que je peux savoir pour quelle raison précise cette question vous est venue à l'esprit, ma demoiselle ? Est-il arrivé quelque chose de particulier concernant messire Merlin ?

— Euh... oui, mon père. Je l'ai rencontré. Il m'a parlé.

— Et il vous a fait peur ?

— Il m'a dit de ne pas avoir peur. Mais il... il m'a effrayée, en vérité.

Le père Martin me prit les deux mains, comme Merlin, mais l'effet ne fut pas le même. Il n'y avait rien d'étonnant dans ce contact. C'étaient des mains humaines.

— Vous savez, Guenièvre, que le Seigneur Dieu est le véritable Dieu. Il aime ses enfants, et tout particulièrement les innocents. Il vous protège, mon enfant. Il vous protège tous les jours. Vous n'avez rien à craindre de Merlin, car la main de Dieu est sur vous.

— Cela veut dire que le mage Merlin ne possède aucun

pouvoir ? Ou bien que le pouvoir de Dieu est plus grand que le sien ?

Le père Martin parut très embarrassé.

— Il existe de nombreux pouvoirs, mon enfant. Il y a le pouvoir dont use le haut roi contre ses ennemis. Il y a le pouvoir qu'ont les devins et les sorcières des collines sur les gens simples. Mais le genre de pouvoir que Dieu exerce est bien supérieur à tout cela. C'est le pouvoir de l'amour.

Je ne compris pas ces paroles.

— Voulez-vous dire que Merlin est un devin ? A-t-il un pouvoir uniquement sur ceux qui croient en lui ? En est-il ainsi avec Dieu ?

Le père Martin se signa rapidement, choqué.

— Chut ! ma chère enfant, c'est un blasphème que de dire de telles choses. Que la puissance divine puisse reposer sur quelque chose d'aussi fragile que la volonté des hommes ! Non, non, n'y croyez pas. Quelles que soient vos pensées, ma chère enfant, Dieu vous aimera et vous protégera toujours. Son amour est éternel.

— Pardonnez-moi, mon père, car je ne pensais pas blasphémer. C'est simplement que... enfin. Je voulais savoir si Merlin possède un pouvoir, ou non ?

La père Martin soupira profondément, luttant avec ses mots.

— Je ne connais point l'homme, admit-il finalement. Mais j'ai ouï dire ses nombreux faits et gestes. Je ne peux nier qu'il a du pouvoir. Néamoins on affirme qu'il l'a toujours utilisé pour le bien, pour bâtir et créer. C'est un acte de Dieu, même si Merlin ne le sait pas.

Je voulais croire le père Martin, mais je ne le pouvais pas. Jésus n'était jamais venu me visiter comme Merlin l'avait fait.

— Que vous a-t-il dit, si je puis me permettre de vous le demander ?

Et ce fut à mon tour de détourner le regard, nerveuse.

— Il... il m'a parlé de l'avenir, je crois. Mais c'était très confus. Je veux dire que je n'ai pas bien compris ses paroles. Il a dit que ce qui sera sera. Il a dit que la gloire et la grandeur sont fondées sur l'amour, mais il semblait très attristé par ces choses. Ce sont là ses paroles. Comme si le fait d'avoir vu mon avenir lui avait brisé le cœur.

Le père Martin parut soulagé mais aussi quelque peu impressionné. Les paroles de Merlin, même rapportées par quelqu'un d'autre, pouvaient impressionner le cœur d'un prêtre chrétien.

— Il vous a dit la vérité à propos du pouvoir de l'amour, reprit le père Martin. C'est une chose que savent les hommes sages. Et si Merlin se préoccupe de votre avenir, demoiselle Guenièvre, c'est qu'il doit s'agir d'un très grand avenir.

Je me levai. J'avais entendu tout ce que j'étais venue apprendre. Le père Martin croyait les mots qui étaient sortis de la bouche du mage. Il m'observait même avec de l'admiration.

— Merci pour votre temps, père Martin, parvins-je à marmonner. Je... je dois... retourner. La reine...

Je butais sur les mots. Je me retournai pour rebrousser chemin.

Il se leva prestement.

— Quels que soient les événements, ma demoiselle, Dieu vous protégera, ne soyez pas effrayée.

Je secouai la tête et me dirigeai prestement vers la barrière, essuyant les larmes sur mes joues.

Le malheureux père Martin essaya encore une fois :

— Merlin ne peut vous atteindre, ni aujourd'hui ni jamais.

Je me tournai et regardai son visage préoccupé. Avec un effort je pus retrouver ma voix et, étrangement, elle était calme.

— Peut-être que non. Mais jamais il ne me pardonnera pour ces choses que j'accomplirai dans l'avenir.

Cette nuit-là, dans mon lit, je racontai tout ce qui s'était passé à Elaine. Cela ne la surprit pas le moins du monde que le père Martin crût aux pouvoirs du mage Merlin. Seul un imbécile n'y aurait pas cru, tant ils étaient célèbres. C'était moi qu'elle trouvait bizarre.

— Qu'espérais-tu, Gwen ? Tu n'as jamais douté des pouvoirs de Merlin. Tu les as sentis toi-même, tu me l'as dit. Alors pourquoi penses-tu que le prêtre ne t'a pas soutenue ? Quel est le rapport entre Dieu et Merlin ?

— Est-ce que Merlin peut voir l'avenir, Elaine ? Vraiment, tu le crois ?

— Bien sûr. Il voit ce qu'il veut voir. S'il a vu ton avenir, tu peux être sûre que celui-ci a une certaine importance. Cela signifie que dans le futur tu deviendras, d'une manière ou d'une autre, une grande dame. Peut-être que tu viendras avec moi à la cour du haut roi. Peut-être que tu épouseras l'un de ses chevaliers.

— Elaine, voyons, tu sais très bien que telle n'est pas mon ambition.

Elle me sourit d'un air malicieux.

— Mais dis-moi, quelles sont ces autres choses dont il t'a parlé ? Quel est ton plus cher désir, Gwen ? Épouser un prince ?

— Non, par Mithra ! Simplement devenir une véritable femme, comme toi. Avec le temps qui passe, je me dis que j'ai de moins en moins envie de me marier.

Elaine était outrée :

— Tu ne vas pas me dire que tu veux rester sans mari ! Surtout, tu ne dois plus jurer par Mithra à présent que tu as été baptisée. Qu'est-ce qui se passe ? Ne veux-tu pas devenir reine un jour et avoir des terres à toi ?

— Ce ne seront pas mes terres mais celles de mon mari. Il pourra les entretenir car il est l'homme et je ne suis que la gardienne de la maison. Il ne me parlera pas de ce qui se passe dans le vaste monde car je ne suis qu'une faible femme. Mon bonheur ou mon malheur dépendra entièrement de lui et non pas de moi. Je te le dis comme je le pense, Elaine, je hais cette perspective.

— Eh bien, tu n'es pas obligée de te marier avec quelqu'un comme ça. Mère me l'a dit. Elle me laisse éconduire tous les jeunes prétendants, même si père est furieux. Mère dit que c'est normal que le mari et la femme puissent vouloir les mêmes choses.

— Elaine, tu crois vraiment qu'elle me laissera faire ? Même si Gwarthgydd et Pellinor pouvaient penser différemment ? Elle attendrait mon consentement ? Je crois bien que je ne voudrai jamais m'approcher de Caer Camel ou rencontrer un chevalier du roi, si Merlin est dans les environs.

J'en eus des frissons.

Elaine mit un bras autour de mes épaules et me réconforta.

— Tu viendras avec moi. Je te protégerai. Tu es destinée

à quelqu'un de spécial, ça au moins, c'est certain. Un des chevaliers d'Arthur, sans doute, cousine. Peut-être à ce chevalier étranger avec un drôle de nom qui a élevé ton cheval. Nous verrons bien.

Deux mois plus tard, Merlin avait disparu et la princesse Morgane était mariée avec le roi Urien. Les festivités durèrent une bonne semaine. Quand les invités furent tous repartis, Merlin demeura seul avec l'époux vieillissant, discutant en tête à tête de stratégie défensive. La femme de Lot, dame Morgause, la demi-sœur de Morgane, était restée, attendant des vents favorables pour rentrer en Orcanie. Bien qu'elle eût pris du poids à cause de sa grossesse, c'était la plus belle femme présente au mariage, beaucoup plus jolie que la mariée. Avec elle, il y avait un petit rouquin, l'un des trois enfants de Lot, leur aîné, Gauvain. Elle avait d'autres fils en Orcanie ; l'un d'eux, disait-on, était plus âgé que Gauvain. On l'appelait le « Prince noir ». Mais elle l'avait laissé à la maison. Je n'arrivais pas à croire tous ces ragots. Lot n'aurait certainement pas permis à la reine d'élever un bâtard en compagnie de ses autres fils. En tout cas, ce qui était certain, c'est que le jour où Morgause prit la mer pour l'Orcanie, Merlin disparut. Personne ne parvint à l'expliquer. Il avait disparu sans laisser de trace.

D'abord, les gens rirent, disant que le magicien avait encore une fois accompli un de ses tours de prestidigitation. Mais avec le temps les visages se firent plus graves. Auparavant, quand Merlin disparaissait d'un endroit, il réapparaissait toujours dans un autre. Les gens savaient que Merlin se trouvait toujours là où Arthur souhaitait qu'il fût.

Cette fois, le roi ne parvint pas le retrouver. Ses troupes passèrent au peigne fin les bois où il avait disparu. Elles visitèrent sa froide caverne, au sommet d'une colline dans la Galles du Sud, cherchèrent dans les alentours de Caer Camel et en tout lieu où elles pensaient le trouver. Mais il n'était nulle part. Le vent d'hiver interdisait à présent la navigation et une neige précoce tomba sur le pays, recouvrant toute trace dans les bois et les prairies. Les recherches furent arrêtées. Le roi Arthur se retrouvait seul.

Des nouvelles nous parvinrent de Caerléon : la jeune reine

était enceinte. En signe de joie, des feux furent allumés dans tout le royaume. Le roi Pellinor donna une grande fête à la Toussaint pour fêter l'événement. Elaine était malade de jalousie. Pour la réconforter un peu, je lui racontai que la vie d'une jeune femme vivant avec un haut roi ne devait pas être drôle du tout, mais plutôt monotone.

— Tu ne serais pour lui qu'une femelle, lui dis-je. Ça serait ta principale activité. Porter ses enfants, le plus possible, et faire en sorte qu'ils soient tous des garçons. Chasse donc l'idée d'avoir en lui un véritable compagnon. Il ne serait jamais présent. Même ta mère, Alyse, ne voit Pellinor que durant six mois de l'année et il est plutôt casanier, comparé au haut roi. Il doit toujours voyager partout dans son royaume. Tu n'aurais jamais l'occasion de le connaître. Pas assez de temps. Tu serais malheureuse.

Je ne parvins en fait qu'à me convaincre moi-même, mais non pas Elaine. Elle était totalement et désespérément amoureuse d'Arthur, et je ne pouvais rien y faire.

Or, alors que les premières neiges tombaient, la haute reine tomba malade. Tout Caerléon était en émoi. Les prêtres, les chirurgiens, les sorcières et les mages se pressaient au chevet de la jeune reine malade. Arthur promit une montagne d'or à celui qui parviendrait à stopper les saignements et acceptait tous ceux venaient offrir leurs services. Même le roi Pellinor alla à la cour pour voir s'il ne pouvait pas faire quelque chose. Mais, comme il nous le dit ensuite, il n'y avait rien à faire. Ni Mithra, ni le Christ, ni Bilis, ni Éroth, ni Llyr, pas plus que Lluden, ni la Grande Déesse, n'auraient pu empêcher la catastrophe. Merlin aurait pu sauver l'enfant, pensait-on, mais il n'était pas là. Arthur était effondré. La pauvre reine, âgée seulement de dix-sept ans, fraîchement mariée, mourut dans d'atroces souffrances le jour de l'anniversaire d'Arthur, avec à ses côtés le haut roi en pleurs.

Quand tout fut terminé, Arthur s'enferma seul et ne parla avec personne pendant trois longues semaines. Finalement, ses barons le menacèrent de briser la porte. Quand les Saxons apprirent que roi Arthur était au plus mal, ils se rassemblèrent pour lancer une contre-attaque tout le long de la Tamise, jusqu'à Amesbury et ces terribles nouvelles parvinrent jusqu'aux oreilles du haut roi. C'est un nouvel homme qui passa les portes de sa forteresse. La gaieté et l'exubérance l'avaient quitté ; il était devenu irritable et dangereux à contrecarrer. Les Saxons refluèrent devant sa colère comme devant un mur de flammes.

Le royaume de Bretagne dans son entier était en deuil avec Arthur : tous, sauf Elaine qui restait indifférente, à nouveau en paix avec elle-même. Arthur était libre, et le temps jouait en sa faveur. Elle m'assommait avec ses fantasmes de grandeur.

Nous arrivâmes enfin au cœur de l'hiver ; quand le soleil brillait, je passais mes journées à chevaucher. C'était merveilleux d'être libre à nouveau ! Je plaignais le haut roi s'il ne parvenait pas à trouver de la joie dans la liberté d'une chevauchée.

Par une belle journée du mois de janvier, je me levai au chant du coq, mis mes bottes fourrées et un chaud manteau, et montai Zéphyr en direction de la mer. Son parcours favori était le galop sur la plage ; après cela, elle était détendue et prête pour sauter des obstacles. Son audace m'étonnait toujours : elle pouvait voler par-dessus n'importe quelle haie que je lui proposais. Elle avait toujours de la ressource et semblait vraiment aimer ça. Elle était impatiente ce matin-là, remuant sa tête de gauche à droite et mâchonnant le frein pour s'amuser, comme pour me demander de me dépêcher. Mais dès que je le souhaitai, elle redevint docile et très obéissante. Elle trotta sur le petit chemin qui conduisait vers la mer. C'était une belle matinée, froide mais ensoleillée. Les derniers vestiges de l'aube éclaboussaient le gris de la mer de traces rosâtres. Je caressai ma monture, qui tremblait, anticipant. Tenant d'une main sa crinière, je la poussai un peu en avant. Elle partit comme un boulet. Le rivage défilait si vite que la côte me parut floue. De ma main libre, je défis ma chevelure, qui alla s'ébattre dans le vent. Je me sentais libérée de toute entrave — du royaume et des guerres, du pays de Galles et des princes jaloux, de la routine du château et de mes cours ennuyeux. Tout cela, je le laissais derrière moi. J'étais libre comme l'oiseau, et aussi sauvage. L'avenir se profilait droit devant moi, inconnu, et donc forcément brillant et majestueux. Un air glacé me remplissait les poumons et je lançai un cri de joie d'une voix forte. Zéphyr me répondit en bondissant encore plus vite. Nous volions sur la plage. Elle ralentit seulement quand les Crocs s'élevèrent devant nous. Alors elle fit demi-tour pour revenir trotter. J'enlaçai ma pouliche, de ravissement.

— Ô ma belle, que de joie tu m'apportes ! Jamais je ne me séparerai de toi, Zéphyr. Nous resterons ensemble pour toujours !

Elle remua sa tête comme si elle comprenait, et nous trottâmes lentement vers la maison. Sur le chemin de la plage, ma jument se dirigea vers le terrain d'obstacles. Soudain elle s'arrêta en faisant un écart, me jetant presque à terre. Je me retins à sa crinière et parvins à peine à l'empêcher de tournoyer et de s'emballer. Elle tremblait comme une feuille dans une tempête d'automne. Je tentai de l'apaiser en chantonnant, mais rien n'y fit.

— Qu'est-ce que tu as, ma belle ? Qu'est-ce que tu as senti ?

La plage était vide et la mer calme, je ne voyais rien bouger, mais ma jument restait nerveuse et refusait toujours d'avancer. Je descendis de son dos et tins sa tête près de ma poitrine, puis j'enveloppai ses nasaux dans mon manteau. Elle se calma un peu ; alors je compris que c'était quelque chose qu'elle avait reniflé. Une légère brise de terre soufflait encore à cette heure ; je regardai le paysage, le chemin, entre les grosses touffes d'herbes hautes et de broussailles qui poussaient dans le sable, jusqu'à la ligne d'arbres dénudés qui marquait la limite du bois. Cependant, je ne vis rien. Mais juste en dessous de nous, le sable gardait des traces : on aurait dit que quelque chose de lourd avait été traîné sur le sol, et quelque chose de petit et de blanc voletait devant nous dans les buissons, juste avant les arbres.

— Viens, ma belle, allons voir ce que c'est.

Bien qu'effrayée, elle me suivit sur le chemin, mais, alors que nous approchions des arbres, elle se cabra et hennit. Un faible gémissement lui répondit des buissons et, à ma stupéfaction, la pouliche s'ébroua une fois puis se tut. Pour elle, le mystère était résolu, c'était un être humain, et en conséquence un ami. Je l'attachai à un arbrisseau et la laissai là, à attendre tranquillement alors que je partais à la découverte de celui qui était allongé, à moitié caché derrière les broussailles, gémissant dans le sable.

C'était un étranger. Il y avait du sang noir coagulé dans ses cheveux clairs. Sa jambe gauche était disposée d'une manière anormale. Sa tunique était déchirée, mais le tissu était joli. Nulle part je ne vis la trace d'un manteau. Je me défis du mien pour l'en recouvrir. Il frissonna violemment. Je posai la main sur son front : il était très froid. Ma main parut le faire revivre car il ouvrit péniblement les yeux. Ils étaient d'un vert vif, avec des inclusions couleur de miel tout autour de la pupille sombre : je n'arrivais pas détourner mon regard du sien.

— Pardonnez-moi mes péchés, marmonna-t-il, puis il sombra dans l'inconscience.

Je courus vers ma pouliche et sautai sur son dos. Je commençais à frissonner. Il s'était exprimé en latin, mais avec un étrange accent. J'étais certaine qu'il n'était pas gallois ni breton. Il était étendu sur les berges de la mer d'Irlande. Mon cœur battait en cadence avec les sabots de mon cheval alors que nous filions au grand galop vers le château. Pouvait-il être l'un de ces démons d'Irlandais que tous les enfants gallois avaient appris à craindre ?

J'ameutai tout le château. Le roi Pellinor envoya une escouade avec une civière pour aller chercher l'étranger mais ne m'autorisa pas à servir de guide. Il ordonna à un palefrenier de s'occuper de Zéphyr, et à Léonore de s'occuper de moi. Elle me jeta un bref coup d'œil avant de me plonger dans un bain chaud. La reine Alyse me reprocha de m'être séparée de mon manteau et me mit au lit avec des briques chauffées aux pieds. J'étais furieuse et déçue, car je me sentais fort bien, seulement un peu étourdie. Je voulais absolument avoir des nouvelles de cet étranger.

Dieu merci, Elaine était douée pour l'espionnage. Toute la journée, elle entrait dans ma chambre pour m'apporter les informations qu'elle pouvait amasser.

Quand ils trouvèrent l'étranger, il délirait, à moitié mort de froid. On ne s'attendait pas à ce qu'il vive ; on ne le l'installa pas au donjon, mais dans une chambre pour invités, près de la tour. Ils le baignèrent et le mirent au lit avec des briques chaudes entourées d'herbes médicinales tout autour de son corps meurtri. Le médecin du roi Pellinor remit en place sa jambe cassée et lui banda la tête. Le père Martin vint pour les derniers sacrements ; il était évident que l'étranger était chrétien. Dans son délire, il en appelait au Dieu de la Bible et aux anges pour le sauver, mais la majeure partie du temps il bredouillait des mots dans une langue que personne ne comprenait.

À la tombée de la nuit, il était brûlant de fièvre et délirait toujours. Un serviteur des cuisines, d'origine irlandaise, capturé durant un raid avorté sur nos côtes huit ans plus tôt, fut amené dans la chambre pour voir s'il pouvait comprendre les paroles de l'étranger. L'homme fondit en larmes en entendant pour la première fois, depuis des années, sa langue natale.

— Ainsi tu avais raison, m'annonça Elaine penchée sur mon lit, il est irlandais. S'il survit, il sera prisonnier, et si c'est un de leurs seigneurs, il deviendra un otage, ce qui pourrait apporter à mon père un peu d'or irlandais. On dit qu'il est jeune. Pas plus de vingt ans. À quoi ressemble-t-il ?

Je me souvins de ce visage hagard à la peau si blanche, avec des cheveux blond cendré et des yeux extraordinaires.

— C'est le plus bel homme que j'aie jamais vu.

Elaine eut un rire nerveux.

— Tu devrais faire attention à ne pas tomber amoureuse d'un prince irlandais, Gwen. Je ne pense pas que mère te laisserait partir en Irlande, même pour tout l'or de Rome. Elle a vu ses vêtements, tu sais. Elle a dit qu'ils étaient de très bonne facture. Il se pourrait bien qu'il soit quelqu'un d'important. Excitant, n'est-ce pas ?

— Comment est-il arrivé ici, sur notre plage ?

— Je ne le sais pas encore, mais je le saurai avant la fin du repas.

Pour ma part, je ne fus pas autorisée à descendre dîner. Ailsa m'apporta mon repas au lit. Elle avait préparé un gruau bien chaud. Je ne protestai pas contre tant d'attentions, car ma gorge commençait à me démanger sérieusement, et je savais que j'allais devoir rester au lit pour deux ou trois jours à cause des habituelles froidures hivernales. Elaine fut aussi perspicace qu'elle l'avait prétendu et je sus tout ce qu'il y avait à savoir avant de m'endormir.

— Il y a eu une attaque la nuit dernière, m'informa-t-elle,

le regard vif. Le dégel avait dégagé la mer et père avait décidé d'organiser des patrouilles sur la plage ces cinq derniers jours. La nuit dernière, on a repéré un navire au large. Quatre groupes de bandits débarquèrent, conduits par un jeune brigand. Enfin, c'est ce que racontent les soldats. Les bandits ne sont pas allés bien loin. Les combats ont été furieux, il y a eu beaucoup de blessés. Mais quelques Irlandais purent en réchapper et retournèrent à leur navire. Les soldats de mon père ont capturé les autres et les ont conduits dans la basse-fosse. J'imagine qu'ils ont oublié celui-là sur la plage. Je me demande si ce ne serait pas lui le chef.

— En t'écoutant me raconter le déroulement du raid, je me dis que, si c'est le cas, ce n'est pas un très bon chef.

Elaine eut un petit rire.

— Oui, ce n'est pas Arthur. Mais les Irlandais ne sont pas des guerriers très intelligents. Ils ne l'ont jamais été, ils se battent toujours avec beaucoup trop d'impétuosité. Montre-leur une bonne épée bien trempée et ils s'enfuient à toutes jambes.

Je souris à ces paroles.

— S'il en réchappe, je serai heureuse de faire part à notre hôte de la haute opinion que tu as de lui.

— Je me fiche pas mal de ce qu'il pourrait penser de moi, rétorqua-t-elle. À mes yeux, il sera toujours un Irlandais, et moi je compte bien devenir une reine britannique.

Au moins, me dis-je un peu plus tard, alors que je tirais les couvertures sur moi et m'enfonçais lentement dans le sommeil, elle n'a pas dit « reine de Bretagne ».

7

Finn

TOUTE la semaine, je demeurai clouée au lit, fiévreuse et parcourue de frissons. On me laissait dans l'ignorance et on m'interdisait même de poser des questions. Une atmosphère de mystère planait sur tout le château. Elaine venait me voir souvent, mais elle déviait systématiquement la conversation sur Arthur. Ses faits audacieux et ses accès de colère meurtriers me furent racontés à l'envi. Désormais, on ne le traitait plus d'adolescent ou, pire encore, de petit garçon. Il avait dix-neuf ans, c'était un homme. Chaque fois qu'il levait son épée, Excalibur, pour défendre la Bretagne, il était victorieux. Il avait dirigé dix grandes batailles et des milliers d'escarmouches, et il n'avait reçu nulle blessure, pas même l'estafilade d'une arme saxonne. Mais en plein milieu de toute cette gloire, il était affligé : la mort de sa jeune épouse et de son enfant, plus la disparition de son grand ami, le mage Merlin, lui pesaient. Sa démarche était devenue plus lourde, ses sourires plus rares. Il s'occupait d'occire ses ennemis et d'unifier les royaumes de l'île avec une froide détermination. À présent, même ses gens avaient peur de lui.

De notre navigateur irlandais, Elaine ne voulait rien me dire sauf qu'il était toujours vivant. Mais ses yeux pétillaient et elle me lançait des clins d'œil quand Ailsa et Grannic nous tournaient le dos. Finalement, mes forces revinrent et je ne voulus plus rester au lit. J'insistai pour m'asseoir près du feu ou faire quelques pas au bras d'Ailsa.

Après deux semaines, j'étais totalement rétablie. Alors, le rude froid hivernal s'installa pour de bon et tout se retrouva sous la neige. Je ne pouvais pas aller jusqu'à l'écurie pour rendre visite à ma Zéphyr et devais passer tout mon temps avec les femmes dans la salle de couture, tricotant, brodant, cousant et bavardant. Nous ne rejoignions les hommes que dans la salle à manger pour les repas ; autrement, nous restions cloîtrées. Les gens devinrent plus anxieux, par manque d'exercice et de soleil, et ils commencèrent à se quereller pour un oui ou pour un non, à force de rester les uns sur les autres. Ces problèmes, je les connaissais et à vrai dire je m'y attendais, mais en fait l'hiver fut plus agréable que les précédents. Certes, les dames étaient souvent pimbêches, se moquant les unes des autres, mais elles étaient aussi joyeuses, chantonnaient de nouvelles chansons, tentaient d'imaginer de nouveaux dessins de broderie — tout cela à cause de notre bel étranger.

Il avait pour nom Finn. C'était apparemment un sacré gaillard. Il était probablement un prince irlandais et, si on devait croire le serviteur de cuisine qui faisait office de traducteur, il était même, en réalité, *le* prince d'Irlande, fils du roi Gilomar. Il avait passé trois jours et trois nuits à délirer. Il avait survécu à la remise en place de sa jambe cassée, et s'était rétabli d'une congestion de poitrine. Il mangeait comme quatre et chantait tel un vrai barde.

Il avait appris suffisamment de gallois pour pouvoir communiquer avec nous. Il faisait la cour à toutes les dames et les demoiselles du château, y compris la reine Alyse, et ce du soir au matin. Il ne montrait aucune peur ni aucune rancune à l'égard de ses geôliers. Pourtant, il était un otage et le savait. Il ne semblait pas vouloir retourner trop vite dans son pays natal. Dès qu'il y avait une femme dans la pièce, il se mettait à composer des vers, à entonner des chants, à lui conter fleurette, l'admirant, la cajolant, bref il la courtisait. Il avait capté l'attention de toutes les femmes du palais, de la reine à la cuisinière. Bien qu'il eût recouvré rapidement la santé, il n'y avait aucun bruit concernant sa mise au secret dans un cachot avec ses camarades marins. Les dames continuaient à s'occuper de lui. Le roi Pellinor était amusé par notre passe-temps, et tout le monde dans le château se retrouva de meilleure humeur.

— Par tous les saints du paradis ! s'écria Cissa. Il m'a encore pincée ce matin. Moi qui suis assez vieille pour être sa mère !

— Il est vraiment adorable, ça, c'est certain ! ajouta Léonore. Un diable de jeune homme. Ils les élèvent exprès en Irlande, pour conquérir nos cœurs, j'en suis persuadée.

La reine Alyse rit en écoutant ses propos.

— S'il a débarqué en Galles pour gagner les femmes de chez nous à sa cause, il va finir par y réussir. J'ai remarqué comment il observait ma fille quand il croit que je ne le vois pas.

Elaine rougit et sourit. Ainsi, c'était donc ce qu'elle tentait de me cacher ! Elle avait un admirateur, et celui-ci, apparemment, ne lui déplaisait pas.

— Mère, je vous en prie ! protesta Elaine. Ce n'est qu'un brigand, un étranger.

— Eh bien, ma chérie, répondit Alyse en se penchant sur sa broderie, des princesses galloises par le passé ont déjà épousé des étrangers. Être reine d'Irlande, ce serait un grand honneur, ne crois-tu pas ?

Je jetai un coup d'œil à Elaine. On pouvait lire sur son visage, aussi clairement que sur un parchemin, qu'elle ne souhaitait devenir que reine de Grande-Bretagne.

— Mère ! s'écria Elaine. Je suis britannique et je ne quitterai jamais ma terre natale ! Je préfère rester vieille fille ici plutôt que de devenir une reine irlandaise.

Toutes les femmes furent d'accord, mais je vis que cette discussion n'était pas sérieuse. Alyse taquinait sa fille. Je pense qu'elle aurait été la dernière à souhaiter qu'Elaine s'en aille de l'autre côté de la mer, où elle ne la reverrait jamais.

— Quel barde ! s'exclama Cissa. Et il parle si bien latin ! C'est un homme instruit, vous pouvez en être sûres. Ce matin, quand je lui ai apporté sa décoction de saule, il m'a encore parlé de l'ange.

— L'ange divin qui s'occupe de nos âmes ? demanda Léonore. Il ne parle que de lui, jour et nuit. On pourrait croire qu'un homme à moitié mort de froid, allongé sur la plage, devrait voir des diables et des monstres, pas des anges. Il a beaucoup d'imagination.

— Qu'est-ce que cette histoire d'ange ? questionnai-je. Un conte irlandais ?

— Non, demoiselle Guenièvre. Notre jeune homme a fait un rêve alors qu'il était allongé sur la plage. Il a affirmé avoir vu un ange de Dieu, une vision divine avec des cheveux blancs flamboyants. L'ange l'a touché alors que son âme était sur le point de quitter son corps. Il l'a ramené d'entre les morts. Il dit qu'il a vu un halo de lumière autour de sa face et les lumières de paradis dans ses yeux, et la joie de la vie éternelle dans son sourire. Oh ! il parle bien. Il a réussi à me convaincre, ainsi que dame Cissa.

Elaine me regarda soudain et fit la moue.

— Je suis sûre qu'il parle de Gwen. Il est en train d'en faire tout un plat. Mais après tout, c'est elle qui l'a sauvé.

— Oui, et en plus de tout ça, le prince Finn aimerait vous remercier, demoiselle Guenièvre. Quand vous aurez retrouvé suffisamment de forces, bien sûr, reprit Alyse. Mais je vous préviens, il pense que nous nous jouons de lui et de sa crédulité. Il ne croit pas qu'une enfant ait pu le sauver. Bien plus, il ne croit pas qu'un roi ou une reine sains d'esprit laisseraient une fille si jeune s'aventurer seule sur une plage où des brigands avaient été tués la nuit précédente.

Ces paroles étaient manifestement une forme de réprimande ; en conséquence, je baissai la tête et ne dis rien. Mais j'étais mécontente. Comment aurais-je pu savoir qu'il y avait eu une escarmouche sur cette plage ? On ne nous disait rien. Nous n'étions que de jeunes pucelles. Si le temps avait été favorable, Elaine et moi, nous nous serions glissées jusqu'au mur pour écouter les nouvelles. Autrement, je ne voyais pas comment je pouvais être tenue pour responsable de mon ignorance. Une chose était claire : ma liberté de me promener avec Zéphyr quand bon me semblait était finie.

Nous montâmes les marches en silence, Elaine et moi, vers nos chambres, afin de nous changer pour le dîner. J'étais choquée que la reine Alyse eût parlé de moi comme si je n'étais qu'une enfant. Dans trois mois, j'allais avoir quatorze ans. L'ancienne cicatrice s'était rouverte et je saignais à nouveau sous ces coups. Ce ne fut pas avant d'arriver dans nos chambres, à moitié vêtues, qu'Elaine m'adressa la parole.

— Gwen, si tu me le prends, je ne te le pardonnerai jamais.

Je la fixai, incrédule.

— Au nom de Dieu, de quoi parles-tu ?

— Mère t'emmènera voir Finn, et une fois qu'il t'aura vue, il ne me regardera plus jamais.

— Oh ! je t'en prie, Elaine, ne dis pas n'importe quoi. Tu ne vas pas recommencer. Tu es la fille du roi Pellinor. Tu es une femme. Moi, je ne suis qu'une enfant. Ta propre mère vient de le dire.

Elaine me souriait, mais son regard étaient morose.

— Mère ne t'a pas vue dans tes sous-vêtements, dernièrement. (Elle s'approcha de moi. Elle faisait une tête de moins que moi.) Ton corps change. Tu ne l'as pas remarqué ?

Elaine me mena devant le bronze poli près de la fenêtre et j'observai mon image, un peu stupéfaite. Je ne l'avais pas remarqué. Je ne l'avais pas ressenti non plus, mais c'était là. Ma poitrine était en train de pousser et ma taille s'était affinée. Elle était plus fine que mes hanches, toujours aussi étroites que celles d'un garçon. Cependant, elles s'étaient élargies un tout petit peu. Je ressemblais enfin à une jeune fille qui va bientôt devenir une femme, comme ma cousine à dix ans.

— Elaine ! m'écriai-je, la prenant dans mes bras, alors que des larmes coulaient sur mes joues. Par ma foi, Elaine, qui sait, peut-être que le vieux Merlin avait raison ! Dieu ait pitié de son âme. Peut-être que bientôt je serai une femme !

Elaine cachait bien sa joie.

— Tu seras trop belle pour être supportable quand tu le seras, dit-elle. Je sais très bien ce qu'il va arriver. Tous les hommes qui te regarderont tomberont éperdument amoureux de toi.

— Impossible, répondis-je en prenant sa main. Tu te sous-estimes. Tu es belle, mon Elaine, et tu es la fille d'un roi. Moi, je ne suis qu'une orpheline. En tout cas, je ne veux pas de Finn. Toi non plus, d'ailleurs, n'est-ce pas ? Pourquoi te préoccupes-tu de ce qu'il pense ?

Elaine ne voulait pas me regarder.

— Je ne parle pas simplement de Finn.

Je ne compris pas à quoi elle faisait allusion.

— Viens, je te garantis qu'après qu'il m'aura rencontrée, son admiration pour toi ne sera en rien diminuée. On parie ?

— Je ne suis pas complètement idiote.

Sa bonne humeur avait disparu, alors que mon entrain ne faisait que croître comme une bulle de savon géante, remplissant tout l'espace entre nous.

Je n'oubliai pas Merlin dans mes prières cette nuit-là. Qu'il fût mort ou vivant, je priai Dieu de se montrer miséricordieux avec lui et de sauver son âme, car, s'il avait bien prédit ce qui allait arriver, dans trois petits mois les vœux de mon cœur seraient exaucés.

— Monte donc, Guenièvre, et prends avec toi le panier de pain frais.

Obéissante, je me mis dans la file des femmes qui attendaient avec du linge propre, une nappe, des bols de fruits secs et des noix. Nous suivîmes la reine Alyse jusqu'à l'escalier qui menait à la chambre du prisonnier.

Le garde posté à l'entrée souriait. Il secoua la tête quand il nous vit arriver. Il s'inclina devant la reine Alyse et nous laissa entrer.

La pièce était vaste, avec une fenêtre étroite tournée vers la mer. Un agréable feu de bûches brûlait joyeusement dans l'âtre. Finn était assis près de la fenêtre, propre et habillé d'une belle chemise de lin, avec des braies de cuir, un pourpoint de lin et un châle. Il avait posé sa jambe cassée sur un tabouret devant lui. Alors que nous entrions, il se leva, se tenant appuyé sur un gros bâton.

— Bienvenue, mes dames, nymphes matinales.

Il parlait le gallois avec un accent agréable, mettant de la douceur dans ces sons durs qui lui étaient étrangers, mais très plaisants à mes oreilles. Il était grand et bien bâti, debout dans son pourpoint sombre, ses cheveux blonds tombant devant ses yeux clairs. Il me donnait envie de sourire et mon cœur se mit à battre plus fort. Je tirai davantage la guimpe sur mon visage et me tournai pour placer avec les autres dames mon panier sur la table. La reine Alyse le salua avec une politesse formelle, comme le prisonnier de son mari, mais elle utilisa un ton qu'elle aurait pu prendre pour parler à son fils. Une par une, les dames de compagnie s'inclinèrent devant lui puis partirent, jusqu'à ce que, seules, demeurent Léonore et moi. La reine Alyse me dit d'avancer et, alors que je me levais de ma révérence, ma guimpe retomba en arrière et je le regardai droit dans les yeux.

Il fut surpris et se rassit avec une grimace de douleur.

— Par tous les saints du paradis ! s'écria-t-il en latin. Que Dieu me confonde ! C'est vous, en chair et en os ! Ô mon Dieu, ayez pitié de mon âme !

Il se signa avec ostentation.

— Mon très cher prince Finn, commença Alyse, puis-je vous présenter ma protégée, la fille de ma sœur, Guenièvre des Norgales ? Guenièvre, voici le prince Finn, fils de Gilomar d'Irlande.

Je lui souris et tendis la main. Il la prit puis observa mon visage. Quand, enfin, le silence devint trop pesant, il s'exprima en gallois.

— Vous êtes bien réelle, ma demoiselle ? Vous êtes de chair et de sang, comme moi ? Que tous les saints soient bénis ! Un ange de Dieu et que l'on peut toucher en vrai.

— Il leva ma main et la porta à ses lèvres, et du coin de l'œil je vis les sourcils de la reine se lever.

— Il s'agit de Guenièvre, dit-elle, qui vous a trouvé sur la plage et a permis que les soldats du roi Pellinor, mon époux, vous retrouvent. C'est à elle que vous devez d'être encore en vie.

Finn se tourna vers la reine, abasourdi.

— Douce amie, je me souviens que vous me parliez d'une enfant qui m'avait retrouvé.

Ses yeux perçants allèrent de mon visage jusqu'à mes chaussures et remontèrent ; j'étais rouge de honte. Il retenait ma main dans la sienne.

La reine Alyse souriait.

— Elle est à un âge où chaque jour compte. Il semble que je n'y aie pas suffisamment prêté attention.

Elle se retourna, et prestement je retirai ma main et la suivis, mais elle s'arrêta sur le pas de la porte.

— Léonore, dit-elle, demeurez ici un peu avec demoiselle Guenièvre. Je suis persuadée que notre prince voyageur voudra soulager sa conscience et la remercier pour le don qu'elle lui a fait de la vie. Venez me voir à midi.

Elle sortit, nous laissant seuls.

J'étais pétrifiée et confuse. Léonore, avec un petit sourire au coin des lèvres, s'assit devant l'âtre et se mit à son ouvrage de couture. C'était une chemise en lin, sans doute pour Finn. Je me retournai prestement. L'Irlandais était debout, appuyé sur son bâton ; il me tendit la main. Tout cela était bien trop clair. Il n'était pas assez bien pour Elaine. (L'ambition de la mère était très semblable à celle de sa fille.) Mais il était parfait pour moi. Alyse avait attendu que je sois totalement rétablie, avec un joli teint de peau, avant de m'amener devant lui, pour son bien, pas pour le mien. En nous laissant seuls avec juste Léonore comme chaperon, elle donnait son accord implicite, aussi sûrement que si elle avait dit oui. Alyse était loin d'être sotte. Cela lui aurait parfaitement convenu que je me marie et m'en aille en Irlande. Pellinor aurait eu un allié de l'autre côté de la mer et Alyse n'aurait plus eu à se préoccuper de l'ombre que je faisais peser sur l'avenir d'Elaine.

Le pauvre prince Finn ne semblait aucunement se douter de ces manigances. Il ne cessait de me regarder avec ses beaux yeux et bénissait la chance qui l'avait fait échouer sur les côtes galloises. Je marchai nonchalamment jusqu'à un banc de l'autre côté de l'âtre et pris un travail de broderie.

— Nous sommes satisfaites de vous voir en si bonne santé, prince Finn, dis-je, tentant d'imiter le ton de la reine Alyse. L'air frais du pays de Galles semble vous convenir à merveille.

Il claudiqua comme il put jusqu'à l'âtre et se tint face à moi, dos à la cheminée, nous observant tour à tour.

— L'air est vraiment excellent, mes dames. J'ai été choyé par les plus charmantes jeunes femmes de toute l'île de Bretagne, j'en suis certain. Comment aurais-je pu ne pas me rétablir dans ces conditions ?

Son ton était distant. Je levai la tête. Son visage si vivant était devenu un masque inexpressif de courtisan, et il fit un grave mouvement de tête.

— Si vous me le permettez, de la part d'un étranger, cela va de soi, et d'un prisonnier, où se trouvent les Norgales ? Et quel roi a le privilège de vous avoir pour fille ?

Je posai mon travail de couture et l'observai.

— Seigneur, je ne suis qu'une orpheline. Ma mère mourut en me mettant au monde. Mon père était le roi Léodagan des Norgales. Il m'a envoyée ici pour vivre avec ma parentèle. Les Norgales se trouvent à une bonne journée de cheval vers l'est, un petit royaume dans le nord du pays de Galles.

Il me sourit.

— Je compatis à votre infortune. Pourrais-je vous en dire plus sur moi ? Souhaitez-vous connaître qui est ce brigand, comme les Gallois nous nomment souvent, qui se tient à présent devant vous ?

Je lui souris en retour.

— Si vous êtes un brigand, seigneur, vous êtes un brigand fort courtois, un brigand chrétien, ce me semble, et pour le moment un brigand qui se tient convenablement.

Il sourit et son visage s'éclaira. Léonore leva un sourcil.

— En vérité oui, répondit-il, et même gardé sous clef, mais entièrement à votre service, demoiselle Guenièvre des Norgales.

Il s'inclina profondément devant moi. Il parvint à le faire élégamment, bien que cela lui fût difficile, à cause de sa jambe cassée et du bâton.

— Est-ce que la belle dame Léonore me permettrait de m'asseoir à ses côtés ?

Il lui adressa un gracieux signe de tête. Léonore rougit et se poussa prestement sur le banc pour lui laisser une place.

— Ne dites pas de sottises, seigneur Finn. Vous vous asseyez près de moi non pour être en ma compagnie mais pour mieux contempler demoiselle Guenièvre.

Il rit et baisa les joues de Léonore.

— Comment pourriez-vous me blâmer ? Existe-t-il une plus belle pucelle dans toutes les îles du Nord ?

Je baissai la tête alors qu'il continuait à débiter ses louanges et repris mon ouvrage de couture. Mais je remarquai que sa position sur le banc lui permettait d'allonger sa jambe blessée, ce qui apaisait sa douleur. Cela ne m'avait pas encore frappée, mais il avait probablement eu mal assez souvent durant tout ce temps. Je décidai d'être directe.

— Eh bien, prince Finn, fils de Gilomar, quelle sorte d'homme êtes-vous ? Ai-je rendu un mauvais service en vous permettant de vous installer ici ? Vous êtes venu nous attaquer, ce me semble. Seriez-vous en train de nous espionner, à présent ?

Il me regarda vivement et avec un nouvel intérêt.

— Voici trois semaines que je suis dans ce château, mais vous êtes la première personne qui me pose une question sérieuse... Mon père se dit roi de toute l'Irlande, mais, si vous connaissiez un peu mon île, vous sauriez que nous possédons un grand nombre de rois qui portent ce titre. Nous sommes une race fière et peu encline à ployer l'échine devant qui que ce soit. Ainsi donc, nous gaspillons nos forces dans des guerres intestines et ne pouvons nous unir. Le reste du monde ne nous voit que comme des pirates.

Il s'arrêta et dut lutter pour que la véracité de ses allégations ne transparaisse pas trop sur son visage.

— Je suis le cadet des fils de Gilomar, le dernier qui vive encore. Tous mes frères étaient des têtes brûlées, comme mon père. Ils se jetaient sur le premier ennemi venu. Quand mon père avait mon âge et qu'Ambroise venait de mourir, le magicien Merlinus vint en Irlande pour chercher les fameuses pierres levées pour construire sa tombe. Il était protégé par une petite troupe d'hommes en armes sous les ordres d'Uther Pendragon. Mon père commandait une armée de cinq cents hommes. Il marcha sur les arrières d'Uther. Mais il a suffi de trois heures de combat au roi Uther pour repousser l'attaque conduite par mon père. Vous connaissez cette histoire, peut-être ? Elle est véridique. On la raconte pour bien montrer la différence entre vous, les Gallois, et nous, les Irlandais. Mon père n'a jamais changé. Mes frères lui étaient semblables en tout point. Moi, non. Quand mon père insista pour que je me conduise en homme et que je dirige une attaque contre vos rivages, j'ai accepté pour une unique raison. Je voulais connaître la Bretagne. Je veux rencontrer ce fils d'Uther qui sait si bien diriger les hommes. Peu importe que je sois prisonnier ou libre, je veux rencontrer Arthur Pendragon et juger par moi-même.

Tout en parlant, il regardait le bois se consumer dans la cheminée. La passion de ses sentiments emplissait son visage d'une grande force.

— S'il est un homme avisé, je me soumettrai à lui et je

deviendrai son homme lige. Et peut-être l'Irlande pourra-t-elle enfin rejoindre le monde civilisé.

Le silence se fit ; on n'entendait plus que le crépitement du bois dans la cheminée. J'étais émue, il m'avait parlé directement, comme si j'étais son égale, d'homme à homme.

— Je suis persuadée, seigneur, que votre souhait sera un jour exaucé.

Il sortit de sa profonde réflexion et me sourit.

— Cela se peut. Être otage présente certains avantages. Vous devez vous conformer aux souhaits de votre hôte et ne pas abuser de son hospitalité. Si vous me le permettez, j'aimerais vous réciter un poème composé par un de nos célèbres *files*[1].

Il nous entretint durant un long moment. Il possédait une belle voix de récitant et aussi une excellente mémoire. Léonore nous prépara une décoction de saule et nous nous régalâmes avec les fruits séchés que nous lui avions apportés. Finalement, il toucha le bras de Léonore.

— Votre heure est passée, midi est passé, gentille Léonore, prenez avec vous la jeune protégée de la reine et partez avec la lumière de ma vie.

Léonore ne sut quoi lui répondre.

— Doux seigneur, je vous en prie ! Nous pouvons rester en votre compagnie aussi longtemps que nous le souhaitons, j'en suis assurée, à moins que vous ne vous lassiez de nous.

— Ne vous souvenez-vous pas des ordres de la reine ? Ils mirent en colère la jeune princesse. Je ne souhaite point vous imposer ma compagnie plus que de raison. Vous êtes libres de partir.

Léonore se tourna vers moi, insistante.

— Prince Finn, dis-je en me levant, il est vrai que j'étais en colère, mais je ne le suis plus. Le temps passe agréablement en votre compagnie. Si nous devions nous revoir chaque jour…

Je jetai un regard à Léonore, qui acquiesça.

— Je vous le dis, ne craignez pas de m'importuner, car je puis vous assurer que je suis contente d'être ici en votre

1. Bardes irlandais. *(N.d.T.)*

compagnie. C'est-à-dire si... bredouillai-je soudain en détournant le regard, vous voyez ce que je veux dire.

— Je comprends, demoiselle Guenièvre. (Sa voix devint très affectueuse puis il me dit en latin :) Vous ne m'êtes pas destinée.

Je le regardai avec soulagement et fus surprise de le trouver soudain très mélancolique. Il ajouta promptement, pour ne pas se laisser découvrir :

— Je vous prie, ma demoiselle, s'il se trouve des ouvrages en ce lieu, pourriez-vous me les apporter pour que je vous en lise des passages ?

— Je vous les apporterai et vous les lirai moi-même, prince Finn.

Il me regarda, les yeux écarquillés.

— Quoi ! Se peut-il que vous sachiez lire ? Sauriez-vous donc écrire également ?

Il se rapprocha de moi, tournant le dos à Léonore, et me prit les mains.

— Dites-le-moi, à qui donc êtes-vous destinée ? me demanda-t-il en détachant chaque syllabe.

Mon incompréhension devait se lire sur mon visage, car il relâcha mes mains et recula d'un pas.

— La reine Alyse pense que toute jeune fille de bonne naissance doit savoir lire et écrire, affirma Léonore, sortant de son travail d'aiguille. Elaine et Guenièvre étudient avec un professeur de grec tout comme les fils du roi Pellinor. Un jour, elles seront de bonnes compagnes pour les chevaliers du haut roi, si Dieu le veut.

Finn paraissait troublé.

— Je vois, dit-il. Peut-être.

Il me baisa la main avant que nous ne sortions et me pria de transmettre son profond amour et son admiration sans limite à la demoiselle Elaine.

— Je vous en supplie, amenez-la avec vous demain, me murmura-t-il à l'oreille. On ne doit pas froisser les susceptibilités.

En descendant l'escalier derrière Léonore, je me dis qu'en trois semaines il avait appris bien plus de choses sur nous que nous sur lui.

Je le revis les jours suivants, me conformant aux directives de la reine. Elaine m'accompagnait aussi souvent que cela lui était possible. Elle aurait voulu venir tous les jours, mais la reine Alyse souhaitait que je sois seule avec lui, du moins autant que la courtoisie le permettait. Cela ne me dérangeait pas car j'avais noué avec le prince Finn des relations amicales. Léonore prenait nos conversations pour du badinage amoureux et rapportait à la reine que les choses suivaient leur cours. Cependant, Elaine avait beaucoup de mal à le supporter et était toujours très mécontente quand elle ne voyait pas le prince.

Elle ne se permettait pas de contredire sa mère, de peur des conséquences ; aussi, elle se fâcha contre moi, s'opposant à tout ce que je faisais. Au moment d'aller au lit, quand, habituellement, nous nous racontions nos pensées et nos espoirs secrets, soit elle me reprochait durement ma tentative éhontée pour conquérir le prince Finn, soit elle refusait tout simplement de me parler.

— Pour qui te prends-tu ? me lança-t-elle, alors qu'Ailsa brossait mes cheveux. Quel droit as-tu de l'accaparer ? Il doit en avoir plus qu'assez de toutes tes manières !

— Elaine, tu sais très bien, c'est ta propre mère qui m'a demandé de...

— Ne me raconte pas d'histoires ! Tu es suffisamment désobéissante quand ça t'arrange. Qui est allée faire une promenade à cheval, un matin, après l'attaque alors que c'était interdit ? Qui...

— Comment pouvais-je savoir qu'il y avait eu une attaque sur la plage ? Personne...

— Tu es une invitée dans notre maison, ne l'oublie pas, Gwen ! Tu pourrais lui dire non. Tu pourrais prétendre être malade. Tu pourrais insulter Finn. Tu pourrais faire des centaines de choses pour que cela se passe autrement.

À la fin, je dus m'excuser pour mon insolence. Il n'y avait pas de discussion possible avec Elaine. Mais même mes excuses ne parvinrent pas à la calmer totalement. Ses seuls moments de bonheur étaient ceux qu'elle passait en compagnie de Finn.

Quand Elaine était avec nous, Finn souhaitait écouter le récit des exploits du roi Arthur. Il disait qu'Elaine les racontait avec beaucoup de brio. C'était une histoire qu'on ne connaissait pas en Irlande, et pour de bonnes raisons, je suppose. Il apprit ces histoires par cœur et nous les récita un jour, mais avec quelques enjolivements de son cru. Je trouvais que ce n'était pas mal du tout, mais je fus un peu choquée.

— Voyons, prince Finn, c'est une histoire véridique. Les petites choses que vous avez ajoutées sont crédibles, bien sûr, mais vous ne devriez pas. Cette histoire est vraie.

Finn parut amusé.

— Vraiment ? Des dragons qui survolent Tintagel, le roi Uther transformé par magie en duc Gorlois ? Un prince qui s'en va dans les îles Enchantées ?

Elaine acquiesça. Finn se tourna vers moi :

— Croyez-vous aussi à toute cette histoire, demoiselle Guenièvre ?

J'étais gênée, car je n'avais pas exprimé devant Elaine mes doutes sur Arthur depuis un long moment et je ne souhaitais pas me fâcher avec elle. Mais je dis la vérité à Finn.

— C'est une façon de voir les choses, mon seigneur. Je crois que c'était le plan de Merlin. Il déguisa le roi Uther et la ruse fonctionna. Je crois qu'il a tenté de protéger le prince Arthur au cours de son enfance, personne ne savait où il était, de ce fait une version de l'histoire en vaut bien une autre.

Finn était d'accord.

— Bien que Merlin soit sage, il n'est pas...

— Mon seigneur, ne vous méprenez pas sur Merlin. C'est un très grand magicien. Il possède un pouvoir immense. Croyez aux récits que l'on vous a racontés à son propos !

Les yeux de Finn s'agrandirent d'étonnement.

— Vous y croyez, demoiselle ?

Elaine vint immédiatement à ma rescousse.

— Elle le sait, et pas par ouï-dire. Le seigneur Merlin lui a parlé en personne.

Finn restait dubitatif.

— Est-ce exact ? Que vous a-t-il dit, puis-je me permettre de vous le demander ?

— Oui. Il n'a pas dit grand-chose, répondis-je, soudain très gênée par sa perspicacité. Il m'a parlé de mon avenir, mais il n'a rien dit de très précis. Il m'a surtout demandé de ne pas avoir peur.

— Et immédiatement après, il a disparu, poursuivit Elaine, et depuis plus personne ne l'a vu. Pas même le haut roi. Et, bien qu'il ait eu besoin de lui, Merlin n'est pas réapparu. Les Saxons l'ayant appris, ils ont contre-attaqué tout l'hiver, s'imaginant que le roi Arthur serait vulnérable sans lui. Mais...

Le prince Finn écoutait à peine. Il s'appuyait sur son bâton et observait, pensif, son regard plongé dans les flammes. Elaine termina son exposé sur les exploits les plus récents du roi Arthur et sa revanche finale. Elle parlait du haut roi avec fierté, somme s'il s'était agi de son mari. J'étais gênée par tant de témérité de sa part, je me dis que Finn l'avait probablement remarqué. Il se retourna soudain vers Elaine.

— Mais qu'est-ce que cela prouve, ma douce demoiselle Elaine ? Soit que la magie de Merlin continue à opérer, soit qu'Arthur est un homme très avisé.

Elle ne comprit pas ces allusions et eut un signe d'impatience de la tête.

— Cela prouve que le roi Arthur n'a pas besoin d'un magicien derrière lui pour gagner des batailles ou se maintenir au pouvoir.

— Précisément, approuva Finn. Il est devenu un homme, à présent. Le monde entier l'aurait-il su, si Merlin n'avait pas disparu ?

Elaine était dubitative. Finn se tourna vers moi.

— Qu'en dites-vous, demoiselle Guenièvre ?

— C'est vrai. Qu'il s'agisse de magie ou de sagesse des hommes, je ne sais, mais je crois que la disparition de Merlin a fait du bien au royaume, au moins en ce qui concerne cet aspect particulier.

— Ah, bien ! Vous avez peut-être raison. Cela me conforte dans mon désir de connaître le haut roi. Dites-moi, savez-vous quel âge il a ?

— Dix-neuf ans au Noël dernier, répondit Elaine.

Finn fut surpris.

— Dix-neuf ! Mais j'en ai vingt ! Il dirige son royaume depuis six ans déjà, et moi qu'ai-je fait ? J'étudie la poésie et la musique, jusqu'à ce que mon père me menace de me déshériter, et me voilà blessé et prisonnier sur les côtes du roi Arthur.

— Les côtes du roi Pellinor, corrigea Elaine.

À nouveau, Finn parut surpris.

— Le roi Pellinor n'est-il pas le vassal du roi Arthur ? Est-ce donc le royaume de Bretagne ou celui de Galles ? Vous me troublez, demoiselles. Je prenais la Bretagne pour un royaume et une terre bien ordonnée.

Elaine ne savait plus où se mettre, consciente d'avoir commis une grosse maladresse, mais elle ne pouvait pas décemment déconsidérer son père.

— C'est presque la même chose, répondis-je. Nous sommes au pays de Galles, qui fait partie du royaume de Bretagne. Ces terres sont celles des ancêtres du roi Pellinor, mais il les gouverne pour le roi Arthur. Vous pouvez le lui demander vous-même.

Finn sourit et s'inclina devant moi.

— Vous êtes une diplomate née, ma demoiselle. Je savais bien que je me trouvais sur une terre civilisée. Je voudrais tant rencontrer votre haut roi !

Elaine jeta un coup d'œil à Léonore, qui dormait en ronflant légèrement, accablée par la chaleur du feu de la cheminée.

— Vous le verrez dès que votre rançon sera versée, si elle arrive un jour, dit-elle doucement, observant Finn avec une timidité toute feinte. Mais il y a peut-être un autre moyen, plus rapide.

Finn sourit largement.

— Je me trouve trop bien ici pour songer à m'évader.

Je pouffai de rire, mais Elaine m'ignora crânement.

— Trouvez-vous une dame à épouser. Si elle est bien née, Pellinor devra vous libérer pour éviter le déshonneur, et il devra obtenir le consentement du haut roi, en raison de votre situation et de votre naissance, j'en suis persuadée.

Finn se tint immobile. Il ne nous regardait ni l'une ni l'autre. J'observai Elaine. Quelle audace ! Mais c'était bien trop direct ! Il paraissait clair qu'elle se désignait ainsi, bien qu'elle ne voulût pas de lui pour mari. Et je remarquai la manière dont Finn tentait de ne rien laisser paraître : il songeait plutôt à moi qu'à Elaine. Les mots de Merlin me revinrent à l'esprit : « Ce qui sera sera. » Serait-il si déplorable d'avoir ce prince pour mari ? Même si je devais me retrouver en Irlande... Il était amusant, bien éduqué, et il m'avait parlé de choses importantes ; nous avions les mêmes valeurs. Je pouvais aisément me retrouver mariée à un plus mauvais parti. Peut-être était-ce là mon destin ? Cela ne m'aurait pas trop contrariée. Mais quand le prince Finn se tourna vers moi, avec une profonde expression de tendresse sur le visage et le désir dans ses yeux lumineux, il vit que je ne l'aimais pas.

— Peut-être, dit-il doucement, avez-vous trouvé la solution, demoiselle Elaine.

Elaine rougit de colère en voyant le visage du prince. Sa ruse s'était retournée contre elle. Elaine se retrouvait en train de jouer contre elle-même, dans le camp de sa mère. Soudain, quelqu'un frappa à la porte. Cissa passa la tête par l'entrebâillement.

— Demoiselle Elaine, la reine, votre mère, vous réclame dans la chambre de couture.

— Allez-vous-en, Cissa ! rétorqua Elaine. Je n'ai pas le temps.

— Ce n'est pas convenable, je ne pourrai jamais transmettre un tel message à votre mère. Vous ne faites que badiner avec le prince Finn, cela peut donc attendre. Venez, ma demoiselle, la reine déteste qu'on la fasse attendre.

Elaine haussa les épaules, méprisante. Ses bonnes manières disparaissaient dès qu'elle se mettait en colère. Elle passa négligemment près de Cissa, qui se pencha pour me parler à voix basse et me fit un clin d'œil.

— Ordre de la reine, ma demoiselle, restez avec le prince encore un moment. Inutile de réveiller cette pauvre Léonore.

Cissa referma énergiquement la porte derrière elle.

J'étudiai le plancher avec attention. Mon cœur se mit à battre la chamade quand Finn se rapprocha de moi. Il posa une main sur mes hanches et m'attira contre lui.

— Guenièvre, regardez-moi.

— Obéissante, je levai le regard vers lui. Il m'embrassa. Puis il soupira très douloureusement et recula.

— Finn, je ne peux pas vous épouser...

— Je sais.

J'étais sur le point de finir ma phrase avec « car je ne suis pas encore une femme », mais je ne la terminai pas, stupéfaite.

Il me sourit avec un petit sourire amer.

— Je m'agenouillerais devant vous, demoiselle Guenièvre, si je le pouvais. Je vous demande pardon pour ma spontanéité. Mais voyez-vous, je vous aime. Je croyais que si je ne vous embrassais pas, j'en mourrais.

Il me fit signe de m'asseoir, et je m'affalai avec reconnaissance sur une chaise. Mes genoux flageolaient. Léonore dormait toujours.

— Je ne suis qu'un imbécile, dit-il après un long silence. Je vois votre avenir même si vous ne pouvez le voir. La reine Alyse le voit aussi, vous savez. C'est pour cela qu'elle vous a jetée dans mes bras, espérant que mon héritage de tête brûlée l'emporte sur mes bonnes manières et que je vous prenne, consentante ou non...

— Non ! m'écriai-je. Elle ne ferait pas ça !

— Et puis, continua-t-il, vous seriez forcée de venir en Irlande. Demoiselle Guenièvre, vous vous trompez sur les intentions de la reine. Elle l'accepterait. Croyez-vous qu'elle laisserait sa fille en compagnie d'un chaperon qui dort constamment ? Chaque fois qu'Elaine vient seule dans ma chambre, trois dames au moins l'accompagnent.

Je cachai mon visage dans mes mains.

— De quoi parlez-vous, mon seigneur ? Vous parlez comme Merlin, si assuré, mais bien obscur pour moi. Que voyez-vous ? Pourquoi me craignent-ils autant ?

— Il n'y a pas besoin d'être magicien pour comprendre qui vous serez un jour, ma demoiselle Guenièvre.

Il prit ma main et me fit me lever, m'accompagnant jusqu'à la porte.

— Vous deviendrez célèbre et triomphante, aussi certainement que les étoiles sont accrochées dans le ciel. Seulement d'ici deux ans... Ah ! j'espère que je serai encore de ce monde pour le voir. (Il me baisa la main puis la pressa contre sa joue.) Venez me voir demain. Savez-vous chanter ? Apprenez donc une chanson. Et à présent, laissez-moi avec Léonore, je lui broderai une jolie histoire quand elle s'éveillera.

Je le laissai, mais j'étais si troublée que je ne pus dormir de la nuit, et tombai malade le jour suivant. Bien que ma maladie me tînt éloignée de Finn, Elaine ne m'adressa pas la parole durant presque une semaine.

Finalement, fatiguée de sa mauvaise humeur, je lui fis front.

— Elaine, au nom du ciel, essaye de te rappeler qui tu es. Ce comportement convient à une femme de condition servile plus qu'à la fille de Pellinor.

— Comment oses-tu me parler ainsi ! s'écria-t-elle. Tu oublies qui tu es, toi ! Ton père n'était rien qu'un vavasseur, un Celte Noir dont le grand-père n'était qu'un homme des bois.

J'étais abasourdie.

— Comment oses-tu insulter mon père ? Il était sage, brave et bon. Qui plus est, il n'y a pas un Celte du pays de Galles, y compris le roi Pellinor, qui ne descende des Anciens, et tu n'es qu'une prétentieuse si tu penses autrement !

Elaine frappa du pied et cria comme une démente.

— Arrête immédiatement ! Je t'interdis de me parler ! Je te hais. Gwen ! Je voudrais... je voudrais... Oh ! Comme je voudrais que tu sois laide !

Elle se jeta sur le lit, en pleurs. Je me tins là, silencieuse, ne sachant plus quoi répondre à son inconcevable discours.

— Elaine, tentai-je sans grande conviction, tout cela n'est que bêtise. Je ne veux pas du prince Finn. Et lui non plus ne me veut pas. Pourquoi as-tu si peur de moi ?

— Il te veut ! Il te veut ! bredouilla-t-elle, la tête enfouie dans les oreillers. C'est sûr, je le sens... Si tu me l'enlèves, je te tuerai — je te ferai chasser — tu retourneras avec tes frères noirauds. Je... je...

Elle bredouillait des propos inintelligibles et sa détresse me mettait mal à l'aise. Combattant ma propre colère, je me tenais au pied du lit, tremblante, à l'observer.

— Tu le veux pour toi ? C'est bien vrai ? Tu veux l'épouser ? Viens là, Elaine, contrôle-toi un peu. Dis-moi le fond de ton cœur. Être reine d'Irlande, c'est ce que tu souhaites ?

Elle ne me répondit pas et repoussa ma main. Elle ne le voulait pas, lui, elle voulait juste qu'il l'admirât. Ses pleurs étaient monstrueux et elle ne tenta même plus de les contrôler. Grannic entra précipitamment avec Ailsa sur ses talons, toutes deux très inquiètes.

— Ma demoiselle Guenièvre, qu'avez-vous fait pour la mettre dans cet état ? Oh, ma pauvre enfant ! Viens, Ailsa, aide-moi. Oh, mon Dieu, mon Dieu !

— Pauvre enfant. Oui, oui, répliquai-je, goguenarde. Elle aime pleurer, et plus que de raison, voilà tout.

— Guenièvre !

— Je ne me laisserai pas insulter par elle plus longtemps !

— Demoiselle Elaine ne vous aurait jamais insultée ! protesta Grannic en caressant tendrement les cheveux d'Elaine.

— Bien sûr que non, répondis-je dépitée. Dans une heure, elle vous fera croire que c'est moi qui l'ai insultée. Je m'en fiche. Elaine, tu n'es qu'une idiote.

— Guenièvre ! s'écrièrent-elles alors qu'Elaine, folle de rage, hurlait de plus belle, mais j'avais déjà refermé la porte derrière moi.

Finalement, nous dûmes nous excuser l'une envers l'autre, et après un certain temps on nous autorisa à revoir le prince Finn. Mais il semblait avoir deviné qu'il y avait désormais un petit problème, car il ne m'adressa plus la parole seul à seul.

Quand il découvrit que je savais chanter, il fut ravi et m'apprit des chants et des ballades irlandaises. Il chantait avec moi ou m'écoutait, assis près de la fenêtre, regardant au loin vers la mer d'Irlande. Je chantais souvent pour lui, pour embêter aussi Elaine, qui n'avait pas de voix.

L'hiver passa, les pluies printanières tombèrent et lavèrent les bois de la neige. Des messagers accostèrent d'Irlande, demandant quelle était la rançon pour le prince. Des négociations s'engagèrent, semaine après semaine, alors que le soleil réchauffait la terre, que les plantes germaient et que l'herbe émergeait de la boue. Je montais Zéphyr presque tous les jours, mais la plage nous était toujours interdite. La reine Alyse, qui croyait que le badinage avançait bien, était très aimable avec moi. Elaine ne pouvait pas être trop impolie à mon égard, mais elle était tout de même satisfaite de ne plus être éclipsée par l'admiration que Finn me portait.

Du haut roi, nous entendîmes seulement qu'il pleurait toujours la perte de sa femme ainsi que de Merlin. Sa peine s'était transformée en une sorte de désespoir tragique qui faisait pitié. Mais son discernement quant aux hommes, son sens de la justice et son courage à la guerre ne faiblirent pas. La construction de Caer Camel était presque achevée. Il comptait prendre possession de sa forteresse à la mi-été.

Les Saxons ne le laissaient pas en paix. Chaque fois qu'un de leurs chefs disparaissait, un autre, plus jeune, plus déterminé, plus féroce, prenait sa place, et les assauts recommençaient.

Un courrier royal arriva à la fin du mois d'avril. Il y avait des Angles et des Saxons dans la forêt de Calédonie. Lot descendit du Nord pour les occire et le roi Arthur chevaucha aussi vers le Nord. Il allait passer par le pays de Galles dans deux jours. Pellinor devait rassembler ses troupes et le rejoindre.

Les tractations pour le retour en Irlande du prince Finn étaient presque achevées. Il était temps pour lui, disait Alyse, de nous quitter.

Nous organisâmes une fête, autour de la table ronde, en l'honneur du courrier royal. Elaine et moi fûmes pour une fois autorisées à rester écouter les hommes conter leurs exploits guerriers. Le roi Pellinor paraissait très satisfait de quitter le château et de partir pour la guerre. Il parla des batailles à venir et aussi de l'or irlandais qu'il attendait pour aider à financer l'expédition. C'était bien sûr la première fois que ce courrier entendait parler du prisonnier irlandais et il écouta attentivement Pellinor lui raconter sa capture et sa convalescence. Bien sûr, Pellinor ne dit rien sur le rôle des femmes, et de ce fait passa sous silence la majeure partie de ce qui s'était passé. Elaine et moi, nous restâmes stoïques, mais Elaine avait les yeux illuminés de joie.

À la fin de l'histoire, le chambellan du roi vint et annonça que notre otage, le prince Finn, sollicitait une audience en présence du messager royal. Pellinor fut très surpris et demanda à Alyse son conseil. Elle approuva d'un signe de tête et Pellinor haussa les épaules.

— Très bien. Amenez-le. Nous allons voir ce qu'il veut.

Finn entra, revêtu de ses plus beaux atours. Il portait le bliaud irlandais qu'Elaine et moi lui avions réparé, de nouvelles bottes de cuir souple, et un manteau en bonne laine galloise. Il marchait normalement, à présent. Sa jambe avait guéri bien droite, mais pendant longtemps il eut du mal à porter une botte.

Il s'inclina très bas devant le roi Pellinor, puis devant les dames et enfin devant le courrier du roi.

— Sire Pellinor, j'ai été un prisonnier dans votre demeure pendant trois mois, jusqu'à aujourd'hui. J'ai été traité comme un invité de marque. Une telle hospitalité était impensable pour quelqu'un comme moi qui a été élevé dans un pays plus rude que le vôtre, et, sachant pertinemment que je n'avais rien accompli qui méritât un tel traitement, je suis votre obligé. Sire, je désire accomplir plus que simplement vous offrir une rançon envoyée par ma famille.

Il fit une pause, pour observer l'effet de ses paroles sur l'assistance. Le roi Pellinor semblait satisfait et le courrier royal avait l'air plutôt abasourdi. La reine Alyse attendait, confiante.

— Il n'y a pas grand-chose que je puisse faire, vu les circonstances, je dois l'admettre, mais je suis jeune, sans femme, et promis à aucune demoiselle. Je suis l'unique héritier de mon père. Je serais heureux, et j'espère que vous le seriez aussi, si je pouvais épouser l'une de vos jeunes pucelles pour qu'elle devienne la future reine d'Irlande.

La mâchoire du roi Pellinor s'affaissa de surprise, puis un grand sourire éclaira son visage.

— Voilà qui est bien dit. Une offre généreuse. Laquelle de mes deux jouvencelles désirez-vous épouser ?

Finn s'inclina à nouveau.

— Sire, avec tout votre respect, je demande la main de votre fille, la belle Elaine.

Elaine en eut le souffle coupé. Alyse parut scandalisée au plus haut point. J'arborai, avec un grand effort, un visage impassible — c'était ce que j'avais de mieux à faire. Tout le monde pensait que je devais me sentir blessée, alors que j'étais sur le point d'éclater de rire. Le roi Pellinor, lui, s'apprêtait à ouvrir la bouche pour accepter cette offre quand Alyse intervint abruptement.

— Sire, voilà un sujet qu'on ne doit pas aborder à la légère, et surtout ne pas discuter en public. C'est à Elaine de décider et elle devrait avoir un peu de temps. Elle est bien jeune pour partir de chez ses parents. J'aurais cru qu'il y avait dans... ici... dit-elle, s'adressant froidement à Finn, dans la maisnie du roi, des personnes d'un âge plus propice au mariage que ma fille. Un grand honneur en serait aussi tiré.

— Peut-être bien, ma dame, répliqua Finn avec une lueur dans le regard, mais je demande en mariage exclusivement la princesse Elaine.

Il était inflexible, et il n'y avait rien qu'Alyse pouvait redire. Pellinor fut un peu plus prompt à comprendre les événements. Il fit signe à Finn de s'approcher et baissa la voix au point de croire que je ne pourrais pas l'entendre.

— Si elle est trop jeune pourquoi ne pas prendre ma filleule, Guenièvre ? Elle est aussi jolie, si je puis m'exprimer ainsi, et un petit peu plus âgée.

— Avec tout le respect que je vous dois, sire, et avec tout le respect que je dois à votre filleule, dont la beauté n'est pas passée inaperçue, je puis vous assurer que je ne puis demander que la main de demoiselle Elaine. Ce serait contraire à mon cœur de faire une autre proposition.

— Bien, bien, marmonna Pellinor, satisfait de la réponse.

Il était vraiment aux anges — cela se voyait bien — à la pensée de voir sa fille devenir reine d'Irlande.

— Je ne m'oppose pas à votre choix. Mais l'avis de ma fille compte aussi, vous savez, et je crains que la reine ne semble pas approuver votre choix. Laissez-moi lui parler.

— Merci, sire. Il y a autre... chose. Je voudrais savoir si vous pourriez me présenter au roi Arthur.

— Si ma fille accepte votre proposition, vous pouvez être sûr que je le ferai. Sinon, pour quelle raison le souhaitez-vous ? Vous êtes mon otage, pas le sien.

— J'en suis conscient, sire. Mais, puisque je serai un jour roi d'Irlande, il me serait agréable de rencontrer l'homme avec qui je serai un jour amené à parlementer. Que je lui sois présenté comme otage ou comme homme libre, je ne vois pas bien quelle importance cela aurait pour lui.

— Hum. Alors, je vais reconsidérer votre demande. Je pars après-demain pour rejoindre le haut roi ; peut-être pourrai-je lui en parler, c'est-à-dire si les Saxons nous en laissent le temps.

Le dîner se termina rapidement après le départ de Finn, et

Alyse nous fit mander toutes deux dans sa chambre pour un entretien.

— Étiez-vous au courant, Guenièvre ? demanda-t-elle, très en colère.

— Non, ma dame, je ne savais point.

— Pourquoi êtes-vous en colère contre Gwen, mère ? Elle n'a rien fait ; on l'a publiquement bafouée, protesta Elaine, mettant un bras autour de ma taille. Comment pouvez-vous la blâmer ? Nous devrions compatir avec elle. Oh ! Gwen, je suis désolée d'avoir été si jalouse. Tout ce temps, j'ai cru qu'il vous aimait, et pas moi.

Je haussai les épaules.

— Je n'ai nul besoin que l'on ait pitié de moi.

Alyse marchait rageusement dans la pièce.

— Je n'en crois pas un traître mot, proclama-t-elle. C'est un plan intelligent, un plan clairvoyant. J'ai élevé un serpent en mon sein. L'impertinent ! Comment ose-t-il ?

Léonore et Cissa se poussèrent, le dos aux tentures. Je gardais les yeux fixés à terre.

— Mère ! s'écria Elaine. Vous sentez-vous insultée par sa proposition ? Vous agissez comme si c'était le cas, pourtant vous le vouliez pour Gwen. Je pensais que vous seriez fière.

Alyse secoua la tête.

— Oh, Elaine, ma chérie ! Tu ne peux pas comprendre. C'était une proposition plutôt honorable. Je l'accuse juste d'être malhonnête. Il a proposé de t'épouser car il savait que tu allais refuser. (Une lame de peur balaya son visage.) Tu vas refuser, Elaine !

— Oui, mère.

— S'il avait demandé la main de Gwen, il aurait pu être accepté.

— Je ne l'aurais pas accepté, affirmai-je, le regard toujours au sol.

— Tu es ma protégée. J'aurais pu accepter à ta place, répliqua la reine Alyse, sévère.

Je les observai. Ainsi donc, elle ne m'aurait pas laissée choisir par moi-même, finalement. Je crois que je l'avais soupçonné tout ce temps. Je rencontrai son regard, face à face, et notre relation soudain changea subtilement et se durcit en un combat.

— Vous n'auriez pas pu accepter pour moi.

Alyse était hérissée de colère.

— Je suis la reine, et ta gardienne. Dis-moi donc pourquoi je n'aurais pas pu accepter pour toi. C'est le meilleur parti que tu trouveras jamais.

— Parce que, répondis-je, avec des mots qui tombaient comme des pierres dans un puits, je ne suis pas encore une femme.

Alyse me regarda, incrédule, puis leva les mains au ciel en signe de résignation.

— Alors c'est aussi bien. Tu es suffisamment âgée pour te fiancer, et le mariage pourrait attendre six mois ou plus. Cela ne devrait plus être très long, à la vitesse à laquelle tu grandis. Mais en ce qui le concerne, il n'a pas demandé ta main, donc je ne peux pas accepter.

— Si vous aviez accepté, je ne serais pas partie.

Les femmes retinrent leur souffle alors qu'Alyse blêmissait.

— Tu serais partie. Autrement, tu aurais été chassée de cette demeure.

— Je ne quitterai pas la Bretagne, répondis-je avec assurance, mais je n'exprimais que ma confiance aveugle dans les visions de Finn.

Alyse vint tout près de moi. Je remarquai que j'étais plus grande qu'elle d'une demi-tête et qu'il y avait quelques cheveux blancs dans sa chevelure blonde.

— Jusqu'à ce que vous deveniez une femme, ma nièce, vous ferez exactement ce que je vous dis. Et quand ce jour béni arrivera, je vous marierai au premier seigneur qui vous regardera d'un peu trop près. Nous verrons bien alors. Vous pouvez disposer.

De retour dans ma chambre, Elaine m'embrassa.

— Gwen, je m'excuse pour ma mère et pour mon abominable comportement. J'ai dit des choses — tu sais de quoi je parle — que je ne pensais pas vraiment. Mais durant tout ce temps, je croyais qu'il était amoureux de toi.

Je baissai les yeux.

— Merci, Elaine, mais il n'a pas atteint mon cœur comme tant de personnes le croient. Je savais bien qu'il n'allait pas se proposer. Ainsi, comme tu le vois, je n'ai rien perdu dans cette affaire. Et toi, tu y as gagné beaucoup. Tu as éconduit le futur roi d'Irlande !

Le visage d'Elaine s'illumina et elle me prit dans ses bras à nouveau.

— Faisons un pacte. Jurons par la Vierge Marie, mère de Dieu, de ne jamais tomber amoureuses du même homme. Es-tu d'accord ?

Son regard taquin me fit rire.

— Celle qui le voit en premier, tu veux dire ? Si je dois trouver un mari avec toi à mes côtés, Elaine, il va falloir que je m'entraîne un peu plus !

Nous nous mîmes à rire ensemble, mais je savais au fond de mon cœur ce que cela voulait dire. Je devais me tenir éloignée de toute personne qu'Elaine trouverait à son goût. Je ne devais pas me retrouver première dame aux yeux de quelqu'un qu'elle apprécierait. Elle ne me le pardonnerait pas une seconde fois.

Alyse et Pellinor ne dormirent pas cette nuit-là, à en juger par leur mine défaite au matin. Leur querelle continua deux jours durant. On pouvait entendre Pellinor crier qu'il se moquait complètement de savoir qui Elaine préférait. Reine d'Irlande, c'était assez bien pour lui, le roi, donc assez bien pour sa fille. Si elle continuait à se refuser à tous les prétendants, il allait prendre l'affaire en main et la fiancer, sans même qu'elle le sache, à un seigneur de son choix. La reine Alyse parvint à l'apaiser d'une manière ou d'une autre, car il s'était résigné juste avant de partir rejoindre le roi Arthur.

Finn resta seul à se morfondre avec ses désillusions. Ce qu'il pensait au fond de lui, nous ne le sûmes pas, car il nous fut interdit de lui rendre visite plus longtemps. Mais quand il nous arrivait de passer à cheval sous ses fenêtres, nous l'entendions souvent chanter.

8

Les fiançailles

UNE SEMAINE après mon quatorzième anniversaire, la prophétie de Merlin se réalisa. Je commençais à avoir mes saignements. Je partageai ma joie avec Elaine et ensemble nous gardâmes la chose secrète, avec cependant l'aide d'Ailsa. Car, bien que sa colère contre moi fût passée, la reine n'était plus aussi affectueuse. Le roi Pellinor, son unique maître, était toujours au loin à la guerre ; pendant l'absence de celui-ci, son pouvoir était absolu.

Finn était consigné dans ses appartements et sa compagnie me manquait. Même quand j'étais dehors avec Zéphyr, et c'est ce que j'aimais le plus, je pensais à lui avec pitié et nostalgie, à présent qu'il était un véritable prisonnier. J'avais envisagé de parler à la reine Alyse et de lui dire que je l'épouserais s'il me le demandait — c'était un agréable compagnon, je savais qu'il m'aimait bien, et l'Irlande, ce ne serait peut-être pas si mal. N'importe quoi aurait été mieux que cette tension au château. Mais, au fond de mon cœur, je savais qu'il ne l'accepterait pas. Par une étrange logique, il s'était persuadé que j'étais destinée à quelqu'un d'autre. J'aurais pu rire de la situation si tout cela n'avait pas été aussi triste.

Puis au cours du mois du solstice d'été, on reçut un messager du roi Pellinor. Les combats s'étaient achevés. Les Saxons avaient été repoussés. Le roi Lot du Lothian avait reçu le coup fatal lors de la bataille et on avait retrouvé

Merlin vivant, dans une caverne de la forêt de Calédonie, non loin du champ de bataille. Le roi Pellinor serait de retour avec ses soldats d'ici une semaine et nous devions envoyer un message en Irlande pour réclamer la rançon de Finn afin de pouvoir le renvoyer chez lui.

Le château se trouva soudain plongé dans l'effervescence. On réparait tout ce qui pouvait être réparé. On nettoyait de haut en bas. On se préparait à une grande fête. On organisa des chasses pour avoir plus de gibier, on coupa des fleurs des champs pour former des guirlandes qui devaient être accrochées dans chaque chambre pour parfumer l'air. Dans tout ce remue-ménage, je parvins à rendre visite à Finn par deux fois sans être vue.

La première fois, je m'y rendis pour le remercier de sa proposition à Elaine. Il m'embrassa sur les joues et me répondit que c'était la moindre des choses qu'il pouvait faire pour la princesse qui lui avait sauvé la vie. Quand je lui racontai la grande nouvelle, que le haut roi avait été victorieux et qu'on avait retrouvé Merlin vivant, il me répondit qu'il n'avait jamais douté de l'imminence de ces deux événements.

La seconde fois, je vins le voir la veille du retour de Pellinor. Finn était très grave, et ému aussi, car il allait regagner l'Irlande. Nous nous dîmes adieu.

— Je vous reverrai, ma douce amie, me déclara-t-il. Je vous reverrai à votre mariage.

Je frissonnai.

— Ne me parlez point de mariage, je vous prie, prince.

Et je lui racontai ce que le reine Alyse m'avait dit.

Il sourit.

— Elle ne le peut pas. Vous verrez. Il y a des forces, dans ce pays, que même la reine ne peut commander. Ouvrez les yeux.

— Qu'allez-vous faire quand vous serez libre ?

— Je retournerai en Irlande, puisque je ne puis rencontrer le haut roi. Et vous ?

— Ce que je fais toujours en été : monter le plus souvent possible et partir le plus loin possible du château, avec ou sans excuse valable.

— Vous devriez vous procurer un faucon pour aller

chasser. Ce serait l'excuse parfaite. Oh, Guenièvre ! Il m'est bien plus difficile de vous quitter que je ne l'eusse cru.

Finn me prit dans ses bras et m'attira tout contre lui. Il m'embrassa le cou, puis les lèvres, et me serra fort.

— N'oubliez jamais que vous avez un ami en Irlande. Si besoin est, faites-moi parvenir un mot et j'accourrai à votre secours.

Les marins irlandais arrivèrent dans la soirée. Le roi Pellinor réapparut le jour suivant avec force clameurs, tambours et trompettes. Tout le monde se retrouva pour une grande fête dans la salle commune. La pièce était bondée, il fallut dresser des tables supplémentaires et, vu le nombre d'invités et de torchères, il commença à faire très chaud.

Le premier événement important fut la remise de la rançon du prince Finn. Cela fut accompli dans une grande solennité. Quand tout fut dit et fait et que Finn fut redevenu un homme libre, on lui offrit une place d'honneur à la Table ronde. Le roi Pellinor nous raconta alors la bataille contre les Saxons et comment ils avaient retrouvé Merlin.

Celui-ci se promenait aux abords immédiats du champ de bataille. Ses esprits l'avaient quitté. Il donnait des ordres aux soldats. Un des capitaines l'attacha à un arbre pour qu'il ne lui arrive rien de grave. À la fin des combats, ils voulurent aller le délivrer mais il avait disparu, bien que la corde fût toujours en place avec ses nœuds. Les soldats furent alors convaincus que ce qu'ils avaient vu n'était qu'un fantôme, mais le capitaine n'était pas de leur avis. Merlin avait prononcé les noms d'Hector, de Keu, de Beduyr, et surtout le nom d'enfance d'Arthur. Quand le haut roi entendit cette histoire, il abandonna immédiatement la poursuite des Saxons et se précipita pour fouiller la forêt.

Le récit de Pellinor sur cette rencontre d'Arthur avec son vieil ami toucha le cœur de tous, dans la salle. Arthur avait retrouvé Merlin habillé de peaux de bêtes dans une petite caverne humide, très faible. Le grand magicien avait pris vingt ans et des cheveux gris. Arthur ne le quitta plus jusqu'à ce qu'il retrouve la mémoire et prononce son nom, c'est-à-dire trois jours plus tard. Alors le roi pleura, l'embrassa et le nourrit avec de la bonne soupe. Merlin retrouva rapidement ses esprits, mais il n'avait aucun souvenir de ce qui s'était passé depuis l'automne. D'aucuns dirent que le rigoureux hiver calédonien avait arraché sa vie et sa force au magicien, d'autres que c'était l'œuvre d'un poison, d'autres que ce n'était qu'une forme nouvelle qu'il avait décidé d'adopter, mais personne ne sut pourquoi ou comment Merlin avait disparu et Merlin ne dit rien.

Finalement, nous levâmes nos verres en l'honneur du roi Pellinor et quelques-uns aussi en l'honneur du prince Finn ; la salle devint un peu plus joyeuse, anarchique même. La reine Alyse emmena les dames avec elle. Juste avant de partir, je pus entendre Pellinor qui disait à Finn que le haut roi allait voyager vers le sud jusqu'à Caerléon, avant que de rentrer à Caer Camel. Il allait donc passer par la frontière orientale du pays de Galles dans les jours qui viendraient, le lendemain ou le surlendemain.

Le visage de Finn s'illumina de joie et il remercia Pellinor d'avoir accepté la rançon. Il pourrait ainsi rencontrer le haut roi de Bretagne en homme libre.

Finn partit le lendemain pour tenter de rattraper le haut roi sur la route de Glevum. Ses réflexions sur le compte d'Arthur, nous ne les sûmes pas cette fois-ci, car il revint par la route du nord à Caer Narvon pour y prendre la mer. Mais bien plus tard, j'appris que le jour suivant leur rencontre, le prince avait annonçé la prochaine allégeance de l'Irlande au roi Arthur ; que le haut roi jura amitié et protection de la Bretagne envers les Gaëls.

Caer Camel fut inauguré en été. Ainsi la Bretagne avait sa cité, une forteresse pour son haut roi et son armée. Elle était sise au milieu du Somerset, un pays de douces collines, aux vents légers, avec des pâtures où les moutons paissent l'année durant. L'air y embaume d'une touche salée due aux marais environnants. Les feux d'alarme sur les mamelons et les collines signalaient l'approche des ennemis, mais les hordes saxonnes nous laissèrent en paix cet été-là. Les rumeurs rapportaient qu'on les avait définitivement vaincues ou bien qu'au contraire elles étaient en train de se regrouper pour un ultime assaut. Arthur des Onze Batailles était prêt à les accueillir. Il passa son année à renforcer les défenses, rétablissant le contact avec tous ses vassaux, résolvant les disputes territoriales, rassemblant autour de lui valets et écuyers pour les former et en faire, dès que possible, des chevaliers.

Je suivis les conseils de Finn et parvins à convaincre le roi Pellinor de me laisser pratiquer la fauconnerie. Je crois qu'il avait pitié de moi ; constatant la défiance de la reine à mon égard, il décida de m'accorder cette faveur. C'était un homme au cœur généreux, malgré ses paroles souvent cassantes et ses manières brusques. Son fauconnier me trouva un oiseau passager dont je fis l'affaitage comme Gwarthgydd me l'avait enseigné. Je fabriquai moi-même les jets avec des lanières de cuir souple mais découvris rapidement, à ma grande surprise, que Zéphyr était terrifiée par le faucon. Il me fallut deux bons mois pour qu'elle accepte l'oiseau et pour l'habituer à être conduite sans les rênes, juste avec la pression des jambes et des pieds. Finalement, nous constituâmes tous les trois une fine équipe. Mon tiercelet, Ebon, attrapa maintes colombes dodues pour le dîner de la reine.

Ce fut au cours de l'automne de ma quatorzième année que je revis le prince Finn. Le roi Gilomar était mort durant l'été, et Finn était devenu roi. Il était sur le chemin de Caer Camel, se rendant à une réunion qui devait rassembler tous les vassaux et alliés du roi Arthur. Pellinor devait s'y rendre également et il patienta quelques jours en attendant Finn. Ils voulaient chevaucher ensemble jusqu'au Somerset. En fait, les barons tentaient de trouver une autre reine pour Arthur. La nouvelle se répandit comme une traînée de poudre dans tout le royaume et chaque seigneur apporta avec lui une missive de sa femme proposant la main de leur fille, de leur petite-fille ou de leur nièce, ou de toute personne de la gent féminine. Des bardes accoururent et composèrent des lais exaltant la beauté des jeunes filles. Les histoires familiales furent révisées et corrigées pour remonter jusqu'à un gouverneur romain ou, quand c'était faisable, jusqu'à l'empereur Maximus. Des familles tentèrent de se soutenir en échangeant des informations ; des amitiés de trente ans furent irrémédiablement brisées à la faveur de cette compétition.

Les deux seules personnes qui se tinrent au-dessus de la mêlée furent, aussi étonnant que cela puisse paraître, le haut roi et moi-même. D'après ce que j'avais pu entendre, Arthur ne souhaitait nullement se remarier, mais il était conscient que le pays avait besoin d'un héritier et céda ainsi à la pression de ses compagnons. Il était content que ce soient ses sujets qui lui choisissent une épouse. Tout ce qu'il souhaitait, c'était une épouse honnête, avec une voix douce, et en ce qui me concerne, même si j'avais eu les ambitions d'Elaine, ce qui n'était pas mon cas, personne ne devait parler au roi en ma faveur. Mes parents étaient morts, mes frères avaient leurs propres filles à marier, mes tuteurs étaient les parents de la jeune fille du pays la plus susceptible d'épouser le roi et celle qui souhaitait le plus ardemment occuper cette place. Il parut à Elaine que son rêve de toujours allait enfin se réaliser. C'est à ce rôle qu'elle avait toujours été prédestinée, m'avoua-t-elle, et elle en était sûre et certaine.

Dans sa nouvelle robe, qu'elle porta pour la fête de Finn, elle avait l'allure d'une véritable reine. Avec ses cheveux blond doré enguirlandés, ses yeux brillants, aux couleurs d'un ciel d'été sans nuages, sa peau de lait et sa silhouette longiligne, elle pouvait passer pour une femme de vingt ans, bien qu'elle n'en eût que treize. Même Finn fut ébahi. Il était toujours célibataire, mais c'était trop tard pour demander à nouveau la main d'Elaine. Ce soir-là, le seul sujet de conversation fut la recherche de la future femme du roi Arthur à travers toute l'île de Bretagne. Elaine était ravie. Quand Pellinor annonça son intention de proposer Elaine au haut roi, la salle se leva et cria de joie. Elaine serra très fort ma main sous la table et, bien qu'elle baissât les yeux comme toute bonne demoiselle, elle était radieuse. J'embrassai sa joue affectueusement, mais je perçus aussi du coin de l'œil le regard interrogateur de Finn.

Quand les cris dans la salle s'apaisèrent un peu, je me retournai vers Finn.

— Sire Finn, la dernière fois que je vous ai vu, vous étiez sur le point de conclure une paix avec notre haut roi. Dites-moi, je vous supplie, comment l'avez-vous trouvé ? Avez-vous été traité convenablement ? Avez-vous pu vous entendre ?

— De ma vie, je n'ai jamais rencontré un homme plus sincère, ma demoiselle, répondit Finn, très solennel. Votre roi fut charmant, en effet. Il m'écouta jusqu'à ce que je n'aie plus rien à lui dire. Il savait qui j'étais et il ne me tient pas pour responsable des péchés de mon père. Je compris qu'il connaissait très bien nos défenses côtières et même aussi un peu nos luttes intestines entre royaumes rivaux. Je ne sais comment il avait obtenu ces informations ou trouvait le temps de réfléchir à l'Irlande, avec les Saxons qui le harcèlent, mais il comprend comment les choses s'agencent autour de lui, et il m'a accueilli très honorablement. Il m'a fait l'effet d'un frère. (Il s'arrêta. Pellinor, souriant, lui fit un signe de tête et les yeux d'Elaine scintillèrent.) Il s'adresse même aux plus humbles de ses serviteurs avec le plus grand respect. Tout le monde est respecté à la table d'Arthur. Si mon cœur n'était pas irlandais, je le déposerais à ses pieds.

Tous les hommes dans la salle se levèrent en s'écriant « Arthur ! » mais aussi « Finn ! ». Je fus émue par les déclarations du prince. Elaine était surexcitée.

— Tu vois, Gwen, me murmura-t-elle à l'oreille, Arthur est vraiment ce qu'il est supposé être. Je l'ai su toute ma vie !

C'était la vérité. Elaine ne perdit jamais confiance en Arthur. Elle croyait à tous les récits le concernant, aussi fabuleux fussent-ils, et les paroles de Finn ne faisaient qu'apporter de l'eau à son moulin de rêves. Je priai très fort cette nuit-là pour que Dieu lui accorde son vœu, même si cela signifiait qu'Alyse nous enverrait toutes deux à la cour.

Chacun sait ce qui se passa par la suite, bien entendu. Il m'est difficile de regarder en arrière toutes ces années et de me remémorer la folie de ces moments. Le rassemblement, qui avait été planifié pour durer une semaine, afin que tout le monde puisse s'exprimer, fut étendu à deux, puis à trois semaines. Il y avait bien trop de candidates et aucun consensus ne put être trouvé. Toutes les grandes familles du pays avaient évidemment une fille ou une nièce en âge de se marier. Toutes les prétendantes avaient une lignée irréprochable, un visage irréprochable, des yeux irréprochables, noirs, bruns, bleus, verts ou gris, des cheveux irréprochables, blonds, châtains, noirs ou roux, une silhouette irréprochable, une élocution et une voix irréprochables. Même Arthur ne savait plus quoi dire ou faire. Il décida de partir pour la chasse. Des disputes éclatèrent, les chefs soutenaient une famille puis une autre ; seuls demeuraient sereins ceux qui n'avaient rien à perdre ou à gagner dans la décision royale. Pendant ces événements, Merlin resta assis près du trône du haut roi, vieux et frêle, ses yeux noirs observant tout autour de lui. Il ne dit mot.

Presque à bout de patience, le roi ordonna la clôture de la rencontre. Il ne souhaitait pas diviser son royaume à cause d'une femme, dit-il. Il préférait mourir célibataire. C'est seulement à ce moment-là qu'un jeune homme de la délégation galloise, au fond de la salle, se leva. Il obtint du roi la permission de parler. Il s'exprima d'une voix peu assurée. Tout comme on découvre, commença-t-il, l'argent encastré dans une gangue noire rocheuse, profondément dans la terre, et tout comme l'or se trouve dispersé en minuscules paillettes dans le sable, ainsi tous les trésors qui valaient la peine qu'on les recherche n'étaient pas faciles à obtenir. Les plus belles pierres se trouvent enfouies dans les gisements les plus profonds.

Puis le narrateur parvint à dominer sa peur et sa voix se fit plus chantante. Il entama son récit. Les Gallois assemblés dans la salle se rassirent plus confortablement, pour mieux l'écouter. Il conta l'histoire de l'empereur Maximus, comment il trouva son Hélène, l'illustre dame galloise aux yeux de saphir, avec qui il se maria et à cause de qui il brisa son alliance avec Rome. Elle était, narra-t-il de sa voix chaude, plus belle que les étoiles dans les cieux, plus résolue que le soleil dans sa course dans le ciel, plus douce que les fleurs dans les champs en été, la compagne fidèle et dévouée de son roi. Dans tous ses engagements, elle était toujours à ses côtés, elle lui apportait chance et victoire ; il ne perdit jamais une bataille jusqu'à ce qu'il quitte la Bretagne. Hors de ses contrées, elle ne put le suivre.

Le narrateur s'arrêta (les Gallois attribuaient souvent la chance de Maximus à sa femme galloise), puis reprit en affirmant que, caché dans les montages du pays de Galles, se trouvait un joyau aussi brillant qu'Hélène, une demoiselle aussi belle, aussi sage et aussi volontaire que la femme de Maximus. Comme une veine aurifère cachée sous la montagne, elle attendait la venue du haut roi. Un seul mot, et l'or jaillirait à la lumière du jour. Elle était fille de roi, descendante d'Hélène, avec des cheveux pareils à la lumière des étoiles et une voix de rossignol. Gwillim prit une profonde inspiration (oui, c'était mon compagnon d'enfance qui s'était levé ainsi pour parler à tous) et dit que le nom de la jeune fille en question était Guenièvre des Norgales.

Il y eut alors un silence terrible. Les chevaliers restèrent pétrifiés. Le visage d'Arthur était figé. Merlin ferma les yeux. Soudain, l'assemblée retrouva la parole et de véhéments torrents de protestations emplirent la salle.

— Comment ce garçon ose-t-il ?

— Qui est cette pucelle ? Je n'en ai jamais entendu parler.

— Comment ose-t-il proférer son nom devant le haut roi ?

Alors Gwarthgydd se leva et mit la main sur l'épaule de son fils Gwillim.

— Mes seigneurs, dit-il, et sa profonde et tonnante voix fit que tous l'écoutèrent, mon garçon parle de sa demi-sœur, Guenièvre des Norgales. Dans ses dernières années, mon père, le roi des Norgales, avait épousé Hélène de Gwynedd, une gente dame. Elle mourut en donnant naissance à la demoiselle que mon fils vient d'évoquer. Elle a été la compagne des jeunes années de Gwillim. Elle est à présent sous la protection du roi Pellinor et de la reine Alyse. Elle vit à Gwynedd. Gwillim aime bien raconter de jolies histoires, mais tout ce qu'il vient de vous dire n'est que la stricte vérité.

— Serait-elle le Rossignol de Gwynedd ?demanda quelqu'un. J'ai entendu parler de cette pucelle.

— Ne serait-ce donc pas cette demoiselle dont parle la prophétie de la sorcière ? Vous vous souvenez de Giselda, la nuit de la naissance de...

— Une prophétie ? Une malédiction plutôt...

— Oh, que nenni ! Elle évoquait une grande beauté et un grand destin...

— Qui d'autre l'a vue ?demanda l'un des chevaliers d'Arthur. Où se trouve le roi Pellinor ? Peut-il soutenir les prétentions de la pucelle ?

Pellinor n'était pas là. Fatigué des palabres, il était à la chasse. Ce fut le prince Finn qui se leva.

L'hiver parut interminable. Elaine resta clouée au lit avec de la fièvre. En réalité, elle était surtout malade de jalousie et terriblement déçue. Alyse pouvait à peine supporter ma présence. Pellinor était fier, et conscient, de son nouveau statut à la cour du haut roi. Mais il ne rendait plus visite à la chambre des dames, préférant éviter la froide colère de sa femme face à sa « trahison ». Je ne le voyais qu'au cours des dîners. Les dames de la cour agissaient exactement comme le leur dictait Alyse. Seule de toutes les femmes, Ailsa était de mon côté dans cette affaire.

— Imaginez-vous, mon Dieu ! Votre mère serait si fière de vous ! Sa petite Gwen qui va devenir la reine du roi Arthur ! Oh, je me suis pincée rien qu'à y penser ! Quelle chance vous avez, ma demoiselle ! Et vous allez être heureuse, pour sûr !

Je ne saisissais pas comment cet événement imprévu allait me rendre heureuse. Il m'avait déjà coûté l'amitié d'Elaine, ma seule véritable amie. Bien entendu, j'étais fière d'avoir été choisie parmi toutes les jeunes filles du royaume de Bretagne, mais je ne voyais pas le bonheur poindre à l'horizon dans l'immédiat. J'allais me marier à un homme que je n'avais jamais rencontré et, dans ma position, il m'était impossible de refuser son offre. Je ne ressentais nullement le plaisir que devaient éprouver les autres. Moi, je ressentais plutôt de l'appréhension et un profond regret de ne m'être pas mariée avec le prince Finn.

Bien qu'Alyse ne me supportât plus, elle savait ce qu'elle était dans l'obligation de faire. Elle mit au travail toutes les dames couturières pour me confectionner une robe de mariée. Nous y passâmes l'hiver, cousant la nouvelle robe, mais aussi des draps et des tentures pour la chambre nuptiale. Le roi Pellinor se trouva dans l'obligation d'entamer la cassette de la rançon de Finn pour mon trousseau, car, si je ne me rendais pas chez le roi Arthur dans les plus beaux atours du royaume, je serais une honte pour le pays de Galles. Nous avions l'hiver pour nous préparer, et, dès la venue du printemps, le roi viendrait pour m'emmener.

Je tentai de chasser ces idées de mon esprit. J'étais terrorisée rien que d'y penser. Le pays de Galles était mon pays natal. Je me rappelais chacune des paroles que j'avais dites à Elaine : comme je serais terrifiée si je devenais un jour la reine d'Arthur. Eh bien, voilà, j'avais été bien récompensée ! L'horrible sorcière avait donc raison. Le pauvre Gwillim, qui, j'en étais persuadée, avait pensé me rendre le plus grand des honneurs, n'avait été que l'instrument aveugle du destin. Mais il n'y avait rien à faire, juste à se résigner. Si je m'étais plainte ouvertement, j'aurais fait honte à Alyse et Pellinor, j'aurais aussi fait honte aux Norgales, j'aurais fait honte au pays de Galles tout entier. Donc je ne disais rien et laissais les gens croire que mon silence n'était qu'une preuve de ma modestie ; si cela pouvait leur faire plaisir.

Le mois précédant l'équinoxe, Elaine sortit finalement de son lit, pâle et amaigrie. Elle s'assit sur une chaise proche de la cheminée. Elle était enfin de retour parmi nous.

— Gwen, dit-elle, pardonne-moi mon chagrin. Je te souhaite tout le bonheur du monde. Je t'ai détestée un bon moment, mais c'était ma jalousie maladive. Je me suis souvenue de la prophétie à ta naissance, et aussi de la prophétie de Merlin, et, à présent, je sais que c'était toi qui étais prédestinée, et non pas moi. Je t'en prie, pardonne-moi.

— Oh, Elaine ! (Je la pris dans mes bras et nous pleurâmes ensemble un long moment.) Ma chère cousine, je donnerais tout au monde pour que nous échangions nos places et pour que tu accèdes aux désirs de ton cœur ! Comment pouvais-tu t'imaginer que je ne t'aurais pas pardonné, connaissant tes sentiments pour Arthur ? Elaine, je ne veux pas quitter le pays de Galles !

— Tu ne partiras pas seule, répondit-elle. Mère m'a dit que nous viendrions tous avec toi à la cour et assisterions à ton mariage.

— Soyez bénis ! m'écriai-je.

— Ma mère reviendra ici, mais je pourrai rester avec toi, si tu le veux, bien sûr. Tu pourras avoir de nouveaux amis à la cour, comme le haut roi a les siens.

— Oh, merci, Elaine ! Tu me réchauffes le cœur, vraiment. Tu serais prête à quitter ta maison pour moi ? Ma chère Elaine, épouse un des chevaliers d'Arthur et demeure avec moi pour toujours !

Mais je m'aperçus que je n'aurais pas dû lui parler de mariage. Elle devint pâle et se mit à trembler.

— Je ne me marierai jamais. Jamais.

Je crus sentir un vent glacé sur mon cou et je frissonnai.

— Tu ne seras pas toujours dans cet état d'esprit, j'en suis certaine. Écoute, Elaine, une fois que tu auras vu le roi en personne, tu ne seras plus amoureuse de lui. Il ne peut pas être ce rêve que tu poursuis ; pas plus qu'il ne doit être cet ogre dont j'ai peur.

Elle ne répondit rien.

Les cadeaux de mariage commencèrent à arriver en Gwynedd et à Caer Camel. Le roi Finn envoya des dizaines de draps blancs fins, absolument immaculés ; personne sur terre ne fait d'aussi beaux draps que les Irlandais, et ceux-là avaient dû être blanchis et battus au moins deux cents fois pour être aussi doux et brillants. Alyse déclara que c'était parfait pour le lit nuptial et ne me laissa plus les toucher. Elle mit ses dames au travail pour faire des broderies, bien que mon travail à l'aiguille fût reconnu.

Finn envoya aussi des quantités de bijoux pour Elaine et la reine Alyse, tout en argent et émaillés, travaillés de cette manière tarabiscotée propre aux Gaëls, avec des lignes qui se croisent en tous sens et d'étranges figures carrées. Mais surtout, il m'envoya un cadeau personnel, une paire de boucles d'oreilles en argent avec des saphirs bleu foncé qui scintillaient magnifiquement. Ils me rappelaient la couleur de la mer au cours d'une tempête estivale. « Pour porter, disait la note, avec vos yeux de saphir. » Finn me manquait terriblement.

Les charpentiers du roi Pellinor travaillèrent durement pour fabriquer des chariots qui emporteraient à Caer Camel ces cadeaux et nos bagages. On dut faire venir des chevaux de trait supplémentaires des campagnes environnantes, et agrandir les écuries pour les contenir tous. Des provisions furent apportées des royaumes voisins et même de la Petite Bretagne, car le haut roi devait demeurer avec nous un mois entier et sa maisnie devait être nourrie et logée. Des baraquements temporaires furent érigés près des écuries. L'endroit était une fourmilière. Les hommes travaillaient dans le froid et la neige, de jour comme de nuit ; personne ne s'accordait de repos. Je pris l'habitude de me tenir à ma fenêtre pour les regarder, émerveillée par cette activité dont j'étais la cause.

En ces moments-là, je ressentais le poids terrible de l'attente de toute la Bretagne. J'étais la fiancée d'Arthur, je ne pouvais donc être que parfaite. Mes défauts étaient grossis un millier de fois. Il y aurait beaucoup de personnes (tous les parents et amis des jeunes demoiselles qu'Arthur n'avait pas choisies) qui allaient scruter mes faits et gestes pour déceler des failles. Je ne devais pas commettre un seul faux pas, ne rien dire d'inconsidéré, ou alors je jetterais une ombre sur la gloire de l'île de Bretagne.

Ces peurs m'inspiraient souvent des crises de larmes, mais les femmes ne faisaient que hocher la tête et échanger des clins d'œil derrière mon dos. Même Ailsa dit un jour en ma présence que tout ce dont j'avais besoin, c'était d'une bonne nuitée et que mes peurs s'envoleraient. Je me suis évanouie en l'entendant. À partir de ce moment, les femmes firent plus attention à ce qu'elles disaient devant moi.

La vérité est que je n'arrêtais pas de penser au fait que j'allais épouser un homme. À vingt ans, Arthur était déjà une légende, y compris chez les Saxons. Il était même une fiction ; il n'était pas de chair et d'os. Je devrais porter des princes pour lui, mais ce que cela impliquait véritablement, je ne m'étais pas penchée sur la question. Alors que les pluies d'avril arrivaient, qu'Elaine se calmait et que les femmes cousaient toujours les linges du mariage royal, tout cela me parut de plus en plus réel. J'étais terrifiée.

Les jours où il ne pleuvait pas, je m'échappais vers les écuries et montais Zéphyr, faisais voler Ebon, ou me délassais sur la plage. Je pouvais me rendre où je le souhaitais, toujours accompagnée par une armée de chaperons. Rien ne devait m'arriver. Je n'étais plus la demoiselle Guenièvre, mais la fiancée du roi Arthur. J'étais frustrée de m'apercevoir comment un seul mot d'un homme pouvait à ce point changer ma vie, un homme pourtant que je n'avais encore jamais vu. Cela aussi me faisait peur. Qu'attendait le haut roi ? Une simple compagne pour sa cour ? Une femelle ? Il avait dû réaliser que les paroles de Gwillim n'étaient qu'un poème et ne décrivaient pas une véritable femme de chair et de sang. Supposons... supposons qu'il n'aime pas les femmes qui montent à cheval ? Devrais-je donc me contenter d'une litière comme Alyse ? Je pleurais de frustration et poussais ma jument pour galoper sur les collines en souhaitant désespérément chasser mes idées noires, mais elles étaient toujours là quand je revenais au château.

Le père Martin ne m'aidait pas vraiment. Il pouvait à peine m'entendre en confession, prompt qu'il était à mettre genou en terre devant moi. Je priais la Vierge Marie, la protectrice des femmes, de me donner la force de supporter ce qui allait m'arriver. Mais quand, la nuit, je fermais les yeux, la seule et unique chose qui hantait mon esprit, c'était le visage de Merlin et sa douce et fantomatique voix répétant sans cesse : « Ce qui sera sera. »

Mon quinzième anniversaire approchait et passa, mais bien peu de personnes le notèrent dans tout ce remue-ménage. Puis, trois jours après, un courrier royal arriva. Elaine et moi, nous nous précipitâmes ensemble en bas des escaliers et tentâmes d'écouter ce qu'il disait au roi Pellinor. Le printemps annonçait forcément de nouvelles attaques de Saxons sur nos côtes orientales, et les seigneurs du Nord, protégés derrière leurs défenses, ne parviendraient pas à repousser les attaquants si ceux-ci arrivaient en trop grand nombre. Le roi Arthur devait se rendre sur place pour se montrer. Il ne pouvait donc pas venir chercher sa fiancée pour l'emmener à Caer Camel, mais il ne souhaitait pas retarder le mariage, qui devait se dérouler au solstice d'été. Il avait envoyé en délégation ses trois plus fidèles barons pour me conduire à Caer Camel et pour que je l'y attende.

Elaine et moi, nous nous regardâmes perplexes. Sur le visage d'Elaine, on lisait la déception, sur le mien le soulagement. Ces hommes allaient arriver d'ici trois jours. Les constructions pouvaient cesser, les cuisiniers pouvaient se reposer, ainsi que toutes les femmes, car ce qu'elles avaient déjà préparé était amplement suffisant, à l'exception des dames de compagnie de la reine : un trousseau n'est jamais terminé. Il y a toujours quelque chose à y ajouter, un coussin, une robe, des chaussures.

Elaine m'avait cousu une chemise de nuit en ne suivant que son imagination. La chemise était en tissu crème doublé de soie et bordée de coûteuses dentelles. Le matin du troisième jour, elle me demanda de l'essayer pour faire les derniers ajustements. C'était très joli, assez ample, avec des lignes fluides et un petit décolleté. Mais Elaine n'était pas contente de la forme générale, qui d'après elle aurait dû être un peu plus près du corps. Dans mon dos, elle tira le tissu. Elle mit ses mains sur ma poitrine pour bien voir ce que cela allait donner. Alors, une chose étrange se produisit. Elaine, pensive, rencontra mon regard. Nous imaginâmes précisément la même chose au même instant : à quelle occasion je porterais ce vêtement. Une large main brune d'homme allait se trouver là où sa petite main blanche s'était posée. Elaine eut un mouvement de recul alors que j'en avais le souffle coupé. Nous devînmes rouges de honte.

— Oh, je ne peux pas supporter cette idée ! s'écria-t-elle, les larmes aux yeux.

— Moi, non plus, avouai-je, pitoyable.

Nous tombâmes dans les bras l'une de l'autre. Et ceci n'est qu'un des exemples qui illustrent l'état d'esprit dans lequel nous nous trouvions.

Incapable de rester au château plus longtemps, je mis mes braies en cuir, mes hautes bottes, mon vieux manteau vert, et me rendis à l'écurie. Je ne demandai la permission à personne. Nous étions en ce jour tant attendu, et tout le monde était trop occupé pour me remarquer. Je plaçai Ebon sur mon gant, montai sur Zéphyr et partis au triple galop vers les collines. Les chevaliers d'Arthur n'étaient pas attendus avant la tombée de la nuit. Je pensais que je pourrais être de retour avant leur arrivée pour qu'ils ne me voient pas en tenue de monte, et me présenter à eux lavée, parfumée et habillée.

C'était une magnifique journée du mois de mai, douce et dorée. La forêt bruissait des chants des oiseaux migrateurs, revenus sur leur lieu de nidification pour la saison. Nous fîmes une belle balade, et puis une superbe chasse, suivie de plusieurs cavalcades excitantes. Au milieu de l'après-midi, mon Ebon nous troussa quatre superbes proies, mais je dus lui remettre le chaperon, la fauconnière étant pleine. Il aurait pu remplir encore une sacoche entière si j'en avais apporté une seconde : un jour vraiment extraordinaire. Nous nous arrêtâmes à un ruisseau pour que Zéphyr s'abreuve. Je ressentis alors une sorte d'excitation, comme si quelque chose de merveilleux allait se produire. Pour la première fois depuis des mois, mon cœur débordait de joie. J'avais envie de chanter. Je me tenais dans le silence de la forêt, des rayons de soleil tombaient tout autour de nous, de l'eau dégoulinait des naseaux de ma jument, quelques petites créatures frémissaient dans les fourrés. Au cœur de cette tranquillité bénie, des oiseaux se mirent à gazouiller, doucement d'abord, puis plus fort. Le faucon se reposait sur mon gant. Le feuillage des arbres devint un havre de musique. Je me mis à siffloter, tentant d'imiter les oiseaux. Très gentiment, ils me laissèrent me joindre à leurs ramages.

Alors que je chantonnais, ma jument trottait doucement sur une laie, heureuse d'être jeune et bien vivante, fière dans la lumière magique de ce jour particulier. Nous débouchâmes dans une clairière. Soudain, la jument s'arrêta net, leva la tête et hennit. Je regardai tout autour de moi, et il me fallut quelques minutes pour discerner le jeune homme sur son cheval noir. Il se tenait de l'autre côté de la clairière, à la sortie du chemin, et me fixait. Finalement, il descendit de cheval et fit deux pas dans ma direction.

Il s'éclaircit la gorge mais ne prononça aucune parole. Il se tint là comme s'il avait fait partie intégrante de la forêt. Mon cœur se mit à battre plus fort. L'homme portait un signe curieux sur sa cape, ses vêtements avaient une coupe étrange, mais c'était un chevalier, sans aucun doute possible. Des cheveux noirs lui tombaient sur le front et cachaient ses yeux. Il avait un visage avenant et des traits réguliers, à l'exception de son nez cassé. Cela lui donnait un aspect particulier, le distinguant des autres hommes. Je ne sais pas pourquoi mais mon cœur bondit alors que je l'observais. Ce n'était qu'un étranger, pourtant il me faisait vibrer. À nouveau, il avança d'un pas et tenta encore une fois de parler. Je me sentis défaillir, comme si le chaud soleil du désert me frappait directement.

— Êtes-vous une apparition... ou êtes-vous réelle ? murmura-t-il.

La question, prononcée à voix basse, presque inaudible, ne me parut pas si étrange, car je m'étais demandé la même chose à son sujet.

— Je ne suis pas une apparition, mon seigneur. Qu'est-ce que... quel est cet écusson que vous portez ? Vous n'êtes point gallois ?

Il mit un genou en terre et s'inclina, entouré d'herbes folles.

— Pardonnez mon audace, ma dame. Je suis un chevalier étranger et ce blason est celui de ma terre natale. Je me nomme Lancelot.

9

Lancelot

— VOS MANIÈRES vous honorent, messire Lancelot. Soyez le bienvenu à Gwynedd. Mon nom est Guenièvre. Le roi Pellinor, mon tuteur, est le seigneur de ces terres. Nous sommes non loin de son château. Si vous souhaitez requérir son hospitalité — manger, vous reposer ou obtenir du fourrage pour votre cheval —, je... je suis persuadée qu'il sera heureux de vous accueillir.

Lancelot écarquilla les yeux. Ils étaient clairs et fixes, d'un gris translucide. Je m'arrêtai de parler. Le silence autour de nous parut devenir plus profond encore.

— Gente demoiselle, dit-il enfin de sa voix grave, si je suis ici, c'est pour vous, si vous êtes bien Guenièvre des Norgales.

Je me mis à trembler si violemment qu'Ebon faillit tomber de mon bras. Heureusement, l'étreinte de ses serres sur ma main me ramena à moi.

— Je vous en prie, mon seigneur, relevez-vous. Je suis bien celle que vous cherchez.

Il se releva et s'avança vers moi. Mon cheval eut alors une réaction inattendue. Il baissa la tête et la poussa gentiment contre la poitrine du chevalier. Lancelot observait ma jument.

— Fina ! s'écria-t-il après un certain temps. C'est toi, ma fille ? Mon Dieu, mais oui ! (Il leva son regard vers moi et son beau sourire me coupa le souffle.) Vous êtes la jeune fille ! La filleule de Pellinor ! Mais oui, je m'en souviens maintenant !

J'avais peur, s'il me touchait, de tomber en pâmoison. Mais il n'en fit rien. Il recula d'un pas.

— Vous êtes le seigneur qui l'a élevée et l'a entraînée ? J'ai... j'avais oublié votre nom. J'espérais toujours vous rencontrer un jour pour vous remercier de m'avoir apporté tant de plaisir.

Il rougit.

— Cela me réjouit de vous avoir donné de la joie par un si menu service.

Ses cils étaient longs et noirs, et donnaient à ses yeux une beauté que l'on voyait plutôt chez les femmes. Il était grand, mais assez fluet. À sa ceinture pendait une épée dans un fourreau en cuir simple très usagé. Je le regardai. Il me regarda. Soudain, les oiseaux reprirent leurs chants interrompus et je sus en mon âme que cette journée était bénie. Je crois bien que je lui souris. Je le sais, car son visage s'illumina d'un magnifique sourire.

— Quel service une humble demoiselle peut-elle accomplir pour le chevalier Lancelot, et lui payer sa dette ? lui demandai-je civilement.

Il s'arrêta de respirer, surpris, mais reprit rapidement ses esprits.

Soudain, il parut se souvenir de quelque chose d'important. Il se raidit et s'inclina :

— Demoiselle Guenièvre, je suis venu vous mener devant le roi Arthur.

Ce fut comme si soudain un nuage cachait le soleil ; une ombre froide passa et le jour s'assombrit. C'est alors que je remarquai deux autres cavaliers entre les arbres, derrière lui. Ils attendaient patiemment. Ils portaient leur épée et leur écu dans une indéfinissable posture de satisfaction. Bien sûr, c'étaient les compagnons du roi Arthur, et Lancelot était le plus illustre d'entre eux. Alors que je les observais, ils s'avancèrent dans la clairière, dégainèrent leur épée et me saluèrent en la portant à leur front.

— Princesse Guenièvre, reprit Lancelot, parlant plus nettement, voici deux des chevaliers du roi Arthur : messire Keu de Galava, fils du seigneur Hector, et messire Beduyr de

Brydwell, fils du seigneur Boad. Mes seigneurs, je vous présente la princesse Guenièvre des Norgales.

Ils s'inclinèrent en même temps que moi. Beduyr semblait quelque peu préoccupé par l'attitude de Lancelot. Keu observait, très inquiet, le faucon perché sur mon gant.

— Comme vous pourriez nous dépasser sur votre monture, lança Lancelot en souriant, je vous prie de nous conduire au petit trot jusqu'au château, pour que nous ne nous perdions pas. Nous sommes supposés être une escorte.

Je lui souris. Un instant on aurait pu croire que nous étions seuls au monde.

— Loin de moi l'idée de vouloir porter ombrage à ceux qui servent le roi Arthur. N'ayez crainte, seigneur, je me conduirai comme une gente dame.

Il sourit et je m'aperçus que les autres chevaliers étaient satisfaits par ma réponse. Lancelot se tourna et siffla, son étalon trotta vers lui et se tint là, attendant patiemment alors qu'il l'enfourchait.

Zéphyr hennit et les oreilles du cheval de Lancelot se baissèrent vers l'avant.

— Pas maintenant, Nestor, s'écria Lancelot hilare. Peut-être une autre fois.

Il me fit signe de monter à ses côtés pour la chevauchée vers le château.

— Voilà une chose que j'aimerais que vous m'appreniez, seigneur, lui dis-je. Je crois que ce serait très commode en certaines occasions.

— Ce serait un honneur et un plaisir, demoiselle. Mais si mes yeux ne me trompent pas, il n'y pas grand-chose que je puisse vous enseigner sur les chevaux. Vous parlez leur langage, manifestement.

Je pensais la même chose de Lancelot. On peut déceler un cavalier-né en observant son assiette sur une monture. L'étalon de Lancelot était très intéressé par ma jument, mais Lancelot contrôlait l'animal sans effort, sans trop y penser, avec ses jambes, son assise, et ses mains fluides et efficaces. Cela devait faire plaisir au cheval, pensais-je, d'être conduit avec une telle dextérité.

Alors que nous approchions du château, la forêt laissa

place aux champs cultivés, et je jetai un coup d'œil malicieux à Lancelot.

— Seriez-vous assez aimable, mon seigneur, pour me suivre ? Je connais un raccourci, mais il y a quelques obstacles.

Il hésita, conscient du risque.

— Des obstacles pour un cheval, ma demoiselle, ou des obstacles pour un cavalier ?

Je ris.

— Suivez-moi, mon seigneur, et vous saurez.

Il jeta un bref coup d'œil derrière lui puis acquiesça.

— Allez-y.

Je les emmenai à mon terrain d'entraînement, où j'avais, avec le temps, installé un formidable parcours d'obstacles. Je mis Ebon bien en place sur mon gant et chantai doucement pour le rassurer, car c'était nouveau pour lui. Puis je lançai Zéphyr au petit galop et nous volâmes par-dessus les obstacles. Je jubilais dans l'enivrement de la course à travers les airs, avec la brise de l'air salé sur mon visage et mes cheveux voletant derrière moi. Je me sentais comme une prisonnière à qui on avait accordé un dernier moment de liberté avant l'exécution — ou peut-être un dernier arrière-goût de cette enfance qui s'évanouissait.

Tout en haut des champs, je mis ma jument au petit galop, en cercle, puis je l'arrêtai. Les trois chevaliers s'étaient arrêtés là où je les avais laissés, et m'observaient. J'attendais. Bien que les obstacles fussent une nouveauté pour leurs chevaux, des destriers rompus aux combats, plus puissants que Zéphyr et aussi très agiles, ceux-ci connaissaient les manœuvres de bataille et pouvaient être une arme redoutable sous les ordres d'un bon cavalier. Lancelot l'était manifestement. J'allais voir si tel était le cas pour les deux autres.

Lancelot partit au petit galop vers le premier obstacle. L'étalon renâcla, puis obéit et se propulsa au-dessus. À la haie de broussailles suivante, il partit de trop loin et faillit atterrir sur l'obstacle. Sur le troisième, Lancelot avait réussi à évaluer les distances ; chaque nouvel obstacle passa avec plus de dextérité. Finalement, il arriva près de moi, essoufflé mais le regard brillant.

— Grands dieux, voilà un exercice royal ! Mes

compliments au roi Pellinor pour l'avoir conçu et pour votre adresse, ma demoiselle ! L'oiseau n'a pas même tremblé sur votre bras !

— Pellinor n'est pas à l'origine de cette initiative, rétorquai-je. C'était mon idée. J'aime sauter à cheval. En ce qui concerne Ebon, il me fait confiance.

Il me regarda, sceptique.

— Mes compliments, alors, ma demoiselle Guenièvre. Mais, assurément, Pellinor a construit ce parcours pour vous.

— Certainement pas ! Il désapprouve mon goût pour l'équitation. Je l'ai construit de mes propres mains.

— Mon Dieu ! s'écria-t-il, les yeux écarquillés. Vous êtes une femme comme on en rencontre rarement !

J'évitai de le regarder droit dans les yeux.

— Je suis donc si bizarre que ça ? Ce n'est nullement mon souhait.

— Vous êtes parfaite ! Vous conviendrez parfaitement au haut roi, je veux dire.

Pendant qu'il me parlait, j'observais les autres chevaliers. Je perçus dans sa voix la tendresse que j'avais vue sur son visage. Je souhaitais de tout mon cœur qu'il cesse enfin de me parler d'Arthur. Je ne savais pas alors qu'il ne faisait qu'être lui-même.

Beduyr fit une tentative. Son cheval refusa d'abord l'obstacle, mais il recommença et parvint à le sauter. Tout se passa bien sur les autres obstacles jusqu'à ce qu'il arrive aux cages à poules, où son étalon glissa puis s'arrêta net au dernier moment et fit passer Beduyr par-dessus sa tête. Keu, qui refusait l'épreuve, partit au petit galop jusqu'au malheureux chevalier.

— Quelle sorte d'homme est donc Keu de Galava ?

Lancelot souriait.

— Il est vieux pour son âge et l'a toujours été. Il est le sénéchal du roi Arthur. Sa place est à Caer Camel, sa ville lui manque. Il s'inquiète à chaque minute où nous en sommes absents. Comme il a été blessé à Caer Eden, son bras droit est faible, et il ne peut pas aller au champ se battre pour Arthur. Il maintient sa forteresse en état de marche. C'est son travail et il est très dévoué.

Il était évident, d'après le ton de Lancelot, que Keu était très aimé en raison de ce dévouement.

— Il n'apprécie pas que je sois une fauconnière ?

Lancelot haussa les épaules.

— Il considère que les femmes devraient voyager en litière, pas à cheval, et qu'elles devraient pousser des berceaux plutôt que de chasser au faucon. C'est sa vision des choses.

Je caressai nerveusement l'encolure de Zéphyr.

— Et le haut roi ?

— Qu'y a-t-il à propos du haut roi ?

— Désapprouve-t-il, lui aussi, les femmes qui chassent au faucon ?

Lancelot se tourna vers moi, amusé.

— Ai-je bien entendu ? Auriez-vous de l'appréhension au sujet du roi Arthur ?

Je levai la tête, audacieuse.

— Vous me le reprochez, mon seigneur ? J'ai entendu beaucoup de choses, mais je ne sais presque rien de lui.

Il éclata de rire. Je rougis, me mordillant les lèvres.

— Ma très chère demoiselle Guenièvre, les Saxons peuvent craindre Pendragon, et à juste titre, mais vous, vous n'avez rien à craindre de notre roi. Pensez-vous qu'il puisse être un tyran cruel ? Il est l'homme le plus agréable de tous les royaumes bretons réunis. Arthur n'a pas plus de raison de vous empêcher d'aller chasser au faucon ou de faire tout ce qui vous plaît qu'il n'en aurait de se couper le nez pour défigurer son visage. Il rirait à cette seule pensée !

J'étais rassurée.

— Ainsi donc, j'aurai la permission de garder Zéphyr ? C'est bien vrai, seigneur Lancelot ? Cela m'a inquiétée tout ce temps.

Il parut stupéfait.

— Bien entendu, vous pouvez garder votre cheval. Ce n'est pas un monstre, demoiselle Guenièvre. Vos doutes me troublent. Ne connaît-on pas le haut roi parmi son peuple, ici en Galles ?

— La façon dont le roi traite son peuple est une chose. La manière dont un homme traite sa femme est quelque chose de très différent.

Il redevint sérieux et acquiesça.

— C'est vrai. Je vous prie de m'excuser, ma demoiselle. Mais avec Arthur c'est la même chose. L'homme et le roi ne sont qu'une seule et même personne.

Je l'observai et vis en lui un profond dévouement. Manifestement, Arthur était un grand chef, pour inspirer autant d'affection à des hommes aussi différents que Keu et Lancelot.

Beduyr nous rejoignit, avec Keu juste derrière. Je m'excusai de les avoir entraînés sur mon aire de jeu. Nous avions eu un très long hiver, leur dis-je, avec peu à faire pour les jeunes filles sinon coudre et écouter les commérages des bonnes femmes. Ils me pardonnèrent très courtoisement ; personne ne me rappela ma promesse de me conduire comme une gente demoiselle. Nous arrivâmes sur l'esplanade devant le château comme une escorte royale accompagnant une princesse, et ce à la grande satisfaction de Keu.

Elaine était furieuse :

— Gwen ! Comment as-tu pu ! Nous nous sommes préparés des mois durant pour cette visite et la première vision que tu leur offres, c'est toi, montant à cru, habillée de braies sales ! Et des cheveux défaits, voletant dans les airs ! Oh, qu'ont-ils dû penser ?

Je lui souris largement, alors qu'Ailsa m'enlevait la chemise par-dessus ma tête.

— Mes braies ne sont pas sales. Je les nettoie après chacune de mes promenades à cheval.

— Arrête un peu ! Pense à ce qu'ils diront au roi Arthur !

Ailsa me fit asseoir sur un tabouret et commença à me brosser les cheveux. Je pris la main d'Elaine.

— Pardonne-moi. Je vois que cela te chagrine beaucoup. Mais vraiment, dis-je souriante, repensant à Lancelot debout dans la clairière, je ne m'inquiète pas de ce qu'ils diront au roi Arthur.

Elle ne comprenait pas.

— Je vois bien que tu n'es pas inquiète. Mais comment cela se fait-il, enfin ?

— Ce n'est pas important. Je vais me laver et je serai propre, ma chère Elaine, et Ailsa me brossera les cheveux. Je porterai cette robe bleue que tu as brodée de fleurs des champs et je promets de me conduire en véritable demoiselle pour donner la meilleure impression possible.

— Je l'espère bien, dit-elle, de mauvaise humeur. C'est très important pour mère. Et pour moi. Tu dois... enfin, il faut essayer d'être...

— Parfaite, achevai-je tristement. Comme le roi Arthur, n'est-ce pas ?

Elle acquiesça.

— Je le pense, oui. Mais je pense aussi que c'est trop te demander.

Je fus prise de panique en ressentant le poids des responsabilités retomber sur moi.

— Oui, c'est trop me demander. Et tout le monde en Bretagne le sait bien. Mais au moins je ne serai pas la seule.

Je songeais à Lancelot, qui était devenu si vite mon ami.

Elaine m'embrassa sur la joue.

— Je serai avec toi aussi longtemps qu'il le faudra, Gwen, tu peux en être certaine.

Surprise, je la remerciai, et cachai mon trouble sous des questions triviales sur la progression de la composition du trousseau. Elle me répondit avec vivacité et me noya sous une avalanche de détails concernant tout ce que j'avais raté alors que j'étais sortie — principalement l'entrée au château des envoyés du roi. Je l'écoutai, mais mes pensées revenaient à la clairière et au terrain d'entraînement, et à ces yeux gris clair sous ces sourcils noirs.

— Coiffe-moi avec des petites perles et ces jacinthes, Ailsa, dis-je tout d'un coup. Je veux paraître au mieux ce soir.

Ailsa me regarda brusquement et Elaine me sourit.

— À présent, je sais ce qu'il y a de différent chez toi aujourd'hui, dit-elle. Tu es enfin heureuse. Tu es heureuse depuis que tu es rentrée.

— Ah oui ? Eh bien, peut-être. Ce fut une magnifique journée.

La reine Alyse nous conduisit dans la salle de réception, où le roi Pellinor attendait les chevaliers du roi Arthur. La lumière de la soirée entrait par les hautes fenêtres et se reflétait sur les pierres précieuses qu'on portait sur les épaules, à la ceinture ou aux poignets. Ils étaient entrés sans armes ; Pellinor suivait la règle du roi Arthur, les armes devaient être laissées à l'entrée de la salle de réunion, sauf le couteau nécessaire à découper les viandes. Le roi Pellinor présenta la reine Alyse et Elaine : les chevaliers les saluèrent bien bas. Lancelot portait une tunique bleue en laine, très simple. Sa boucle de ceinture avait la forme d'un faucon avec les ailes déployées. Il mesurait une demi-tête de plus que Pellinor, qu'on ne considérait pas comme petit. Alors que je l'observais, il mit un genou en terre et me baisa la main.

— Je vous transmets les salutations du roi Arthur, dit-il gravement. Il nous a envoyés, nous, ses pauvres soldats, non pas parce qu'il ne voulait pas venir, mais parce qu'il ne le pouvait pas.

— Je comprends, mon seigneur.

— Il m'a envoyé à vous avec ces paroles de bienvenue et vous supplie de lui pardonner son absence si mal venue.

— Il est le haut roi, mon seigneur. Je comprends.

— Il aurait préféré être au pays de Galles avec vous, ma demoiselle, plutôt que de chevaucher au nord, à la poursuite des Saxons. Il me l'a dit en personne.

— C'est là où la Bretagne a le plus besoin de lui que le roi doit se rendre, répondis-je. Mon seigneur pourra lui dire que je lui pardonne.

Finalement, il semble que j'avais prononcé les bonnes paroles. Keu et Beduyr, satisfaits, acquiescèrent.

— Le roi m'a demandé de vous offrir ceci, poursuivit Lancelot, dans l'espoir qu'il pourra apaiser votre ire à son égard et vous incliner à le regarder sous un jour plus favorable.

Lancelot sortit un petit paquet, enveloppé de doux tissu. Mais je refusai de le lui prendre.

— Seigneur Lancelot, vous parlez comme si mon seigneur Pendragon n'était qu'un de mes prétendants parmi de nombreux autres. Je vous assure, mon seigneur, que je ne considère pas que la faveur que me fait le haut roi dépend de ses capacités à repousser les Saxons. Je n'ai nulle raison d'être contrariée. Il n'a nul besoin de m'envoyer des présents pour m'amadouer. Je sais où se situe mon devoir.

Keu et Beduyr étaient absolument ravis. Alyse me regardait, étonnée. Elle était incapable de croire que je puisse développer une attitude un tant soit peu diplomatique.

Quand Lancelot s'adressa de nouveau à moi, sa voix était posée.

— Alors, ma demoiselle pourrait-elle accepter ce présent comme un gage de l'estime du roi ?

Lancelot ouvrit les tissus d'emballage et mit à la lumière un unique saphir enchâssé dans de l'argent, de la taille d'un œuf de rouge-gorge, qui pendait à une chaîne d'argent. Il scintillait dans la lumière du soir, bleu foncé, profond et translucide. Lancelot se leva et vint près de moi. Il mit les mains autour de mes épaules pour attacher le pendentif derrière mon cou. Avec beaucoup de volonté, je m'empêchai de trembler et regardai ostensiblement, par-delà son épaule, le seigneur Keu. Mais je percevais son souffle sur ma peau, et puis le doux toucher de ses mains alors qu'il essayait d'attacher la chaîne. Je ressentis pour la première fois cet embrasement des sens. Il mit le feu en moi — un flot d'émotions que je ne compris pas alors. Lancelot hésita et se pencha plus près.

— C'est pour s'accorder à la couleur de vos yeux, murmura-t-il à mon oreille, puis il recula lentement.

Je me baissai en une profonde révérence, tremblante, ce qui fit miroiter le gros saphir.

— Je vous... vous en prie, dites au roi que je suis tout à fait satisfaite, parvins-je à articuler.

Elaine et Alyse vinrent près de moi pour regarder la pierre et exprimer leur admiration. J'étais heureuse de leur présence rassurante alors que je retrouvais mes sens. Je ne pouvais pas rencontrer ses yeux ; c'était regarder dans un brasier. Lancelot sortit avec la reine Alyse, et Keu avec Elaine. Au dîner, Pellinor me plaça à côté de Lancelot, son invité d'honneur.

Alors que l'on passait le vin à table, Beduyr donna des nouvelles de l'état du royaume et, pour une fois, je n'y prêtai pas attention. Je regardais un peu partout autour de moi : les soldats, Pellinor mangeant son repas, le bol de jonquilles et les jacinthes au centre de la table ronde, la découpe de la robe jaune d'Elaine, que j'avais brodée d'étoiles. Pourtant, je n'avais conscience que de l'homme qui était à mon côté, de la position de ses longs doigts autour de la coupe de vin, de sa manière de tourner la tête pour s'adresser à un interlocuteur, de sa façon de se tenir bien droit sur sa chaise.

Le roi Pellinor proposa aux chevaliers une série de chasses pour les distraire pendant que nous finirions le trousseau. Keu et Beduyr acceptèrent avec joie.

Puis Lancelot parla :

— J'ai une faveur à vous demander, sire Pellinor. Je souhaiterais passer deux heures avec vos jeunes princesses ici présentes. Le haut roi comprend parfaitement que, pour une jeune fille, quitter sa maison pour épouser un homme que l'on n'a jamais rencontré est difficile. Il ne souhaite pas se présenter à la demoiselle Guenièvre comme un inconnu. Il m'a ordonné de lui révéler tout ce qu'elle souhaiterait savoir à son propos ainsi que le déroulement de la vie que nous menons à Caer Camel. Si ma demoiselle Guenièvre le veut bien, je vous supplie de me permettre d'exaucer les désirs du haut roi.

Keu et Beduyr parurent surpris et je me demandai alors si Lancelot ne venait pas d'inventer la chose sur le moment. Elaine s'extasia et bien entendu Pellinor accepta.

Alors que le dîner se déroulait et que les conversations s'animaient, je pris mon courage à deux mains et me tournai vers Lancelot :

— Veuillez pardonner mon impertinence, mon seigneur, mais avez-vous dit la vérité sur le haut roi juste à l'instant ?

Il sourit.

— Est-ce que ma demoiselle suggère que je viens d'imaginer ce stratagème pour passer plus de temps en sa compagnie ?

Je devins toute rouge, sentant la chaleur sur mon visage, mais l'expression de Lancelot resta bienveillante.

— C'est la vérité, ma demoiselle. Il n'a parlé de ces faits qu'à moi. Il espère dissiper les craintes que vous pourriez avoir à son sujet. Et je sais qu'à présent vous en avez. (Il baissa le regard et sa voix devint plus faible.) Mais s'il ne l'avait pas dit, je l'aurais inventé. Vos craintes sont tout à fait naturelles.

Je me sentais triomphante et faible à la fois. Je luttais pour garder une voix posée.

— Je suis heureuse que vous ayez inclus Elaine. Elle admire grandement Arthur.

Il leva les yeux vers moi et me regarda longuement.

— Le temps viendra et vous l'admirerez, vous aussi, ma demoiselle Guenièvre.

J'inclinai la tête.

Lancelot tint parole. Quelle que fût l'activité des hommes, chasse, entraînement de la troupe, il trouvait le temps de rester avec Elaine et moi. Au début, toutes les dames de la reine s'agglutinaient autour de lui pour l'écouter parler d'Arthur, mais, quand le jour du départ approcha et que le trousseau fut terminé, elles quittèrent la salle de couture et nous n'eûmes plus que Léonore comme chaperon. Elaine était presque toujours avec moi. Les quatre ou cinq fois où nous partîmes nous promener à cheval, nous eûmes plusieurs hommes de Pellinor comme escorte. Nous parlions très peu. Chaque fois Lancelot prenait soin d'amener le roi Arthur entre nous, gentiment mais fermement. Dans mon esprit, il était notre gardien, et je n'étais pas loin de la vérité.

Quand nous nous asseyions ensemble, généralement dans les jardins de la reine, c'était toujours Elaine qui posait des questions sur Arthur.

— Quelle est la vérité sur sa naissance ?

Elaine voulait tout savoir.

— Pourquoi est-ce que personne ne l'a vu, alors ? Où est-ce que Merlin l'avait caché ?

Lancelot sourit.

— En dépit de ce que rapportent les rumeurs que j'ai entendues, Merlin ne l'a pas emmené avec lui dans un lointain pays. Pas plus qu'il ne l'a changé en aigle. Le roi Arthur a grandi à Galava, avec seigneur Hector pour père adoptif et seigneur Keu comme frère. Personne ne le remarquait, car il n'avait rien de spécial. Quand il voyageait avec Hector, ce n'était pas en tant que prince de sang royal mais comme un simple écuyer dans l'équipage du seigneur Hector. Hector, un bon soldat, qui avait combattu avec Ambroise, le prit dans sa maisnie pour l'élever alors qu'il n'était qu'un bébé. Arthur et Keu ont grandi ensemble comme deux frères.

La raison du dévouement de Keu nous était enfin révélée.

— Mais où pouvait bien se trouver le magicien durant tout ce temps ? demanda Elaine. Je croyais que c'était Merlin qui l'avait élevé.

Lancelot lui sourit, mais Elaine parut insensible.

— C'est ce que disent certaines personnes, mais Merlin ne l'a jamais confirmé. Pourtant, il y a quelque vérité dans ces histoires. Caché aux yeux de tous, Merlin supervisait l'éducation d'Arthur, le surveillant grâce à son pouvoir de vision magique. Parfois, il vivait comme un saint ermite dans la forêt au-dessus du château du seigneur Hector. Il y rencontrait le jeune garçon, lui donnait des leçons et lui racontait l'histoire de sa naissance et de sa lignée, comme si tout cela concernait quelqu'un d'autre. Souvenez-vous, poursuivit Lancelot, qu'Uther Pendragon proclama à travers la Bretagne tout entière qu'il ne reconnaissait pas le fils qu'il avait engendré à Tintagel. Donc, en toute sincérité, ni Hector ni Merlin ne pouvaient lui dire qui il était.

— Mais comment ont-ils pu lui cacher les circonstances de sa naissance ? demandai-je. J'ai trouvé cette partie de l'histoire difficile à croire. Le seigneur Hector a bien dû lui dire quelque chose.

— Pourtant, ma demoiselle, il ne le savait pas. Hector lui raconta que ses parents étaient de naissance noble, mais qu'ils ne pouvaient pas le reconnaître. Arthur croyait qu'il était le bâtard d'un vavasseur. Pour lui, Keu était son supérieur par la naissance et l'extraction. Il avait entendu toutes les histoires concernant le prince Arthur, mais il ne savait pas qu'elles le concernaient.

— Mais le nom ! s'exclama Elaine. Et il avait Merlin comme maître d'école ! Je l'aurais immédiatement deviné, si j'avais été à sa place.

— Ah, mais Arthur n'était pas son nom.

Lancelot se retourna vers moi et sourit. Mon cœur s'arrêta de battre.

— Un jour qu'il sera en profonde réflexion et ne prêtera pas attention à vous, appelez-le « Emreis » tout doucement, et jugez par vous-même de sa prompte réaction.

Je rougis et regardai le sol.

— En ce qui concerne Merlin, continua Lancelot sur un ton affable, c'est un maître du déguisement. Il sait se transformer en une sorte d'ermite sauvage et Hector le connaissait très peu. Arthur ne l'avait jamais vu sous un autre jour. Rien d'étonnant qu'il ne l'ait pas reconnu.

— Alors, pourquoi comptait-il tant pour Arthur, objecta

Elaine avec un mouvement de ses grandes boucles de cheveux, si c'est Hector qui était son père adoptif ?

— Peut-être parce qu'il donne plus de valeur aux choses que Merlin lui a enseignées, répondit Lancelot. Ou peut-être est-ce dû à la rencontre de deux personnalités exceptionnelles.

Il me jeta un rapide coup d'œil, puis détourna le regard et je ne pus m'empêcher de rougir.

— Tel aurait pu être le cas durant son enfance, poursuivit Elaine, mais quand il se rendit à Caer Eden pour combattre sous les ordres du haut roi, il avait déjà dû deviner. Les ermites ne sont pas aussi savants que Merlin et ne demeurent jamais aussi longtemps en un même lieu.

Soudain, je compris ce que voulait Elaine ; je tentai de dévier la conversation vers une autre voie. Mais Elaine était obstinée. Elle pressait Lancelot de lui répondre.

— Arthur ne le savait pas. Galava est une petite ville, et son expérience concernant les ermites doit être limitée à un seul.

— Cependant, il devait avoir deviné quand Hector l'arma pour la bataille. Il était trop jeune pour être chevalier.

Lancelot sourit, ne voyant pas le piège.

— Bien qu'il soit avéré qu'Hector l'amena sur les ordres d'Uther, cela ne me surprend pas outre mesure qu'Arthur n'ait pas deviné. Pensez à toutes ces années où il avait été considéré comme un simple enfant adopté. Galava ne se trouve pas loin de Caer Eden. Si les Saxons avaient gagné la bataille, son pays natal aurait été menacé. Il aurait plutôt été étrange qu'Hector ne prît pas tous les hommes et garçons valides, surtout Arthur, qui même à treize ans était le meilleur manieur d'épée de Galava.

Elaine soupira, résignée.

— Est-ce vrai qu'Uther a attendu la dernière minute pour le reconnaître ?

Lancelot poursuivit sur sa lancée, ne voyant toujours rien.

— J'ai entendu dire que cela avait été l'intention d'Uther que de parler au garçon et de lui dire toute la vérité avant la bataille, mais les Saxons ont attaqué brusquement, et il n'en eut plus le temps.

J'observais mes mains, posées l'une contre l'autre sur mes genoux.

— Quand, mon seigneur, a-t-il appris la vérité ?

Il y eut un long silence et je levai les yeux. Lancelot paraissait figé, il avait vu le piège trop tard. Elaine, dans son innocence, ne faisait qu'attendre la réponse. Il s'éclaircit la gorge et parla rapidement.

— Uther lui avoua qu'il était son père le jour suivant, en public, alors qu'il était allongé sur son lit de mort.

C'est-à-dire quand ce fut trop tard, pensai-je avec amertume. Après qu'il eut couché avec sa demi-sœur.

Lancelot rencontra mon regard et comprit que je connaissais l'histoire, et je sus alors qu'elle était vraie. Si j'étais accablée, ce n'était rien en comparaison de Lancelot. Elaine poursuivit, complètement inconsciente de ce qui se passait :

— Vous nous racontez cela, seigneur, comme si vous y étiez. Y étiez-vous ou est-ce le roi Arthur qui vous a tout raconté ?

— Je... j'y étais, demoiselle Elaine. J'étais bien jeune, je n'avais que quatorze ans. J'accompagnais mon père. Il était persuadé que notre avenir reposait sur la Grande-Bretagne et il m'avait amené pour combattre les Saxons aux côtés du roi Uther. Il fut blessé durant la bataille et, quand il se rétablit, il rentra à la maison. Je suis resté pour servir le nouveau roi.

La conversation se prolongea, car nous avions déjà entendu les récits de la bataille, et enfin, Elaine demanda à être excusée. Léonore resta, dodelinant de la tête. Je me penchai vers Lancelot.

— Ce sont des choses graves, murmurai-je à son oreille. Le haut roi vous en a-t-il parlé ?

Lancelot prit une profonde inspiration.

— Il n'en a parlé avec personne. Sauf avec Merlin. C'est un sujet que toute la cour évite... Je ne... j'ignorais que vous le saviez.

— Je n'ai entendu que des rumeurs. Je n'en ai parlé à personne.

Nos regards se croisèrent.

— Pourrez-vous lui pardonner, ma demoiselle Guenièvre ?

C'est un péché. Vous pourriez refuser sa main à cause de cela. Personne ne saurait vous en blâmer.

— Mais... mais alors tout le royaume serait au courant des faits, dis-je d'une voix faible.

Il acquiesça et me toucha la main.

— Oui. Mais Arthur le supporterait.

Je me levai, chancelante, et allai vers le parapet. Lancelot me suivit de près.

— Avant que je réponde, il y a une autre question que je dois vous poser, mon seigneur. Puisque vous l'aimez, je sais ce que vous allez répondre ; mais vous devez, vous devez me promettre de dire la vérité.

Lancelot observa d'abord mes mains, puis les siennes.

— Je vous le promets, noble demoiselle, dit-il doucement, je vous le jure, que Dieu m'en soit témoin.

Tout mon être tremblait de peur devant le risque que je prenais, mais je trouvai le courage de lui demander :

— Est-ce qu'Arthur à fait tuer les enfants de Dunpelder ?

Lancelot devint blême, fit un pas en arrière, mais il ne me lâcha pas la main.

— Non, jamais de la vie.

— Tout le monde croit le contraire.

— Personne, parmi ceux qui le côtoient, ne le croit.

— Ce n'est pas une réponse. Peut-être ne le connaissez-vous pas suffisamment.

La colère lui noircit le regard.

— Je le connais mieux, demoiselle Guenièvre, que je ne me connais moi-même. Ce n'est pas lui. Il ne l'a pas fait.

— Vous l'a-t-il dit ? À vous ?

— Oui.

— Qui a donné les ordres, alors ?

— Il ne le sait pas. Mais ce doit être le seigneur Lot, ou dame Morgause.

Il prononça ce dernier nom avec une répugnance manifeste, comme s'il avait un mauvais goût dans la bouche.

— Alors, pour quelle raison les rumeurs persistent-elles, s'il est innocent ?

Lancelot haussa les épaules. Son visage s'était refermé.

— On doit bien accuser quelqu'un. La sorcière d'Orcanie a fait en sorte que cela retombe sur Arthur.

Je dus me battre avec moi-même pour porter l'accusation finale, mais c'était un moment de vérité entre nous et la phrase sortit.

— Il a pris un gros risque mais c'était pour gagner bien plus encore.

— Personne ne peut gagner quoi que ce soit en tuant des enfants. Le meurtre laisse une tache sur l'âme. Si Arthur l'avait fait, il ne serait pas l'homme qu'il est aujourd'hui.

Je soupirai, soulagée. Le visage de Lancelot se radoucit.

— Mais cet autre méfait... vous admettez sa faute... cet acte n'a-t-il pas laissé une marque sur son âme ?

Lancelot serra un peu plus fort ses mains autour des miennes.

— Oui, c'est vrai. Une marque si profonde qu'il n'en guérira jamais. C'est pour cette raison, très précisément, qu'il ne peut pas entendre son nom, bien qu'elle soit de sa famille. Si vous l'osez, vous pouvez tenter de lui parler du massacre de Dunpelder. Mais vous n'entendrez jamais le nom de Morgause. (Lancelot s'arrêta, puis me lâcha les mains.) Vous devez vous décider, demoiselle Guenièvre : si vous pouvez lui pardonner, vous devez vous décider maintenant. Si vous décidez de vous retirer, je devrai le lui annoncer au plus tôt.

Je regardai le sol, terriblement indécise. Lancelot m'offrait une porte de sortie et se poussait de côté galamment pour me laisser passer, si je le souhaitais. Mais ce qui se cachait derrière la porte, je ne pouvais le voir. Un Arthur à l'âme souillée, probablement. Que penserait le peuple de Bretagne s'il apprenait la vérité, tout comme moi ? Qu'est-ce que Lancelot allait faire de moi si je refusais ? Je sentais un sanglot monter dans ma gorge et je fermai les yeux. Je sus ce que je devais faire.

Je rassemblai mon courage et rencontrai ses yeux à nouveau, clairs, gris et confiants.

— L'acte a été accompli dans l'ignorance, murmurai-je. On ne doit pas punir quelqu'un à cause de son ignorance. Je sais que cela me paraît injuste quand cela m'arrive. Donc, je serais malhonnête avec moi-même si je tenais le haut roi pour responsable.

Lancelot se jeta à mes pieds et me saisit la main, la portant à ses lèvres.

— Ô noble cœur ! s'écria-t-il. Quelle largesse d'esprit possède donc notre jeune demoiselle si parfaite ! Que Dieu Tout-Puissant vous bénisse ! Je suis persuadé que vous êtes digne de lui !

— Qu'est-ce que c'est ? Qu'est-ce que c'est ? s'écria Léonore, pénétrant soudain dans mes appartements. Que se passe-t-il ici ?

Lancelot se leva prestement, rougissant, puis s'inclina devant moi.

— Si je me suis emporté, dame Léonore, je m'en excuse. Demoiselle Guenièvre vient tout juste de me révéler son âme si noble, et je la remerciais au nom du haut roi.

Il se retourna et s'enfuit. Léonore m'observait, médusée.

— Non, tu ne peux pas savoir, lui dis-je, fatiguée. Il y aurait trop de choses à t'apprendre. Viens, allons nous promener sous ce beau soleil.

10

Séparations

LE JOUR du départ approchait. Je remarquais qu'Ailsa ne me parlait presque plus. Elle tripotait constamment ses amulettes. Même Elaine, qui montrait pourtant de plus en plus de signes d'excitation, m'observait avec des yeux troublés. Je n'avais aucune idée de la raison de toutes ces inquiétudes.

Le dernier jour du mois de mai, je terminai enfin mon cadeau pour le marié. Je m'étais longtemps torturé l'esprit pour savoir ce que j'aurais pu lui offrir. Il avait déjà certainement bon nombre de cadeaux. Finalement, je décidai de lui donner un objet fabriqué de mes mains. Je pris de la fine laine blanche, la doublai avec de la soie pour réaliser une robe de chambre, comme le roi Pellinor en portait quand il était malade ou que le mauvais temps l'empêchait de sortir, mais je voulais la rendre plus légère et plus confortable, car assurément les chevaliers devaient apprécier un changement de leur vêture habituelle, cuir et cotte de mailles. Il fallait quelque chose de simple mais d'assez chaud en laine pour les froides journées d'hiver. Le vêtement pouvait être porté ouvert ou fermé avec une ceinture. Le pourtour était bordé de tissu bleu foncé pour lui éviter de se salir trop vite. Sur le côté gauche, je fis au petit point un dessin de mon invention : avec des carrés entrelacés à la manière celtique, en fil bleu, formant un losange original. À l'intérieur, le dragon rouge de la Bretagne était assis sur les pattes arrière, toutes griffes dehors. Juste au-dessus du dessin, je cousis à petits points, pour lesquels j'étais très douée, une étoile d'argent qui représentait l'étoile royale qui s'était levée à l'ouest, la nuit de la conception d'Arthur. Voilà, et c'était tout. À part ça, le vêtement était sans aucun autre ornement, simple et seyant. Pendant des semaines, Elaine m'avait poursuivie pour que j'ajoute quelques fioritures sur les manches ou sur le pourtour. Mais je refusai. Ce n'aurait plus été mon cadeau, s'il n'était pas exactement comme je le voyais.

Je ne le montrai à personne sauf à Elaine et Ailsa. Nous l'emballâmes avec précaution dans du tissu, puis dans une boîte qui fut elle-même placée dans l'une des grandes malles de voyage. Le roi Pellinor, qui pendant des semaines était resté bien secret, nous observant, plutôt goguenard, révéla enfin quel était son cadeau pour le haut roi. Ses ouvriers avaient fabriqué pour Arthur une table ronde trois fois plus grande que celle de sa salle de réunion. Elle fut divisée en grandes sections pour permettre son passage à travers les portes. Il nous la montra entièrement montée juste avant qu'on ne la désassemble pour le voyage. Elle était en chêne blanc, polie pour qu'elle brille comme un miroir. Trente hommes pouvaient facilement s'asseoir autour. Elle recevrait le double de convives pour un dîner ou pour les grands Conseils. Les chevaliers d'Arthur, très impressionnés, complimentèrent le roi Pellinor jusqu'à ce que sa pauvre tête enfle de fierté. Alyse nous déclara qu'il faudrait des mois avant qu'il ne revienne à son état normal.

Alors que le jour du départ approchait, j'aurais dû me sentir de plus en plus nerveuse, mais j'étais bizarrement heureuse et terrifiée à la fois.

Un soir, Elaine et moi, nous entraînâmes Lancelot dans la tour ouest pour observer le coucher de soleil sur la mer. Le ciel était en feu, nous l'observâmes en silence alors que les stries rouges brûlantes se métamorphosaient en épées pourpres et que l'étoile du soir se mettait à briller.

— Le pays de Galles va me manquer, dis-je doucement.

Elaine se retourna et je vis des larmes dans ses yeux.

— J'ai toujours vécu près de la mer, s'exclama-t-elle, je n'arrive pas à m'imaginer ce que ce sera, de vivre loin d'elle !

— Caer Camel n'est pas si loin de la mer, expliqua Lancelot. Vous ne pourrez pas la voir des tours de guet, mais vous pourrez apercevoir le feu d'alarme sur la colline d'Ynys Witrin, sur le lac d'Avalon, qui communique avec la mer.

Ce n'était pas la même chose, mais personne ne le fit remarquer. Lancelot parut triste.

— A-t-on des nouvelles du Nord ? demandai-je.

— Il n'y a pas eu de combats, mes demoiselles. Le haut roi et ses alliés ont aménagé un large front face aux Saxons. Je pense que le roi prépare un traité pour pouvoir mettre en place un renforcement de nos lignes de défense.

— Il n'y a pas de nouvelles sur, quand... quand...

Je ne parvins pas à terminer ma phrase. Mais Lancelot avait compris et me répondit :

— Non. Mes instructions sont de vous amener à Caer Camel et de l'y attendre.

J'acquiesçai. La nuit était tombée ; Lancelot me prit la main. Elaine cachait son visage dans un mouchoir ; Léonore n'avait pas souhaité nous accompagner. Je respirais lentement alors qu'un flot d'excitation et de nostalgie montait en moi.

Je compris à cet instant ce que j'avais ressenti le premier jour de notre rencontre. En un mois, Lancelot m'était devenu plus précieux que ma propre vie. Sentir sa main dans la mienne m'enflammait les sens et son sourire m'empêchait de respirer normalement. Toutes les nuits, je rêvais qu'il me tenait dans ses bras et chaque matin je m'éveillais en attendant ses baisers. Je savais qu'il ressentait la même chose à mon égard. C'était en même temps exaltant, déchirant, excitant, presque écrasant et plus douloureux que des coups de dague. Ainsi, nous nous tenions silencieux, main dans la main, dans la beauté de cette nuit du mois de juin, nous aimant sans espoir et pensant à Arthur.

Dans mon lit, cette nuit-là, Elaine mit ses mains autour de moi et me dit :

— Je sais tout, Gwen. Je sais à présent pourquoi tout à l'heure tu étais si triste et si gaie à la fois, pourquoi tu n'es pas si pressée de partir et pourquoi tu crains tant Arthur. Tu aimes Lancelot.

— Je t'en prie, Elaine...

— Je ne le dirai pas à âme qui vive, promis. J'étais fâchée

contre toi, jusqu'à ce je constate que tu n'y pouvais rien, pas plus que moi. Alors, qu'allons-nous faire, Gwen ?

Je l'attrapai par le poignet.

— Il n'y a rien à faire.

— N'y a-t-il pas moyen de leur en parler ? On pourrait organiser un arrangement ? Toi, tu prendrais Lancelot, et moi, le roi Arthur ?

— Non ! m'écriai-je. (Les larmes que j'avais essayé de retenir avec tant de peine n'allaient pas tarder à couler.) Non, ce n'est pas possible ! Je te remercie, Elaine ! Arthur est le haut roi de la Bretagne et Lancelot son grand capitaine. L'honneur de la Bretagne est entre nos mains ! Utilise ta tête ! Nous ne sommes que des femmes.

— Mais... mais c'est injuste !

— Oui, c'est injuste. Pour moi, pour toi, pour Lancelot, et par-dessus tout pour le roi Arthur. Mais je ne vois pas ce que nous pourrions faire. Nous devons le supporter. Voilà tout.

— Et si, moi, je n'arrive pas à le supporter ? s'écria Elaine, désespérée.

— Tu le dois, Elaine ! (J'eus soudain une prémonition qui me remplit d'effroi.) Elaine, écoute-moi ! Tu dois me faire une promesse... Quand nous serons à Caer Camel, tu devras te conduire comme si le haut roi Arthur ne comptait pas pour toi. Sois toujours polie mais réservée. Ne le suis pas des yeux, ne te mets pas constamment sur sa route... tu vois ce que je veux dire. Notre honneur à tous repose sur toi. Tu me le promets ?

Elaine pleurait.

— Ce que tu me demandes est impossible et tu le sais bien !

— Ce n'est pas plus que ce que je dois faire avec Lancelot. Je sais que c'est difficile, mais nous sommes fortes. Tu le dois, c'est la seule solution.

— Tu m'en demandes trop, je ne peux pas te promettre ça.

— Alors, répondis-je lentement, tu ne peux pas venir avec moi.

Elle resta interdite.

— Tu ne peux pas m'en empêcher ! Mère m'a donné la permission !

— Je pourrais te renvoyer chez toi, avec elle, quand les cérémonies seront terminées. Je serai alors la reine. Même ta mère me devra obéissance.

Soudain, Elaine devint silencieuse et ne bougea plus. Ses pleurs cessèrent, mais son corps se mit à trembler. Durant un long moment, elle ne dit rien. J'attendais, impuissante, me souvenant de la manière dont Gwillim s'était agenouillé au pied de mon lit, sacrifiant notre camaraderie à mon pouvoir. Mais je n'avais pas le choix ; c'était l'honneur du royaume !

— Je vois, répondit-elle finalement sur un ton différent. Très bien, je promets.

— Tu demeureras courtoise ? Tu ne te conduiras pas de manière inconvenante ?

— Je promets.

Je soupirai lentement.

— Et je ferai en sorte que tu t'y tiennes. J'ai juré la même chose à Lancelot. Si nous brisons nos promesses, la honte s'abattra sur le pays de Galles tout entier et même sur le royaume de Bretagne. Je sais que l'avenir peut paraître sombre, alors qu'il devrait être radieux. Mais nous devons faire en sorte que les choses se passent bien.

Le jour tant attendu arriva par surprise. La haute cour était remplie de chariots lourdement chargés, les serviteurs affolés couraient partout pour quérir les paquets et trouver les objets oubliés à la dernière minute. Les troupes attendaient devant leurs montures, entourant la caravane. Des tas de biens et de cadeaux étaient attachés sur le dos des mules. Un palefrenier tenait Zéphyr par la bride et de l'autre main Nestor. Les litières des dames suivaient. De ma fenêtre, je vis que Léonore prenait en charge les préparatifs des femmes, alors que le seigneur Keu supervisait les troupes et la procédure de départ. Il savait ce qu'il faisait, patient et méticuleux, organisé et capable de retenir dans son esprit une foule de détails. Tous ceux qui avaient besoin d'informations venaient le voir. Keu savait où se trouvait chaque chose, où elle devrait être envoyée, où on en aurait besoin, et qui en avait la responsabilité.

— Demoiselle Guenièvre, venez, ordonna Alyse. Il est temps.

Lancelot apparut dans l'embrasure de la porte. Il fit un profond salut devant la reine.

— Les litières sont prêtes, ma dame. Le roi Pellinor désire partir.

— Merci, messire Lancelot. Nous sommes prêtes. Je suppose que comme à votre habitude, vous allez monter, Guenièvre, tel un chevalier.

Lancelot fut choqué par son ton, mais pas moi. Pour Alyse, je n'étais que la fille de sa sœur et sa protégée. Je n'étais pas encore sa reine.

— Non, ma dame. Pour me rendre en ces lieux, je voyagerai en litière avec Elaine. Mais je monterai à cheval pour entrer à Caer Camel, quand nous y arriverons.

Et, à la surprise générale, je consentis à être ainsi transportée, pendant que ma jument marchait à côté. Je pensais que des personnes se masseraient sur les routes pour voir passer la jeune fille qui allait épouser le haut roi et je désirais leur apparaître telle qu'elles se l'imaginaient. Mais, une fois arrivée en vue de Caer Camel, je souhaitai redevenir moi-même. Face aux gens avec lesquels j'allais vivre, je ne voulais aucun malentendu. Mais pour dire toute la vérité, la compagnie de Lancelot aurait été un supplice : c'était plus facile de demeurer dans la litière en compagnie d'Elaine, qui connaissait mon secret, que de monter à côté de Lancelot. J'aurais dû alors me composer un personnage au masque figé tandis que mon cœur serait en feu.

J'avais raison, le peuple désirait apercevoir la future reine. Ce ne fut pas seulement aux croisements des routes mais sur chaque chemin que je découvris une foule compacte, qui arrêtait de travailler pour venir regarder passer la caravane. Nous gardions les deux côtés de la litière ouverts, le temps clément s'y prêtait bien. Les gens nous jetaient des fleurs au passage ou simplement nous interpellaient. Après un moment, je m'y habituai et je leur adressai des signes de la main. Ils me criaient leurs louanges ou leur bénédiction et leurs bons vœux. Cela devint une véritable procession, à travers tout le pays de Galles, à travers Caerléon, à travers la Severn et jusqu'au Somerset.

Chaque nuit, nous nous arrêtions pour monter le campement, et durant trois bonnes heures, nous recevions les délégations des villageois des alentours qui apportaient des cadeaux de toutes sortes. J'étais assise sur une antique chaise curule, avec la reine Alyse d'un côté et Elaine de l'autre. Lancelot se tenait juste derrière moi et, à ses côtés, se trouvaient Beduyr et Pellinor. Keu était à l'entrée et laissait passer les personnes par couple ou par trois mais pas plus. Tous venaient avec des présents. Il y avait des objets artisanaux, du tissu, mais aussi quantité de bibelots, des poulardes, des fruits du jardin et même des œufs frais. Un village m'offrit un oiseau chanteur à qui on avait appris un air spécial en mon honneur. L'oiseau était dans une jolie cage en branches de saule et il chantait toute la journée. Tout le monde était très aimable et me souhaitait les meilleures choses, tout le monde repartait joyeux et satisfait. Plus on descendait vers le sud, plus il y avait foule pour nous rendre visite.

Le chevalier Beduyr, qui était de nature placide et plus réservée, me tendit un soir un gobelet de vin en me souriant et dit :

— Vous êtes vraiment née pour cela. Si seulement Arthur avait pu être là avec vous !

— Soyez assuré, reprit Keu, que bientôt il sera là.

Tôt le matin et tard le soir, je passais un peu de temps avec Zéphyr, la bichonnant, lui fredonnant des chants. Parfois, je faisais une petite ballade. Lancelot m'accompagnait alors, mais toujours à une distance respectable. On nous épiait, j'en étais persuadée.

Le dixième jour du voyage, nous campâmes en vue des feux d'alarme d'Ynys Witrin, l'île de Verre, la Très-Sainte Colline. Désormais, nous savions que le lendemain nous serions à Caer Camel. Keu nous laissa seules cette nuit-là. Il partit à bride abattue jusqu'à la forteresse. Il craignait que ses instructions n'aient pas été suivies à la lettre par ses nombreux baillis et jugeait très important que tout se passe parfaitement quand la promise du roi entrerait dans la cité. Comme nous nous trouvions près de Caer Camel, les messagers ne faisaient que venir et repartir. Le haut roi était toujours dans le Nord, mais on attendait son retour bien avant le solstice.

À sa place, Méléagant, le seigneur du Somerset, devait m'accueillir à mon arrivée au cours d'une cérémonie officielle. Tous cela me paraissait pompeux et interminable, et je n'étais pas très contente de devoir y assister. Cela signifiait aussi être séparée de Lancelot. Et je devais encore attendre l'arrivée du roi. Tout ce que je voyais dans l'avenir immédiat, c'était que j'attendrais pendant une longue série d'épreuves.

Cette nuit-là, des centaines de personnes vinrent au campement pour me présenter leurs respects. Beduyr dut demander de nouveaux chariots pour pouvoir emporter toutes les choses que les bonnes gens m'avaient apportées. Le comportement de la population me surprenait grandement. Le roi Arthur était un être de chair et de sang, pas simplement un lointain souverain qui les protégeait des Saxons. Il était plus réel à leurs yeux qu'aux miens. Ils étaient très curieux de voir cette jeune fille que le roi avait finalement choisi d'épouser. Il y avait toutes sortes de gens, pas seulement des seigneurs ou des vavasseurs mais aussi de simples paysans, parfois très pauvres, et parfois même en mauvaise santé. Tous souhaitaient passer quelques minutes en ma compagnie. Mais quand je vis que Beduyr était sur le point de clore l'audience, après plus de trois heures, je lui fis signe de continuer à les laisser entrer. J'excusai Elaine et Alyse, qui, épuisées par notre voyage, voulaient se reposer.

— Ma demoiselle Guenièvre, dit doucement Lancelot après que la quatrième heure eut été bien entamée, n'êtes-vous pas fatiguée ? Ne devriez-vous pas garder un peu de forces pour demain ?

— Oui, je le devrais, seigneur Lancelot. Mais regardez donc ces gens, dehors, qui attendent. Pensez au chemin qu'ils ont dû parcourir pour venir me voir. Et pourquoi, je vous prie ? Pour simplement me connaître et me souhaiter une bonne santé, une vie prospère. Comment pourrais-je refuser de les recevoir ?

Lancelot jeta un regard défait à Beduyr, qui sourit et haussa les épaules.

— Tu n'y peux rien, Lancelot. C'est ce que le roi Arthur aurait dit.

Lancelot fit oui de la tête. On continua donc à faire entrer les visiteurs.

Le matin se leva, frais et nuageux, avec un halo rosâtre autour du soleil. Les prairies étaient recouvertes de brume. Je me réveillai tôt pour m'occuper de Zéphyr, et aussi pour garder un peu de temps pour moi, afin de réfléchir. J'étais seule près des chevaux, mais des gens étaient déjà debout dans le campement, j'entendais les voix des écuyers et des marmitons, même si je ne vis personne.

Zéphyr n'aimait pas le brouillard, elle était un peu nerveuse. Elle n'arrêtait pas de remuer, secouant la tête alors que je tentais de coiffer sa crinière. Puis, soudain, elle se calma et ne bougea plus. Mon cœur se mit à battre plus fort. Comme par magie, la silhouette de Lancelot apparut derrière la croupe du cheval.

— Lancelot !

— Guenièvre.

Nous nous regardâmes longuement. La tristesse qui se lisait sur son visage me brisa le cœur, mais il n'y avait rien à faire.

— Je suis venu pour vous dire... commença-t-il, puis il s'arrêta net. J'ai énormément apprécié votre compagnie, je trouve que vous êtes la femme la plus courageuse que j'aie jamais rencontrée, et la plus courtoise aussi. Je sais que ce qui va vous arriver est une épreuve difficile, mais je souhaite vous assurer, Gwen, que vous l'aimerez autant que nous tous. Vous verrez, cela se fera naturellement et vous n'y pourrez rien, pas plus que nous. Vous savez bien que je vous aime, Guenièvre, et que je serai toujours à votre service, quelles que soient les circonstances. Mais pour le bien d'Arthur, nous ne pouvons pas...

— Oh, mon Lancelot ! murmurai-je. Cela me tue de devoir vous dire adieu ! Je ne peux rien y faire, moi non plus ! Lancelot, je vous aimerai jusqu'à la fin de mes jours.

Je fus surprise par mes propres paroles : c'était vraiment la dernière chose que je souhaitais lui dire. Lancelot baissa la tête pour se glisser sous l'encolure de la jument et se précipita vers moi. Il me prit dans ses bras. Heureusement que nous étions cachés par le brouillard matinal, car il m'embrassa passionnément. Quand il disparut, je restai là, le souffle coupé, appuyée contre ma jument, tremblante, l'âme en peine. Je ne savais pas comment j'allais pouvoir vivre. J'étais sans défense contre Lancelot.

Vers midi, le brouillard s'était dissipé et le soleil brilla plus chaleureusement. Lancelot chevauchait à mon côté, le visage fermé et silencieux, portant son épée dans un fourreau de parade, en argent et pierreries. Nous allions d'un pas lent, car il y avait toujours les litières et je voulais saluer la foule massée le long de la route. Le pays était magnifique : de vertes colline où on pouvait voir paître des moutons, des fermes et de vastes forêts giboyeuses. Au-dessus de nos têtes, une nuée d'oiseaux crièrent joyeusement. Ils venaient de l'ouest d'Ynys Witrin puis ils s'en retournaient sur le lac d'Avalon. C'était, comparé au pays de Galles, une région particulièrement riche, douce, verte et pleine d'activités.

Vers le milieu de l'après-midi, nous arrivâmes en vue de Caer Camel. Je retins mon souffle en l'apercevant. Enfin Lancelot esquissa un sourire.

— Voici, Guenièvre, votre nouvelle demeure.

Au sommet des tours des drapeaux flottaient gaiement dans la brise. Le château paraissait gigantesque, même à cette distance. Je savais par les bavardages des soldats qu'une triple enceinte le protégeait. Les pierres du premier mur d'enceinte brillaient d'une couleur dorée au soleil et s'accordaient au vert de la colline. Plus nous nous rapprochions, plus je constatais que ses flancs étaient pentus. Le bas était recouvert d'un bois, mais sur les hauteurs c'étaient des prés, permettant de bien voir approcher l'ennemi. Sur le sommet d'un côté, trônait la gigantesque forteresse ; de l'autre, un bois se trouvait à l'intérieur du premier mur d'enceinte. Une ville y naîtrait avec le temps, mais il n'y avait alors que quelques rares maisons d'artisans.

Sur la route ouest que nous empruntâmes, j'aperçus la grande voie qui montait vers un double portail aux lourdes portes cloutées : l'entrée de Caer Camel. La voie était suffisamment large pour laisser passer dix hommes de front, et la partie haute était pavée de pierres grossières pour que l'herbe continue d'y pousser et que la terre ne soit pas emportée par les pluies printanières. C'était par cette route que la cavalerie du roi Arthur dévalait en trombe à l'improviste sur l'ennemi avant qu'il n'ait le temps de tirer l'épée.

— Est-ce que messire Merlin sera présent ? demandai-je soudain à Lancelot.

— Non, probablement pas.

— Pourquoi, mon seigneur ?

— Il est trop vieux. Il s'est retiré dans une cabane au milieu des bois, à l'est. Il y vit avec un novice. Arthur va le voir de temps en temps, mais Merlin vient rarement à Caer Camel.

— Il ne sera pas présent au... au mariage ?

— Si le roi Arthur le lui demande, il sera là. Néanmoins, je dirais que c'est peu probable.

— Mais quel avis Merlin a-t-il donné à Arthur concernant ce mariage ?

Lancelot me jeta un regard embarrassé.

— C'est étrange que vous le demandiez. Merlin était présent et il n'a rien dit lorsque votre nom fut proposé. Quand Arthur lui demanda son avis, il a simplement répondu : « Ce qui sera sera. » Personne ne peut vraiment savoir ce qu'il pense de tout ceci.

Aussitôt, je tressaillis, me souvenant de ma rencontre avec la princesse Morgane. « Moi, je le sais », pensai-je.

Lentement, nous gravîmes la grande route. Les sentinelles saluaient Lancelot. Arrivé en haut, il ordonna l'ouverture du portail de la forteresse. Juste derrière, se dressait le roi Méléagant, un grand homme blond au regard dur ; à ses côtés se tenait une vieille femme vêtue de blanc, Nimué d'Avalon, la Dame du Lac, puis Landrum, l'évêque chrétien de Caer Camel, dans ses vêtements sacerdotaux. Une foule compacte se pressait et, alors que nous entrions, nous pûmes entendre des cris de joie, des acclamations et des bravos.

Lancelot sauta de sa monture et vint à côté de mon cheval pour m'aider à descendre. Je me retrouvai dans ses bras et il fit semblant d'avoir un lourd poids à porter. Nous reprîmes nos places. Ma main sur son bras, en face du roi Méléagant, il s'inclina profondément. La dame me salua, et l'évêque inclina la tête. Chacun me souhaita la bienvenue à Caer Camel à tour de rôle et au nom du haut roi Arthur. Méléagant fut bref, mais la Dame du Lac parla plus longuement et loua la Grande Déesse, décrivant les vertus viriles d'Arthur avec une lueur dans le regard, me bénissant et me souhaitant une grande fertilité. Elle me parla de procréation jusqu'à ce que je commence à rougir. Méléagant, qui se tenait la moitié du temps la bouche ouverte, interrompit ce flot de paroles et nous ramena à notre sujet principal. Je lui en fus reconnaissante. Sous ma main, je sentais Lancelot qui commençait à trembler.

L'évêque Landrum s'avança, vêtu de sa chasuble dorée et rouge. Il portait sur sa poitrine une grande croix incrustée de pierreries. Il commença son discours par une longue tirade sur le nécessaire ostracisme des incroyants et sa réprobation des rites païens en pays civilisé. Manifestement, il était très mécontent de la présence de la Dame du Lac à la cérémonie de bienvenue. Mais la prêtresse avait été mandée sur l'ordre du roi Arthur. Je perçus dans ces dispositions la tentative d'un compromis équitable entre les religions que tous les participants n'approuvaient pas.

Finalement, l'évêque acheva son discours et, avec Lancelot, nous nous agenouillâmes pour recevoir sa bénédiction. Puis, avec Lancelot, nous marchâmes devant, suivis par le roi Méléagant et la Dame du Lac, l'évêque et enfin Beduyr. Nous montâmes les rues le long des échoppes des forgerons, maréchaux-ferrants, armuriers, tanneurs, charpentiers, tonneliers. Tous s'étaient postés le long de notre passage. Il n'y avait là que des artisans spécialistes des arts de la guerre. Finalement, nous arrivâmes en vue des marches de marbre blanc qui montaient aux portes du château. Le seigneur Keu nous accueillit, tout sourire. J'étais très heureuse de le revoir. En tant que sénéchal du roi Arthur, il régnait sur le château. Il remercia officiellement Lancelot pour avoir amené la fiancée du roi saine et sauve du pays de Galles. Lancelot, plutôt compassé, répondit que toutes les missions qu'il accomplissait au nom du haut roi étaient pour lui un grand privilège.

Le seigneur Keu me conduisit dans le château et me mena à mes appartements. Le hall d'entrée était sombre et frais, comparé à la chaleur de cet après-midi du mois de juin. Mes yeux s'habituèrent à la relative pénombre. Nous nous trouvâmes devant une imposante porte de chêne gravée d'un dragon britannique et gardée par deux sentinelles.

Derrière cette porte, il y avait les appartements de la reine, qui n'avaient jamais encore été occupés. Après moult remerciements et congratulations, le sénéchal Keu s'inclina et sortit. Alyse, Elaine et moi, nous nous retrouvâmes dans un petit vestibule rond ; Léonore, Cissa, Grannic et Ailsa étaient rassemblées près de la porte. Nous regardâmes tout autour de nous. Le lieu était une forteresse en grosses pierres de taille, avec des fenêtres étroites comme des archères et des bancs de pierre ; le sol était assez sale. Pour l'arrivée des femmes, on avait tenté de l'arranger un peu. On avait jeté de la paille fraîche sur le sol souillé, et aux murs pendaient des tapisseries un peu mitées sur les bords.

— Bien ! s'exclama Alyse. Je suis contente que nous ayons emporté tant de choses avec nous. J'avais cru avant d'arriver que nous nous étions chargées inutilement, à présent je me demande si cela va suffire.

Moi, je trouvais la situation plutôt amusante et touchante.

— Il n'y a pas eu de femmes ici avant nous. Nous sommes les premières.

De ce vestibule central partaient des couloirs qui aboutissaient à plusieurs vastes chambres. Mes appartements étaient un peu plus fournis en mobilier. Il y avait trois pièces en bas, dont une chambre pour ma dame de compagnie, aux larges fenêtres vitrées qui ouvraient sur une grande terrasse et un magnifique jardin clôturé. De la chambre de la dame de compagnie montait un escalier jusqu'à ma chambre à coucher. Le sol était pavé avec des mosaïques colorées dans le style romain, montrant des animaux entourés de fleurs. Sur les murs, étaient suspendus des tapis venus de contrées lointaines avec de profondes couleurs rouge et bleu. Des coussins dorés et bleus étaient posés sur les bancs de bois. Quelqu'un avait passé du temps pour décorer les chambres et les rendre plus agréables pour les dames, mais ce quelqu'un n'était manifestement pas une femme.

Alyse commença à donner des ordres sur la manière d'arranger les tentures et le nombre de couvertures dont nous aurions besoin. Je me tournai vers elle.

— Je donnerai les directives moi-même sur la manière d'arranger mes appartements, dame Alyse.

Elle s'arrêta, choquée, mais je vis soudain qu'elle venait de comprendre. Toutes, elles comprirent, l'une après l'autre. C'était ma maison et non la leur. Dans quelques jours, je serais leur reine. Et l'une après l'autre, elles s'inclinèrent devant moi, y compris Elaine et finalement Alyse.

Je montai seule l'escalier jusqu'à ma chambre : une large pièce octogonale, ouvrant sur une terrasse dallée en pierre qui surplombait les jardins. Le lit était vaste, en bois fruitier, avec des tentures de soie bleu clair et des parements dorés. Il paraissait ancien et le travail en était très soigné. J'appris plus tard qu'il avait appartenu à la reine Ygerne et qu'il avait été déménagé du château de Tintagel. C'était le lit dans lequel Arthur avait été conçu et où la reine Ygerne était morte. Le sol était recouvert d'une mosaïque bleu, doré et blanc, et d'un tapis aux couleurs bleu, doré et rose, doux et épais. Il devait venir d'Orient. À côté de la fenêtre, sur une petite table basse en bois, il y avait un vase avec des roses. Un vieux coffre en poirier, gravé de fleurs et de vigne, se trouvait au pied du lit. C'était une chambre simple, mais la décoration était raffinée et agréable.

Il n'y avait qu'une seule autre sortie. Elle était recouverte d'un lourd rideau en cuir, une courtine. Je la soulevai, hésitante. Ne percevant aucun bruit dans l'autre pièce, j'entrai. C'était aussi une chambre à coucher, exactement la même par la taille et la forme, mais plus simple et différente dans sa décoration. Le sol était en parquet, sans tapis. Les fenêtres n'avaient pas de carreaux. Le lit était très large, dans un bois noir et brillant que je ne connaissais pas, et recouvert d'une épaisse couverture en peaux d'ours cousues ensemble. Dans un coin, il y avait un coffre en bois de chêne et, à côté d'une lampe à huile à trois flammes, une petite table avec un plateau de marbre. Le lit était posé sur une estrade et au mur, à la tête, pendait une antique bannière de soie, très usée, montrant le dragon rouge de la Bretagne sur champ d'or.

Mon cœur battait si fort que j'en avais mal ; mes mains devinrent toutes moites. C'était la chambre du haut roi, il ne pouvait y avoir de doute là-dessus. Pourquoi avais-je imaginé que les appartements d'Arthur se trouveraient dans une autre partie du château ? Ce n'était pas le cas. Il s'agissait de sa chambre, elle en disait long sur l'homme. La chambre d'un soldat, sans aucune décoration à part la bannière. Il y écrivait ou y lisait. Il y dormait et s'y habillait. C'était tout. Elle était propre, calme et reposante.

Je me dirigeai vers la fenêtre, qui donnait vers l'ouest, comme la mienne. Au loin, je crus discerner, bien qu'indistinctement, la silhouette d'Ynys Witrin. Évidemment, le roi souhaitait voir le feu d'alarme au cas où la sentinelle se serait endormie. En dehors de l'entrée qui menait à ma chambre, il n'y avait qu'une seule porte, et elle menait à l'escalier. Sans doute son valet dormait-il dans la chambre du bas. Je me retournai et vins près du grand lit. Les poils d'ours étaient doux au toucher. Je me demandai d'abord pourquoi ces peaux étaient là, puis je me souvins que le nom d'Arthur venait d'*artos*, « ours » en celtique. C'était probablement un cadeau. Sous les couvertures, je découvris des draps fins, propres, mais pas aussi fins que ceux que nous avions apportés. Cela me fit plaisir. Voilà quelque chose qu'il ne possédait pas encore et que j'allais pouvoir lui offrir. Je regardai une dernière fois autour de moi, plutôt satisfaite. Un lieu tranquille qui convenait bien à Arthur. C'était de bon augure.

Je revins dans ma chambre et m'assis sur le lit. Je devais me détendre. Je pensais que je pourrais supporter n'importe qui comme mari, même un homme sale ou dominateur, mais il devait être juste. Il me serait impossible de vivre avec un mari dont je ne pourrais pas gagner le respect. J'étais prête à tout pour que le haut roi ait une bonne opinion de moi et ne regrette pas son choix. S'il était un homme juste, je pourrais accepter mon avenir. D'une certaine manière, l'examen de sa chambre me donnait de l'espoir. Le roi Arthur n'était pas seulement connu pour ses exploits guerriers, mais aussi renommé pour sa justice. « Suivant la justice d'Arthur » était une expression pour désigner un acte justement accompli. Peut-être que Lancelot avait raison et que cette vie ne serait pas l'épreuve que je craignais tant.

Mais, mon Dieu, comment pourrais-je me passer de Lancelot ? Il ne pouvait pas quitter la cour — Arthur avait besoin de lui — et je mourrais s'il partait. Mais comment devais-je me comporter s'il était constamment là ? La situation désespérée m'apparut et, emportée par une vague de détresse, je m'abandonnai aux larmes et m'écroulai en pleurs, sanglotant comme une enfant dans les coussins. C'était trop. J'étais seule pour la première fois depuis des mois.

Enfin, je pensais que j'étais seule. Mais, petit à petit, je me rendis compte que des yeux m'observaient et je levai la tête. Je vis un jeune garçon fluet, vêtu de la tunique des serviteurs, qui me scrutait de derrière le rideau.

L'air passablement effrayé, il essayait de m'éviter du regard.

— Est-ce que… que ma dame se porte bien ? demanda-t-il, très intimidé. Puis-je faire quelque chose pour vous ?

Je lui souris et essuyai mes larmes.

— Rien que le temps ne puisse guérir. J'ai le mal du pays, tout simplement.

— Ah ! fit-il, et il tira nerveusement sur sa tunique.

— Vous voulez peut-être un peu d'hydromel ou du vin ?

— Qui es-tu ?

Il s'inclina devant moi mais garda les yeux rivés au sol.

— Je me nomme Bran, ma dame. Je suis le page du haut roi.

— Si tu es le serviteur du roi, comment se fait-il que tu ne sois pas avec lui en ce moment ?

Il rougit et s'affola un peu.

— Je... je... moi, je ne suis qu'un page. Mon seigneur Varric est le valet. Lui est parti avec le roi. Moi, je suis venu ranger la chambre et mettre du bois dans la cheminée. J'ai alors entendu des pleurs.

— Ranger la chambre ? m'écriai-je incrédule. Il n'y a rien à y ranger.

Je venais de lui révéler ce qui s'était passé en réalité. Alors, quand Bran leva la tête avec un sourire froid, je me mis à rire nerveusement et il rit avec moi. Nous avions presque le même âge.

— Je te prie, Bran, futur valet, de ne pas dire au haut roi que tu m'as trouvée en pleurs le jour de mon arrivée. La dernière chose dont il doit se préoccuper en ce moment, ce sont les états d'âme d'une jeune fille qui a le mal du pays.

— Si vous le lui dites, il comprendra, ma dame. Moi aussi, j'avais le mal du pays quand je suis arrivé ici. Le haut roi m'a surpris pleurant plus d'une fois.

— Et que t'est-il arrivé ? Tu as été fouetté ?

Il ouvrit la bouche, surpris.

— Fouetté ? Par le haut roi ?

Il ne savait pas quoi répondre ; manifestement il me prenait pour une folle.

— Bon. Je vois que tu ne l'as pas été. Mais le haut roi ne se met-il jamais en colère ?

— Je ne l'ai jamais vu en colère. Mais j'ai entendu dire qu'il n'aime pas perdre son temps.

Je souris.

— Qui aime ça ? D'où viens-tu, Bran, et depuis combien de temps es-tu au service du roi Arthur ?

— Je suis armoricain, ma dame. Je suis ici depuis cinq ans.

— Es-tu content de ton sort ? Ton pays ne te manque pas ?

Il se ressaisit.

— Je ne souhaiterais pour rien au monde être ailleurs qu'ici. Avec le temps, vous vous habituerez. Il se passe toujours beaucoup de choses. On voit des rois et des reines, des chevaliers qui viennent se mettre au service du roi, des chevaliers partant à l'aventure, des prêtres et des enchanteurs, souvent...

Il s'arrêta, me voyant détourner le regard.

— Et le vieux Merlin qui espionne dans chaque couloir, n'est-ce pas ?

Bran détourna le regard et baissa d'un ton.

— Que le haut roi ne vous entende jamais traiter Merlin de vieux. Merlin n'avouera jamais ce qui l'a rendu vieux. Mais le haut roi croit qu'il s'agit de poison.

Ce fut à mon tour d'être surprise.

— Assurément, tu vivras plus longtemps, Bran, si tu gardes ce genre de remarque pour toi.

— Je vous fais confiance, ma dame, répondit-il simplement, avec toute l'assurance du monde. Voudriez-vous un peu de vin cuit ? Nous le fabriquons d'après une recette unique.

— Non, merci, Bran. Je prendrai juste un verre d'eau.

— Je vais apporter la carafe d'eau, ma dame. Nous avons une source à Caer Camel, l'eau la plus douce de toute la Bretagne.

Il passa derrière la courtine puis soudain ressortit la tête.

— Je peux vous le dire, à présent, ma dame. J'étais venu mettre en ordre la chambre du roi, car nous avons reçu des nouvelles. Il est en route. Il sera ici après-demain.

11

La mariée

Je n'eus pas vraiment le temps d'être fébrile. Si nous avions pensé être occupées en faisant nos malles, ce ne fut rien en comparaison de ce qui nous attendait pour les défaire. Messire Keu nous prêta toute personne dont il put disposer. Il y eut de constantes allées et venues. Les serviteurs transportaient les meubles, tentures, coussins et divers objets de première nécessité dans les quartiers des femmes. Rapidement, la chambre d'Elaine devint la plus luxueuse, et les objets en trop, dont elle ne sut pas quoi faire, elle les mit dans mon antichambre. Ailsa s'installa dans la petite chambre en bas de mes escaliers.

Je laissai ma chambre à coucher telle que je l'avais trouvée, à l'exception de deux choses. J'accrochai la cage en osier avec le petit oiseau chanteur dans un coin près de la fenêtre, et je fis monter le banc décoré que j'avais déjà apporté avec moi des Norgales quand je m'étais installée à Gwynedd. Il avait appartenu à ma mère, qui avait recouvert les coussins avec un travail à l'aiguille de sa propre main. On pouvait voir la mer bleue, le cerf blanc des Norgales, le loup gris de Gwynedd et le Y Wyddfa enneigé en arrière-plan. Ce banc, je le plaçai sur la petite terrasse ; de la sorte, je pouvais m'y asseoir et contempler le coucher du soleil, comme je le faisais dans la tour du château de Pellinor.

Le château fut jeté dans une panique totale en recevant la

nouvelle de la venue d'Arthur. Les centaines de cadeaux et de présents du mariage furent rassemblés et présentés, avec ceux des gentes dames et des barons qui ne cessaient d'arriver et qui montaient leurs tentes et pavillons sur les champs aux alentours pour assister au mariage. La table ronde du roi Pellinor fut installée dans la grande salle des repas, seule pièce assez vaste pour la recevoir. Toutes les personnes qui envahissaient Caer Camel devaient être nourries : il y avait, dans les bois, des chasses organisées chaque jour pour apporter du gibier et, dans les rivières, on pêchait des poissons. Pour les chevaux, on devait trouver des écuries et s'en occuper. Keu pourvoyait à tout, et, même s'il était sur le point d'exploser, il ne perdit jamais son calme ni ne dit de choses déplaisantes à quiconque.

Lancelot passait son temps dans les écuries. Ma jument était sous sa responsabilité, puisqu'il était le maître des chevaux du roi Arthur. Aussi, il entraînait les troupes chaque jour, avec Beduyr. Je l'observai une ou deux fois depuis la fenêtre d'Elaine quand il montait Zéphyr. C'était un plaisir que de regarder les pas élégants qu'il faisait faire à ma jument. Elaine était sur un nuage, heureuse. Elle allait enfin voir le roi Arthur en chair et en os. Elle n'arrêtait pas de se pincer pour s'assurer qu'elle ne rêvait pas et elle n'arrivait pas à se décider sur le choix de la robe qu'elle porterait le jour de son arrivée.

J'étais assise sur les coussins de la chaise, en train de regarder par la fenêtre qui s'ouvrait vers l'est, vers les grands prés et au-delà sur la forêt. Les prés étaient recouverts d'une nouvelle flore : tentes et pavillons. Des dames et des seigneurs venus de tous les coins de l'île de Bretagne s'y promenaient. Je remerciai le ciel pour sa clémence : aucune pluie, et donc aucune boue, ne venait ternir ces jours. Mais les prés étaient tellement foulés que je me demandais si l'herbe voudrait bien y repousser.

— Gwen, tu n'écoutes pas, ça fait trois fois que je te demande si je dois porter du jaune ou du bleu.

— Ce qui te plaît le plus, chère Elaine.

— Et toi, qu'est-ce que tu vas porter ? Je ne voudrais que nous soyons habillées dans les mêmes couleurs.

— Je ne sais pas. Je n'y ai pas encore réfléchi.

— Mais tu devrais ! dit-elle dans un souffle. Il sera là demain.

Il me fut très difficile de me détacher de la fenêtre et de me concentrer sur les vêtements.

— Que va porter ta mère ?

— Du doré.

On aurait pu s'y attendre.

— Alors, porte du jaune, et moi je porterai du bleu. Je dois porter le saphir, ne l'oublie pas.

— Et il faut qu'Ailsa coiffe tes cheveux comme l'autre fois, avec les petites perles et les jacinthes : tu étais coiffée ainsi, la nuit où les chevaliers sont arrivés. C'était magnifique.

— Il n'y a plus aucune jacinthe. Nous sommes au mois de juin.

— Bon, alors des bleuets. Je me rappelle très bien avoir vu des fleurs bleues dans les champs alors que nous approchions de la porte royale. Demande donc à messire Keu.

Je soupirai et me tournai vers la foule compacte des carrioles et chariots qui encombraient la route de la vallée juste en dessous de moi.

— Pauvre messire Keu ! Je suppose que je pourrais le demander à messire Bran ?

— Qui est messire Bran ?

— Le jeune page du roi.

Elaine eut l'air surprise.

— Et comment se fait-il que tu l'aies rencontré ?

— Viens dormir avec moi dans la chambre et je te le dirai. Oh, Elaine, viendras-tu avec moi cette nuit ? Tu veux bien ? Pourquoi n'es-tu pas venue la nuit dernière ?

— Mère me l'interdit. Cela apporterait la malchance. La future mariée doit dormir seule jusqu'à... Après, quand vous serez mariés, je pourrai revenir.

— Mais après le mariage...

Je m'arrêtai, tremblante. La vérité était que je ne savais pas à quoi m'attendre après... Personne ne m'avait expliqué quel genre d'arrangement devait se conclure entre mari et femme. Et après, tout le monde pourrait changer d'attitude. Comment pourrais-je savoir ce qu'il fallait faire ?

— Enfin, je veux dire quand le roi ne sera pas là, bien entendu, reprit Elaine d'une voix fluette, toute rouge.

Mais c'était trop tard. Arthur était, à présent, au centre de notre conversation, et nous ne serions plus à l'aise l'une avec l'autre. Je laissai Elaine s'occuper des atours et me rendis dans ma chambre pour aider Ailsa à préparer mes vêtements.

Il arriva à la tombée du jour. Le bruit phénoménal de la cavalerie pouvait s'entendre à des lieues à la ronde. Je me précipitai dans la pièce d'Elaine et nous nous mîmes à la fenêtre. Lancelot avait disposé les hommes d'armes pour retenir la foule le long des rues à partir de la porte royale. Je le vis assis tranquillement sur Nestor, et Beduyr sur son grand roussin, alors que le soir laissait place à la nuit. Tous les hommes portaient des torches, et quand le roi arriva enfin, il passa sous un tunnel illuminé. Son blanc coursier s'arrêta juste sous les marches du château. Le roi descendit lentement de sa monture sur le perron alors que l'écuyer se précipitait pour prendre les rênes. Il était trop loin pour que nous puissions voir son visage, mais nous discernions ses mouvements. Il se dirigea vers Lancelot, qui descendit aussi de cheval puis s'agenouilla. Le roi, alors, plaça sa main sur son épaule, dit quelque chose, puis lui donna une accolade très chaleureuse.

— Il est aussi grand que messire Lancelot, chuchota Elaine à mon oreille. Mais il est plus large d'épaules !

— Allons, voyons, Elaine !

Il fit aussi bon accueil à messire Beduyr, puis monta les marches du château jusqu'à Keu, qui le salua devant la porte. Keu lui parla plus longuement et acquiesça à une question du roi. Puis Arthur lui baisa les joues et lui tapota le dos. Keu fit signe aux gardes afin qu'ils laissent la foule se déverser dans la haute cour. Ils se rassemblèrent au pied des marches.

Le roi s'adressa à la foule, mais nous ne pouvions entendre sa voix, car la fenêtre d'Elaine était fermée. Enfin, les gens poussèrent des hourras, après quoi le roi tourna les talons et entra dans le château. Lancelot jeta un coup d'œil dans notre direction avant de le suivre.

Elaine et moi, nous nous assîmes et poussâmes de profonds soupirs.

— Alors ? s'exclama Elaine, radieuse. Il est là, enfin ! Et c'est un véritable roi guerrier, c'est certain. Tu ne penses pas qu'il pourrait nous faire appeler pour une entrevue ? Car nous voilà tout habillées pour aller nous coucher.

— Je ne le crois pas. Il vient de revenir, après deux mois d'absence. Il doit avoir des tas de choses à faire.

Elle leva un sourcil.

— Je suis persuadée que la majeure partie de ces choses te concerne. Il est, probablement, en train d'essayer de faire parler Lancelot.

— Ne veux-tu pas venir avec moi, Elaine ? Juste un instant ?

— Oh, Gwen, j'aimerais juste jeter un coup d'œil dans sa chambre... Mais ma mère serait furieuse. Je n'ose pas. Tout ira bien. Reste un peu avec Ailsa et bois quelque chose de bien chaud.

Je suivis son conseil. Je m'assis avec Ailsa dans sa chambrette, parlant du passé et des Norgales, et elle fit apporter des boissons chaudes, bien épicées, qui devaient être remplies d'une potion pour dormir, car, rapidement, j'eus sommeil. Alors, ensemble, nous montâmes, elle me borda dans le vaste lit et je m'endormis instantanément.

Je me réveillai soudain en pleine nuit. J'entendais des voix. Je jetai un coup d'œil à la courtine et vis la douce lumière d'une lampe. Il était là. J'attrapai les draps et les tirai sur moi jusqu'au menton. Je retins mon souffle. J'écoutais. Je pus entendre ses pas lourds sur le plancher. Je l'entendis aussi s'entretenir avec quelqu'un, Varric ou bien Bran, mais je ne pus distinguer les paroles. Sa voix était chaude, avec une tonalité agréable et très profonde. Je perçus des réponses étouffées, puis les lumières disparurent et tout redevint silencieux. Je restai étendue sous mes draps pendant ce qui me sembla une éternité. Finalement, peu avant l'aube, je pus me rendormir.

Je m'éveillai avec le soleil dardant ses rayons par la porte entrouverte de la terrasse. Il était parti. Je me levai et revêtis ma robe, puis me dirigeai sur la pointe des pieds jusqu'à la courtine.

— Bran ? appelai-je doucement.

J'espérais que ce n'était pas Varric qui faisait retentir le tisonnier dans la cheminée.

— Ma dame ?

Il vint jusqu'à la courtine et la souleva. Il paraissait fatigué, mais, d'une manière indéfinissable, très satisfait. Son roi était revenu.

— Bran, étais-tu éveillé cette nuit ?

— Oui, ma dame. Je me suis occupé du sommeil du roi.

— Avez-vous parlé de...

Bran sourit.

— Oui, certes, ma dame. Bien sûr, il savait que vous étiez arrivée saine et sauve. Le seigneur Lancelot lui a fait un rapport en bonne et due forme. Mais, quand il a su que nous nous étions rencontrés... Je ne lui ai absolument rien dit sur vos larmes, simplement que notre rencontre avait été un pur hasard.

— Je te remercie, Bran. Je suis ta débitrice.

— Mais non, pas du tout, ma dame. Quand il a su que nous nous étions rencontrés, il m'a demandé si je vous aimais bien.

— Vraiment ? Ainsi, donc, il a une haute opinion de ton avis ?

— Je ne saurais le dire, ma dame. Mais il sait que nous sommes du même âge, c'est peut-être pour cela qu'il m'a questionné.

— Que lui as-tu répondu ?

Les yeux de Bran s'agrandirent d'étonnement.

— Je ne lui ai dit que la vérité, bien entendu. Je lui répondis que oui, je vous appréciais. Il me demanda pourquoi, et je lui répliquai que c'était parce que vous êtes une dame pure et spontanée. Cela parut lui faire plaisir.

Je sentis le rouge me monter aux joues. Bran parut soudain timide et baissa les yeux, mais je tendis la main et lui touchai le bras.

— Je te remercie, messire Bran. Tu m'as rendu, je crois, un grand service.

— Je lui ai dit la vérité, ma dame, comme tous ceux qui le connaissent.

Je revins dans ma chambre et le laissai à ses devoirs. Tout se passait bien, le haut roi s'intéressait à moi. Cela signifiait peut-être qu'il me traiterait comme une véritable personne. Je ne voulais pas entretenir trop d'espoir quand même, car si tel n'était pas le cas, je serais fort déçue. Et qui pourrait blâmer le haut roi de Bretagne de se préoccuper de choses plus importantes que les pensées et les sentiments d'une jeune fille ? Je me demandais ce que Lancelot lui avait dit. Est-ce que le roi avait pu savoir qui j'étais, en réalité, au travers de tous ces éloges ? J'appelai Ailsa pour qu'elle vienne me tenir compagnie et que je puisse penser à autre chose.

Notre audience était prévue pour midi. Les gens se pressèrent dans la haute cour toute la matinée, attendant l'ouverture du portail. J'étais assise à la fenêtre en compagnie d'Elaine, observant en bas, alors qu'Ailsa et Grannic brossaient nos cheveux. À nouveau, je pus constater que toutes sortes de personnes étaient rassemblées, des seigneurs et des dames en belles parures, des chevaliers et des demoiselles, des serviteurs, des paysans et des gueux en haillons. Tous étaient venus et on les laissait tous entrer.

Plus tard, un serviteur vint à notre porte avec un message annonçant que le haut roi était arrivé à la cour et attendait que nous le rejoignions. Le moment était venu. Elaine et Ailsa firent des retouches de dernière minute à ma coiffure et à ma robe. Je portais cette robe bleu ciel qu'Elaine avait cousue, le saphir du roi autour du cou, et les boucles d'oreilles offertes par Finn. Quelqu'un avait apporté des bleuets pour mes cheveux, et Ailsa me les tressa avec de petites perles pour encadrer mon visage, laissant de longues nattes dans mon dos. En été, le soleil décolorait mes cheveux en un blanc presque pur, comme les cheveux des enfants, à mon grand dam. Ma robe était en soie, et, bien que la journée fût plutôt chaude, je tremblais de froid et mes doigts étaient glacés.

Elaine m'attrapa le bras, tremblante.

— Oh, Gwen, fais attention à ce que tu vas dire ! L'honneur du pays de Galles est entre tes mains !

Comme si je pouvais l'oublier ! Avec ces mots résonnant dans ma tête, je fus menée jusqu'à la porte. Lancelot m'y attendait avec Pellinor et Beduyr. De ma vie, je n'avais jamais été aussi heureuse de les voir. Ils m'emmenèrent le long du couloir, où les gardes, impeccables à leur poste, présentèrent les armes et, du coin de l'œil, nous suivaient, observant attentivement. Nous arrivâmes devant les portes dorées de la chambre des festivités. Nous nous arrêtâmes. Lancelot me regarda. Ma main sur son bras tremblait visiblement.

— Courage, Gwen, murmura-t-il.

Il prit une profonde inspiration et tenta de me calmer. Ensuite, il fit signe aux gardes et les portes s'ouvrirent. Les conservations s'arrêtèrent et la foule se sépara en deux pour nous laisser passer. Le trône du haut roi se trouvait sur une estrade, tout au bout de la salle. Alors que nous approchions, je rassemblai mon courage et levai les yeux. Il était debout, me regardant : un visage agréable, des traits taillés droit, soulignés par des sourcils noirs, des yeux sombres et des lèvres fines. C'était un beau visage, un de ceux qu'on pouvait s'attendre à rencontrer chez un guerrier, le fils d'Uther. Ce qui me surprit, ce furent ses yeux d'un beau marron, brillant d'une joyeuse lumière qui semblait provenir de son for intérieur. Il se tenait là, décontracté, patient, pas du tout tendu ou nerveux, mais calme et assuré.

Je baissai les yeux et sentis le rouge affluer à mes joues. Je m'accrochai au bras de Lancelot comme à ma vie et luttai pour rassembler mes esprits. La procession s'arrêta devant l'estrade, le haut roi descendit quelques marches pour m'accueillir.

— Majesté, roi Arthur, disait la voix de Lancelot, lointaine, je suis heureux de vous présenter la plus brave, la plus sincère, la plus belle pucelle de toute la Bretagne, Guenièvre des Norgales.

J'accomplis à ses pieds, et plutôt mal, une profonde révérence. Il tendit sa main, tannée par le soleil, et m'aida à me relever. Il avait dû ressentir mon tremblement car sa voix fut très gentille.

— Ainsi donc, vous êtes la demoiselle qui a mis sens dessus dessous mon royaume. (Je levai le regard et vis qu'il souriait.) Depuis que j'ai quitté les pays du Nord, je n'ai entendu que des récits louangeurs sur votre grande beauté et votre inlassable générosité envers mon peuple. Je vous remercie, Guenièvre des Norgales, pour votre aide. Soyez la bienvenue.

Je voulais parler, mais je n'y arrivais pas. Il pressa doucement ma main et me fit monter à côté de lui. Il se tourna vers la reine Alyse et Elaine. Je n'entendis pas ce qu'il leur dit car la tête me tournait. Son contact était chaud, réconfortant, d'une certaine manière. Il m'apportait de la force et apaisait mon cœur. Je ne sais pourquoi, mais c'est toujours ainsi quand je suis en sa présence. C'est son cadeau.

Quand les présentations furent terminées, le roi Arthur m'offrit son bras et me mena jusqu'à la petite chaise dorée à côté de son trône. Il s'inclina devant ma main.

— Vous n'avez pas besoin de leur parler, dit-il doucement. Nous devons simplement accueillir les personnes présentes. Vous pouvez me laisser faire.

— Mon seigneur roi est bon, murmurai-je.

— Vous êtes jeune, fut sa seule réponse, puis il se redressa.

Il me fit soudain penser au prince Finn.

La réception dura des heures. D'abord, vinrent les nobles, les seigneurs et les dames, qui s'inclinèrent et louèrent le retour du haut roi puis me regardèrent de haut en bas en me souhaitant bonheur et prospérité. Suivirent les gens du peuple, ce qui prit plus de temps ; la plupart avaient du mal à parler mais voulaient quand même nous adresser quelques mots. Arthur fut d'une patience exemplaire. Il s'adressa à certains par leur nom, il connaissait leurs femmes et parents ; d'autres, il les voyait pour la première fois mais prenait le temps de leur poser quelques questions, sur l'importance de leur troupeau, sur les semailles ou la santé des anciens du village. Je fus assez attentive pour comprendre qu'on pouvait glaner des informations utiles dans toutes ces conversations et j'étais sûre qu'il était en train de rassembler des faits importants tout en restant aussi intéressé par les gens.

Finalement, les vœux s'achevèrent. Personne, cependant, ne faisait mine de partir. Alors, tous se mirent en file. Le travail sérieux du haut roi à la cour pouvait commencer. Mais, d'abord, Arthur se tourna vers moi avec un visage quelque peu soucieux.

— Êtes-vous fatiguée, Guenièvre ? Vous n'avez pas l'obligation de rester. C'est comme cela presque tous les jours. Vous pouvez partir quand bon vous semble.

Cette fois, je fus capable d'esquisser un sourire.

— Non, sire, je ne suis pas fatiguée. Bien que cela se déroule ainsi tous les jours, je ne l'ai encore jamais vu. Je serais heureuse de mieux comprendre le gouvernement du royaume.

Il m'observa un moment, son regard était très franc.

— Par Dieu, dit-il doucement. Lancelot avait raison. (Il me sourit et vit que je rougissais.) Vous êtes vraiment une femme unique.

Nous restâmes assis durant trois heures alors qu'Arthur dispensait la justice. Il écoutait attentivement tous les cas qui lui étaient soumis. Je trouvais que les questions qu'il posait étaient très pertinentes. Il était excellent pour remarquer les mensonges et je commençais à comprendre pourquoi les gens lui disaient la vérité. Ses décisions étaient justes, bien que, souvent, les deux parties ne fussent pas également satisfaites. Mais je n'entendis aucun murmure de réclamation. Après trois heures, quand tous eurent été reçus, Arthur paraissait aussi frais et dispos qu'au début. Finalement, il me fit signe que l'entrevue était terminée. Il se leva, tendit sa main et m'invita à me lever. Il sortit par une petite porte, derrière l'estrade.

Nous nous retrouvâmes dans une pièce. Lancelot s'y trouvait déjà, attendant sans bouger. Arthur étendit les bras et soupira. C'était le premier signe de fatigue que je constatais chez lui.

— On s'offre une petite séance d'entraînement, Lancelot ? C'est envisageable, crois-tu ?

— Un peu de pratique de l'épée dans la bibliothèque ? répondit Lancelot, les yeux brillants. Ou alors, de la lutte dans la porcherie ? Il paraît que les autres salles sont déjà toutes retenues.

Arthur renversa la tête et se mit à rire. C'était un rire profond, franc et joyeux et je ne pus m'empêcher de sourire.

— Que ne donnerais-je pas pour en avoir le droit ! s'écria le roi.

Puis il prit ma main et la porta à ses lèvres.

— Vous avez été un ange, ma Guenièvre. J'aurais aimé que nous puissions passer plus de temps ensemble. Dans combien de jours est le solstice ? Trois ? Peut-être pourrions-nous faire une promenade à cheval ensemble. Lancelot m'a dit que vous étiez une cavalière émérite. Mais je crains d'avoir trop de choses à faire, des gens à voir et d'autres qui vont encore venir. Je vous reverrai au dîner. (Il inclina la tête.) À bientôt, donc.

Je fis ma révérence.

— Sire...

Lancelot m'offrit son bras et je le pris.

Soudain, le roi s'arrêta à la porte, presque intimidé.

— Je ne souhaite pas être impoli ou vous dire comment faire certaines choses qui ne me concernent en rien, commença-t-il. (Je m'arrêtai, inquiète de ce qui allait suivre.) Je vous apprécie tout particulièrement en bleu.

Il sortit.

Je fus tellement soulagée que j'éclatai de rire. Lancelot resta silencieux. Il m'escorta jusqu'à mes appartements et se tint à côté de la porte, l'air sérieux.

— Vous voyez, dit-il.

J'acquiesçai.

Quand le roi monta dans sa chambre, j'étais toujours éveillée. Je remarquai la lumière sous le rideau, je perçus des voix, celle du roi, celles d'autres personnes aussi. Puis les lumières disparurent. Mais le roi ne se coucha pas. Il faisait les cent pas et j'écoutai, plutôt amusée, jusqu'à ce que je sombre dans le sommeil au son régulier de ses pas.

Nous n'eûmes effectivement pas le temps de nous promener à cheval. Deux jours furent à peine suffisants pour organiser l'événement auquel le royaume se préparait depuis si longtemps. Des centaines de personnes vinrent à Caer Camel pour camper sur les pentes hors des murs de la forteresse. Leurs feux de camp illuminaient les nuits étoilées, leurs danses et leurs jeux faisaient résonner les journées. Je fus emmenée pour être examinée par l'évêque Landrum, qui me questionna longuement et de très près. Je perçus ses yeux concupiscents et l'odeur d'ail émanant de sa bouche. Il me proclama digne de convoler en justes noces avec un roi chrétien.

— Je prie pour ne jamais devoir lui confesser mes péchés, avouai-je à Elaine quand je revins. Non, vraiment, je ne me confesserai pas à cet homme, je te le dis !

Elaine tenta de me calmer. Nous nous languissions de notre gentil père Martin. J'étais anxieuse et ne tenais plus en place, au grand amusement d'Alyse et des autres dames. Je ne pouvais pas me montrer à cause de la grande foule, je me contentais de me promener dans mes jardins ; le château grouillait d'étrangers. Ainsi, je faisais les cent pas, à l'instar d'Arthur dans sa chambre, la nuit, alors que le temps passait.

Celui qui avait conçu les jardins était un homme de goût. Il y avait des poiriers contre les murs où le soleil pouvait les réchauffer, de la vigne grimpante multicolore qui fleurissait. Des rosiers étaient plantés le long du chemin, des fleurs des champs et des herbes médicinales poussaient le long des murs. C'était un lieu reposant où on me laissait en paix, et sans le connaître je bénissais ce jardinier. Il n'y manquait qu'une fontaine pour que des oiseaux boivent et s'y baignent. Alors que je marchais, Elaine m'entretenait d'un flot continu de paroles.

— Il a des mains fortes mais fines et agiles à la fois. As-tu remarqué comme il tient sa tête quand il écoute ? Sa concentration est prodigieuse. Il écoute avec toutes les fibres de son corps. Pas étonnant que des hommes ayant le double de son âge tremblent devant lui ! Je parie qu'il peut convaincre n'importe qui. Et il est tellement beau ! Son visage devrait être gravé sur les pièces de monnaie. Quelle joie aurais-je à le voir manier son épée ! Face à des épaules comme les siennes, qui osera s'opposer à lui ? Je n'ai jamais rencontré un homme ayant une telle prestance, un tel charisme. Son pas est deux fois plus grand que celui de Lancelot...

— Mon Dieu, Elaine ! m'écriai-je. N'as-tu donc regardé personne d'autre que le roi ?

— Ne t'inquiète pas ! répondit-elle doucement. J'ai été très discrète. Personne me m'a remarquée. Toi aussi, tu serais capable de décrire entièrement Lancelot.

— Je le pourrais mais je ne le ferai pas.

— Bien, dit-elle avec un mouvement de défi. Tu avais tort en supposant qu'il ne correspondrait pas à ce que je m'imaginais. Il est tout ce qu'un roi doit être et même plus encore. Il a de très jolies mains.

— Oh, Elaine !

Elle s'approcha de moi et m'attrapa le bras jusqu'à ce que j'aie mal.

— Gwen, dit-elle d'une voix basse et féroce, fais attention.

Tu n'as jamais connu un homme tel que lui. C'est un homme aux grands pouvoirs.

— Oui, je le sais, il est le haut...

— Je ne parle pas de sa position, dit-elle, se rapprochant de mon visage. Je parle de l'homme. Il possède un pouvoir dont tu n'as pas idée. Fais bien attention à lui obéir.

Je sentis monter le rouge à mes joues alors que je tremblais sous la pression de ses mains. Je n'osais pas lui demander ce qu'elle entendait par là.

Nous prenions les repas dans nos appartements, excepté le dîner, qui était une occasion d'être vus par tous. Le haut roi était entouré par ses chevaliers. J'étais assise entre Pellinor et Alyse, à sa droite. On portait des toasts à ma santé chaque soir, et j'entendais de nombreux discours en mon honneur. Seul Lancelot ne parlait jamais. Chaque fois que je le voyais, il me paraissait plus pâle. Une fois ou deux, je pus constater qu'Arthur le regardait d'un air troublé et compatissant, et des frissons me parcoururent l'échine. Je revenais de cette épreuve épuisée, car il faisait terriblement chaud dans la salle, avec toute cette foule et les torches. Le sommeil venait difficilement et Ailsa me préparait des mixtures.

Chaque nuit, je m'endormais au bruit des pas réguliers d'Arthur marchant dans sa chambre. Mais, la nuit d'avant le mariage, je restai toute la nuit par terre, la tête dans les mains, en pleurs. Ailsa me caressa les cheveux et me chanta des chansons comme quand j'étais toute petite.

Le jour des noces se leva, froid et nuageux, avec un vent changeant. Je m'agenouillai devant mon lit et priai Dieu de me donner force et courage. J'avais émergé très tôt de ma prostration ; Arthur était déjà debout. Ailsa m'apporta une boisson chaude et nous nous assîmes sur la terrasse en regardant les brumes matinales se disperser entre les lointaines collines.

— Le temps va s'améliorer, m'annonça-t-elle. Soyez toujours détendue durant la cérémonie. N'ayez aucune crainte. Ce sera un jour inoubliable.

À midi, dans l'église, nous fûmes mariés devant Dieu par l'évêque. Le roi Pellinor me mena à l'autel ; en tant que tuteur, il lui revenait de me donner en mariage. Je ne me souviens que très vaguement des préparatifs. Ma robe était blanche, bordée de dentelles. Arthur était lui aussi tout de blanc vêtu. Il portait un fin cercle d'or rouge autour de la tête. Son épée magique pendait dans son fourreau, à une ceinture incrustée de pierres précieuses. Je me rappelle la première fois que je vis l'épée, alors que le roi Pellinor me conduisait vers l'aile du château où il était logé. Le fourreau était vieux, en cuir huilé, tout simple. Mais le pommeau scintillait à la lueur des chandelles, alors que l'émeraude sombre étincelait. C'était une arme froide et dangereuse, la tueuse de Saxons ; elle pendait sur ses hanches comme si elle avait toujours fait partie de lui. Sa royauté l'enveloppait comme un manteau illuminé et il la portait admirablement.

Arthur me prit la main et je m'agenouillai, en vénération devant lui.

— Mon seigneur Arthur ! murmurai-je.

Nous étions mariés. La brume se leva alors que je quittais l'église à son bras, le soleil perça les nuages et la foule rassemblée cria de joie.

J'étais assise à son côté car c'était désormais ma place, pour le petit déjeuner des noces, alors qu'Elaine était en train de pleurer entre ses parents. Lancelot, droit et pâle, était assis à la droite du roi. Il ne me regarda pas une seule fois. Toutes les personnes, riches comme pauvres, qui entraient dans la salle des fêtes recevaient une place à une table, et on leur apportait la même nourriture qu'au roi. Je remarquai qu'alors qu'on servait du vin à tous, nous, Arthur et moi, ne buvions que de l'eau. La salle était pleine des bruits et cris de centaines de personnes, et, sur quelques tables, les gens chantaient, et dansaient même.

Le haut roi allait de table en table, remerciant tout le monde d'être venu, échangeant quelques plaisanteries ou remerciant une connaissance. Il ne semblait jamais lassé de ce manège. Arthur paraissait très amical et facilement approchable. Je le fis remarquer à Beduyr, qui était assis à côté de moi.

— Il aime son peuple, répondit simplement Beduyr.

Et celui-ci le lui rendait bien, c'était évident. Lancelot, morose, ne leva pas le nez de son assiette alors que je continuais à bavarder avec Beduyr pour me détendre après la cérémonie.

— Mais où est Merlin ? J'aurais pensé qu'il serait venu pour voir son haut roi se marier.

Beduyr me sourit et secoua la tête.

— Merlin n'aime pas les mariages et il se fait vieux. Il a envoyé un message pour s'excuser. Il aurait une fluxion de poitrine. Il sera ici dans quelques jours, cependant, car le haut roi a convoqué un Conseil. Et Merlin est son principal conseiller.

C'était une bonne et une mauvaise nouvelle, tout à la fois. J'étais très contente que le vieux magicien ne soit pas venu, et anxieuse, sachant qu'il n'allait pas tarder à le faire. Tôt ou tard, je le savais, je devrais le rencontrer.

Le roi Arthur revint à sa place, embrassa d'un regard l'ensemble de la salle, puis leva son verre en mon honneur. Tous burent et poussèrent des hourras. Puis, à ma grande surprise, je me levai à mon tour pour demander de porter un toast en l'honneur du roi Arthur, qui avait apporté tant de gloire et d'honneur aux Norgales et au pays de Galles en choisissant une Galloise comme épouse. Tout le monde se mit à crier « Norgales ! » et « Pendragon ! ». Ils faisaient tinter leurs gobelets contre les tables et frappaient le sol du pied.

Arthur ne dit rien, mais baisa juste ma main, à la grande joie de l'assistance.

Nous sommes revenus à l'église en grande pompe, cette fois pour mon couronnement. Arthur prit lui-même le petit cercle d'argent incrusté d'améthystes et le posa sur ma tête alors que l'évêque me bénissait.

— Il a appartenu à ma mère, dit-il doucement. Puissiez-vous, comme elle, rester en bonne santé et avoir une longue vie.

Porter la couronne de la reine Ygerne était quelque chose de magnifique et de terrifiant à la fois. On me mena à une esplanade avec des loges, à l'orée du bois. Y flottaient gaiement, dans la brise, oriflammes, gonfanons et étendards. Des tribunes avaient été construites pour que les invités assistent à des joutes et à des tournois entre chevaliers, lutteurs et jongleurs. On passa un merveilleux après-midi à regarder des joutes, des courses à pied, des courses de chevaux. On put même admirer des lanceurs de javelots. Des attelages de chevaux tiraient des troncs d'arbres sur la plus longue distance possible. Malheureusement, et tout en le cherchant des yeux, je ne vis Lancelot nulle part.

Enfin, alors que les ombres s'allongeaient en ce début de soirée de juin, je vis sortir la tête de Nestor de la foule et j'entendis les hennissements de l'étalon. Lancelot se présenta alors, seul, sur les lices.

Il rassembla Nestor pour le préparer à l'exercice et commença un petit trot allongé en faisant des cercles. Dans un mouvement fluide, ils changèrent de sens, tout en continuant à tourner en rond. Puis ils exécutèrent une ligne droite en changeant de pied tous les quatre pas. Ils le firent ensuite tous les trois pas, puis tous les deux pas et enfin à chaque pas. On aurait dit qu'ils dansaient ! Je retins mon souffle, enthousiaste. Quelle prouesse ! Quelle dextérité ! Puis Lancelot partit au galop se mettre au bout de l'esplanade, éperonna son cheval et prit de la vitesse, jusqu'au grand galop. Il arrêta Nestor d'un coup sec ; le cheval s'assit, projetant des mottes de terre partout. Nestor leva ses jambes arrière, puis celles de devant. Lancelot le fit marcher au pas, de côté, la tête penchée contre sa jambe, d'un côté, puis de l'autre. C'était extraordinaire ! Comme j'aurais voulu, à ce moment, monter Zéphyr pour lui apprendre toutes ces choses !

— Je constate que vous êtes une cavalière dans l'âme ! me murmura, souriant, Arthur à l'oreille.

— Oui, sire, répondis-je dans un souffle, incapable de détacher mes yeux du spectacle.

Puis l'étalon se mit sur ses postérieurs, leva les antérieurs bien haut et sautilla en avant. Il retomba et fit quelques pas. Soudain, il bondit en projetant ses jambes comme s'il s'était agi d'un daim en pleine course ; toute la foule retint son souffle. Ils le firent trois fois. Tout ce temps, Lancelot resta bien en selle, décontracté, jamais déséquilibré, ne bougeant qu'à peine les jambes. C'était proprement magique. Je me joignis au tonnerre d'applaudissements qui se déchaîna quand Lancelot et sa monture vinrent s'immobiliser face du roi. Nestor balançait sa fière tête de droite à gauche. Lancelot leva son épée et salua en touchant son front de la pointe de l'épée.

Arthur était ému. Il se pencha sur la rambarde de l'estrade

et dit quelques mots à Lancelot. À cause des cris de la foule, je ne pus entendre. Lancelot, blême, lui demanda quelque chose. Le roi réfléchit un moment puis acquiesça. Lancelot salua à nouveau la foule, remit son épée dans le fourreau et s'éclipsa rapidement sur sa monture.

Les festivités étant terminées, nous revînmes tous au château. La nuit tombait. Un festin nous attendait. Cette fois, on nous servit un vin qui n'était pas coupé d'eau et tout le monde — sauf moi, cependant — se mit à boire à grandes gorgées, y compris le roi. Lancelot n'apparut pas au dîner. Quand Beduyr s'enquit à son sujet, le roi expliqua posément qu'il avait demandé qu'on l'excusât ; après sa démonstration magistrale, on ne pouvait pas le lui refuser.

— Il est malade ? demanda Keu, qui avait écouté. Il avait l'air en pleine forme ce matin. Qu'est-ce qui l'a rendu malade ?

Arthur se tourna lentement vers le seigneur Keu. Ses yeux étaient sombres et tristes, mais sa voix fut cassante.

— C'est quelque chose dont il souffre depuis plusieurs semaines. Mais il sera en forme demain matin.

Keu parut perplexe et haussa les épaules. Beduyr ne s'intéressa plus à la conversation. Le roi ne pouvait vouloir dire ce que je semblais comprendre, de cela j'étais sûre, mais j'étais néanmoins un peu inquiète. Tout à coup, il vida sa coupe d'un seul trait et fit un signe. Il était temps d'appeler les bardes.

Cette nuit-là, quatre bardes chantèrent pour nous. Ils étaient arrivés des quatre coins de la Bretagne. L'un d'eux était un Gallois à la voix de ténor. On eut droit à tous les récits favoris du roi, surtout celui sur les aventures du haut roi et du mage Merlin. On avait composé de nouveaux lais et ballades pour l'occasion. L'un des bardes était accompagné par une harpe et un flûtiau. J'appréciai la musique, et après que le dernier barde nous eut conté son lai, on leur servit du vin bien mérité. Je me retournai vers Arthur pour le féliciter de son choix.

Il était en train de m'observer attentivement, avec cette expression étrange qu'il avait quand il jaugeait ses interlocuteurs. C'était un moment décisif, je le sentis immédiatement.

Il avait un teint rougeaud, à cause du vin, ses yeux étaient brillants et perçants comme des épées, et puissants comme l'airain. Je dus faire appel à toutes mes forces et à tout mon courage pour soutenir ce regard. On ne lisait aucune douceur sur son visage. Je sus soudain que rien ne lui échappait. Il pouvait juger un homme d'un simple coup d'œil, et bien peu de personnes auraient pu lui cacher un secret. Il se demandait, en cet instant, quelle sorte de femme il venait d'épouser. Je sentis alors que son esprit se penchait pour tenter de m'atteindre. Je ressentis chez lui une grande détresse intérieure. Je mis ma main sur la sienne, posée sur ses genoux.

— Doux seigneur ? fis-je.

— Êtes-vous mienne ? demanda-t-il en latin, si bas que je fus la seule à pouvoir l'entendre.

Ma gorge me faisait mal et je dus retenir mes larmes. Je tenais sa main et, de cette main, je tirai ma force.

— Seigneur, je suis à vous.

Il hocha la tête en signe d'approbation et, lentement, mit ma main contre sa joue et la laissa ainsi reposer contre son visage. Finalement, il me laissa me retourner. Relâchée, je me sentis vidée ; mes forces m'avaient quittée. Ma main tremblait. Je pris une coupe d'eau.

— Ma très chère Guenièvre, murmura Beduyr en se penchant vers moi, je vous bénis.

Je secouai la tête, mais je ne pouvais parler. Il ne m'était pas possible de dire tout l'émoi intérieur que je ressentais. Le pouvoir de cet homme était réel et imposant. Elaine l'avait compris avant moi.

Les bardes et les jongleurs circulaient autour de nous, il se faisait tard. Alyse n'arrêtait pas de m'observer, attendant quelque chose, un signal. Les chansons devinrent de plus en plus paillardes et nombre d'hommes, souvent saouls, commencèrent à raconter de petites histoires ou à chanter des airs gaillards qui concernaient certaines prouesses du haut roi, et pas celles du champ de bataille. Le regard d'Alyse se fit de plus en plus pressant, mais elle ne disait pas ce que je devais faire. Finalement, je me retournai vers Arthur, qui riait. Il avait retrouvé sa bonne humeur. Il me regarda tendrement.

— Oui, il est temps, je crois, que vous nous quittiez. Les choses ne vont pas aller en s'améliorant et je constate que dame Alyse est déjà très embarrassée. Partez et emmenez avec vous les dames si vous le souhaitez. Nous allons rester ici un long moment encore. (Puis, alors que je me levais, il m'attrapa la main et en baisa la paume.) Mais je viendrai à vous, avant la minuit.

Je m'enfuis littéralement dans mes appartements.

Elaine referma la porte derrière moi et tomba toute tremblante dans les bras d'Ailsa, légèrement saoule, qui se moquait de mon désarroi.

Mais Elaine me comprenait bien.

— Oh, Gwen, chère Gwen, n'y va pas ! Je ne peux le supporter !

J'avais peur. Je la serrai fort dans mes bras. Trop de choses se bousculaient dans mon esprit. Dans ma tête, j'entendais constamment la même rengaine : « Il sait. » Pourtant, quand il m'avait posé la question que je craignais le plus, je lui avais dit la vérité. Elle était sortie de moi, involontairement, mais c'était la stricte vérité. Je ne savais même pas que c'était la vérité jusqu'à ce que je la lui dise. Quelle sorte d'homme était-il donc ?

Ailsa me proposa de l'hydromel, mais je refusai.

— Vous allez avoir besoin de quelque chose pour calmer vos nerfs, ma chérie, ajouta-t-elle. Demoiselle Elaine, allez, je vous prie, voir s'il ne reste pas un peu de liqueur chez la reine.

Mais Alyse était déjà là avec la liqueur. Elle me sourit gentiment.

— Dame Guenièvre est la reine, à présent, Ailsa.

Et elle me salua.

— Oh, tante Alyse ! m'écriai-je, utilisant un terme que je n'avais pas prononcé depuis ma petite enfance. J'ai si peur !

— Bien sûr, et c'est normal, dit-elle calmement en me tendant un verre. Toutes les jeunes filles sont effrayées. J'étais terrifiée par Pellinor. Mais c'est passé, maintenant.

— J'aimerais admirer la couronne, interrompit Elaine, impatiente.

Je la laissai la prendre.

— Il m'a dit qu'elle avait appartenu à la reine Ygerne.

Alyse nous le confirma. Elle avait vu la reine Ygerne la porter. Cela l'amena aux récits des exploits du roi Uther et de la reine Ygerne. Elaine et moi la fîmes parler durant un long moment. Mais cela ne pouvait durer éternellement. Alyse jeta soudain un coup d'œil par la fenêtre et vit que la lune était haute dans le ciel étoilé. Elle s'écria, inquiète :

— Par Dieu, quelle folie m'a possédée, en cette nuit si particulière entre toutes ! Venez, Gwen. Vous devez vous préparer. Vous devez être prête quand il viendra.

Elles me mirent les vêtements qu'Elaine avait cousus pour moi. Le petit corselet m'allait maintenant à la perfection. Mais ni elle ni moi ne pouvions le regarder de près. Ailsa m'enleva la robe bleue par-dessus les épaules, et nous montâmes ensemble jusqu'à ma chambre. Le rideau avait été tiré de côté et attaché. Toutes les lampes avaient été allumées dans ma chambre et celle du roi. Nous étions seules, et Alyse eut un soupir de soulagement.

— Je ferai pénitence demain, annonça-elle avec ferveur.

Je m'assis sur mon lit, les regardant toutes, tour à tour, d'un air malheureux.

— Non, non, s'écria Alyse en souriant, pas ici, Guenièvre. Là-bas, voyons.

Elle me montra la chambre du roi.

Je pâlis et grinçai des dents pour éviter que ma gorge n'émette un cri strident.

— Que dois-je faire ?

Alyse s'approcha de moi et prit ma main dans les siennes.

— Il suffit, simplement, de vous glisser dans son lit. Il pensera vous y trouver. Vous n'avez qu'à entrer et refermer la courtine. Aucun page ne montera cette nuit. Une fois que la mariée est dans la chambre, seul le marié peut y pénétrer. Ne tremblez pas autant, mon enfant. Notre roi me semble être un homme très gentil. Il ne va pas tarder. On est près de la minuit à présent.

Elle m'embrassa tendrement, comme une mère ; je m'accrochai à elle. Elle me prit dans ses bras une dernière fois, puis mena ses dames de compagnie en bas de l'escalier.

Elaine tentait de retenir ses larmes. Elle me prit dans ses bras.

— Sois obéissante et fais-lui plaisir, murmura-t-elle.

Souviens-toi simplement que j'aurais donné la moitié de ma vie pour être à ta place !

Se mordant la lèvre supérieure, elle se retourna et se précipita en bas des escaliers. Ailsa attendit jusqu'à ce que j'entre dans la chambre du roi, puis elle tira la courtine. Ensuite elle quitta mon appartement.

12

Le roi

E ME TENAIS tremblante au centre de la pièce. Il faisait chaud. Un petit feu de charbon de bois brûlait dans l'âtre. Le vent soufflait par la fenêtre, empli des senteurs de la nuit. Sur l'un des côtés du lit, une gourde de cuir remplie de vin pendait au-dessus d'un petit brasero ; sur une table basse étaient posés deux gobelets d'argent. L'un était incrusté d'améthystes, l'autre tout simple. Je m'approchai doucement du lit et m'assis sur les peaux d'ours. Elles étaient douces et me chatouillaient un peu les pieds. Je me tournai pour regarder le dragon au-dessus du lit et me pinçai le bras. Le dragon était toujours là, donc je ne rêvais pas. J'enlevai ma robe, la pliai bien comme il faut, puis la posai sur le coffre dans le coin de la pièce. Les battements de mon cœur étaient le seul bruit que je percevais. Je soulevai précautionneusement les peaux. Les serviteurs avaient fait le lit avec les draps irlandais que nous avions apportés. Je les caressai. Ils étaient pareils à du satin. Retenant mon souffle, je me glissai sous les draps et tirai les peaux jusqu'à mon menton.

Il ne se passait rien. Un courant d'air fit vaciller la flamme de la lampe, puis tout redevint calme. Je tentai de me concentrer et fermai les yeux, mais c'était inutile. Aucun son ne me parvenait de l'extérieur, je ne pouvais rien entendre des festivités qui se déroulaient dans les salles, en bas. Je savais qu'ils pousseraient de grands cris quand le roi se préparerait à monter, mais je n'entendis rien.

Durant un temps qui me parut une éternité, je restai immobile sous les draps. J'entendis le roi arriver. Il y eut des rires en bas des escaliers et des voix lui souhaitèrent une bonne chasse. Puis je perçus deux voix seulement, la sienne et celle de Varric. J'entendis le bruit de l'eau, la voix profonde du haut roi qui posait une question et la voix plus faible de Varric lui donnant une réponse. Ensuite, le silence.

Soudain il fut là, au pied du lit. Il portait la robe de chambre que je lui avais offerte. Contre sa peau tannée, elle brillait comme de l'argent poli. Il vint de mon côté et s'assit sur le lit, si près déjà. Je me n'étais pas rendu compte que je m'agrippais fermement aux peaux, jusqu'à ce que, très délicatement, il déplie mes doigts, un par un. Il s'était lavé le visage et les cheveux, il s'était rasé aussi. Il me faisait penser à un petit garçon tout propre.

— Guenièvre, asseyez-vous.

Obéissante, je me levai à moitié et m'appuyai contre le dosseret. Il prit la gourde de vin, en versa un peu dans la coupe incrustée de pierreries et me la tendit.

Je sentis des senteurs lourdes, des épices très sucrées que je ne connaissais pas.

— Buvez, dit-il. C'est un vin cuit. Nous avons ici une recette qui nous vient tout droit d'Orient. Cette odeur merveilleuse, c'est de la cannelle, mais il y a aussi des clous de girofle. Ce n'est pas très fort.

Une ombre de sourire passa sur ses lèvres.

— Je crois que vous avez besoin de vous détendre un peu.

Je lui obéis et bus. C'était très bon, sucré, parfumé et assez réconfortant. Lentement, mes articulations se détendirent.

— Je ne sais pas comment on prépare les jeunes pucelles pour leur nuit de noces, dit-il en m'observant, mais vous n'avez rien à craindre de moi. Je ne veux pas vous faire peur, Gwen. Je sais que vous êtes brave, mais il n'y aura pas besoin d'être courageuse.

Il versa un peu de vin dans la coupe toute simple et la porta à ses lèvres, but, la reposa. Il tendit la main, prit une de mes nattes et la passa entre ses doigts, la contemplant pendant que mes cheveux dorés glissaient le long de sa paume calleuse.

— Des cheveux comme le soleil, m'a dit Beduyr. Beduyr est un poète, tu sais ? C'est aussi un musicien très doué. Il a le sens des mots... des cheveux comme le soleil... C'est vrai, je n'ai jamais vu des cheveux si ensoleillés, ni des yeux bleus aussi sombres.

Je bus à nouveau un peu de vin tout en le regardant. Il n'était pas saoul. Il n'était pas pressé. On aurait cru que le temps ne comptait pas pour lui. Il savait être patient.

— Vous... vous aimez votre robe de chambre, sire ?

— Oui, elle est très belle. C'est la tenue la plus confortable que j'aie jamais portée. On m'a dit que c'était ton cadeau. Tu l'as dessinée ?

— Mon seigneur, je l'ai cousue !

Arthur parut surpris.

— Toi ? Et l'emblème, là, aussi ? C'est toi qui l'as cousu ? Le travail à l'aiguille est très bien fait, Guenièvre. Alors, ce présent m'est doublement précieux. J'aime beaucoup la manière dont tu as dessiné le dragon. Je pensais même que ce serait bien si on le recopiait sur la bannière, dans la chambre du Conseil que je suis en train de faire construire. Cela te ferait plaisir ?

— Oui, sire.

— Guenièvre, dit-il, se rapprochant un peu plus, je m'appelle Arthur.

— Oui, messire Arthur, répondis-je dans un murmure.

Je n'avais pas l'intention de reculer quand il se pencha vers moi, mais je ne pus m'en empêcher. Il se rassit, m'observant. Je m'attendais à ce qu'il soit fâché, mais il ne l'était pas.

— Il existe d'autres moyens, tu sais, dit-il tout en me regardant fixement. On n'est pas obligés, cette nuit. Je ne veux surtout pas te forcer. J'attendrai ton bon vouloir.

Je le regardai, les yeux écarquillés.

— Mais... mais... comment faire... Il faut des preuves...

Quelque chose passa rapidement dans ses yeux noirs.

— Il existe aussi des moyens détournés pour cela. Je connais quelques trucs.

D'un geste si rapide que je pus à peine m'en rendre compte, il brandit une dague qu'il venait de sortir de je ne sais où. Il se coupa le petit doigt et pressa trois gouttes de sang sur les draps.

— Voilà, dit-il, suçant son doigt. Tu vois comme c'est facile.

Je me levai soudain du lit et me tins à son côté.

— Non ! m'écriai-je. Ce serait honteux ! Ce que vous suggérez est déshonorant pour le pays de Galles et toute la Bretagne !

Arthur se leva lentement. Il y avait une expression de tendresse sur sa figure. Il prit mon visage dans ses mains et m'embrassa.

— Tu passes toutes les épreuves avec bonheur, dit-il doucement, et pourtant tu as toujours peur de moi. Je ne vais pas te faire de mal, Guenièvre. Crois-moi enfin. Je pense ce que je dis. Je ne vais pas te prendre, là, contre ta volonté. Ce serait très mal. Ce sera à toi de me dire quand tu le veux.

— Moi ? répondis-je tremblante. Mais je ne sais pas comment.

— Quand tu seras prête, cela te viendra. En attendant... (Il se recula et me sourit.) Tu as pu visiter le château depuis que tu es arrivée ici ?

Je crois que je fus atterrée par cette question.

— Juste les appartements des femmes.

— C'est ce que je pensais. Allez, mets tes chaussons. Je vais te montrer quelque chose.

— Quoi ? Où allons-nous ?

Mais il était déjà près des marches. Il siffla.

— Varric ! Va chercher Keu ! Envoie-le-moi ici. Et vite !

Il prit ma robe sur le coffre, palpa le tissu.

— Très doux. Tu ne vas pas avoir froid ?

— On va avoir froid là où on va ?

Il rit.

— Non. Tu auras suffisamment chaud.

Il me tint la robe pendant que je l'enfilais par-dessus ma chemise de nuit, il souleva mes longs cheveux et les tint entre ses mains, puis les laissa retomber. Alors qu'il s'apprêtait à dire quelque chose, nous entendîmes un bruit de pas dans l'escalier et la voix chancelante de messire Keu.

— Sire ! Mon seigneur Arthur ! Qu'est-ce qui se passe ?

Keu se précipita dans la pièce. Il s'arrêta net en nous observant, inquiet.

— Je veux que tu dégages le chemin jusqu'à la tour nord-ouest. Sentinelles au minimum. Pas de lumière. Pas de mot de passe. Garde doublée à la porte d'entrée.

Les yeux de Keu s'écarquillèrent.

— Maintenant, sire ?

Arthur eut un large sourire.

— Oui. Maintenant, Keu. Et pas de questions.

Keu tourna les talons et s'éclipsa.

— On lui laisse cinq bonnes minutes. C'est un homme très capable.

— Qu'est-ce qu'il y a dans la tour nord-ouest ?

— Une vue magnifique. Et de l'air frais. Cela nous fera beaucoup de bien.

Il prit ma main, tira la torche de l'applique du mur et nous nous propulsâmes à travers les corridors du château comme un couple d'enfants en quête d'aventures. La joie d'Arthur était contagieuse et je trouvais notre petite escapade très agréable. Comme tout le monde dans le château dormait, il insista pour que nous marchions, main dans la main, doucement, dans le noir, pour ne pas faire de bruit. Keu avait fait éteindre les torches dans le hall, les sentinelles se mirent au garde-à-vous, le regard fixe, muets. Finalement, nous atteignîmes les portes de la tour. Deux soldats en faction s'y tenaient. Arthur monta la torche pour leur montrer son visage et ils se poussèrent, détournant les yeux. Aucun mot ne fut prononcé. À l'intérieur de l'escalier en colimaçon, il me mena avec précaution. Je commençai à pouffer de rire, Arthur me serra la main plus fort.

— J'ai l'impression que nous sommes en train de voler quelque chose, murmurai-je.

— Mais c'est ce que nous faisons, me répondit-il dans un murmure. Nous volons un peu d'intimité.

Cela montait, montait. Nous nous arrêtâmes, juste une fois ou deux, pour que je reprenne mon souffle. Arthur, lui, n'était pas le moins du monde essoufflé. Nous arrivâmes enfin à une porte non gardée. Arthur la poussa pour l'ouvrir. Immédiatement, je sentis l'air salé et la légère brise marine dans mes cheveux.

— Arthur ! m'écriai-je. La mer !

Le nord-ouest du Caer Camel est le point le plus haut. Des bretèches, la vue était fabuleuse ; on voyait à des lieues à la ronde. La pleine lune était basse sur l'horizon à l'ouest et le lointain Ynys Witrin paraissait si proche qu'on aurait pu le toucher.

Je montai dans la bretèche, avec le vent sur mon visage. Arthur se tenait à mon côté, ses mains sur le bord de l'ouverture qui pointait vers l'ouest.

— Par une nuit claire, quand la lune est à l'ouest, on peut entr'apercevoir la mer, dit-il. Regarde bien, tu verras un miroitement argenté. C'est la mer.

— C'est vrai ? Oh, c'est merveilleux ! Tu es sûr que ce n'est pas le lac d'Avalon ?

— J'en suis sûr. J'ai vérifié.

Le vent souffla plus fort, comme une brise marine, ça sentait le sel, les marais et le foin fraîchement coupé. Je respirai à grosses bouffées, et me crus à la maison.

— Tu as déjà vogué sur la mer ? demanda-t-il.

— Non. Jamais. Mais je me suis souvent demandé comment ce serait, d'être sur un navire, au milieu de la mer, hors de vue du rivage.

Arthur rit doucement.

— C'est le paradis. J'en ai souvent rêvé. (Il resta silencieux un moment.) J'ai été sur la mer trois ou quatre fois depuis que je suis roi. Mais mon meilleur souvenir, ça a été la première fois, quand j'avais six ans. Je crois que c'est Hector qui m'a emmené. On me laissa avec les marins pendant qu'Hector avait le mal de mer. Je goûtai une liberté merveilleuse ! Être seul, sans surveillance ! Je me souviens de ce moment où je me tins, seul, à la proue, observant la mer immense. Le bateau bougeait de haut en bas.

— Ça doit être difficile d'avoir des moments à soi quand on est roi.

Il eut un petit rire amer.

— C'est impossible. (Il observa tristement la mer lointaine.) Je ne suis jamais seul, sauf quand je dors. (Il se tourna d'un coup vers moi.) Je te demande pardon, Guenièvre. Je ne voulais pas...

— Inutile, sire. Je sais ce que vous voulez dire. C'est pour cela que j'aime tant monter à cheval. Quand je suis sur un cheval avec mes seules pensées, je suis libre.

Il acquiesça.

— Alors tu me comprends. Il y a des gens, je crois, qui n'aiment rien de tel que d'être avec les autres. Mais moi, parfois, il me semble que je pourrais donner mon royaume pour une heure de solitude !

Il parlait violemment tout en portant son regard vers la mer.

— Vous étiez constamment sous la surveillance de quelqu'un, même quand vous étiez enfant ? demandai-je pour tenter de diriger ses pensées. Est-ce que quelqu'un savait, à Galava, qui vous étiez ?

Il me jeta un bref coup d'œil puis sourit.

— Tu veux savoir si je connaissais ou non les origines de ma naissance ? La réponse est non. Personne à Galava ne savait, sauf Hector. Il faisait très, très attention : il surveillait son fils, Keu, tout autant que moi, et personne ne se doutait de rien.

— Quand vous étiez un petit garçon, vous n'avez jamais songé à devenir roi ? Je pense que c'est une chose à laquelle rêvent les garçons ?

Il soupira et se retourna pour regarder le lointain Tor.

— Non, pas être roi. C'était inimaginable, à l'époque. Mais je voulais devenir quelqu'un d'important. Je sentais au plus profond de moi que je devais réaliser quelque chose de grand. Je savais faire tant de choses compliquées bien mieux que d'autres garçons. Pour moi, ce fut un signe. Mais je ne pensais à rien d'aussi sérieux que la royauté, tu dois me croire, Guenièvre. Il ne m'a jamais traversé l'esprit que cela pourrait m'arriver. Enfin, je voulais faire quelque chose d'exceptionnel.

Sa voix se teinta d'une profonde mélancolie que je ne comprenais pas. Je n'étais pas assez âgée pour saisir cette façon de regarder, en arrière, sa jeunesse.

— La Bretagne est unifiée, dis-je lentement. Et ses ennemis ont peur de sa puissance. Les choses ont beaucoup changé depuis peu.

— Mais tant de gens sont morts, dit-il faiblement, baissant la tête. À cause de moi. Tant de gens ont perdu la vie et à cause de moi. (Il leva la main devant son visage et, lentement, la referma en un poing rageur.) C'est la malédiction de la fonction de roi. Je commande et des hommes meurent. Personne ne pense à cela au cœur de la bataille, alors que la bannière et les pennons flottent bien haut. Personne n'y songe après non plus, d'ailleurs, alors qu'on enterre les morts et qu'on entend les pleurs des femmes et des blessés, des nuits durant. Personne, excepté moi. Et je pleure pour chacun d'entre eux. (Sa main retomba sur le côté. Nous restions, là, en silence. Soudain, il se redressa et se tourna vers moi.) Mais qu'est-ce que je raconte ! Ma chère Guenièvre, je te demande pardon. Je ne t'ai pas amenée ici pour partager mes peines. Excuse-moi pour ces mauvaises manières ! (Il prit ma main et la porta à ses lèvres.) Quel pitoyable mari je fais !

— Oh non, Arthur ! Pas du tout, voyons ! (Je me mis en face de lui et posai les mains sur ses joues.) Je te comprends. Tu es cette sorte d'homme pour lequel le soldat veut se battre... Il sait que tu chéris sa vie et ne la dédaignes pas comme d'autres ; il sait que s'il meurt, le roi pleure sa mort. Tu le traites comme il le faut... J'ai entendu les hommes. Parce que tu t'inquiètes à leur sujet, ils sont prêts à t'offrir leur service et à mourir pour ta cause. Ceux qui survivent peuvent vivre dans un nouveau monde... Un monde plus sûr. Nous sommes maintenant un seul pays. Je me rappelle que, quand je n'étais qu'une petite fille, le pays de Galles était pour moi la totalité du monde civilisé. Nous étions gallois. Les autres étaient cornouaillais, bretons, lowlanders, celtes des montagnes, du Rheged. Maintenant, nous sommes tous des Bretons, une seule nation. C'est un miracle.

Il m'observait avec une expression tendre.

— Quand tu étais petite fille, répéta-t-il souriant.

Il mit ses mains autour de moi et me caressa les cheveux.

— Ma femme. Je crois que tu essaies de me rendre ma bonne humeur.

C'était chaud de se tenir contre lui ; le vent de la nuit se faisait froid mais, soudain, je me sentais au chaud et protégée, blottie contre lui, dans ses bras.

— Tout ce que j'ai dit est vrai, murmurai-je, essayant de mettre mes bras autour de son corps musculeux. Si tu m'apprends comment te faire plaisir, Arthur, j'essaierai de te garder toujours de bonne humeur.

Son sourire s'élargit.

— La femme parfaite.

Il se pencha et m'embrassa très tendrement. Je ressentis la force de cet homme parfaitement maître de lui. L'excitation m'emporta — le plaisir de la sensation de ses lèvres et la peur de l'inconnu se mêlèrent en un impénétrable émoi. Je me blottis plus près et lui rendis son baiser dans une exaltation soudaine. Ses mains glissèrent le long de mon dos et me poussèrent fort contre lui alors que ses lèvres m'embrassaient ; ma respiration devint plus saccadée, mes genoux cédèrent sous moi, si vite, si imprévisiblement. Comme prenant feu, mon corps parla un langage nouveau, mais que je compris instantanément. Il poussa un grand soupir et me souleva de terre, me portant dans ses bras qui étaient comme des barres de fer.

— Je te l'avais dit, prononça-t-il d'une voix rauque, que cela te viendrait naturellement. Accroche-toi à moi.

Et il ouvrit du pied la porte de la tour.

— Arthur ! Qui a aménagé ce jardin ?

Nous étions le matin du troisième jour, et je me tenais sur ma terrasse alors qu'Ailsa défaisait mes cheveux et m'aidait à me déshabiller. Je pouvais entendre le roi, dans sa chambre, siffloter.

Il passa la tête par le rideau. Ailsa le salua, les yeux à terre.

— Tu m'as appelé ? demanda-t-il.

— Qui a planté ce jardin ? Il est si beau et arrangé avec tant de grâce par quelqu'un qui connaît bien les plantes... J'aurais voulu remercier le jardinier.

Arthur sourit largement, avec un regard malicieux. Il entra dans la chambre et Ailsa, qui s'était relevée, se poussa contre le mur.

— Tu vas le rencontrer demain. C'est un maître dans son domaine, je le sais mieux que personne.

Il prit la brosse des mains tremblantes d'Ailsa et commença à me coiffer les cheveux. Il aimait beaucoup les caresser. Cela me faisait toujours plaisir. Il se pencha et m'embrassa la nuque. Je jetai un regard de côté à la pauvre Ailsa.

— Tu peux me laisser, Ailsa. Je t'appellerai si j'ai besoin

de toi... si le haut roi n'arrive pas à me peigner convenablement.

Ailsa s'enfuit de la chambre pendant d'Arthur riait aux éclats.

— Est-ce bien gentil ?

Je me retournai et effleurai sa main d'un baiser.

— Plus gentil que de la garder ici, devrais-tu dire. Bon, revenons à notre jardinier. Où pourrais-je le trouver ?

À nouveau, son visage devint malicieux.

— Très probablement sur son vieux hongre bai, avec des sacoches pleines d'herbes médicinales qu'il a cueillies sur le chemin, en trottant lentement. Il n'aime pas trop monter à cheval.

— Le jardinier ?

— Oui, Merlin, le jardinier.

— Quoi ? Merlin est le jardinier ?

— Guenièvre, tu es si pâle... Tu as peur de Merlin ? C'est un homme sage. Attends donc de le rencontrer.

— Je l'ai déjà rencontré.

— Quoi ?

— Il y a des années. Quand le roi Pellinor est allé rendre hommage à la princesse Morgane, en chemin vers le Rheged.

— Ah, oui ! Je l'avais envoyé avec une escorte, car je ne pouvais pas l'accompagner. Mais tu n'as pu qu'entrevoir Merlin. Tu ne lui as pas parlé. Tu ne peux pas connaître un homme comme ça.

Je voulais lui dire ce qui s'était passé, mais les paroles ne purent sortir. C'était comme si mes lèvres étaient scellées au sujet de tout ce qui concernait Merlin. Je parvins juste à esquisser un sourire.

— Tu as raison, bien sûr. Mais je me demande, à propos du jardin : on dirait qu'on l'a dessiné exprès pour moi, comme pour me faire plaisir. Il y a toutes mes plantes favorites et certaines que je ne connais pas mais qui sont toutes très belles. Il est très reposant, très parfumé et très beau. Et il y a beaucoup d'oiseaux chanteurs dans les arbres.

— Je ne dirais pas que c'est impossible, fit-il lentement. Avec Merlin, il faut s'attendre à tout. Tu essaies de me faire croire qu'il savait, même à cette époque, que tu deviendrais ma reine ?

— Seigneur, Merlin n'est-il pas renommé pour son pouvoir de deviner l'avenir ?

— Il ne me parle pas de ses pouvoirs magiques, répondit-il un peu rudement, et je le crus. Bon, dit-il avec un mouvement d'épaules, je lui poserai la question demain, si tu veux. Il me répondra.

— Non, ce n'est pas utile. Cela n'a pas d'importance. Mais je veux le remercier pour ce jardin.

— Je me demande, reprit-il, si c'est vrai. Cela expliquerait pourquoi il n'était pas le moins du monde surpris que ma première... que Guenwyvar soit morte, alors qu'il avait prédit un long mariage.

— Peut-être, mais je ne crois pas qu'il souhaitait que ce fût moi, laissai-je échapper.

— Pourquoi dis-tu ça ?

À nouveau, mes lèvres étaient scellées, et je ne pus que secouer la tête.

— C'est un sentiment que j'ai eu, à un moment, quand je l'ai vu.

— Il ne fit rien pour l'empêcher. Il était présent dans la chambre du Conseil quand on évoqua ton nom.

— Ce qui sera sera, murmurai-je.

Arthur m'attrapa le bras.

— Qu'est-ce que tu viens de dire ? Cela ne fait rien, je l'ai entendu. Il me l'a répété dix ou douze fois, chaque fois que je lui demandais des conseils à propos de toi. Je pensais qu'il se moquait de moi ; il ne connaît rien aux femmes. Mais peut-être qu'il y avait quelque chose à comprendre. Finalement, il m'a conseillé de suivre mon cœur.

Il relâcha mon bras et expira calmement.

— Pourquoi... pourquoi aviez-vous besoin de conseils, mon seigneur ? Si Merlin ne sait rien des femmes, vous en savez bien plus.

Son regard se fit plus triste et ses lèvres plus fines.

— Je craignais un autre désastre.

— Ah.

Je m'assis sur le petit banc et me frottai lentement à l'endroit où ses doigts m'avaient fait mal.

— Arthur, vous voulez en parler ? Le voulez-vous ? Était-elle jolie ? Est-ce que vous l'aimiez ?

Il se retourna, regardant par-delà le mur du jardin, par-delà les murs de la forteresse, jusqu'à la lointaine noirceur du Tor.

— D'accord, dit-il simplement. Comme c'est étrange que ce soit à toi que je confie ces choses... Elle n'avait pas ta beauté, Guenièvre, mais elle était une jolie femme, d'environ ton âge. Nous avons passé seulement trois semaines ensemble, un mois tout au plus. Elle était gaie, intelligente, toujours prête à rire. Et à la fin... elle fut si courageuse. (Sa mâchoire se serra, et la grosse veine de son cou saillit. Je pris sa main. Il mit un genou en terre, serra fort ma main dans la sienne.) Le pire... le pire, c'était de savoir que j'étais le seul responsable de sa douleur, me dit-il très doucement. Oh, mon Dieu, ce qu'elle a souffert ! Aucun soldat sur le champ de bataille n'a souffert comme elle ! Par le Christ, il y avait tellement de sang !

Il enfouit son visage dans ma robe, ses épaules tremblaient. Qu'il me montrât ainsi sa faiblesse, lui qui était si puissant et dont tant de gens tiraient leur force, me bouleversa profondément. Je caressai sa tête et lui dis des mots tendres pour réconforter son cœur si lourd, empli de peine et de chagrin. Je me mis à fredonner l'air que je chantais à ma jument pour la calmer quand elle était effrayée. C'était une ancienne mélodie galloise dont les paroles, transformées avec le temps, étaient devenues incompréhensibles ; mais elle avait le pouvoir de réconforter. Il leva son visage vers moi, ses yeux embués de larmes, et je perçus clairement son amour, puissant et profond. Mon cœur semblait se soulever et chanter avec joie. Je me mis à genoux à côté de lui, prisonnière de sa chaude étreinte.

— Oh, Arthur !

— Ma Guenièvre.

— Le roi se porte admirablement bien, ma dame, répondit Beduyr. Tout le monde en parle. Il ronronne comme un gros matou.

Je lui souris.

— Arthur m'a prévenue que vous aviez un don pour les expressions imagées, seigneur Beduyr.

Il s'inclina et sourit timidement.

— Mais c'est la stricte vérité, ma dame. Ces trois derniers

jours, il n'a rien refusé à personne, à la cour. Seigneur Keu fait tout ce qu'il peut pour que les gens n'en profitent pas trop. Merlin l'a remarqué immédiatement... Vous auriez dû le voir ! Ses sourcils se sont levés jusqu'à atteindre le haut de son front ! Vous avez fait pour le roi ce que personne n'avait réussi à accomplir. Il est heureux.

Je rougis et baissai les yeux.

— Je vous prie de ne pas attribuer la totalité de son bonheur uniquement à moi, mon bon Beduyr. Mettez-en un peu sur le compte de son retour ici, chez lui, après deux mois entiers sur les champs de bataille.

Il s'esclaffa, amusé.

— Oh, non, ma dame ! Je le mets sur le compte du seul amour.

Il était l'un des plus proches amis d'Arthur ; il avait le droit de me parler ainsi. Mais je rougis et ne pus m'en empêcher. Nous nous dirigeâmes vers la chambre du Conseil. Il faisait nuit, le Conseil venait juste de s'achever. On servait du vin. Arthur avait demandé à Beduyr d'aller me chercher, puisqu'il savait que je voulais parler avec Merlin.

— Ne rougissez pas tant, ma reine. Il n'y a nulle honte à cela. Nous vous sommes tous très reconnaissants. Tous.

Et je savais à quoi il faisait allusion.

Nous arrivâmes à la porte de la chambre et je jetai un dernier coup d'œil vers Beduyr.

— Comment va-t-il ? demandai-je rapidement.

Il comprit que je ne parlais pas d'Arthur.

Il me regarda droit, de ses yeux noirs.

— Il est aussi bien qu'on peut l'être dans son état.

— Certaines choses, dis-je d'une voix tremblante, souhaitant qu'il me comprenne sans erreur, certaines choses ne peuvent être amendées.

Beduyr me sourit, affable.

— Si quelqu'un le sait, ma dame, je dirai que c'est messire Lancelot.

Il ouvrit la porte.

Les hommes se tenaient par petits groupes. La plupart cependant étaient massés autour d'Arthur, bavardant et riant, alors que des serviteurs passaient entre eux avec du vin. Je tentai de trouver Merlin du regard, mais n'y parvins pas. Les têtes se tournèrent vers moi ; Arthur releva la sienne, un sourire de bienvenue sur le visage. Soudain, on entendit un olifant résonner, fort et insistant. Tous les hommes se figèrent. Quelques secondes après, un garde arriva en courant du corridor, me renversant presque au passage. Il tomba à genoux, aux pieds d'Arthur.

— Le Tor ! s'écria-t-il. Mon seigneur, le Tor vient d'être allumé ! Et il y a aussi, au sud, des flammes sur la colline de Bekan.

Le garde avala sa salive, s'arrêtant de parler pour reprendre son souffle. Il n'avait pas besoin d'en dire plus. Chaque homme dans la pièce savait ce que cela signifiait.

— Les Saxons !

Dans le bref silence qui suivit, le visage d'Arthur se durcit et ses yeux devinrent froids. Je voyais ses calculs rapides alors que les hommes, autour de lui, bougeaient et murmuraient. Il se tourna sur ses talons et pointa du doigt :

— Toi et toi, aux casernes. Je veux Lucain, Vasave, Érec, Galgérin et Lamorat. Que toutes les compagnies se tiennent prêtes à la porte royale dans une heure, armées et avec des provisions pour une semaine. Lancelot !

— Oui, mon seigneur !

— Prends le commandement des chevaliers. Nous aurions besoin de deux montures par personne pour une rapidité maximale. Nous devons être sur place les premiers ; laissons le gros de l'armée arriver ensuite. Je te donne quinze minutes. Beduyr !

— Ici, mon seigneur !

— Tu as entendu les ordres. Informes-en Keu. Nous aurons besoin de nouvelles provisions à la fin de la semaine. Nous prendrons, comme lieu de rendez-vous, le gué d'Uther. Puis va mander Méléagant. Je veux tous ses hommes disponibles sur la route de Camel au lever de la lune. Il pourra se mettre d'accord avec Érec.

Beduyr mit un genou en terre et posa la question que tout le monde avait à la bouche.

— Où nous rendons-nous, sire ?

Les yeux d'Arthur se plissèrent.

— À Badon.

Je vis la surprise se peindre sur leurs visages. Des

murmures parcoururent l'assistance. Les jeunes chevaliers présents ne voulaient pas y croire. Badon ? Si les Saxons étaient allés jusqu'à Badon, c'était bien trop dans les terres. La paix avait été signée, tout le monde s'était mis d'accord. Mais s'ils atteignaient la colline de Badon, quelqu'un le fit remarquer, il n'y aurait personne pour les arrêter — non, non, c'était bien trop à l'ouest. Ils n'oseraient pas, même avec des navires. Mais après le mariage du roi, peut-être qu'ils s'étaient imaginé que... Les arguments se bousculaient autour de moi. Cela n'avait pas grande importance. Les hommes iraient là où le haut roi le leur commanderait.

J'observai Arthur. Son visage était blême et ses yeux si doux et si aimants d'habitude étaient devenus froids et ternes comme de l'ardoise. Je tremblais en les voyant ; c'est ainsi qu'il devait apparaître aux yeux de ses ennemis, pensai-je, avant qu'ils ne reçoivent le coup d'épée fatal. Mais il y avait comme une lumière autour de lui, une excitation, une autorité que je reconnus immédiatement. Il était le roi indompté, appelé au combat, et il était triomphant.

— Cerdic vient de débarquer avec ses navires et se dirige vers Badon. Nous retrouverons le messager sur la route et saurons le lieu exact du débarquement. Nous devons arriver à Badon les premiers, sinon la Bretagne est perdue. (Il parlait avec assurance et les commentaires cessèrent.) Allez me chercher mon épée.

Des hommes se précipitèrent dehors : je pouvais entendre leurs cris à travers tout le château et, en quelques minutes, je pus percevoir aussi le tintement des harnais, puis le bruit des sabots sur le pavé. Un serviteur entra en courant avec un courrier pour le roi Arthur. Un jeune chevalier, posté derrière le roi, posa timidement une question.

— Et la reine ?

Arthur fronça les sourcils, toute sa concentration fixée sur l'ennemi lointain, alors que ses doigts se pressaient sur les attaches de son armure.

— Quoi, la reine ?

Il leva brusquement la tête, m'aperçut dans l'ombre de la porte, mais son regard était celui d'un homme qui ne me voyait pas, d'un homme qui était ailleurs.

— La compagnie de Benwic restera ici pour la protéger. Et Merlin est au château aussi.

Puis il se tourna brusquement, et, tout en se dirigeant vers la porte, finit d'attacher sa ceinture avec la grande épée.

— Suivez mes ordres, aboya-t-il, et il sortit.

Le jeune chevalier me sourit et haussa les épaules. Je lui fis signe de partir, pour bien montrer que je le comprenais et que je ne me formalisais pas de sa remarque. Il courut derrière Arthur.

La cavalerie s'assemblait dans la haute cour. Je perçus les hennissements de l'étalon d'Arthur alors qu'il l'éperonnait. Ils sortirent en trombe. Ils étaient partis en si peu de temps ! Il y avait tout juste un instant, la pièce lumineuse bruissait de nombreuses voix ; maintenant, elle était devenue vide et froide, avec ses chandelles éteintes. Je respirai par saccades en marchant seule dans le corridor glacé. Quelqu'un avait retiré tous les flambeaux, sans doute pour éclairer la troupe des chevaliers sur la route. Je n'étais pas certaine de pouvoir retrouver mon chemin dans le noir. Je ressentis soudain une peur terrible : quelqu'un me suivait. Je me déplaçais au hasard dans la direction qui me semblait être la meilleure. Je n'avais pas fait vingt pas quand une main glacée m'attrapa.

Je crois bien que je poussai un cri. Soudain, il y eut une lumière. Merlin se tenait devant moi, une lampe à huile à la main. Un instant auparavant, il n'y avait personne. Je me mis la main sur la bouche, étouffant un nouveau cri, puis tentai maladroitement d'accomplir une révérence.

— Dame Guenièvre.

— Mon seigneur Merlin. Je... je... Vous m'avez fait peur !

— Je vous prie de m'excuser.

Il accrocha la lampe sur le mur et se tint calmement face à moi. Il était un de ces hommes qui paraissaient toujours calmes et sereins. Si certaines choses l'énervaient, il ne le montrait jamais. Son impassibilité n'avait pas de limite et sa patience était infinie.

— Vous vouliez me voir, dit Merlin.

C'était la constatation d'un fait ; je ne savais pas si Arthur lui en avait parlé ou pas.

— Oui, mon seigneur.

— Et moi aussi, d'ailleurs.

J'avalai ma salive.

— Je suis à votre service, mon seigneur.

— Je voulais simplement vous féliciter, dit-il d'un ton léger. Vous voyez comment les choses ont tourné, Guenièvre des Norgales. Vous voilà reine.

— Oui, mon seigneur.

— Cela vous agrée ?

— D'être la reine ? Je ne le sais. Je ne désire pas le pouvoir.

— Quelle est donc la chose que vous désirez ?

Bien que proférée sur un ton désinvolte, ce n'était pas une question légère, et je pris mon temps pour y répondre. Je sentais que ma réponse allait avoir une grande importance pour lui et je savais, avec certitude, qu'il saurait reconnaître un mensonge de la vérité.

— Seigneur, je souhaite que le royaume de Bretagne reste uni et en paix, pour toujours. J'aimerais qu'entre ses côtes on trouve une seule nation. Un seul peuple.

Pas un muscle sur son visage ne tressaillit, mais il me sembla que ses yeux s'adoucirent. Je sentis qu'il était content.

— Il y aura des Saxons sur nos côtes bien après votre mort, dit-il tout net.

C'était un fait connu de lui.

— Peut-être, mon seigneur. Cependant…

— Cependant ?

— Peut-être qu'avec le temps, ils deviendront des Bretons, eux aussi. (Il était tout ouïe et je poursuivis.) À ma naissance, je fus galloise. C'était mon monde à moi. À présent, je suis bretonne, bien que l'amour du pays de Galles ne m'ait pas quittée. Ne pourrait-il pas en être de même, un jour, avec une demoiselle saxonne ?

Il prit une profonde inspiration et expira lentement.

— Vous rêvez d'un seul pays, dit-il lentement. Peut-être en sera-t-il ainsi. Je ne l'ai pas vu et ce n'est pas inscrit dans le destin d'Arthur. Souvenez-vous-en. Il gouvernera toute la Bretagne jusqu'au jour de sa mort, mais ce sera la Bretagne que vous connaissez, cette nuit même.

Je tremblai devant ses yeux pénétrants.

— S'il en est ainsi, je serai contente.

Il s'arrêta de parler, un moment si long que je crus qu'il

avait terminé avec moi, mais je n'osais partir avant qu'il ne le confirmât.

— Que voulez-vous de moi ? dit-il soudain. Vous n'avez pas posé votre question.

Comment pouvait-il savoir que j'avais une question à lui poser ? Je n'avais plus de courage.

— Je suis venue vous remercier pour mon jardin. Il m'a apporté tant de plaisir et Arthur ne m'a dit qu'hier que c'est vous qui l'avez aménagé.

Il inclina la tête gracieusement.

— Je vous en prie. Il ne manquait qu'une fontaine pour le compléter.

Je le regardai, étonnée.

— Vous l'avez conçu spécialement pour moi ? Vous saviez quand vous me parliez, que... qu'Arthur n'y accordait aucune foi.

L'ombre d'un sourire apparut sur ses lèvres.

— Les visions ne sont pas souvent compatibles avec le roi Arthur. Il en était de même avec son père, Uther. Quelle est l'autre chose ?

— Quelle autre chose, mon seigneur ?

— L'autre chose dont vous étiez venue me parler.

— Oh ! Mon seigneur, vous êtes si bon avec moi, cette nuit... Pourtant, quand nous nous sommes rencontrés, il y a deux ans, vous étiez si fâché contre moi. J'aurais aim... souhaité savoir pour quelle raison vous étiez si déçu. Qu'ai-je donc fait ? Ou que vais-je accomplir de si répréhensible ?

Il considéra ma supplique et fronça les sourcils.

— Ce ne sont pas des choses qu'une femme doit savoir.

— Je vous en supplie, mon seigneur, j'ai peur... J'ai peur seulement d'amener le déshonneur sur le roi. Si je dois accomplir un jour quelque chose de répréhensible — si vous l'avez vu dans les astres —, je vous en prie, dites-le-moi, pour que je puisse l'empêcher, ou me soustraire au moment de risquer de mettre Arthur en péril.

— Vous ne pourrez pas l'empêcher, dit-il lentement. Vous êtes une gente demoiselle et j'ai eu tort de douter de vous. Mais il est préférable que vous suiviez votre chemin sans rien connaître à l'avance.

— Oh, je vous en prie, mon seigneur ! Dites-moi si un

jour je blesserai le roi ! Dites-moi, au moins, quelque chose de votre vision !

Il ne parla pas tout de suite, sa voix était très douce.

— Avec Arthur, vous connaîtrez la gloire. Cela, je l'ai vu. Si vous le quittez, sa gloire sera moins grande ; sa mort est proche. La Bretagne en souffrira. Si vous restez avec lui, alors vous vivrez dans la mémoire des hommes pour des centaines d'années. Ne me demandez rien de plus. Vous connaîtrez des épreuves ; vous serez partagée entre deux voies. Vous ne pourrez rien y faire. Je pense que vous êtes suffisamment brave pour le supporter.

— Mais, mon seigneur Merlin, vous m'avez détestée ! Pour l'amour de Dieu, dites-moi pourquoi !

— J'avais tort de vous haïr ; même d'être en colère contre vous. Vous tromperez le haut roi, dame Guenièvre, quoique involontairement, et cela vous attristera plus que moi. J'étais blessé pour Arthur et c'est pour cela que j'étais en colère. Mais ce qui sera sera. Peut-être est-ce mieux ainsi. Il se tiendra seul dans la gloire. Rien ne pourra l'en empêcher.

Je ne compris pas ses paroles, mais je vis qu'il avait fait de son mieux pour me répondre. Sur son crâne les cheveux gris tremblaient dans la lumière.

— Seigneur, je vous remercie pour votre patience.

Il me sourit, fatigué.

— Vous ne devez nullement me remercier. Tout ce que je fais, je le fais pour Arthur. (Il leva la main et désigna quelque chose derrière mon dos.) Votre chambre se trouve de ce côté.

— Vraiment ? Je vous remercie. Je crains de ne pas encore bien connaître mon chemin.

Il me tendit une lampe. Je la pris. La lumière éclaira vivement son visage. Il parut soudain très humain, un gentil grand-père parlant avec une enfant. Mais la peur qui m'avait assaillie au moment du signal de la corne se raviva.

— Est-ce qu'il vivra ? Sera-t-il blessé ? Reviendra-t-il ?

Merlin me souriait.

— J'ai prophétisé une gloire qui durerait mille ans et vous avez peur que les Saxons le blessent ? Non, mon enfant. Il vous reviendra, sain et sauf, et quand le moment sera venu, il restera. Ce sera la dernière bataille. Sur le Badon, il foulera aux pieds le serpent saxon.

13

Camaalot

LE MONDE entier sait ce qui se passa à la bataille de Badon. Les Saxons, poussés par leur nombre toujours grandissant, firent une dernière tentative féroce et désespérée pour occuper le Sud de l'île afin de s'y établir définitivement. Ils débarquèrent en nombre dans leurs navires et poussèrent vers le Badon avec grande célérité, tuant les villageois et mettant le pays à feu et à sang tout au long de leur progression. Mais avant qu'ils atteignent la colline, ce qui leur aurait permis de commander la région alentour, Arthur et ses troupes fondirent sur eux dans la pénombre du petit matin, à l'improviste, comme une horde d'Esprits tueurs venus de l'autre monde. Silencieux et mortels, les chevaliers détruisirent l'armée saxonne avant même qu'elle pût comprendre ce qui arrivait. Au matin, des feux sur les collines furent allumés dans toute la Bretagne : les forces saxonnes venaient d'être brisées. Au cours des générations suivantes, les enfants saxons seraient élevés en connaissant par cœur les histoires du roi des Enfers, dont le cheval blanc pouvait voler sur des ailes silencieuses et les arracher à leur lit, dans le petit matin calme, s'ils n'étaient pas sages. En ce qui concerne les rois saxons, ils se résignèrent enfin à la paix derrière les frontières qu'Arthur leur avait assignées et tournèrent leur énergie vers les arts de la paix : la politique, la chasse et la musique.

Nous eûmes un été extraordinaire. Après avoir célébré la victoire de Badon, Arthur se donna du temps pour sa lune de miel avant de reprendre la construction de son royaume. Personne ne pouvait nier qu'il l'avait mérité. On aurait dit que toute la Bretagne s'était jointe à la célébration de sa victoire et de son mariage. Et en ce qui le concernait, le roi fut présent aux tournois et aux joutes des chevaliers ; il faisait la fête avec ses barons toutes les nuits. Il me gardait toujours auprès de lui et semblait apprécier ma conversation. Il n'était jamais fatigué de mes questions et me donna l'entière liberté d'explorer le château, de ses hautes tours jusqu'aux cuisines et aux écuries.

Quand je le souhaitais, je pouvais venir m'asseoir à côté de lui dans la salle des audiences et écouter les pétitions apportées par les petites gens et les paysans. La première fois qu'il me demanda mon opinion sur une affaire, je rougis jusqu'à la racine des cheveux, incapable de prononcer un mot. J'étais interloquée de voir qu'il s'intéressait à mes idées ! La deuxième fois, je ne fus pas aussi timide et je lui répondis. Et la troisième, je me permis de lui donner mon opinion avant qu'il ne m'interrogeât, car le sujet me touchait tout particulièrement. Un villageois voulait que sa femme, qui s'était réfugiée chez sa mère, revienne au foyer. Elle s'y était réfugiée car il l'avait battue tant et tant qu'elle avait perdu son bébé. Le roi avait écouté la doléance de l'homme avec un visage digne, et je craignais au fond de mon cœur que, puisqu'il était un homme, il puisse contraindre la pauvre femme à retourner chez son mari, comme la loi le stipulait. Je posai alors ma main sur le bras du roi. Il se tourna vers moi et signifia au demandeur de se reculer.

— Sire, murmurai-je hâtivement, je sais que vous souhaitez maintenir la justice, mais pensez à cette pauvre femme. Vous la condamnez à mort si vous l'obligez à revenir chez cet homme. Il a tué son propre enfant dans le ventre de sa femme. S'il avait de la haine en son cœur, combien plus en a-t-il à présent qu'elle s'est enfuie loin de lui ? Sire, considérez ceci : si j'étais à sa place ? Je crois aux vœux sacrés du mariage ; cet homme a péché contre Dieu dans son comportement envers sa femme. Les femmes ne doivent pas être exclues de la loi, car elles ont besoin de sa protection plus encore que les hommes.

Je terminai un peu confuse, abasourdie par ma propre témérité, et vis un tout petit sourire traverser les lèvres d'Arthur. Mais son visage resta sérieux. Après un moment, il prit ma main dans la sienne ; regardant la salle, il fit signe aux villageois. Sa voix, posée et grave, ne faiblit pas, et tous ceux présents ce jour furent abasourdis par ses paroles.

— Gilgarth, entends ma sentence. Les lois de mon royaume reposent sur le respect, l'honneur et la confiance. Les vœux du mariage sont sacrés. Tu as violé ces vœux en maltraitant ta femme — que tu devrais chérir plus que tout en mon royaume —, comme si elle était une criminelle. Elle est ta femme ; tu ne peux en choisir une autre. Mais tu ne la traites pas comme telle ; en conséquence, elle n'a pas besoin de partager ton lit ou de vivre sous le même toit. Tu as tué ton enfant alors qu'il n'était pas encore né. Pour ce forfait tu seras jeté en prison pendant trois mois. Le meurtre d'enfant est un grave péché contre Dieu et un crime contre le royaume de Bretagne, dont le futur repose dans la main de ses enfants. Quand tu auras purgé ta peine, tu devras t'amender, sinon tu encourras à nouveau mon courroux. Ta femme reviendra si elle le désire et quand elle le souhaitera. Elle ne sera pas obligée de le faire. Et je te le dis, pour que tous le sachent, en Bretagne nous honorons les femmes et mes lois les protègent.

Il congédia le pauvre paysan d'un geste de la main. Je glissai de ma chaise sur le sol et me mis à genoux.

— Roi Arthur ! m'écriai-je, émerveillée.

Un silence complet régnait dans la salle.

Il me releva prestement.

— Ce ne sont pas des larmes de peine, je suppose, dame Guenièvre.

— Oh, non, mon seigneur. Je suis… je suis abasourdie par votre magnanimité.

— Ne vous méprenez pas, dit-il doucement. Je ne me suis pas adressé de la sorte à ce paysan uniquement à cause de vous. Mais vous aviez raison. Il serait malvenu de le nier. Bien que je n'y aie pas vraiment réfléchi, les femmes ont besoin de la protection de la loi. En faisant un exemple, nous promulguons une sentence qui pourra être réitérée.

C'était cela, l'exercice du pouvoir, et je tremblai en repensant à l'importance de mon acte.

— Je suis content, poursuivit le roi avec un petit sourire en coin, de voir que vous accordez autant de valeur que moi aux vœux du mariage.

Au cours d'une soirée, pendant le dîner, Lancelot proposa une partie de chasse avec les faucons pour le lendemain. Le temps paraissait propice, bien dégagé. Depuis la victoire de Badon, durant laquelle Lancelot s'était particulièrement illustré, il paraissait plus à l'aise en compagnie du roi. J'étais contente de constater qu'ils avaient pu renouer leur amitié, car tous ceux qui les connaissaient savaient que leur affection, l'un pour l'autre, était profonde, bien que non exprimée, et vénérée par eux deux.

Le roi accepta la proposition et ils commencèrent les préparatifs. J'attendais impatiemment de voir si Arthur allait d'aventure m'inclure dans la partie de chasse, mais ils étaient en grande discussion à propos des chevaux et du domaine. Je me rappelais la répugnance de Keu pour ce qu'il appelait mon « audace » et je me souvins alors qu'Arthur lui aussi avait été élevé dans la maison de Keu. Peut-être, pensai-je, que les assertions de Lancelot sur Arthur étaient plus proches de ses propres opinions que de la vérité. Sur ces entrefaites, Arthur se tourna vers moi.

— Et vous, dame Guenièvre, vous monterez Zéphyr et ferez voler Ebon. Quelques-unes de vos dames pourraient vous accompagner ? Nous serons hors des murs toute une journée. Les meilleures chasses se trouvent au sud et à l'ouest du château.

Je ne pouvais détacher mon regard d'Arthur.

— Je peux vraiment venir ? Mon seigneur est très bon envers moi. Rien ne me ferait plus plaisir, vraiment rien.

Arthur me sourit.

— Je ne serais pas allé chasser sans vous. Nous partirons après le petit déjeuner. Keu nous enverra des victuailles pour le midi sur la colline de Nob. Pensez-vous que demoiselle Elaine pourrait vous accompagner ?

Je l'observai, surprise. J'espérais pouvoir contenir

suffisamment mes sentiments pour qu'ils ne transparaissent pas sur mon visage.

— Je l'espère bien, sire.

— Parfait, dit-il. Mais, qui sait, messire Keu pourrait nous accompagner ?

Et il se retourna à nouveau vers Lancelot.

J'étais occupée à assimiler cette nouvelle information. Ainsi donc, messire Keu était un soupirant d'Elaine ! Qu'un homme aussi conservateur, aussi ferme dans ses positions, s'intéressât à une fille entêtée comme Elaine me surprit. Mais je savais que jamais elle ne l'accepterait. Comme je savais qu'elle viendrait à la chasse au faucon, même si cela signifiait monter à cheval toute la journée ; mais que n'aurait-elle fait pour être auprès du roi...

Je me levai très tôt et descendis dans les écuries avant le petit déjeuner pour bichonner ma Zéphyr et armer Ebon. La jument était heureuse de me voir et me souhaita le bonjour avec de petits claquements de dents. Si Lancelot était dans les parages, il ne se montra pas. Mais l'un des palefreniers, un garçon du nom de Pétri, m'apporta une nouvelle bride de cuir épais, bien huilé et souple. Il m'informa que le seigneur Lancelot me transmettait un message avec la bride. Puisque je montais sans selle, cela pourrait éviter des inquiétudes au roi si je l'attachais sur ma jument. Pétri récita avec application son texte, et dit surtout que le haut roi ne m'avait jamais vue monter. C'était tout à fait naturel que le roi s'inquiétât pour ma sécurité. Je ris, comprenant l'allusion, et demandai au garçon de remercier messire Lancelot pour le conseil. Je mis la longe autour du cou de ma jument

Je me précipitai dans mes appartements pour enfiler mes vieilles bottes de monte et mon vieux manteau de chasse vert. Cher Lancelot ! Il me poussait à rester moi-même. Il avait raison, bien sûr. Nos manières de vivre seraient fixées durant ces quelques semaines, et il serait bon de ne rien cacher au roi.

Elaine, qui s'était habillée de pied en cap dans de beaux vêtements et accessoires, fut furieuse quand elle me vit dans mes vieilles mais confortables fripes de chasse.

— Tu ne peux pas faire ça, Gwen ! Tu ne peux y aller comme ça ! Pense à qui tu es ! Tu vas faire honte au roi devant tous ses compagnons. Tu ne vas quand même pas monter à cru avec ces vieilles bottes ! Oh, Gwen ! Mais c'est inconvenant !

J'avais envie de rire, mais son inquiétude était sincère, et c'était après tout à cause d'Arthur.

— Ce sera convenable, Elaine, une fois que je l'aurai fait.

— Mais... mais tu es la reine, Gwen ! Tu ne peux pas !

— C'est justement parce que je suis la reine que je le peux. Tu veux toujours essayer de t'y opposer ?

— Le roi en personne le fera, j'en suis certaine ! s'écria-t-elle en larmes.

Je secouai la tête.

— Je ne crois pas. De toute façon, j'ai bien l'intention de le savoir. S'il s'y oppose, j'irai me changer, voilà tout. Il n'y aura pas d'esclandre. Il ne sera pas déshonoré. Sois patiente.

Mais alors que j'étais assise sur le dos de Zéphyr en attendant avec mes dames dans la cour, je me demandais si Elaine aurait pu avoir raison. Est-ce que le roi se sentirait insulté ou blessé dans sa dignité ? Je devais faire confiance à Lancelot, qui le connaissait mieux que personne. Je devais me fier à son sens de l'honneur, et ce ne serait pas la dernière fois.

Ils arrivèrent dans le fracas des sabots ferrés sur le pavé. Le haut roi montait une jolie jument baie. Il y avait Lancelot, Beduyr, Lamorat, Bellanger, Érec et, juste derrière, quelques autres chevaliers. Le roi leva la main en signe de bonjour et ouvrit la bouche pour parler ; mais il s'arrêta net, m'observant. Je le vis jeter un rapide coup d'œil à Lancelot, qui, lui aussi, montait à cru, et puis je le vis poser ce long, tendre et apaisant regard, pour lequel il était connu et craint. Je ne sentais pas de colère en lui, seulement de l'inquiétude. Tout bien considéré, c'était son devoir aussi bien que son droit de me protéger. C'était assez épuisant de supporter ces yeux pénétrants, mais j'y parvins. Finalement, il sourit.

— Je m'incline, ma dame, dit-il en baissant la tête. Voyons voir ce que vous savez faire.

Nous sortîmes en trottant par la porte royale, côte à côte, suivis par nos compagnons.

C'était une magnifique journée d'été. La région était parfaite pour pratiquer la fauconnerie. Les hautes collines laissaient présager de rapides galops. La nature était giboyeuse, et les bois, dans le sud, pleins d'oiseaux.

Nous trottions à bonne allure, le long du grand chemin qui menait à Caer Camel ; puis, quand nous atteignîmes la ligne droite de la route sud, nous laissâmes les chevaux galoper. C'est par ce chemin que le roi Arthur avait chevauché sur son grand destrier un nombre incalculable de fois. Les fers de sa monture martelaient la route tout près de moi. Sur sa jument baie, il était comme un garçon, détendu et impatient, plein d'appétit de vivre. Pour lui, les chevaux étaient des outils de guerre ou un simple moyen de locomotion, rien de plus. Arthur considérait Lancelot comme le plus doué des cavaliers, tout comme son meilleur guerrier. Mais Lancelot n'était pas d'accord avec lui. Dans un combat singulier à l'épée, Lancelot était le plus rapide et le plus leste. Mais il prétendait que, dans le feu de l'action d'une bataille, personne ne pouvait se mesurer avec Arthur. Le haut roi possédait ce grand don de maîtrise de soi durant le choc de la bataille. Tous savaient qu'Arthur maniait l'épée la plus mortelle de tous les royaumes. Chaque fois qu'il levait Excalibur pour défendre la Bretagne, la victoire lui souriait. C'est ainsi que Lancelot présentait le haut roi aux jeunes gens qui, continuellement, arrivaient à Caer Camel, espérant être acceptés au service du haut roi.

Comme le roi trouvait que je montais très bien à cheval, il poussa l'allure, et le groupe commença à se disperser ; quelques-uns des hommes ralentirent pour rester à côté d'Elaine et des autres femmes. Le roi fut le premier à repérer un lièvre et à lancer son faucon. L'attaque fut rapide et efficace. Arthur m'honora en m'offrant la prise ; je le remerciai et la mis dans la fauconnière de mon serviteur. Ensuite ce fut au tour de Beduyr de lancer son faucon sur un lièvre, quand le reste de la compagnie arriva à notre hauteur. Elaine jetait des regards autour d'elle, hors d'haleine et malheureuse ; je lui demandai de se mettre à côté de moi.

— Tu vas bien, Elaine ? Tu ne trouves pas que c'est superbe ? Tu ne trouves pas magnifique d'être dehors et libre ?

Elle me regarda bizarrement et haussa les épaules.

— Tu as toujours été sauvage comme un garçon. Je ne vois

vraiment pas quel mal il y a d'être sur un siège et un coussin, dans un jardin, avec un travail à l'aiguille. J'ai des bleus sur les jambes et je peux te le prouver.

— Voilà ce qui arrive quand on utilise une selle. Le cheval la ressent bien plus que toi, je t'assure.

— Tu sembles bien t'amuser ces derniers jours, Gwen, après toute cette appréhension. Je suppose que ce n'est pas la peine que je te demande si tu apprécies ta nouvelle vie de femme mariée.

Je rougis et répondis rapidement :

— À présent qu'Alyse et Pellinor sont retournés en Galles, je suis persuadée que tu te sens bien seule. À partir de maintenant, nous passerons tous les jours du temps ensemble.

Lentement, elle se tourna vers moi.

— Mais tu es toujours en compagnie d'Arthur, sauf durant les Conseils ; tu es toujours avec lui, à son côté, tu le suis partout. Tu ne sembles même pas me remarquer, Gwen, et tu ignores ce pauvre Lancelot. C'est comme si tu étais éblouie par le soleil.

J'ouvris la bouche pour répondre, puis la refermai brusquement. Cela ne servait à rien de lui dire que j'étais avec Arthur parce qu'il me l'avait demandé. Il savait que le temps nous était compté. Ces remarques soulevaient tout un ensemble de questions, mais je ne pouvais pas en parler. Ignorer Lancelot ! Ne voyait-elle pas que nous ne nous regardions pas et restions séparés volontairement ? Nous étions toujours, mais toujours conscients du moindre de nos mouvements respectifs, même dans une foule ? J'étais certaine que le roi, lui, l'avait remarqué.

— Elaine, je n'avais pas l'intention d'ignorer qui que ce soit. Mais ceci est tellement nouveau pour moi... Une fois que les choses deviendront plus habituelles, elles seront aussi plus faciles. Laissons passer un peu de temps.

Le visage d'Elaine se ferma ; elle fit un effort pour se contrôler.

— Tu es enceinte ?

J'en restai bouche bée. C'était le dernier genre de question que j'attendais d'Elaine.

— Comment puis-je savoir, il faut attendre les saignements ?

— Comment te sens-tu ?

— Bien.

À moins que mon imagination ne me jouât des tours, elle parut soulagée. Mais c'était quelque chose que je ne voulais pas croire, même d'Elaine.

— Je suis désolée de l'entendre, répondit-elle. Toute la cour attend cette nouvelle.

Je pris une profonde inspiration pour me calmer. J'aurais dû m'en douter, me dis-je, amère, j'aurais dû m'en douter... Bien entendu, tout le monde attendait qu'un prince soit conçu. Après tout, c'était pour cette raison qu'il m'avait épousée. Seulement, j'avais été éblouie par le soleil.

Le silence se fit plus pesant entre nous.

— As-tu des admirateurs parmi les chevaliers d'Arthur ? demandai-je finalement, tentant de penser à quelque chose d'autre, n'importe quoi, pour détendre l'atmosphère.

Elaine, décidément maussade, détourna le regard.

— Cinq ou six. Lamorat est le plus aimable, Keu le moins.

— Bon, alors je dois te prévenir. Le roi a mandé à messire Keu de nous rejoindre sur la colline de Nob pour le repas de midi.

— Oh, mon Dieu, maugréa-t-elle tout en observant Arthur, Lancelot et Beduyr qui se rapprochaient.

Deux beaux lièvres pendaient en travers de la selle du roi.

Lorsque celui-ci fut tout près, Elaine se rassit toute droite sur sa selle, ses yeux se firent plus brillants et les couleurs revinrent sur ses joues. La jument du roi s'arrêta. Arthur lança les lièvres à un serviteur.

— Demoiselle Elaine, dit-il poliment en inclinant la tête.

Les traits d'Elaine devinrent plus colorés et elle baissa le regard.

— Mon seigneur roi.

Il se tourna vers moi, souriant.

— Cela en fera cinq en tout. Dirigeons-nous vers le bois pour montrer à Ebon quelques belles perdrix.

— Certainement, mon seigneur, si nous avons suffisamment de lièvres pour ce soir.

— Nous pourrons toujours en chasser d'autres sur le chemin du retour. Le pays est si giboyeux autour de nous qu'il est difficile de les éviter sous les sabots.

— Bien alors, je vous en prie, allons dans les bois, seigneur Lancelot, dis-je en m'adressant directement à lui. (Je vis ses yeux s'écarquiller de surprise.) Peut-être voudriez-vous vous mettre en arrière pour chevaucher avec demoiselle Elaine ?

Lancelot s'inclina, assis sur sa selle.

— Il en sera fait comme ma reine le désire, répondit-il, puis il m'obéit.

Arthur me jeta un vague coup d'œil, mais ne dit mot. Nous poursuivîmes notre chasse.

Chasser au faucon, dans les bois, était très difficile, mais c'est ainsi que j'avais appris en Galles. Chaque fois que je faisais voler Ebon, il nous rapportait une perdrix. Il ne nous donna du fil à retordre qu'une seule fois où nous dûmes le suivre très vite à travers les bois. L'entraînement de Zéphyr montra son utilité. Nous volâmes à travers la forêt et les buissons et récupérâmes le faucon et sa proie sans problème. Quand Arthur arriva à mon niveau — il me suivait toujours de très près —, il trouva le faucon posé sur mon bras et la perdrix dans ma fauconnière. Je l'attendais, calme, sur Zéphyr.

Son cheval trotta jusqu'à moi, Arthur évalua la situation en un clin d'œil, et se mit à rire. Il plaça sa jument contre Zéphyr, posa sa main sur mes hanches et se leva à moitié de cheval pour m'embrasser.

— Quelle femme vous faites ! dit-il, admiratif.

— Mon seigneur, répondis-je un peu gênée, je n'ai rien de spécial. Nous chassions ainsi presque tous les jours à Gwynedd, Ebon, Zéphyr et moi.

— Vous formez une drôle d'équipe, pas de doute. Comment avez-vous appris à votre jument à sauter aussi brillamment les obstacles ? Croyez-vous que Lancelot pourrait l'enseigner à mes chevaux ?

— J'en suis persuadée. Je crois que tous les chevaux savent le faire ; vous devez juste apprendre comment le leur dire et aussi comment les aider à le faire.

— C'est vraiment tout ?

Son sourire était espiègle. Un peu derrière nous, nos compagnons se débattaient parmi les arbres et les broussailles.

— Faites encore voler votre oiseau, Gwen ! L'escorte peut

bien se débrouiller toute seule. Combien peut-il en attraper en une journée ?

— Hum, il en a attrapé cinq le jour où j'ai rencontré... le jour où les chevaliers sont arrivés en Galles.

Je terminai maladroitement, alors que je commençais à rougir. Je me mis à observer le sol, incapable de regarder Arthur en face. Il y eut un long silence. Je tentai, à plusieurs reprises, de le fixer, mais je ne le pouvais pas. Finalement, il m'adressa la parole ; son visage était serein, sans colère, mais dénué de sentiments.

— Oui, messire Lancelot m'a décrit votre rencontre.

Je levai le regard à ces mots.

— Il l'a fait ?

Son visage était impénétrable. Je ne pouvais rien y lire, mais cela me brisait le cœur de le voir ainsi.

— Vous étiez sur votre jument dans une clairière, avec votre faucon sur le bras, votre manteau rejeté en arrière, plus belle que mille printemps, les yeux brillants, avec vos joues rouges pétillant de jeunesse et de bonne santé. Vous chantiez aux oiseaux dans les arbres et ils vous répondaient.

Arthur parla comme s'il récitait un texte appris, me regardant intensément. Les mots étaient ceux d'un homme amoureux, mais la voix d'Arthur était plate ; il répétait les mots de cet homme, sachant très bien ce qu'ils signifiaient.

Il attendit. J'avais l'impression que son baiser était toujours sur mes lèvres ; je crus entendre, au-delà des mots, un appel au secours dans l'adversité. Puis il reprit.

— Il est mon ami le plus proche et le premier de mes compagnons. Je l'ai adoubé chevalier. Pour moi, il a abandonné sa maison et sa parentèle ; il sera à mes côtés aussi longtemps que je gouvernerai la Bretagne. Je ne le renverrai jamais.

Je passai ma langue sur mes lèvres sèches et tentais de garder une voix normale, sans trembler.

— Mon seigneur Arthur, je ne suis pas une menace à l'amour que vous lui portez ou qu'il vous porte. Je ne me mettrai pas entre vous ; ne craignez rien. Je ne suis qu'une simple femme.

Je m'arrêtai et le roi dit sur un ton chaleureux :

— Une simple femme !

— Je me couperais les veines plutôt que de déshonorer la Bretagne. Et que représente la vie d'une femme ou d'un homme en face de cela ?

Il fut ému par mes paroles ; il leva la tête, la sécheresse quitta son regard. Je conduisis Zéphyr plus près jusqu'à ce que nous nous trouvions coude à coude. Je mis alors ma main sur la sienne et le regardai droit dans les yeux.

— Arthur de Bretagne, je suis tienne.

Il me regarda et, soudain, sa retenue naturelle disparut. Je me retrouvai dans ses bras et il m'embrassa longuement, tendrement et lentement.

Un cheval hennit non loin. Arthur relâcha son étreinte, mais je ne me retournai pas ; je devinais qui c'était. La compagnie n'allait pas tarder à arriver. Je perçus les injonctions du roi qui ordonnait que tout le monde se dirigeât vers la colline de Nob. Ni Lancelot ni Elaine ne purent se résoudre à me parler ; aussi, je me tins à côté d'Arthur, qui voulait que je sois là. Il savait, pensai-je, désespérée. Il n'ignorait rien de ce qu'il y avait à savoir. À nouveau, je fus éblouie par le soleil.

La vie continua ainsi durant plus de six semaines, jusqu'à la mi-été. Chaque jour apportait son lot d'événements. Les compagnons d'Arthur m'acceptèrent parmi eux. Même Keu. Après cette journée de chasse au faucon, je constatai dans leur regard une certaine admiration. Les chevaliers s'entraînaient tous les jours au combat, à l'épée, testant leur force à la lutte et leur précision à la lance. Ensemble, ils formaient une arme terrible entre les mains du roi ; il fallait en maintenir la lame affûtée.

Le travail de construction de la salle circulaire où serait installée la table ronde que le roi Pellinor avait offerte avançait à grands pas. Elle allait devenir la chambre du Conseil, où l'on irait écouter les pétitions et entendre les jugements royaux. Je chargeai mes dames de coudre une bannière qui serait accrochée sur le mur derrière le siège du roi, en suivant le blason qui était sur la robe de chambre d'Arthur. Je me mis au travail afin de créer un support pour la grande épée Excalibur.

Quand le roi Arthur partit cette fois-ci, j'avais douze dames de compagnie. À présent qu'il y avait la reine à Caer Camel, les dames originaires de tous les pays de la Bretagne envoyaient leurs filles à la cour pour la servir et pour tenter de les marier à l'un des chevaliers. Des jeunes gens accouraient des quatre coins de l'île pour se mettre au service du roi Arthur et s'entraîner avec beaucoup d'application, espérant être acceptés parmi les chevaliers.

Donc, notre population augmenta, et de même la ville. La ville, que l'on appela plus tard Camaalot, prit naissance cet été-là, quand des commerçants, artisans, vates[1], musiciens et divers travailleurs de toutes professions vinrent grossir les abords du château. Arthur, ou peut-être Merlin l'avait prévu et avait des projets pour la ville. En été, les fondations furent mises en chantier.

Alors, le roi entreprit la difficile construction d'un État à partir des petits royaumes, afin de maintenir ensemble les nations dans la justice et les lois, puisque les Saxons ne représentaient plus une menace. Comme il me l'avoua par la suite, ce projet fut plus difficile à mettre sur pied que de gagner une bataille.

— De cela au moins, je suis certain : je suis né pour combattre, dit-il lentement, le regard perdu dans le lointain. Une fois que j'eus dans les mains l'épée des Brittons, je sus quoi faire. Le combat a toujours été quelque chose de naturel pour moi, aussi naturel que de respirer... La paix dresse souvent les gens les uns contre les autres. Vais-je arriver à les maintenir ensemble ? Suivront-ils un roi qui ne les mène plus au combat ?

— Ils vous suivront toujours, répondis-je avec une totale assurance.

Il sourit.

— Sur ce point au moins, avec Merlin, vous êtes d'accord, répondit-il.

Je ne voyais pas le grand mage. Arthur n'en parlait jamais, bien qu'il lui rendît visite une ou deux fois dans les collines avoisinantes. Les rumeurs prétendaient que le vieux magicien devenait gâteux. Il se reposait de plus en plus sur son assistante, Viviane, à qui il dispensait un enseignement particulier

1. Devins, druides.

pour qu'elle puisse le remplacer un jour. Je fus très étonnée d'apprendre qu'il avait choisi une femme pour prendre sa place. C'était pourtant lui qui m'avait dit : « Ce ne sont pas des choses qu'une femme doit savoir. » Mais Arthur ne semblait pas s'en formaliser et je n'osais pas lui poser la question.

Le haut roi manda un Conseil dans la ville d'York la première semaine de septembre. Il fallait régler un conflit territorial qui s'était posé et consolider la confédération des barons du Nord. La nuit avant son départ, il resta tard au Conseil. C'était son habitude, pendant cet été de paix, insouciant, de se retirer peu de temps après que mes dames et moi fûmes montées nous coucher.

Il venait alors dans ma chambre, ou nous discutions ensemble sur la terrasse, ou encore nous nous promenions dans le jardin avant d'aller au lit. Je n'avais pas mis les pieds dans sa chambre depuis notre première nuit. Je supposais qu'il souhaitait que les choses se passent ainsi, et je ne désirais pas contrecarrer ses plans. Mais cette nuit-là, même si je m'éveillai quand il monta dans sa chambre, il ne vint pas à moi. Je l'entendis souhaiter la bonne nuit à Varric, je vis que sa lampe brûlait bas, et puis je l'entendis faire les cent pas dans sa chambre. Je crois qu'il s'arrêta une fois devant le rideau, et j'attendis mais, après un moment, il recommença à marcher et n'entra pas.

Silencieusement, je sortis de mon lit et m'approchai de la courtine sur la pointe des pieds. Je ne savais pas si mon intervention serait la bienvenue ou pas, mais il y avait quelque chose, dans le rythme de ses pas hésitants, qui me fit penser qu'il ne tentait pas de résoudre un problème mais avait quelques tourments de cœur.

Je soulevai un pan de la courtine.

— Arthur ?

Il se tourna vers moi.

— Guenièvre ?

— Puis-je entrer ?

— Bien sûr que tu peux entrer. Tu es toujours la bienvenue ici.

Il marcha à travers la pièce et me prit dans ses bras.

— Je croyais que tu dormais, mais je suis content de voir

que tu es réveillée. Nous partirons à l'aube et j'ai des choses à te dire.

Je me blottis contre sa poitrine et il me serra contre lui, ses mains caressant mes cheveux. Pendant un moment, nous restâmes ainsi. Puis il me mena jusqu'au lit.

— Je ne t'ai pas offensé, Arthur ?

Il parut surpris.

— Comment ça, offensé ?

— Pourquoi n'es-tu pas venu à moi ? Tu es resté dans ta chambre, faisant les cent pas...

Il eut un rire léger.

— Ma petite reine, dit-il en souriant, je pensais que tu dormais. J'ai été avec toi toutes ces nuits pendant ces six semaines. C'est suffisant. J'ai cru que je ne devais pas te réveiller.

Je le dévisageai, incrédule.

— Mais enfin, seigneur, nous sommes mariés !

Il me regarda d'un air bizarre. Finalement, il comprit et eut un large sourire. Il s'agenouilla à mes pieds. Voulant protester, je me baissai pour le relever, mais il attrapa mes mains dans les siennes. La joie qui illuminait son visage me fit grand plaisir.

— Quelle candeur ! Personne ne t'a jamais enseigné les choses de la vie, n'est-ce pas ? Crois-tu donc que Pellinor couche avec Alyse toutes les nuits ?

— Je... je n'ai jamais pensé à Alyse avec... Je n'y ai jamais réfléchi. Mais j'imaginais que c'est ce que, toi, tu faisais, Arthur.

Il embrassa ma paume, se retenant de rire.

— Il en a été ainsi, mon cœur. Mais là, j'ai peu de temps. Nous avons nos chambres car nous avons droit à un peu d'intimité, du moins quand nous dormons. Tu es libre de venir à moi comme je peux entrer chez toi, et nous pouvons aussi bien rester chacun de notre côté pour la nuit. Il ne doit y avoir aucun ressentiment. Il peut exister de nombreuses raisons pour que je ne vienne pas. Si j'étais malade, ou fatigué...

— Ou fâché contre moi.

— Oui, c'est possible. Si cela arrivait, tu pourrais toujours essayer de venir ici pour m'ensorceler et métamorphoser ma mauvaise humeur. Cela ne devrait pas te demander beaucoup de temps.

Je souris à ces compliments et ses yeux s'enflammèrent.

— Tu aimerais... J'aurais peur que tu me rejettes si je venais sans y être invitée.

Il prit une profonde inspiration et resta immobile.

— N'aie pas peur de moi, ma Guenièvre. Je pourrais te refuser l'entrée... ce n'est pas complètement impossible. Mais, en ce moment, j'ai du mal à me l'imaginer. Toi aussi, tu es libre de te refuser à moi.

Je le regardai, très étonnée. Je croyais que c'était contraire à la loi.

— Je ne me refuserai jamais à vous, mon seigneur !

Il marmonna quelque chose en posant la main sur ma cuisse.

— Je te crois, dit-il tout bas.

Je touchai ses cheveux, qui coulaient, épais et doux, entre mes doigts.

— Indéniablement, je te crois aussi. Tu vas me manquer, Arthur.

Toujours à genoux, il leva son visage vers moi et laissa son âme parler par ses yeux.

— Tu es mon cœur, dit-il doucement, en latin. Sois-en assurée.

Pour toute réponse, je pris son visage entre mes mains et l'embrassai.

Il se leva, marcha jusqu'à la table, se versa un verre d'eau, et but. Quand il revint, il s'assit à côté de moi avec un visage grave et mit sa main tendrement sur mon ventre.

— Guenièvre, je dois te poser une question, bien que les dieux sachent à quel point cela m'importe peu. J'ai couché avec toi, toutes les nuits, depuis six semaines et je n'ai pas connaissance que tu aies saigné. Est-il possible que tu portes mon enfant ?

— Je ne le sais pas, mon seigneur. Je n'ai pas été malade.

— Mais tu n'as pas saigné.

— Oh, mais cela n'a que peu d'importance. Mes saignements n'ont lieu qu'une fois tous les six mois.

Il resta assis, silencieux, et je fus choquée de voir, alors qu'il me regardait, de la peur et du soulagement sur son visage.

— Personne ne me l'avait annoncé, dit-il.

— Est-ce donc si important, mon seigneur ? demandai-je, abasourdie. Je ne savais pas que cela pouvait être un sujet de crainte.

Il haussa les épaules.

— En vérité, je ne sais pas. Mais je le suppose. Ce n'est pas important. En ce qui me concerne, j'espère que tu n'es pas enceinte. Tu es si jeune, et je ne pourrais supporter… d'être la cause d'un nouveau désastre.

Il parut tant souffrir que je me penchai vers lui et embrassai sa joue rêche.

— Ce qui sera sera, mon seigneur.

Mais j'avais eu tort de lui parler de Merlin. Il blêmit, se leva tout d'un coup du lit et commença à marcher à travers la pièce. Puis, s'étant calmé un peu, il revint et se tint devant moi, un sourire très amer sur les lèvres.

— Les choses deviennent de plus en plus claires, annonça-t-il. Mais oui. Nous saurons en temps voulu. Je dois t'avouer que, auparavant, j'étais satisfait de laisser Caer Camel entre les mains de Keu, mon sénéchal, qui n'est pas un homme de guerre. Mais, à présent, je dois laisser à sa place un chevalier qui pourra vous protéger tous et agir en mon nom, pour les Conseils et les autres affaires d'État. J'ai choisi le chevalier Lancelot.

14

Méléagant

DEPUIS des mois, le roi était parti. Pour moi, ce fut étrange, de prime abord, d'être avec Lancelot si souvent, assise à côté de lui pendant les dîners et les Conseils. Nos conversations, au grand amusement d'Elaine, étaient souvent si distantes et si froides que nombre de chevaliers demeurant au château s'étaient imaginé que Lancelot et moi nous ne nous appréciions guère.

Nous partions faire des promenades à cheval, mais toujours accompagnés d'une escorte armée et avec quelques-unes de mes dames. Durant les deux premiers mois, les anciens fronçaient les sourcils et toussotaient quand nous sortions, mais comme il devint évident que je ne portais pas l'enfant du roi, ils me laissèrent tranquille en attendant sagement le retour d'Arthur.

Lancelot obéissait à la lettre aux instructions du roi. Il me rapportait les nouvelles de tous les courriers qui arrivaient, et recevait les visiteurs, au nom du roi, avec moi à ses côtés ; il discutait avec moi des décisions de justice et, généralement, me considérait comme une conseillère essentielle. Quand il me regardait, il laissait son regard s'attarder un peu plus que nécessaire. Si mes rêves étaient hantés par des yeux calmes et gris, et une bouche digne aux lèvres bien dessinées, cela ne concernait que moi.

Tous les soirs, juste avant de nous coucher, nous nous

rendions à la messe. Comme je le découvris, Lancelot était un chrétien beaucoup plus pratiquant qu'Arthur. Ygerne avait été très dévote. Elle avait fait baptiser son fils, même si elle ne l'avait pas élevé. La maisnie de Keu était chrétienne, elle aussi, mais c'était Merlin, un païen, qui avait fait d'Arthur l'homme qu'il était. Je me souvenais de ses appels à la protection de Mithra, le dieu des soldats, à la Lumière, et aussi, plus rarement, aux anciens dieux. Mais bien qu'il allât à la messe deux fois par semaine et qu'il ne vénérât pas d'autre dieu (Arthur portait souvent une antique broche émaillée de la Vierge, incrustée sur du cuivre, qu'Ygerne lui avait léguée), je ne savais pas quels dieux intérieurs l'animaient. Il me semblait que la foi de Lancelot, quoique plus forte que celle d'Arthur, apportait à ses peines de cœur moins de soulagement. Il priait de manière très fervente quand nous nous agenouillions côte à côte dans la chapelle, mais il ne trouvait dans la prière que bien peu de réconfort.

Je passais souvent une moitié de la journée avec mes dames de compagnie et l'autre avec Lancelot. Alors que les ouvriers s'activaient pour construire la salle ronde pour la table, je demandai à Lancelot si on ne pouvait pas m'élever une fontaine dans le jardin. Immédiatement, il y envoya des ouvriers. Il ne me refusait rien.

Petit à petit, nous arrivâmes à développer des relations amicales, car nos intérêts se rejoignaient. Mais il existait toujours une certaine retenue naturelle entre nous. Nous faisions attention à l'étiquette. J'étais la reine et il y avait presque toujours divers membres de la cour avec nous. Juste une fois, nous nous retrouvâmes seuls ; ce fut une manigance d'Elaine. Je les avais emmenés, Lancelot et elle, dans la tour de garde nord-ouest pour leur montrer que l'on pouvait vraiment voir la mer de Caer Camel. Nous arrivâmes juste avant le coucher du soleil. Nous nous tenions immobiles alors que le soleil disparaissait à l'horizon, badigeonnant le ciel de gros traits de couleurs. Lentement, la lumière faiblit, laissant la place à la nuit.

— J'aime être ici, dis-je dans un soupir, m'enveloppant dans ma cape. Cela me rappelle mon pays natal. Arthur m'a fait monter ici, la nuit de nos noces, pour voir la mer. Pour me détendre aussi. J'imagine qu'il me trouvait trop nerveuse.

Soudain, un cri étranglé sortit de la gorge de Lancelot. Quand je me tournai vers lui, surprise, je le vis à quelques pas de moi, blanc comme un linge, tremblant de tout son être. Elaine avait disparu.

— Lancelot ! m'écriai-je. Que se passe-t-il ? Êtes-vous malade ?

Il ne voulait pas me regarder, évitant mes yeux.

— Guenièvre...

— Oui ? Quoi ? Qu'ai-je donc fait ?

— Je vous en supplie, dit-il d'une voix rauque, si vous ne me souhaitez pas de mal, je vous supplie... de... de... ne pas évoquer Arthur. Il est mon ami et mon seigneur. Je peux supporter l'idée qu'il soit mon roi, mais je ne peux pas, non, Guenièvre, supporter l'idée qu'il soit votre mari.

Ces paroles me transpercèrent le cœur. Le voile des convenances se déchira entre nous ; je perçus la passion qui l'animait et sa grande souffrance. Pour la première fois, je ressentis pour lui une attirance physique et je partageai sa souffrance.

— Lancelot ! dis-je à voix basse, et je me mis à genoux. Oh, pardonne-moi !

Il me releva prestement. Je ne lui lâchai pas la main.

— Je vous pardonne. Mais ne me parlez plus de lui.

— Oh, Lancelot, que nous est-il arrivé ? Pourquoi cela ne peut-il plus continuer comme avant ?

Il me serra plus fort la main puis il se détacha de moi.

— Vous savez pourquoi. Vous avez épousé le roi.

— Voulez-vous dire que j'aurais dû le repousser ? m'écriai-je, consternée.

— Non, répondit-il, en se passant la main dans les cheveux. Non, bien sûr que non, dame Guenièvre. Je voulais dire... Mais, par Dieu, où est la demoiselle Elaine ?

— Ne vous préoccupez pas d'Elaine, répondis-je d'une voix ferme en lui reprenant la main. Parlez ! Que voulez-vous dire ?

Il se figea sur place. Il respirait par petites saccades, comme s'il venait de courir.

— Uniquement ceci : nous ne pouvons plus prétendre que les choses sont comme elles étaient auparavant — car vous n'êtes plus la même. Vous avez connu un homme. Il y a du danger, à présent.

Je le regardai et sentis le rouge me monter aux joues. Je lâchai sa main comme si elle m'avait brûlé la chair. Lancelot avait raison. C'était très différent, à présent. Je n'avais plus peur de l'homme et de ses caresses ; à présent, j'avais peur de mes faiblesses. Je me mis le dos contre la porte, la vue brouillée par les larmes, puis je m'enfuis par les escaliers aussi rapidement que je le pus.

Le jour suivant, comme s'il l'avait fait exprès, le messager d'Arthur arriva avec l'ordre de faire emménager toute la cour à Caerléon pour la Noël. Nous devions y être installés pour mi-décembre. Le haut roi nous y rejoindrait dès que possible. Bien que nous eussions amplement le temps de nous y préparer, ce fut là mon excuse pour ne plus suivre l'emploi du temps des semaines précédentes. Mais je m'aperçus vite que je ne pouvais m'absenter trop longtemps, sinon les gens se demandaient si je n'étais pas malade. La maladie pour une jeune mariée ne pouvait signifier qu'une seule chose et donc, pour éviter les ragots sur une possible grossesse, je dus me montrer à nouveau en public.

Lancelot continua à être le plus courtois du monde, et je tentais de l'imiter dans son attitude, pour que personne ne puisse soupçonner les affres de mon âme. Seule Elaine savait. Elle venait dans mon lit pendant les absences du roi, comme nous le faisions au pays de Galles. Je partageais aussi avec elle mes angoisses secrètes.

— Ne me laisse plus seule avec lui, Elaine ! dis-je en pleurant, la prenant dans mes bras. C'est trop dur à supporter !

— Pourquoi ? demanda-t-elle. Qu'est-il arrivé ?

— Rien. Seulement... c'est trop difficile d'être comme ça près de lui !

Elle me caressa les cheveux et tenta de me consoler.

— Tu ne pensais pas ça quand nous étions en Galles. Tu ne l'aimes plus ?

— Oh, je t'en prie, Elaine, arrête ! Tu sais bien que si. Mais c'est trop dur... Nous ne pouvons pas. Nous ne devons pas déshonorer le roi !

— Bien sûr que non, dit-elle d'une voix calme. Tu te sens capable de le faire ?

— Oui, dis-je très doucement, toute tremblante. Oh, oui !

— Bien, dit-elle après un moment. Je tentais simplement de t'aider un peu.

Peu de temps avant que nous emménagions à Caerléon, le roi Méléagant du Somerset me lança une invitation ainsi qu'à Lancelot, en tant que représentant officiel du haut roi. Il nous invitait sur l'Ynys Witrin, dans le sanctuaire de la Dame, à l'occasion de la fête des Moissons de la Grande Déesse. Méléagant était le seigneur des terres qui nous entouraient, y compris les environs de Caer Camel. Puisque l'accès de notre forteresse dépendait de la qualité des relations qu'Arthur entretenait avec Méléagant, Lancelot ne voulut pas refuser, bien que sa foi chrétienne se rebellât contre l'adoration de la Grande Mère. Je le rassurai en disant que le déroulement des cérémonies n'allait nullement l'offenser ; c'était juste un prétexte pour faire la fête. Il fut très surpris en apprenant que je connaissais les rites.

— Mais voyons, vous savez bien que mon père était un païen. Il n'y a pas un an, on a discuté de moi et de ma lignée en ces lieux.

Lancelot rougit un peu et mit ma main sur son bras. Il resta coi.

— Je voulais simplement dire qu'il n'y avait rien de secret dans la célébration. Quand j'étais enfant, c'était ma fête préférée, après celle de Beltaine, mon anniversaire. Je me souviens du moment où je suis arrivée à Gwynedd ; j'ai été terriblement déçue en apprenant qu'il n'y avait rien de comparable chez les chrétiens.

— Y a-t-il un moment dans cette cérémonie où nous devons être chacun de notre côté ? Je suis responsable de votre sécurité, ma dame, même quand je ne suis pas avec vous.

— Il y a certains rites sacrés propres à la Déesse et auxquels les hommes ne doivent pas assister. Mais en fait, seules les initiées y participent, dis-je sur un ton léger, pour tenter de tempérer ses inquiétudes. Je ne suis pas une initiée, seigneur Lancelot. J'avais six ans quand j'ai participé pour la dernière fois à cette célébration. Ne craignez rien.

— Ne pourriez-vous pas vous excuser ? Vous êtes, après tout, une reine chrétienne.

— Et offenser le seigneur Méléagant ? Il est probable qu'on se souvient, là-bas, de qui je suis la fille, même si vous l'avez oublié, messire Lancelot ! Arthur participe aux rites du dieu Mithra quand cela l'arrange. Vous le savez bien. Comment prendrait-il la chose si je refusais ?

— Bien. Mais parmi vos dames de compagnie, qui alors pourrait vous accompagner ? insista-t-il. Vous devez être protégée, dame Guenièvre. Je vous en prie, ne soyez pas contrariée, mais essayez de me comprendre. Comme reine du roi Arthur, vous constituez un otage très précieux. Votre capture, puisse le ciel nous en préserver, donnerait à votre geôlier un pouvoir immense sur le haut roi de Bretagne. Pensez à ce que cela impliquerait.

— Arthur ne se plierait jamais à... commençai-je.

— Si vous lui êtes très chère, il se pourrait qu'il le fît. Ainsi, je dois vous protéger pour protéger la Bretagne. Donc, y a-t-il quelqu'un qui pourrait être à vos côtés durant ces rites païens ?

Finalement, je décidai de choisir deux de mes suivantes, une prénommée Alissa, la sœur de messire Pellès, le roi des Îles-du-Fleuve, et Ailsa, qui croyait en tous les dieux et divinités, juste au cas où cela pourrait la protéger.

Le roi Méléagant nous reçut royalement. Il était grand, bien bâti malgré une tendance à prendre du poids, et avait des traits taillés à la serpe, des yeux clairs et froids. Alors qu'Arthur et ses chevaliers se rasaient souvent, Méléagant portait une petite barbe blonde et une moustache qu'il soignait tout particulièrement. Son palais n'était rien de plus qu'une forteresse sommairement aménagée, car il était toujours célibataire. Mais il fit en sorte que les dames et moi-même, nous soyons logées dans le pavillon des invités du sanctuaire de la Dame. La sœur de Méléagant, dame Seulte, s'occupait de nous et pourvoyait à tous nos besoins. C'était une femme fière aux traits durs ; personne ne trouvait grâce à ses yeux, excepté son frère. Mais comme je restai fort courtoise, elle fit de même, et nous nous entendîmes passablement bien. Cependant, Ailsa ne l'aimait pas du tout. Elle me raconta que dame Seulte paradait, hautaine et méprisante, derrière mon dos avec ses serviteurs, mais de ces comportements je ne vis rien.

Lancelot fut logé dans la forteresse de Méléagant avec son escorte. Il n'était pas satisfait de ces dispositions : les soldats de Méléagant étaient dix fois plus nombreux que la troupe royale ; je demandai à Lancelot de se calmer et de ne pas faire d'esclandre. Personne ne pouvait m'atteindre dans le sanctuaire de la Dame. Le périmètre en était sacré et toute personne ne respectant pas cette disposition encourait la peine de mort. Lancelot n'était pas content, mais il n'avait pas le choix.

Les cérémonies durèrent presque toute la journée. Méléagant me plaça à sa gauche, près de sa sœur, alors qu'il mit Lancelot, en tant que représentant du haut roi, à sa droite. De la sorte, il se trouva encadré par nous deux durant les cérémonies et au cours de la grande fête qui s'ensuivit. La boisson coulait à flots et l'atmosphère était amicale. Je remarquai que le roi Méléagant et sa sœur se servaient copieusement du vin sans eau. Il fut très prévenant pendant toute la soirée, mais quand on fit venir les bardes, je pus à peine comprendre ses propos. Je portais une robe or et bleu, le grand saphir d'Arthur, et Méléagant parut captivé par le bijou.

À mesure que ses capacités d'élocution s'affaiblissaient il devenait de plus en plus fasciné et ne quittait plus des yeux ses lentes allées et venues sur ma gorge, au rythme de mes respirations. Je remarquai que Lancelot commençait à s'impatienter ; il exprima son agacement, puis de la colère à un point tel que je craignis qu'il s'emporte et gâche la fête. Rapidement, je me tournai vers dame Seulte, prétextant la fatigue de la journée, et la priai de nous excuser, mes dames et moi. L'air enivrée, elle regarda son frère, lui adressa un clin d'œil et se leva avec moi. Toutes les femmes firent de même et, avec soulagement, nous nous échappâmes de la salle.

Dame Seulte mena notre procession jusqu'au sanctuaire. Il était interdit aux hommes d'y pénétrer. Mais je pus envoyer un serviteur à Lancelot pour lui demander de me rejoindre à l'entrée du sanctuaire une heure après. Il me fallut bien tout ce temps pour me dépêtrer des assauts inexorables du bavardage de dame Seulte et quand, enfin, je pus me glisser dehors, emmitouflée dans une cape, je vis Lancelot qui m'attendait, faisant les cent pas.

— Ma dame ! s'écria-t-il, et il déposa un baiser sur mes doigts. Je savais que nous n'aurions pas dû venir !

— Chut ! Il ne sert à rien de crier. Que voulez-vous dire par : *nous n'aurions pas dû venir* ?

— Méléagant est amoureux de vous, dame Guenièvre. Ne le voyez-vous donc pas ? Par Dieu, j'ai failli l'étrangler, ce gros imbécile !

— Seigneur Lancelot !

— Il louchait sur vous ! Je pourrais en jurer ! Il bavait en regardant votre décolleté ! Je ne l'oublierai jamais !

— Seigneur Lancelot, il ne faut surtout pas que ses sujets puissent vous entendre insulter ainsi leur roi, murmurai-je tout en lui souriant.

Il secoua la tête d'impatience.

— Nous sommes seuls.

— Qu'il continue son manège, dis-je enfin. Le haut roi a besoin de son soutien. S'il admire la reine, eh bien tant mieux. Cela ne me gêne nullement et favorise notre politique.

— Ah, répondit Lancelot, mais cela me blesse, moi. Vous êtes sa reine, pas une de ces domestiques qu'il courtise, si j'en crois les ragots des soldats. Il doit être courtois avec vous, sinon je le défierai en duel.

— Doux seigneur, vos mots me touchent. Mais Méléagant était passablement éméché. C'est en l'honneur de la Grande Déesse qu'on doit être ainsi, en ce jour. Tout le monde sait cela, ici. Ne vous inquiétez pas tant pour moi. Vous êtes bien le seul à croire que j'ai été insultée.

Il m'observa un moment et j'espérai qu'il ne me voyait pas trembler.

— Vous ne vous êtes pas sentie insultée ?

— Je... je n'ai pas aimé la manière dont il m'a regardée, admis-je.

— Il vous désirait.

— Oui.

— Il n'en avait pas le droit !

Je perçus son trouble juste à l'instant où il mesurait ce qu'il venait de dire.

— Ce n'est pas un péché que de désirer, c'est un péché que de réaliser son désir, dis-je lentement.

Lancelot se redressa, trahi par ses propres sentiments.

— C'est un péché que de désirer, dit-il d'une voix rauque.

Je baissai la tête pour que ma capuche retombe et cache mon visage.

— Je vous ai demandé de venir, dis-je tristement, car je souhaite repartir demain matin. Vous donnerez une excuse quelconque. Je ne sais pas, moi... ce que vous voulez. S'il vous demande de vous expliquer, dites que j'ai commencé à saigner.

Pour me réconforter ses mains saisirent mes épaules fermement.

— Est-ce vrai, Guenièvre ?

Je relevai ma tête, si près de la sienne, si près.

— Oui. S'il a des doutes, il lui suffira de le vérifier par l'intermédiaire de sa sœur.

— Qu'il soit damné s'il l'ose, murmura-t-il en me serrant tendrement dans ses bras, alors que je me mettais à pleurer et que mon cœur battait la chamade.

— Je suis désolé, dit-il, et il le pensait sincèrement.

Je haussai les épaules et tentai de me calmer. Lancelot recula d'un pas.

— Je vous enverrai l'escorte à la première heure, demain. Vous préférez une monture ou la litière ?

— J'aurais préféré un cheval, mais une litière serait plus diplomatique, assurément. Préparez-en une.

Il inclina la tête.

— Ce sera fait. Dois-je envoyer un courrier au roi ?

— Non, c'est inutile, cette nouvelle ne l'affecterait pas outre mesure. De toute façon, les mauvaises nouvelles peuvent bien attendre trois semaines.

Ainsi, nous nous séparâmes du roi Méléagant au petit matin. Il nous fit ses adieux, très joyeusement, avec moult sourires, force cadeaux et des dizaines d'au revoir. Il paraissait remis de sa beuverie de la nuit précédente, prêt à recommencer le soir même. Je ne sais pas quelle excuse Lancelot lui avait donnée, mais, manifestement, ce n'était pas celle que j'avais suggérée, car ses yeux étaient toujours aussi libidineux ; je frissonnai en pensant à ce qu'il pouvait ressentir au fond de son cœur.

Nous étions arrivés à Caerléon depuis seulement une semaine quand le haut roi nous y rejoignit, quatre jours avant la célébration de la Nativité. Après le dîner, en attendant, nous nous assemblâmes devant un grand feu, dans la salle, avec Lancelot. Il nous raconta sa jeunesse en Petite Bretagne, avec son jeune frère Galantin et son cousin Bor, et expliqua qu'il espérait pouvoir les faire venir d'ici quelques années pour qu'ils se mettent au service du roi Arthur. Ce soir-là, il parla sans s'arrêter dans un flot continu de paroles, ce qui lui était peu familier. Je regardai les autres hommes qui l'observaient avec affection. Puis je compris enfin que c'était l'arrivée d'Arthur qui le mettait dans cet état. Moi aussi, j'appréhendais le retour du roi. Ce n'était pas la fin de mes entrevues quotidiennes avec Lancelot qui me contrariait ; je les regrettais autant que j'étais heureuse qu'elles s'arrêtent.

En fait, je me sentais coupable, car, en tant que reine, je n'avais pu donner à Arthur un héritier. Nous devions en discuter en tête à tête.

Je me levai soudain, les priant de m'excuser, et me retirai dans mes appartements en compagnie d'Ailsa et d'Elaine.

Le palais du roi à Caerléon était l'ancienne villa d'un gouverneur romain, sise en dehors des murs de la forteresse. Caerléon s'était étendu, au fil des siècles. La cité avait été agrandie par Uther, et aussi durant les premières années du règne d'Arthur ; elle avait fini par englober les faubourgs. Nous étions en sécurité dans la demeure, qui était très bien gardée. Le roi pouvait recevoir ses invités, tenir ses Conseils et s'occuper des affaires courantes tout en étant loin de son palais.

Quand Beduyr frappa à la porte de ma chambre et m'annonça que cela faisait trois heures que le roi était arrivé, je fus très surprise. Il avait eu le temps de se laver, de dîner et d'organiser un Conseil restreint, mais, à présent, il souhaitait me voir. Était-ce donc un mauvais signe ? me demandai-je. Arthur était à la villa depuis trois heures et pas un mot ? Ailsa m'avait déjà habillée pour la nuit et défait les cheveux, mais je jetai une cape sur mes épaules et sortis dans le couloir pour parler avec Beduyr.

— Seigneur Beduyr, quelles sont les nouvelles ? Il vient donc de rentrer ? Il est sain et sauf ? J'en rends grâce à Dieu. Où est-il, à présent ?

— Dans la bibliothèque, il écoute le rapport de mon seigneur Lancelot. Après, il aimerait vous voir.

— Bien entendu. Il faut que je m'habille ; je suis à vous dans un instant.

Mais Beduyr mit sa main en avant pour m'arrêter.

— Nul besoin, ma dame. Le valet nous a rapporté que vous vous étiez déjà préparée pour aller dormir et le roi m'a bien fait comprendre que sa requête est celle d'un mari et non celle de votre seigneur roi.

Il me sourit galamment et s'inclina. Je soupirai, soulagée.

— Seigneur Beduyr, dites-moi la vérité. Le roi est-il en colère contre moi ?

Il écarquilla les yeux.

— Je ne le crois pas, ma dame.

Il m'observait de son regard curieux, mais ne dit mot.

— Bon. Alors, je suis prête.

Il me mena vers les appartements du roi, dans l'autre aile de la villa. Alors que nous approchions de la bibliothèque, une porte s'ouvrit et Merlin en sortit, suivi par une belle jeune fille mince aux cheveux noirs. Je fus très surprise. Personne ne m'avait avertie de sa présence à Caerléon. Alors que nous les croisions, Merlin pencha la tête vers moi ; ses yeux noirs étaient inexpressifs et froids, et son visage ne trahissait aucun sentiment. En revanche, la jeune femme me jeta un regard terrible, on aurait dit qu'elle voulait me dévorer. La colère dans ses yeux me fit trembler de peur.

Beduyr s'en aperçut, car il nous arrêta près de la porte et prit mes mains.

— Que vous arrive-t-il, ma dame ? Vous avez froid ?

— Qui... qui était cette personne avec Merlin ?

— Son assistante, la demoiselle Viviane.

— Possède-t-elle également le pouvoir de prémonition ?

— Oui-da, avec diverses autres facultés, au dire du roi.

Je luttai pour que la terreur ne m'anéantisse pas et tentai de garder une voix calme.

— Seigneur Beduyr, elle me fait peur.

— Je le vois bien, ma dame. Pourquoi donc ? Elle ne peut rien contre vous. Vous êtes sous la protection du roi Arthur. Elle le sert, et donc elle doit vous servir aussi. Quelle est la cause de votre peur ?

Je secouai la tête.

— Je ne sais pas. Elle ne m'aime pas.

— Si c'est le cas, elle est bien la seule dans toute l'île de la Grande-Bretagne, me répondit-il, très courtoisement. Venez à présent, n'ayez crainte, reprenez-vous. Ne donnez pas au roi l'occasion de s'inquiéter à votre sujet. Il a suffisamment de préoccupations comme ça.

Il avait bien sûr raison, et pour le bien d'Arthur, quand finalement Beduyr ouvrit la porte, je parvins à me ressaisir et à arrêter de trembler.

Arthur et Lancelot se tenaient devant un grand feu dans la cheminée, en pleine discussion. Ils se retournèrent vers moi comme un seul homme. En accomplissant ma révérence, je me dis qu'il était agréable que ces beaux yeux me regardent, des yeux bruns et des yeux gris.

— Soyez le bienvenu dans votre demeure, mon seigneur, dis-je alors qu'Arthur me tendait la main pour me relever.

— Je me sens heureux d'y être enfin, répondit-il, souriant et détendu. Comment allez-vous ?

Son attitude sereine m'apaisa, je me réjouissais de le voir.

— En parfaite santé, mon seigneur.

Il rit et me prit par les hanches.

— C'est le privilège de la jeunesse. Je suis désolé de vous avoir fait venir si tard. Étiez-vous déjà couchée ?

— Pas encore. Je discutais avec Elaine. Nous n'avons pas été prévenues de votre arrivée, sinon nous nous serions mieux préparées à vous accueillir.

— Vous êtes très bien comme ça. Merci, Beduyr.

Il s'inclina et referma la porte derrière lui. Arthur m'offrit une chaise près de la cheminée. Il resta debout, plongé dans ses pensées.

— Lancelot m'a raconté votre visite chez le roi Méléagant, commença-t-il.

Je regardai brièvement Lancelot qui, obstinément, gardait son regard plongé vers les flammes.

— Oui, mon seigneur ?

— J'aimerais savoir si votre impression au sujet de la conduite du roi Méléagant correspond à la sienne.

Je ne savais pas ce que Lancelot lui avait raconté, mais cela avait peu d'importance. On devait toujours dire la vérité à Arthur.

— Il était complètement saoul, mon seigneur. À la fête des Moissons, c'est plus acceptable qu'en d'autres occasions...

— Oui, je sais. Poursuivez, je vous prie.

— Je crois qu'il se remémorait les temps anciens quand, parfois, la fête dégénérait en... en... Eh bien, mon seigneur, même à l'époque de mon père, cela se transformait en orgie.

Je rougis, mais le roi demeura sérieux et attentif.

— Oui, je le sais. Est-ce que Méléagant a proposé la chose ?

— Oh, non, mon seigneur ! Il n'était même plus capable de parler correctement.

Arthur leva un sourcil. Lancelot, toujours debout, changea de pied d'appui.

— A-t-il, dans ses expressions, ou par un geste, indiqué que tel pouvait être son désir ?

La pièce était si calme que le crépitement des flammes faisait penser à des coups de fouet.

— Qu'il désirait une orgie ? Non, mon seigneur.

Une longue pause s'ensuivit.

— Un désir pour vous, Guenièvre. Pour votre personne.

Je me souvins alors du souffle chaud et aigre sur ma nuque et mes joues, de ses mains sous la table. Mes lèvres devinrent sèches, mais je ne pouvais pas échapper au regard du roi et à ses questions.

— Oui, mon seigneur. Par le regard et dans son attitude.

Lancelot observa furtivement Arthur, victorieux et indigné, tout à la fois. Arthur s'approcha de moi et me prit la main. Je ne pouvais pas le regarder dans les yeux, mais je m'accrochai à son bras, et, de ce contact, je pus tirer un peu de force.

— Pour ce que vous avez enduré pour moi, en tant que ma reine, je vous remercie sincèrement, Guenièvre. Votre présence a servi ma politique, c'est vrai. Mais je ne souhaitais pas que cela se passe ainsi. Cela ne se produira plus jamais. Vous ne vous y rendrez plus, même si vous y êtes invitée. Si

Méléagant vient à Caer Camel, vous ne l'accueillerez pas. Ce sera Lancelot qui s'en chargera. Je m'occuperai de Méléagant en temps et en heure.

Sa voix, très douce au début, était devenue froide, monocorde ; elle me donnait le frisson.

— Laissez-moi aller le chercher ! s'écria Lancelot. Je m'occuperai de lui en trois coups d'épée.

Lentement, Arthur se tourna vers lui, et, à mon grand étonnement, sa voix était toujours aussi glaciale.

— De quel droit ?

Lancelot se figea, puis pâlit, et finalement rougit.

— Je m'occuperai de lui personnellement, répéta Arthur.

C'était une déclaration royale.

— Il devrait peut-être se chercher une épouse, tentai-je de proposer, dans l'espoir de détendre l'atmosphère entre les deux hommes.

Ils se tournèrent vers moi, Lancelot avec l'ombre d'un sourire sur les lèvres et Arthur avec une expression un peu plus chaleureuse sur le visage.

— Nul doute que vous venez de mettre le doigt sur le problème, dit le roi. Mais je ne peux pas l'aider. Nous allons devoir attendre que sa sœur meure ou se marie. Elle a dû déjà opposer son refus à plus d'une centaine de pucelles. Aucune n'est assez bonne pour son petit frère. (Il fit une pause, puis redressa les épaules dans un mouvement qui lui était coutumier et que la moitié des chevaliers tentait d'imiter.) De toute façon, tant que Méléagant n'a pas fait ou dit quelque chose ouvertement, je ne peux m'opposer à lui publiquement. Mais il existe d'autres moyens.

Il appela des serviteurs pour qu'ils nous servent du vin et me tendit un gobelet rempli, puis un autre à Lancelot. Ensemble, ils parlèrent à voix basse durant quelques minutes, puis Lancelot prit la main d'Arthur et posa ses lèvres sur le gros rubis de la bague du roi. Arthur saisit alors le bras de Lancelot dans un geste très viril, et Lancelot nous quitta.

Le vin était chaud et parfumé aux épices. Je me laissai aller à son pouvoir relaxant. Arthur s'assit sur une chaise à côté de moi, penché en avant, les coudes sur ses genoux.

— Tu es fatiguée, Gwen ? Tu veux aller te coucher ? Dieu sait que l'heure est tardive.

Je ne savais pas si c'était sa manière de me congédier ou non, mais je ne pouvais pas partir avant de lui avoir tout raconté.

— Mon… mon seigneur Arthur. (Je m'installai par terre à ses pieds et le regardai en face.) Je t'en prie, pardonne-moi.

— Pourquoi, de quoi parles-tu ?

— Mon doux seigneur, je… te… j'ai failli.

Il parut inquiet, et posa son gobelet pour prendre mes mains.

— Qu'y a-t-il Gwen ? Que s'est-il passé ?

— Il y a trois semaines, j'ai saigné, dis-je en hachant mes mots.

Il parut d'abord perplexe, et puis il comprit, avec une expression de soulagement.

— Par Dieu, tu veux parler d'un possible héritier ! Oh, Gwen, ne prends pas cet air triste… Je ne suis pas pressé, nous avons le temps. Que croyais-tu que j'allais faire ? Te réprimander ? (Il rit en voyant mon expression penaude, et me mit sur ses genoux.) Reine ou pas reine, tu n'es encore qu'une petite fille, dit-il avec un large sourire. Nous avons fait de notre mieux, non ? Le reste est entre les mains de Dieu.

— Mais c'est mon devoir, dis-je à voix basse.

Mon fardeau se trouva allégé par ces simples paroles. J'étais heureuse et rassurée entre ses bras.

— Non, c'est le devoir de la pouliche. Ton devoir à toi c'est d'être ma compagne, de demeurer à mes côtés, de m'offrir la grâce de ta présence, le jour, et le plaisir de ta personne, la nuit, quand tu le souhaites. En ce moment, je suis pleinement satisfait.

Soulagée, je parvins à rire joyeusement.

— Arthur, tu es merveilleux.

— Le plus agréable des compliments que j'aie jamais entendus, dit-il très sérieusement. Bon, et maintenant, ma petite Gwen, que désires-tu ? Aller te coucher en compagnie d'Elaine, ou venir avec moi et retarder un peu la venue du sommeil ?

Je décidai d'aller avec lui.

15

Le viol

JE M'ENVELOPPAI de la cape pour me protéger de la pluie froide et accélérai le pas en traversant le jardin. C'était un matin frais du mois d'avril. Le vent hurlait, projetant l'averse contre les murs du château et lançant des nuages gris sombre à travers le ciel tourmenté. J'avais besoin de monter à cheval ou bien de chasser au faucon, n'importe quoi pour m'échapper de Camaalot. J'étais persuadée que le temps allait se dégager. Il y avait une odeur dans l'air, je pressentais une accalmie. J'aurais utilisé n'importe quelle excuse pour pouvoir me retrouver un peu seule !

Les jardins s'étendaient devant les appartements des femmes. À l'une des extrémités, une petite porte dans un mur donnait sur mon jardin privé, désormais accessible uniquement à partir de ma terrasse. J'avais décidé de fermer la porter à clef pour me créer un sanctuaire. J'avais demandé que l'on aménage le grand jardin à l'intention de mes dames de compagnie ; de la sorte, elles pouvaient se promener à n'importe quelle heure de la journée sans pour autant me déranger. Six d'entre elles étaient assises devant les fenêtres donnant sur le petit chemin, les unes à côté des autres en demi-cercle. Elles venaient de terminer leur petit déjeuner et cousaient à l'aiguille le travail que je leur avais demandé. Elles étaient assemblées autour d'Elaine sur les chaises près des fenêtres ; elles pouvaient toutes me voir. Il y avait Alissa, l'épouse de Keu, enceinte de son second enfant, et ma chère Ailsa, bien sûr, le regard soucieux de me voir ainsi, le matin, de si méchante humeur.

La plus jeune de mes suivantes était une jeune fille de quinze ans, répondant au nom d'Anne. Ses parents l'avaient envoyée à la cour dans l'espoir qu'elle trouve un mari parmi les chevaliers du roi Arthur. C'était toujours la même histoire. Les jeunes pucelles venaient en nombre pour acquérir les bonnes manières de la cour et épouser l'un des compagnons. Puis elles repartaient en litière, engrossées d'un fils qui, un jour, se battrait pour le roi. Je me mordis la lèvre pour éviter que de nouvelles larmes ne coulent sur mon visage, puis levai la tête face à la pluie. Parfois, mes dames de compagnie demeuraient à la cour plus longtemps, mais, le plus souvent, elles repartaient chez elle rapidement. En cinq ans, j'avais dû dire adieu à au moins une vingtaine d'entre elles.

Je me trouvais tout au fond du jardin. J'y restai un moment sans bouger. Enfin, je remis la capuche sur ma tête, peu décidée à rebrousser chemin. Je savais trop bien de quoi elles parlaient. Demoiselle Elaine, la favorite de la reine, tenait sa cour. Elle expliquait posément à Anne, de sa voix la plus douce, pourquoi la reine était, ces temps-ci, de si méchante humeur. « Ce n'est pas dans sa nature, commençait-elle, préparant le terrain. Habituellement, la reine est la femme la plus gaie, la plus gentille, la plus douce de tout le royaume. Et pourquoi donc ? Il n'y a pas un seul membre de la maisnie du haut roi qui ne l'adore. Toute la Grande-Bretagne l'admire. Mais vois-tu, Anne, elle a failli au haut roi et au peuple de la Grande-Bretagne. Elle ne peut nous donner d'héritier. »

Si Anne était un tant soit peu téméraire, elle demandait alors comment on savait que c'était la faute de la reine et non celle du haut roi. Elaine, sans broncher et avec son petit sourire en coin, était satisfaite. Sa réponse était très posée. On savait, bien sûr, que le roi avait eu quelques bâtards, ici et là. Il en avait reconnu certains, en leur apportant son aide et son assistance. Il y avait, par exemple, cette jeune fille en Northumbrie ; le roi lui avait offert une dot et avait honoré le chevalier qui l'avait épousée, donnant son nom à l'enfant. Car, après tout, Arthur était hors de la cour six à huit mois par an, et même s'il était reconnu qu'il était assez sobre dans ses besoins, eh bien, si une demoiselle était consentante, qui pouvait le blâmer ? Il faisait bien attention à ce que jamais elle n'ait à souffrir personnellement.

Puis si la jeune Anne comprenait un peu les implications de l'affaire, elle demandait alors à Elaine si le haut roi comptait répudier la reine. Elaine paraissait choquée, et puis très triste aussi. Elle prenait bien son temps pour lui répondre. Pendant ce temps, la pauvre Anne, qui n'avait fait que poser la question qui brûlait toutes les lèvres, tremblait de peur, pensant avoir enfreint les règles de la courtoisie.

Enfin, Elaine répondait d'un ton grave que personne ne pouvait prévoir ce que le haut roi allait décider. Tout ce qu'il faisait, il le faisait avec justice, de la plus noble des manières et après y avoir longuement réfléchi. Le haut roi avait passé cette année quatre mois avec la haute reine, à Caerléon puis à Camaalot. Quand il était parti, la reine n'avait pas saigné et s'était sentie un peu mal. Tout le monde avait espéré qu'enfin elle était enceinte. Mais hélas ! Deux semaines plus tôt, elle avait eu ses saignements, à la suite de quoi, très incommodée, elle avait longuement pleuré. À présent, le haut roi devait rentrer : personne ne voulait lui annoncer la mauvaise nouvelle ; personne ne savait ce qu'il allait faire quand il aurait ouï la chose.

Je pressai mes mains contre mes oreilles pour ne plus entendre ces mots. Je me sentais devenir folle. Durant cinq longues années, j'avais été humiliée par les sujets d'Arthur. J'avais ressenti leurs yeux scrutant chaque jour mon ventre et, chaque jour, j'avais perçu leurs chuchotements derrière mon dos. Même dans mes rêves, ils me hantaient, avec leur abominable pitié ou leur mépris. Partout où je portais mon regard, je ne voyais que prospérité et croissance. La ville de Camaalot grandissait, les rues étaient emplies de femmes enceintes et de cris d'enfants. Parmi mes dames de compagnie, quatre avaient le ventre rond ; cinq avaient accouché durant mon règne. Moi seule, j'avais été incapable de porter un enfant. Je n'étais toujours pas une femme et encore moins une épouse. Par mon inaptitude à concevoir des enfants, j'avais failli au roi de la Grande-Bretagne. Je réprimai un sanglot et m'essuyai les yeux. Je devais m'enfuir. Averse ou pas. Je devais partir. J'étais la reine, si je voulais sortir, personne ne pouvait m'en empêcher.

Je revins en courant jusqu'à la porte qui donnait sur la chambre d'Elaine. J'y pénétrai silencieusement, personne ne m'entendit. J'avais eu l'intention de passer par le couloir et d'arriver ainsi dans mes appartements. Mais quand je parvins à la porte, je perçus le nom de Lancelot.

— Ne vous inquiétez pas, mes chéries. Lancelot la consolera. Comme il sait si bien le faire. Quelle que soit sa mauvaise humeur, il y parvient toujours. Il est le seul à savoir. On appelle d'ailleurs cela le « savoir-faire breton ».

— Non, pas possible ? dis-je froidement.

Alissa sursauta alors que les autres femmes se retournaient, effrayées. Elaine, qui avait proféré ces paroles, n'eut même pas la décence de rougir.

— Oui, c'est vrai, ma dame. Nous l'entendons comme un compliment, dit-elle sur un ton badin.

Je me détournai d'Elaine pour m'adresser à Alissa.

— Envoyez-moi le seigneur Keu. Je vais partir me promener à cheval ce matin, je dois le prévenir.

Alissa fut suffisamment sensée pour ne pas exprimer à voix haute ses pensées. Elle se leva, mais les autres dames de la cour n'avaient pas sa présence d'esprit.

— Mais, ma dame, il pleut !

— Vous risquez de tomber malade !

— Comment trouverez-vous votre chemin sous ce déluge ?

— Seigneur Lancelot ne peut pas vous accompagner. Il est en charge, aujourd'hui, de l'entraînement des écuyers.

Cette dernière remarque avait été dite par Elaine, et je me tournai pour lui faire face.

— Je le sais. Je monterai sans lui.

— Il ne vous le permettra pas.

Elaine était étrange, comme surexcitée à l'idée que quelque chose de particulier allait se produire, mais ne dit rien.

— Je suis la reine, m'écriai-je, en colère. Il ne peut me l'interdire !

Je savais qu'Elaine ne supportait pas que je fasse prévaloir mon rang. À cet instant précis cela me procura une satisfaction immense de la voir incapable de me répondre, alors que plus tard je m'en voudrais de l'avoir traitée ainsi, je le savais bien.

— Le « savoir-faire breton », pfff ! dis-je à voix basse.

Elaine inclina à peine la tête ; elle était aussi en colère contre moi.

— Quelqu'une parmi vous souhaite-t-elle m'accompagner ? dis-je. Vous ne devez venir que si vous le voulez vraiment. Il pleut fort, mais bientôt le temps se dégagera.

Aucune de mes dames ne m'accompagna. Keu n'était pas content, mais Alissa lui avait bien expliqué la situation. Il comprit qu'il était inutile d'essayer de me convaincre de rester. Je lui dis où j'avais l'intention d'aller me promener, et il grommela quelques syllabes, ce qui était l'expression la plus approbatrice dont il fût capable.

Bien entendu, il en informa aussitôt le seigneur Lancelot, qui, apparemment, ayant encore gardé un peu de bon sens, m'envoya un écuyer pour m'informer qu'il se joindrait à moi dès qu'il le pourrait et me supplia de faire attention.

Nous partîmes vers l'ouest, vers les petites collines qui se perdaient dans les marécages entourant l'Ynys Witrin. Des oiseaux migrateurs arrivaient par colonies entières depuis des mois, et le sous-bois était empli de perdrix. Mon nouveau faucon, Dakar, était un merveilleux chasseur d'oiseaux des marais. Les collines étaient peu importantes et les bois clairsemés, c'était un pays magnifique pour les promenades à cheval.

Nous galopâmes tout notre saoul. Mon cheval, Pallas, était trop petit pour servir de destrier, c'est pour cela qu'il m'avait été offert castré. Mais il était rapide comme le vent. Je devais attendre presque chaque lieue que l'escorte me rattrape.

Vers le milieu de la matinée, la pluie faiblit et une brume se leva, voilant le creux des vallées et projetant des filaments de brume moite entre les vallons. Le capitaine de l'escorte toussota discrètement et me regarda d'un air préoccupé. Manifestement, il leur était impossible de me protéger dans cette atmosphère embrumée. Il était temps de rentrer. Mais ma colère n'était pas retombée, et je cherchais encore quelques excuses pour chevaucher un peu. À cet instant, un jeune héron quitta les frontières du lac d'Avalon en poussant de grands cris. Il se dirigea vers le sud-ouest. Le faucon sur mon bras tira nerveusement sur ses jets.

— Encore une proie, messire Ferron, et la journée sera terminée. L'oiseau est lent. Cela ne prendra que quelques minutes.

J'avais raison, bien entendu. Mais surtout j'étais la reine. Il n'avait pas d'autre choix que d'acquiescer. Je retirai le chaperon de Dakar et il s'éleva en faisant des cercles gracieux, ayant immédiatement repéré sa proie. Alors que j'éperonnais mon cheval, j'eus soudain un pressentiment. Si à ce moment j'avais changé d'avis, ou que le faucon ait perdu le héron dans la brume, ou que la prudence naturelle de Ferron l'ait emporté dans mon esprit, les choses auraient été différentes. Que de choses aurions-nous pu préserver ! J'y repense souvent : les destins reposent parfois sur des moments aussi incertains. Ah ! les brumes de cette journée ont englouti tant de vies !

À ma grande surprise, le héron se dirigea vers les bois. La laie se réduisit à un petit chemin, et nous dûmes ralentir l'allure des chevaux. À cause de la brume, je perdis de vue mon faucon. Je sifflai pour le rappeler. Nous entendîmes tous les cris d'un oiseau et le bruit de quelque animal assez imposant qui retombait brutalement sur le sol dans les fougères. Ma seule pensée fut de récupérer mon faucon.

— Par ici ! m'écriai-je en lançant Pallas à travers les bois dans la direction des cris.

Si, à ce moment, les soldats m'ont appelée, je ne les ai pas entendus. Tous mes sens étaient portés vers l'avant, pour éviter les arbres qui sortaient brusquement du brouillard, les fûts des arbres brisés qui jonchaient le sol et que nous devions sauter. Mais il était difficile d'estimer la distance à laquelle je pensais que mon faucon avait abattu sa proie.

Nous atteignîmes les abords d'une rivière calme qui se perdait dans le marais et je m'arrêtai. Tout était silencieux. Je ne distinguais que les arbres de l'autre côté du rivage, perdus dans la brume, à environ douze pieds. Il n'y avait aucun son, pas de bruits de sabots, aucun mouvement dans les broussailles. Je compris dans un éclair de panique que je m'étais perdue, sans mon escorte. Mais nous n'étions qu'à quelques lieues de Camaalot, et mon Pallas devait être capable de rentrer à l'écurie. Il se tenait tranquille, ses naseaux largement ouverts, avec ses petites oreilles mobiles. J'attendais tranquillement, malheureuse de m'être conduite si mal. Je commençais à imaginer ce que j'allais dire à Ferron et à Keu pour m'excuser, quand les oreilles de Pallas se tendirent vers l'avant ; il leva la tête. Il avait entendu quelque chose.

Mais comme il ne hennissait pas, je craignais que ce ne fût pas mon escorte : peut-être mon faucon qui s'était accroché à une branche par ses jets ou le héron blessé dans les broussailles. Je remontai doucement le cours de la rivière, incapable de distinguer quoi que ce soit, faisant attention à ne pas glisser sur la berge. Le brouillard devint plus épais alors que nous suivions la rivière, il s'engouffrait dans le nez et la bouche comme un tissu épais. Ma cape était trempée, le corps du cheval, humide.

Soudain, venant de l'autre berge, sortit de la brume une gigantesque silhouette noire. Elle se posta devant nous et hurla ; sur ce mon cheval hennit de peur, se cabra, fit une embardée et je glissai de son dos.

Je revins à moi, mais tout était noir. Mon dos me faisait atrocement souffrir. On me berçait doucement. Si je n'avais pas eu si mal, je me serais peut-être rendormie, mais je souffrais du dos. Le va-et-vient était très apaisant et ma tête se faisait plus lourde à chaque seconde.

— Je vous en prie, criai-je, mon dos !

En fait, je n'émis qu'un filet de voix. Quand je rouvris les yeux, je ne voyais toujours rien. Tout était blanc. Effrayée, je les refermai. Des mains puissantes m'empoignèrent et me soulevèrent, la douleur devint plus supportable. Dans mon état de demi-conscience, j'étais soulagée de comprendre enfin que je n'étais pas grièvement blessée mais allongée sur quelque chose de dur et de rugueux. Puis on me déposa sur quelque chose de moelleux. Les mains qui me tenaient ne disparurent pas immédiatement, elles descendirent le long de mon bras pour s'attarder, avant de m'emmitoufler dans ma cape.

C'étaient des gestes lents et langoureux, et un frisson d'horreur parcourut tout mon être. J'oubliai le confort. Je sentis que j'étais en danger. Je regardai autour de moi mais ne vis rien. Je ne savais pas où je pouvais me trouver, ni avec qui, excepté que j'étais toujours dans la brume et, en entendant le doux clapotement de l'eau, non loin de la rivière et du marais.

— Qui êtes-vous ? demandai-je.

Puis je réitérai ma question en latin. Je n'obtins aucune réponse. Mais il y avait bien quelqu'un. Je percevais ses mouvements et sa respiration.

— Où est mon cheval ? Qu'est devenu mon faucon ? Mon escorte ne doit pas être bien loin. Si vous les hélez, ils seront heureux de me retrouver et vous aurez une récompense pour m'avoir sauvée.

— Ne bougez pas, dit doucement une voix grave. Tout va bien.

J'avais déjà entendu cette voix, mais je n'arrivais pas à me rappeler où. Peut-être était-ce l'un des chevaliers, ou un baron de la cour du roi Arthur.

— Mon seigneur, murmurai-je, je vous sais homme d'honneur. Renvoyez-moi au roi et il vous récompensera généreusement. Car je suis Guenièvre, la reine.

Il y eut un gros éclat de rire, suivi par le mouvement indistinct d'une ombre sombre dans la brume. Je réalisai soudain que j'étais allongée sur le fond d'une barque recouverte d'une bâche. Nous étions au milieu des marais. Des mains empoignèrent mon corps, un visage barbu se pencha sur moi.

— Je sais qui tu es, dit une grosse voix, et maintenant tu es mienne.

Des lèvres épaisses se collèrent contre les miennes. Je pus sentir les effluves de bière émanant de ses vêtements et aussi sa transpiration, et l'odeur de la peur. Heureusement, je m'évanouis, car je venais de le reconnaître. C'était Méléagant.

Quand je revins à moi, j'eus la présence d'esprit de garder les yeux fermés, pour le laisser penser que je dormais. Il faisait plus chaud et une brise me caressait la nuque. Le bateau tanguait un peu ; j'en déduisis que nous étions, à présent, en plein milieu des eaux, dont le clapotis battait tout près de mes oreilles. Le bruit des rames était fort et régulier. Je ne percevais aucun autre son, ni de voix humaine, ni de cris d'animaux, ni même d'oiseaux. Mon cœur battait très fort sous l'effet de la peur, mais je tentais de respirer sans bruit. Ce qui me revint en mémoire, ce furent les paroles de Lancelot qui m'avait dit que je pouvais constituer un otage très précieux entre les mains de quelqu'un et que je devais en conséquence être constamment surveillée et protégée.

Mon pauvre Lancelot ! J'imaginais un cavalier pris de panique chevauchant vers le château et sa terrible confrontation avec Lancelot, le visage défait du messager quand il s'agenouillerait en délivrant son message, puis l'horreur, la colère et aussi la culpabilité (bien sûr non fondée) qui se peindrait sur le visage de Lancelot. Qu'allait-il faire ? Il serait capable de rassembler tous les hommes disponibles de Camaalot et de les amener sur le lieu où on m'avait vue pour la dernière fois. Mais ces recherches n'aboutiraient à rien. Il pourrait retrouver mon cheval et mon faucon, mais il ne parviendrait jamais à me retrouver, moi.

Je tentai de me ressaisir pour ne pas pleurer. Mais pourquoi Méléagant ? Comment avait-il osé ? Arthur le tuerait ! Puis soudain, je compris. Je n'étais plus si précieuse en tant qu'otage. Autrefois, peut-être. Mais j'étais une reine incapable d'avoir des enfants. Méléagant ne pensait pas qu'il allait avoir quelque chose à échanger avec le haut roi, Méléagant ne pensait qu'à moi. Donc, il n'oserait pas me tuer, non. Mais il s'agissait quand même de l'honneur du haut roi et Méléagant mettait sa vie en danger en agissant de la sorte. S'il ne faisait que m'enlever (je me forçais à me persuader de cela) pour sa jouissance personnelle, pour me souiller aux yeux des sujets d'Arthur et aussi aux yeux du haut roi, il pourrait avancer n'importe quelle excuse et supplier le haut roi de le laisser me prendre officiellement pour épouse. Cela résoudrait le problème aux yeux du haut roi, qui pourrait ainsi me répudier et m'offrir à Méléagant. Il aurait enfin des liens solides avec son voisin et la possibilité d'épouser une femme capable de lui donner des enfants mâles. Une larme coula sur ma joue, contre ma volonté, et je tressaillis, réprimant un sanglot.

Méléagant grommela quelque chose mais continua à ramer. Vers où nous dirigions-nous ? Quelque part sur le lac d'Avalon, c'était évident, mais où exactement ? Pas au château, trop de gens pouvaient me reconnaître. Manifestement, il avait tout prévu. La chose sur laquelle j'étais allongée était douce et sentait bon, ce n'était pas ce que l'on trouve habituellement au fond d'une barque. Il avait donc tout étudié.

Soudain, le battement des rames cessa, nous heurtâmes

doucement la terre ferme. J'ouvris les yeux. Debout, sur un ponton, Méléagant attachait le bateau à un poteau d'amarrage. La brume se dissipait, le jour avançait et je le voyais clairement à présent. Il était très grand, bien bâti, habillé pour la chasse. Quand il se retourna et s'aperçut que j'étais consciente, il parut contrarié. Je fus contente de le constater. J'espérais qu'il pourrait prendre peur de ses actes. Mais c'était plutôt un homme courageux, son visage reflétait la détermination. Il me tendit la main.

— Venez, ma dame. Nous sommes arrivés.

Je le laissai m'aider à monter sur le ponton. Je dégourdis mes mains et mes bras ankylosés.

— Où nous trouvons-nous, roi Méléagant ?

Il sourit et je trouvai ce sourire révoltant.

— En mon royaume. Hors de la portée des gens d'Arthur. Venez et voyez notre logis. On l'a bien préparé.

Il faisait allusion à un petit cabanon en bois, à moitié caché derrière un saule. Il avait été construit sur une levée de terre non loin de la berge de l'île. Alors qu'il me prenait le bras pour me conduire sur le chemin, il me fit remarquer à quel point sa cachette était isolée. Nous nous trouvions sur une île, avec des joncs tout autour, qui nous cachaient de la berge du lac à un quart de lieue. Personne ne pouvait nous voir, déclara-t-il en ricanant. Personne ne pouvait approcher, sauf en utilisant une barque. Si quiconque tentait de me sauver en passant par la langue de terre qui affleurait à l'autre extrémité de l'île, Méléagant lui réservait une vive surprise... Il rit méchamment, satisfait. Je frissonnai en l'écoutant. Il se tourna vers moi en souriant.

— Ne vous inquiétez pas trop, ma dame la reine. Personne ne viendra. Vous êtes en sécurité avec moi.

En sécurité ! Je luttais pour garder un visage serein, ne pas montrer ma peur alors qu'il me menait vers les marches puis à l'intérieur de cette cabane si commune. Pour quelles raisons on l'avait construite en ces lieux, je ne pouvais le deviner. Mais, son utilité immédiate, je la devinai aisément. Il l'avait aménagée aussi richement que possible, avec des peaux de bêtes, des coussins et une couche basse, à la romaine. La cheminée était remplie de bûches et des outres de vin pendaient juste à côté.

— Vos vêtements sont trempés, dit Méléagant. Je vous en prie, ma dame, vous pouvez vous changer là-dedans.

Il ouvrit l'unique porte de la pièce, qui donnait sur une chambre à coucher avec un grand lit recouvert de fourrures et des tentures rouges aux murs.

— J'ai fait préparer une robe pour vous, dit-il rapidement. Donnez-moi vos vêtements, je vais les faire sécher devant le feu.

Je ne répondis rien, entrai dans la chambre en fermant la porte derrière moi. Mais il n'y avait pas de serrure. Je l'entendis s'activer dans l'autre pièce. Je me dirigeai vers la fenêtre, fermée par des barreaux. On pouvait voir jusqu'à l'autre rive du lac, à travers une vaste étendue de joncs et d'eaux calmes. Je mis ma main contre la fenêtre. Je remarquai qu'elle tremblait. On aurait dit la main de quelqu'un d'autre ; elle était froide et blanche, rouge par endroits. On aurait dit une petite chose délicate, effrayée, tremblante alors qu'elle saisissait les barreaux de fer. Elle réagissait à mon cerveau, mais ne semblait plus faire partie de moi. Je tirai sur les barreaux de toutes mes forces jusqu'à ce que je tombe en arrière sur le lit, à bout de souffle. Je n'avais pu les ébranler. Si j'y étais parvenue, qu'aurais-je pu faire ensuite ? Je ne savais pas nager. Je ne savais pas ramer dans une barque, même en supposant que je sorte de là sans qu'il le remarque. Et, surtout, je ne savais pas où je me trouvais et dans quelle direction je devais me diriger pour chercher de l'aide.

Je me mis à observer, de plus en plus angoissée, les moelleuses fourrures sur le lit. Je comprenais trop bien ses projets. Ma seule chance était de rentrer dans son jeu, de le retenir aussi longtemps que possible en espérant que l'on viendrait me sauver. Mais je n'avais pas beaucoup d'espoir. Même si le roi parvenait à me trouver, il n'arriverait jamais à temps.

Je commençai à me déshabiller, mais c'était difficile. J'avais les doigts gelés par le froid et engourdis par la peur. Cela me prit plusieurs minutes pour défaire un nœud de lacet. La robe qu'il m'avait préparée était en laine douce et soyeuse, bleu foncé avec des bords argentés, mais elle s'avéra trop grande pour moi et il n'y avait qu'une ceinture. Je haussai les épaules. Je ne pensais à rien, je ne sentais plus rien, j'avais l'impression d'être ailleurs, je me regardais agir, me demandant ce que j'allais faire, ce qu'il m'était possible de faire. Peut-être la mort était-elle préférable à ce que Méléagant avait en tête ? J'ignorais comment cela allait se dérouler.

Après un moment, il frappa à la porte et me demanda de sortir. Je lui obéis. Il avait allumé le feu et préparé deux verres de vin, mais il ne m'avait pas attendue pour boire. Ses yeux impatients m'observaient avec envie ; je rougis et me détournai de lui.

— Mon seigneur Méléagant, protestai-je, surprise de m'entendre parler avec une voix presque normale.

Je lui remis mes vêtements de monte trempés.

— Quoi ?

Il regarda les vêtements, incrédule. C'est tout ce que je pouvais faire pour éviter d'afficher un air de dégoût sur mon visage.

— Vous êtes un roi, mon seigneur, et moi, je suis une reine, pas une servante des cuisines.

Il parut légèrement embarrassé et passa nerveusement la langue sur ses lèvres sèches.

— Oui, ma dame. Mais vous êtes la plus belle femme que j'aie jamais vue. Quelle chevelure ! Quelle peau !

Je baissai le regard, puis allai m'asseoir sur un tabouret près de la cheminée. Il déposa mes vêtements autour de l'âtre, mais, manifestement, il ne se préoccupait pas de les voir sécher.

— Vous avez vingt ans, n'est-ce pas ? Je vous ai désirée depuis le moment où je vous ai vue la première fois à Caer Camel, Guenièvre, quand vous aviez quinze ans. Et vous êtes maintenant tellement plus belle qu'à quinze ans, comme... comme une rose épanouie surpasse un bouton de rose. Je vous le dis, j'ai été très patient.

Il s'arrêta pour boire une gorgée de vin.

— Je suis à un autre, répondis-je calmement.

C'était une erreur : son visage s'embruma de colère.

— Ne me parlez pas sur ce ton ! Je ne l'accepterai pas ! Ce n'est qu'un bâtard du roi Uther Pendragon et je ne suis pas son vassal !

— Non, mon seigneur. Bien sûr que non. Veuillez me pardonner. Je ne vous en parlerai plus.

Il parut un peu moins agressif et se resservit du vin.

— C'est très bien ainsi. Où en étais-je ? Ah, oui ! J'ai été patient et savez-vous pourquoi ? Parce que vous valiez la peine qu'on vous attende, ma beauté, et parce que je savais que ça allait arriver.

Je lui jetai un regard et il rit de satisfaction. Manifestement, il n'avait pas peur qu'on nous entende. Je lui dis la chose suivante :

— Comment donc pouviez-vous le savoir ?

— La Dame du Lac l'a vu dans une de ses visions. Pas la sorcière qui est en place actuellement. Non, l'ancienne, Dame Nimué. Elle l'a dit à ma sœur, il y a des années de cela. C'est pour cela que dame Seulte ne m'a jamais autorisé à me marier. Nous vous attendions.

Je fus très surprise par ces paroles et tentai de ne pas le montrer en respirant calmement.

— Votre sœur vous a aidé pour l'organisation de mon enlèvement ?

Méléagant eut un geste dédaigneux, puis me sourit.

— Je pense que, pour vous, cela ressemble à un enlèvement. Mais, moi, je ne prends que ce qui est déjà à moi. Votre précieux mari n'a plus besoin de vous. Tout le monde le sait. Vous êtes à moi. C'est dans les astres.

Je craignais que, si je me mettais à pleurer, cela le conforte dans son attitude à mon égard. La terreur me fit refouler mes larmes. Je devais tenter de le retenir jusqu'à ce que Lancelot — mon cher Lancelot ! — ait le temps de soulever la moindre petite pierre pour me retrouver. Je regardai par la fenêtre. Je voyais les eaux du lac d'Avalon et dans le lointain la silhouette du Tor. La brume s'était levée et, comme je l'avais prédit, on allait avoir une journée dégagée.

— Prendre les choses comme elles viennent, ne pas se plaindre, murmurai-je. La vie est un don des femmes, la mort est un don de Dieu. Ce qui sera sera.

— C'est quoi, ces paroles ? rugit Méléagant. Qu'est-ce que vous racontez ?

— Rien sur vous mon seigneur, répondis-je. C'est un vieux proverbe que dit Merlin. Pas très consolant, il est vrai.

— Oubliez Merlin. Je ne le crains pas. Buvez, me suggéra-t-il, s'approchant de moi.

La coupe que je tenais se mit à trembler affreusement. Je n'avalai qu'une petite gorgée et tentai de reprendre courage pour lui faire front.

— Allons-nous nous marier, mon seigneur ?

Il se figea. Je remarquai que les bonnes manières le mettaient mal à l'aise. Je supposai qu'il avait plus l'habitude de la débauche.

— Quand ce sera le moment. Tout sera fait comme il faut. Mais plus tard.

Je fis oui de la tête et tentai de lui sourire.

— Je savais que vous étiez un homme courtois, roi Méléagant. Je vois avec plaisir que vous avez bien tout aménagé pour mon confort. Vous savez montrer votre prévenance et considération pour mon humble personne.

Il parut très satisfait sous l'avalanche de mes compliments, comme un quelconque adolescent. Il n'était doté d'aucune subtilité.

— Je suis heureux que ma dame soit satisfaite. Je vous le promets, Guenièvre, je ferai tout pour vous rendre heureuse.

Le plus étrange est qu'il croyait à ses paroles.

— Auriez-vous, je vous prie, un livre ?

Il ouvrit la bouche.

— Pour quoi faire ?

Oui, en effet, pour quoi faire, car il ne savait pas lire ! Pour cacher mes pensées, je lui adressai mon plus beau sourire.

— Pour que je puisse vous faire la lecture, mon seigneur, pour votre amusement.

Quelque peu agacé, il répondit :

— Je n'ai pas besoin de lecture, car pour les amusements j'ai une bien meilleure idée...

Je me levai prestement du tabouret alors qu'il venait à moi. Je me mis derrière la couche.

— Laissez-moi alors chanter pour vous.

Je levai mon verre vers lui.

— Comme le vin, les choses deviennent meilleures quand on les déguste lentement.

Il s'arrêta, surpris. Je voyais qu'il tentait de comprendre ce que je tramais. Ah, que les choses auraient été plus faciles si je m'étais laissé faire ! Et pourquoi pas, après tout ? Il était assez beau pour son âge, et le seigneur de très vastes contrées et domaines. Tout le monde n'aurait pas accepté les absences continuelles d'Arthur. J'aurais pu tomber plus mal. Comme l'espoir est mère de toutes les crédulités, celui qui en a s'y accroche et se met à croire.

Il laissa tomber son imposante carcasse sur la couche basse et consentit que je lui chante quelques ballades.

D'abord, j'eus la gorge un peu nouée, mais après quelques vocalises, ma voix se fit plus claire. Je me demandais s'il n'était pas plus effrayé qu'il voulait bien le laisser paraître. Car, nonobstant ces jolies paroles, il devait se douter qu'en agissant ainsi il mettait son existence en danger. Même si le haut roi ne devait revenir qu'à la fin de la semaine, il n'apprécierait que très peu l'arrogance de Méléagant. Cependant, la fin de la semaine, ce serait trop tard. Je serais devenue la femme de ce brigand, même si je ne portais pas encore son nom.

Je chantai pour Méléagant toutes les chansons que je connaissais. J'en imaginai même une ou deux nouvelles. À Camaalot, nous avions les meilleurs bardes de Bretagne et j'avais pu apprendre leurs techniques. Mais, au milieu de l'après-midi, je commençai à avoir mal à la gorge et il avait faim. Il apporta un plateau avec des victuailles qu'il avait fait préparer — des rations de soldats avec quelques suppléments, mais peu —, du pain avec du miel, des fruits et un gâteau. Et beaucoup de vin. Je mangeai peu, mais je réussis à le gaver. En effet, je prétendis que cela m'amusait follement de lui donner la becquée avec des biscuits et des raisins et aussi d'avoir mes doigts embrassés par ses lèvres grasses.

Je tentai de lui faire plaisir comme je le pouvais, comme si j'étais en présence d'un invité de marque à la table du roi Arthur. L'ancienne prêtresse du sanctuaire, qui avait donc prophétisé sur mon compte, était morte un an plus tôt. La nouvelle Dame du Lac, une jeune et puissante femme, n'appréciait pas le roi Méléagant. Si elle avait été mise au courant de la vision de dame Nimué, elle ne m'en avait pas informée. Son allégeance, juste après sa divinité, allait à Arthur. Méléagant et Seulte avaient organisé l'enlèvement des mois à l'avance, dans ses moindres détails. Sa peur et sa haine à l'encontre d'Arthur se voyaient clairement. Mais je ne parvenais pas à en percer les origines.

Il mangea trop, fort heureusement, et but plus que de raison, plus que la plupart des hommes en une semaine. Je le priai de s'asseoir sur la couche basse, mais il me mit à côté de lui et me prit la main. Il me regardait comme un chien adorant sa maîtresse. Mais la bête immonde était toujours tapie en lui, rongeant son frein, attendant le moment propice. Néanmoins, je me remis à chanter toutes les chansons galloises que j'avais apprises quand j'étais enfant. Alors que l'après-midi tirait à sa fin, il s'endormit d'un coup. Mes vêtements étaient secs. Plus d'une fois, je tentai de m'échapper, mais, chaque fois que je tentais d'enlever ma main, il bougeait dans son sommeil. Je n'osais pas tenter une course jusqu'à la porte. M'enfuir ou me battre avec lui ne m'aurait conduite qu'à subir le sort que je redoutais tant. Ma meilleure chance, pensais-je, était de me comporter de la même manière distante le plus longtemps possible.

Mais un poisson ferré ne peut pas rester dans l'eau pour toujours. Il se réveilla et, après avoir bâillé copieusement, se leva et étira ses grands membres. Il alluma les chandelles, mais ne tira pas les volets des fenêtres. Le cœur lourd, je réalisai qu'il se sentait en sécurité.

— Venez, Guenièvre, dit-il, trônant au-dessus de moi. (Il me tendit une main.) Le moment est venu.

Mes mains tremblaient alors que je tentais de saisir la sienne. Je m'aperçus que je pouvais à peine rester debout.

— Mon seigneur Méléagant, je... je ne pourrai jamais vous donner d'enfant.

Il me prit dans ses grands bras et rit.

— Je m'en fiche si vous êtes stérile. Je ne désire pas de descendance. C'est juste vous que je veux.

Ses lèvres recherchaient les miennes, et il me tint ainsi. Je ne pouvais pas me débattre, et je ne fis que subir. Je n'osai pas imaginer le futur, pas même la seconde suivante.

— Mais, seigneur... (Je ne savais plus quoi dire, mes idées tournaient en rond.) Qu'arrivera-t-il à votre royaume si vous n'avez pas de fils ?

Il se recula un moment, ses yeux enflammés.

— Arthur, ce bâtard, me le prendra ! Il est en train de l'annexer en ce moment même, avec ses levées annuelles, et les taxes sur les routes. Votre petit favori, Lancelot, a rempli la tête du haut roi de mensonges sur moi et il a décidé de me détruire.

— Lancelot n'est pas mon favori ! m'écriai-je, en colère.

Mais ce fut ma grande erreur que de lui montrer le moindre signe de résistance. Son emprise sur moi forcit et ses yeux se remplirent de désir.

— Ainsi, lança-t-il d'une voix rauque, les ragots disaient vrai, n'est-ce pas ? Il ne vous retrouvera pas ici, ma belle.

Il détacha ma ceinture et posa ses lèvres repoussantes sur mon cou, mes épaules et, ouvrant ma robe, sur mes seins. Il faisait d'horribles bruits, suçant et léchant. Il me serrait avec ses grandes mains jusqu'à me faire mal. Mais je refusai de lui donner la satisfaction de mes cris. Je ne fis que pleurer, calmement et sans espoir. Je ne pouvais pas arrêter mes larmes, une fois qu'elles avaient commencé à jaillir, et je les laissais couler alors qu'il me serrait très fort et embrassait ma peau. Il ne se préoccupait pas de mon absence de réaction, il était au-delà de tout discernement, uniquement préoccupé par la réalisation de son fantasme. Accablée, j'observai la pièce par-dessus son épaule, puis, plus loin par la fenêtre, la nuit blême.

Je vis soudain une lumière. Elle trembla, puis s'éteignit, et se ralluma.

— Une lumière ! dis-je dans un souffle, tentant vainement de me détacher de ses massives épaules.

Ses râles de plaisir me dégoûtaient, je tremblais alors que ses mouvements devenaient de plus en plus frénétiques.

— Mon seigneur, une lumière !

Il m'ignora et ce n'est qu'après avoir commencé à délacer ses vêtements qu'il jeta un coup d'œil à la fenêtre et vit que je ne mentais pas. Il observa la lumière sans bouger, un moment, puis lança un flot d'injures. Je me mis précipitamment contre le mur. Méléagant se rhabilla, attrapa son manteau et se dirigea vers la porte. Il se retourna. Je ne pouvais pas croire qu'il partait comme ça ! Je n'arrivais pas à comprendre ce que pouvait signifier cette lumière.

— Il est inutile de tenter de vous échapper. Je prends l'unique embarcation disponible. Jamais vous ne parviendrez à franchir le pont des épées. (Il s'arrêta de parler, me regardant de son air lubrique.) Je reviendrai, dit-il, puis il partit.

Je me tenais là, incapable de parler, chancelante, à moitié nue, alors que la nuit tombait lentement et que le feu se mourait petit à petit. Je ne ressentais rien. J'attrapai un linge et commençai à essuyer sa bave sur mes seins. Je frottais et frottais en ne pensant à rien. J'étais sale et je pensais que plus jamais je ne serais propre. Je ne sais pas combien de temps je restai là, gelée, les yeux rougis.

Puis je perçus un bruit sourd, une voix étouffée, toute la cabane commença à trembler. J'entendis un grand cri d'effort, puis un cri de douleur, suivi d'un grand coup contre la porte de la chambre, qui s'ouvrit bruyamment. Devant moi se tenait Lancelot, trempé, saignant du genou et serrant son épée à rendre ses jointures blanches.

— Où est-il ?

Je l'observai, m'essuyant toujours, et mes lèvres n'émirent aucun son. Il alla vers la porte de sortie, colla son oreille contre le bois, et la poussa avec sa jambe valide, l'épée au poing.

— Il est parti ? En bateau ?

J'acquiesçai et commençai à trembler violemment. Lancelot vint à moi et me prit le tissu des mains. Avec la plus grande des attentions, il arrangea ma robe, cachant ma nudité et m'attachant la ceinture autour de la taille. Puis il prit du vin, le porta à mes lèvres et jeta sur mes épaules une couverture en laine.

— Que s'est-il passé ? (Le trouble se lisait sur ses traits et ses yeux magnifiques recherchaient mon regard.) Par le Sang du Christ, suis-je arrivé trop tard ?

Je tentai de trouver mes mots. Finalement, ma peine et ma terreur purent s'exprimer, et j'éclatai en sanglots, en poussant des cris que je ne pouvais pas contrôler. Il me serra fort dans ses bras et embrassa mes cheveux. Finalement, je retrouvai la parole.

— Oh, Lancelot ! Dieu merci ! Dieu merci !

— Ma douce Guenièvre, murmura-t-il, ses lèvres contre mon oreille. Cela n'a aucune importance, mon amour. Tu es en vie, c'est tout ce qui compte.

J'enfouis mon visage contre son épaule secourable

— Lancelot, il... il...

— Ce n'est pas grave, à présent. C'est fini. Tu es saine et sauve.

— Il a presque... il a commencé... mais...

Il se poussa et me regarda en face, l'espoir illuminant son visage.

— Il ne t'a pas violée ?

— Non, m'écriai-je en tremblant, non, mais c'était imminent. Il a vu une lumière. Sur le Tor. Je... je... ne sais pas, il est parti, et tu m'as retrouvée.

— Rendons grâce à Dieu, murmura-t-il. À présent, tu es en sécurité, c'est ce qui compte le plus. Prends courage, mon amour. Ton terrible cauchemar est presque terminé. Mais tu dois t'habiller rapidement, et je vais trouver un moyen pour retraverser le lac. Une fois sur l'autre rive, nous pourrons rentrer au château.

— Nous ? répétai-je, inquiète. Y a-t-il quelqu'un d'autre ?

Il ramassa mes vêtements et me les déposa dans les bras.

— Merlin est venu avec moi.

— Merlin ? dis-je, très étonnée.

— Il t'a retrouvée, Gwen. Alors que nous étions à ta recherche dans les bois et que l'on draguait la rivière sans succès.

— Vous avez dragué la rivière ?

— Guenièvre. (Il paraissait impatient.) Je t'aime. Je donnerais ma vie pour toi. Je te croyais morte, noyée peut-être. Je fis tout ce qui était en mon pouvoir pour te retrouver. Quand j'ai compris que je n'y parviendrais pas tout seul, j'ai demandé qu'on aille me chercher Merlin. (Je m'assis lentement sur le tabouret et regardais Lancelot sans bouger.) Merlin m'a dit où je pourrais te trouver. Dans l'une de ses visions, il t'avait vue chanter.

J'étais abasourdie. Lancelot prit un verre de vin.

— Tu as vraiment chanté ?

— Oui, mais pas de joie. Je devais l'occuper, avouai-je, pour qu'il se tienne tranquille. Chaque fois que je lui résistais... Il... Il... C'était une sorte de défi pour lui. Mais à la fin, il est devenu comme fou.

Je déglutis péniblement. Lancelot se jeta à mes pieds et me prit tendrement la main.

— Je sais le genre d'homme que c'est, dit-il avec gravité.

Que tu aies réussi à le retenir toute une journée est un véritable miracle.

— Mais, Lancelot, tu es blessé ! Tu saignes terriblement ! Ta jambe ! (Affolée, je vis soudain une grande flaque de sang sur le sol.) La blessure est profonde.

— J'ai fait un bandage. Je m'en occuperai plus tard. Écoute, Gwen, nous devons nous dépêcher. Je...

— Il ne revient pas ?

Je me mis debout et il m'agrippa le bras.

— Non, il ne le peut pas. Il doit être présent au château pour recevoir le haut roi.

Je poussai un cri et il me serra contre lui.

— Quoi ? Tu ne savais donc pas qu'Arthur était rentré ? Ses navires ont été aperçus dans l'estuaire il y a trois heures. Les lumières que tu as vues sur le Tor, probablement allumées par des complices, étaient un signal à l'intention de Méléagant.

— Par dame Seulte ! répondis-je, affolée.

— Vraiment ? Alors tous les deux paieront pour ce qu'ils vous ont fait, dit-il, me vouvoyant à nouveau. Le roi Arthur s'en chargera. Dépêchez-vous de vous vêtir, et je vous emmènerai vers lui. Il sera sur l'Ynys Witrin cette nuit, avec Méléagant comme hôte.

— Mon Dieu, oh non ! m'écriai-je. Si vite ? Lancelot, non ! Je ne peux pas ! Je ne peux pas supporter de le revoir !

— Vous ne m'avez donc point écouté, dame Guenièvre ? Calmez-vous. Personne ne sait pour l'instant ce qui s'est passé, à part Merlin et moi. Il n'y aura aucun esclandre. Votre honneur a été préservé. Dans ces conditions, vous n'avez rien à craindre du roi Arthur.

— Mais qu'en sera-t-il de son honneur à lui ? Y avez-vous songé ? Il me répudiera.

— Vous êtes bien injuste avec lui.

— Mais je dois lui dire toute la vérité sur ce qui s'est passé ici.

— Oui, c'est vrai.

— Et après ? Oh, Lancelot, ce... ce monstre a posé ses mains sur moi. Il m'a touchée et m'a embrassée. Je suis souillée.

Très délicatement, Lancelot m'embrassa et dit :

— Je l'ai fait moi aussi.

Soudain, c'était trop ! Je ne pus plus me maîtriser. Je me pressai contre son corps mouillé et meurtri, et l'embrassai passionnément. Il soupira et me serra fort dans ses bras. Il pencha la tête pour m'embrasser le cou, la gorge, les seins ; ses mains caressaient mon corps de manière experte, allumant un feu dévorant. Je m'accrochai à lui dans une frénésie passionnée.

— Lancelot ! Oh, Lancelot ! m'écriai-je. Mais où est donc Merlin ?

Il eut un petit rire bref et se poussa de côté, le visage rougi et les yeux gris enflammés.

— Mon Dieu, je l'ai oublié. (Il se passa une main tremblante sur le visage.) Prenez vos vêtements, dame Guenièvre et habillez-vous dans l'autre chambre.

— Mon cœur...

— Dépêchez-vous. Nous devons être tous les deux présents quand Ferron fera son rapport à Arthur.

Un regard dans la chambre à coucher me fit comprendre comment Lancelot s'y était pris pour entrer. Il avait tordu les barreaux : les draps étaient ensanglantés là où il avait chu. On aurait dit les lieux d'un viol.

Je me sentis bien mieux après avoir remis mes vêtements. Lancelot me mena par un petit chemin, derrière la cabane, jusqu'à l'eau.

— C'est par ce chemin que vous êtes venu ? lui demandai-je. Par le pont ?

Il maugréa :

— Par le pont des épées, voulez-vous dire ? Oui, en effet.

— Des épées ! Quelles épées ?

— Oh ! Méléagant a aménagé un piège au milieu des marais. Je faillis presque y tomber. Mais je m'y attendais un peu. Il se trouve que je n'ai reçu qu'une blessure à la jambe. Mais j'ai pu voir les os de ceux qui ont été moins adroits.

C'était donc ça, la vive surprise de Méléagant !

— Comment allons-nous donc traverser ?

— Nestor nous conduira, s'il a été bien entraîné.

Arrivé au bord de l'eau, Lancelot siffla. Nous nous tenions à quarante pas du promontoire de terre, à présent spongieux dans les eaux montantes. Après quelques minutes, nous vîmes émerger des eaux sombres la tête noire de l'étalon. Il se dirigea en ligne droite vers nous, évitant les pièges sans encombre. Nous pûmes traverser en nous tenant à sa crinière. Je fus surprise de constater à quel point j'étais faible : par deux fois je lâchai prise. Si Lancelot ne m'avait pas soutenue, je me serais noyée.

Merlin était assis, immobile, sur un vieux cheval à la robe noire. Il me salua et s'adressa à Lancelot :

— Il nous reste une heure tout au plus. Pressez-vous, je vous suivrai. Amenez la reine chez Viviane.

Je frissonnai en entendant ce nom. Lancelot s'inclina, me retenant contre lui d'une main ferme.

— Seigneur, dit Lancelot à Merlin, au nom du roi Arthur, je vous remercie pour avoir sauvé la vie de la reine.

Je ne pus distinguer d'expression sur le visage du mage, seuls ses yeux noirs brillaient dans la lumière de la lune.

— Elle doit tout à Arthur, fut son unique réponse.

16

Avalon

EN FAIT, cette nuit-là, je ne vis pas Arthur. Mais mon exposition à l'humidité et le contrecoup de l'angoisse prirent le dessus : je tombai donc malade. Lancelot me conduisit au sanctuaire de la Dame, où l'on me baigna. Puis je fus mise au lit, alors que je délirais. C'est bien plus tard qu'on me raconta qu'Arthur vint me voir le matin suivant et resta à mon chevet la moitié de la journée avant de rentrer à Camaalot, mais, à cause de mon délire, je n'en sus rien. Je ne me souviens de rien.

Après une semaine, j'avais assez récupéré pour aller m'asseoir dans les jardins et me promener un peu dans les belles allées fleuries entretenues par les femmes. On s'occupait bien de moi.

Je ne vis la Dame du Lac que dix jours plus tard. Elle avait permis la venue du roi Arthur. Je ne parlais quasiment avec personne, nous étions bien trop près du château de Méléagant. Je ne savais pas ce qui s'était passé entre Méléagant et Arthur. On me traitait avec respect et j'en déduisis que j'étais toujours reine.

Or donc, au dixième jour, la Dame souveraine vint à moi alors que j'étais assise dans le verger, profitant du soleil. Elle portait la robe blanche des servantes de la Déesse, mais quand elle retira la capuche qui cachait son visage je la reconnus. C'était Viviane, l'élève de Merlin.

— Reine Guenièvre...

À son ton, je sentis qu'elle ne me portait nul égard particulier ; je n'étais pas sa souveraine. Le sanctuaire de la Dame n'était ni sous la protection de Méléagant ni sous celle d'Arthur, c'était une terre franche, un très ancien territoire sacré. J'inclinai la tête face à elle, car, ici, c'était elle qui gouvernait et j'étais son invitée.

— Dame Viviane.

Ses yeux noirs cillèrent.

— Vous me connaissez ?

— Je me souviens de vous.

— Mais nous ne nous connaissons pas.

— Non, mais quand j'étais jeune fille, je vous ai vue, une fois, à Caerléon, en compagnie de Merlin.

Elle m'observa un instant sans rien dire. Je ne parvenais pas à lire ses intentions sur ses traits réguliers. Elle avait des cheveux noirs et une peau claire, un peu plus fine que la mienne, et un peu plus ridée aussi. Ce qui la distinguait de la beauté ordinaire était une présence, une assurance indéfinissable. Arthur possédait aussi cette profondeur. Jusqu'à ce jour, j'avais cru qu'il était le seul dans ce cas.

À cause de tout cela, de sa capacité à éluder les questions et à discerner le vrai du faux dans mes paroles, j'avais peur. Elle ne m'aimait pas et j'étais en son pouvoir.

— Ah, Merlin ! Mon maître et professeur. Il m'a appris tout ce que je sais. Mais, comme tout apprenti à la fin d'un apprentissage, je m'en suis détachée. Comme vous pouvez le constater.

Il m'apparut soudain que, pendant cette année où elle était devenue la Dame du Lac, nous n'avions pas beaucoup vu Merlin.

— Je ne me souviens pas de vous avoir rencontrée à Caerléon. Vous avez une bonne mémoire.

— J'ai de bonnes raisons de m'en souvenir. Vous m'aviez effrayée.

Si ma vue ne me jouait pas de tours, je perçus un sourire sur ses lèvres.

— Vraiment ? Je vous en demande pardon. Ce n'était pas intentionnel.

— C'était entièrement ma faute, dame Viviane. J'étais très jeune.

Elle s'assit avec grâce à côté de moi sur le banc. Les présentations étaient terminées.

— Vous êtes guérie, m'annonça-t-elle. Dans trois jours, vos forces seront totalement revenues.

— Je vous remercie de l'excellence des soins de vos dames, répondis-je.

— Oui. Que souhaitez-vous faire quand vous serez rétablie ?

J'écarquillai les yeux en entendant cette question. Qu'avait-elle derrière la tête ? Qu'est-ce qui se passait ?

— J'ai l'intention de rentrer chez moi, ma dame, si cela est permis.

— À Camaalot ?

— Bien entendu. Si... si c'est toujours possible.

Il n'y avait aucun signe de douceur sur son visage sévère. Manifestement elle m'accusait d'un forfait quelconque, mais je ne savais pas de quoi.

— Arthur s'y trouve, effectivement.

Je rencontrai ses yeux. Cela devint notre champ de bataille.

— Je suis heureuse de vous l'entendre dire. Je désire le voir.

— Il sait ce qui est arrivé.

— Je l'espère bien. Il ne s'agit pas d'un petit incident, cela le concerne personnellement. Je vous en prie, dites-moi, car je ne sais, qu'est-il advenu à Méléagant ?

La Dame du Lac m'observait. Je sentis mes pensées fouillées par d'invisibles doigts inquisiteurs. Cela me rappela la visite de Merlin, voilà des années, durant mon sommeil. Mais qu'une femme puisse posséder un tel pouvoir ! À cet instant précis, elle me parla :

— Rien jusqu'à présent.

— Quoi ? Il n'a pas été emprisonné ? m'écriai-je, horrifiée. On ne me croit pas ?

Je me mis à trembler de peur et remarquai, pour la première fois, une expression de compassion chez dame Viviane.

Elle mit la main sur mon bras.

— Personne ne l'a encore accusé formellement. Seulement

Lancelot. Et il a été incohérent dans ses propos, à cause de la douleur et de la fièvre.

Immédiatement, je me figeai et elle le remarqua. Sa compassion disparut. Quand elle parla à nouveau, sa voix était plus lointaine.

— Vous ne demandez pas comment va Lancelot ?

— Comment va mon sauveur ? questionnai-je, obéissante.

Cela faisait une semaine que nous avions chevauché ensemble et, s'il ne pouvait toujours pas porter une accusation contre Méléagant, cela signifiait qu'il était vraiment mal en point — ou même pire. Tout était clair, à présent. Je baissai le regard et, respirant à peine, j'attendis le coup.

— Il repose, gravement blessé, dans notre maison de guérison. Son genou s'est infecté. Il sera peut-être nécessaire de lui couper la jambe pour qu'il vive.

— Mon Dieu ! m'écriai-je, et j'enfouis mon visage dans mes mains.

— Il est inconscient. Le haut roi est retenu à Camaalot par des affaires urgentes et il m'a demandé — ordonné, devrais-je dire — de solliciter de vous une chose difficile.

Je me redressai et regardai le ciel. Quelque chose se tramait.

— Je doute que vous trouviez cela difficile, ajouta-t-elle. Le roi vous commande de vous rendre au chevet du seigneur Lancelot et d'y demeurer jusqu'à sa guérison, ou jusqu'à sa fin, si tel est son destin.

Je la regardai sans ciller. C'était tout ce que je pouvais faire. Elle demeurait face à moi, m'observant. Je pus à peine me retenir de lui demander de me mener aussitôt à Lancelot. Viviane pouvait lire le flot de mes pensées et son expression devint plus froide. C'était intolérable. Même Arthur ne me jugeait pas ainsi.

— Dame Viviane ! répondis-je en prenant sa main dans la mienne. Ne me tendez pas de piège, je vous en supplie. Je sais que vous pouvez discerner la vérité. Pourquoi me tendez-vous un piège par ces mensonges ? Merlin était là. Je ne peux rien cacher et je ne le souhaite pas. Je dis la vérité à mon seigneur. Il a besoin de connaître la vérité.

— Toute la vérité ? me demanda-t-elle.

— Ah, fis-je tristement, il sait déjà tout. Vous en doutez ?

Il le sait depuis bien longtemps. (Je m'arrêtai de parler, mais Viviane ne dit rien. Elle parut s'attrister, cependant.) Avez-vous donc eu une vie si vertueuse, dame Viviane, que vous ne puissiez concevoir que quelqu'un soit déchiré entre deux amours ?

Elle en eut le souffle coupé et, à mon grand étonnement, se trouva embarrassée. Je ne savais pas que Viviane avait donné son cœur à un chevalier d'Arthur, un certain Pellès, le frère d'Alissa, et qu'en même temps son ancien maître était près de sa fin. Je n'en savais rien, mais Dieu guida mes pensées et elles atteignirent leur but.

Elle rougit un peu.

— J'aimais et j'admirais Merlin, dit-elle doucement.

— Oui, fis-je, la regardant droit dans les yeux. Et moi, j'aime le roi.

Elle faillit protester, mais m'observa un moment, cherchant quelque chose, puis acquiesça.

— Je ne le savais pas.

— Maintenant, vous savez. Avec moi, son honneur n'a rien à craindre.

Le coin de ses lèvres se souleva pour former un petit sourire.

— C'est ce qu'il m'a dit, à de nombreuses reprises.

— Pourquoi m'envoie-t-il auprès de Lancelot ? S'agit-il d'une épreuve que vous avez conçue ?

— Non, ma dame. Il craint pour la vie de Lancelot et espère simplement que votre présence pourra renforcer sa volonté de vivre.

— Alors j'irai. Prions pour qu'il ait raison.

— Je lui ai déconseillé de vous envoyer, me confessa-t-elle.

— Il est plus sage que vous, dis-je sur un ton poli. Cela m'est bien égal de savoir qui a eu cette idée. Lancelot m'a sauvée et je lui suis redevable.

Elle secoua la tête.

— Les dieux vous ont sauvée, dame Guenièvre. Ou Dieu, si vous préférez. Il a envoyé le bon vent dans les voiles du navire d'Arthur voguant dans l'estuaire et a permis qu'il arrive deux jours en avance.

— Si vous le dites. Mais c'est Lancelot qui m'a sauvée de

l'île. Quoi qu'il puisse arriver à présent, je serai pour toujours sa débitrice.

Viviane détourna les yeux et regarda à travers le verger vers les scintillements lointains du lac. J'avais du mal à rester en place. Je repensai à Lancelot qui s'était sacrifié pour me sauver.

— Vivra-t-il, dame Viviane ?

La question m'échappa contre ma volonté, et je me mordis les lèvres, effrayée par ce que j'allais entendre.

— Je n'ai pas vu le destin de Lancelot, dit-elle en forme d'excuse. Les étoiles ne président pas à la destinée de chacun.

— Attendez ! m'écriai-je, bien qu'elle n'eût manifesté aucun signe de vouloir me quitter. Il reste une chose que j'aimerais connaître. Je... j'ai peur. Mais si cela concerne Arthur, vous le saurez, n'est-ce pas ? (À la mention de ce nom, son attention se fit plus intense. Ma voix devint plus faible.) Tout le monde croit que... qu'il va me répudier. Dieu sait qu'il pourrait le faire. Je le pressens mieux que quiconque. Va-t-il le faire, Viviane ? Oh, je vous en prie, dites-le-moi si vous le savez !

À nouveau, ses yeux devinrent des puits froids. Bien qu'elle ne bougeât pas, je la sentis sur la réserve.

— Cela vous ennuie-t-il autant que cela ? Vous pourriez être libre. Et Lancelot n'est pas marié.

Je criai et me couvris le visage avec mes mains tremblantes.

— Je préférerais... plutôt... mourir..., murmurai-je. Je me tuerais d'abord. Cela m'est égal si cela signifie la damnation éternelle. Je ne pourrais pas vivre avec cette honte. Non, je ne pourrais pas. Oh, mon Dieu, pourquoi dois-je subir toutes ces épreuves ? Pourquoi ne puis-je pas porter ce fils que désire Arthur ? Qu'ai-je donc fait pour lui causer tant de honte ? Je n'en puis plus...

À cet instant, Viviane passa ses doigts froids contre mes tempes et psalmodia quelques syllabes d'une voix calme et monotone. Mes paupières devinrent lourdes et se fermèrent contre ma volonté.

— Détendez-vous, dame Guenièvre. Je vous aurais aidée si je le pouvais, mais je ne connais pas les réponses à vos questions. Merlin a vu votre destinée, pas moi. Votre destin repose entre les mains d'Arthur, et vous retournerez vers lui.

— Puisse Dieu avoir pitié de mon âme, murmurai-je.

— Les dieux vous ont choisie, dit-elle posément. Il y a bien une raison. Peut-être devriez-vous accepter plus sereinement ce que la vie vous apporte.

— Vivre et laisser vivre sans me plaindre, dis-je lentement. Ce qui sera sera.

— La vie est un don des femmes, la mort est un don de Dieu, acheva-t-elle. Ainsi, vous avez déjà entendu la litanie de Merlin.

Je lui touchai la main.

— Arthur me la répète environ tous les six mois, lui rétorquai-je. Merci, Viviane. Je me sens mieux après cette visite.

Nous nous levâmes ensemble et, enfin, son sourire devint plus chaleureux.

— Vous avez beaucoup de charme, Guenièvre. Tout le monde le sait, bien sûr. Mais je croyais... Enfin, Arthur m'avait prévenue que je n'y résisterais pas. Il avait raison.

Je lui pris la main.

— Arthur est un homme très sage.

Je restai quatre jours avec Lancelot avant que sa fièvre ne retombe et qu'il n'ouvre les yeux. Comme infirmière, je n'étais pas très utile, sauf pour poser les compresses froides sur son front brûlant et arranger ses oreillers. Je suis restée assise à son chevet en lui tenant la main et cela m'a rappelé mon rôle dans ma jeunesse à l'hospice, à Gwynedd. Pour lui je chantais souvent, quand on lui mit des sangsues et quand on lui creva un abcès. Je chantais pour ne pas m'évanouir, et pour soulager mes craintes et ma peur de l'art chirurgical. Je ne quittais son chevet que pour manger et dormir, et uniquement parce que Viviane me le demandait expressément. Ce ne serait pas rendre service à Arthur que de retomber malade. J'obéissais à tous les ordres. Viviane semblait contente de l'amélioration de l'état de Lancelot, bien qu'à mes yeux, il parût mortellement pâle quand il n'était pas brûlant de fièvre.

Qu'il soit demeuré vivant tenait plutôt du miracle. On me raconta que, la nuit où il me ramena, dès que je fus aux bons soins de la Dame, il se précipita dans la forteresse de Méléagant, cherchant à se venger. Il grelottait et pouvait à peine marcher. Il s'élança pendant le dîner du roi, l'épée à la main, et se jeta sur Méléagant alors que tout le monde restait pétrifié. Vociférant des accusations de sa forte voix et délirant à moitié, il glissa dans une flaque de son propre sang et rata sa cible. Sa tête heurta le coin de la table et il tomba inconscient. Heureusement, le bras d'Arthur stoppa celui de Méléagant et empêcha ce lâche de le tuer sur-le-champ. J'aurais dû remercier Arthur pour avoir sauvé Lancelot qui gisait blessé dans le pavillon de la Dame, luttant pour sa vie, mais il n'était pas là.

Le quatrième jour, Lancelot ouvrit les yeux et me reconnut.

— Gwen ! murmura-t-il.

— Chut ! lui répondis-je.

Puis j'appelai les servantes, qui lui apportèrent un peu d'eau. Il but avidement.

— Gwen, mon amour, dit-il, puis il retomba dans le sommeil.

Je pressai sa main contre ma joue, terriblement heureuse.

Durant encore deux semaines, je restai avec lui. Chaque jour son état s'améliorait. Avec le temps, il put me parler, et il se mit à discourir longuement, comme s'il voulait remplacer par des mots ses douces caresses. Il me raconta sa jeunesse en Petite Bretagne, sa solitude, ses rêves d'exploits et de gloire, ses combats avec Arthur. Je tenais ses mains et caressais son front. Que nous avons pleuré et ri ! C'était comme si ses blessures avaient atténué son caractère réservé. Il put me dire tout ce qu'il avait sur le cœur. On nous épiait tout le temps, mais nous faisions comme si nous étions seuls au monde. Comme Lancelot ne mentionna pas Méléagant, moi non plus. Puis nous nous sommes rapprochés l'un de l'autre et avons partagé beaucoup de moments heureux ; alors nous n'avions plus besoin de parler, le toucher était suffisant. Le souvenir de la passion brûlait dans mon esprit, et dans le sien aussi. Quand il posait sa main sur mon bras et qu'il me regardait de ses yeux gris, nous nous retrouvions à nouveau dans la cabane. C'était si fort ; nous étions prêts à nous emporter. Alors, quelqu'un détournait le regard et le charme était rompu. C'était arrivé, nous ne pouvions pas le nier ; mais c'était déjà du passé.

Finalement, Lancelot put se lever et marcher un peu en s'aidant d'un bâton. Viviane nous apporta des nouvelles : le roi souhaitait que je revienne. Le lendemain il m'envoyait une escorte pour me ramener.

Je la regardai, anxieuse.

— Est-ce un mauvais signe, dame Viviane, qu'il ne vienne pas en personne ?

— Je crois plutôt qu'il s'agit d'un signe à l'intention du seigneur Méléagant pour qu'il laisse passer l'escorte, répondit-elle aimablement. Vous n'êtes plus en danger, dame Guenièvre. Si Méléagant essaye de vous empêcher de partir, les chevaliers seront sur ses talons dans l'heure. (Elle me sourit, compatissante.) J'ai cru comprendre que nombre d'entre eux étaient prêts à venir venger votre honneur sur-le-champ. Le roi offre une chance à Méléagant de sauver sa vie.

Le soir même, j'annonçai la nouvelle à Lancelot. Il ne partageait pas mon inquiétude.

— Je vais devoir me passer de vous et cela me chagrine terriblement, ma dame Guenièvre. Mais il faut que vous retourniez à Camaalot, vers le roi Arthur. Quand je serai totalement rétabli, je reviendrai.

— Ce n'est pas tant de partir que je crains, mais bien ce qui m'attend à mon arrivée.

— Peur de ce qui va se passer ? Comment cela ?

Je marchais de long en large dans sa chambre. Les servantes, collées contre les murs, avec des visages figés, sortirent prestement à mon signal.

— Je crains qu'Arthur puisse voir les choses comme cela l'arrange et me répudie. Personne ne lui en tiendrait rigueur. Pas même moi. Et à présent, il a une parfaite excuse pour...

— Dame Guenièvre, dit tendrement Lancelot.

Je vins près de son lit. Il me prit la main.

— Depuis que nous nous connaissons, vous avez toujours craint Arthur, reprit-il. Vos craintes ont-elles été justifiées ?

— Enfin, je n'ai jamais vraiment eu peur. Je redoute simplement sa réaction.

— Beaucoup de gens redoutent Arthur. Je ne peux pas croire que vous pensiez qu'il va vous répudier. Vous êtes trop anxieuse. Pensez à ce que peut ressentir Arthur en ce moment.

— Mais c'est justement ce que j'essaye de faire !

m'écriai-je. Comment pourrait-il ne pas se sentir trahi par le destin ? Il est le haut roi et n'a toujours pas d'héritier.

Le visage de Lancelot ne reflétait que son amour profond et sa bienveillance.

— Gwen, dit-il, pense à l'homme que tu connais. Il préférerait se couper une jambe plutôt que de se séparer de toi. Tout comme moi.

— Il pourrait le faire pour sauver le royaume de Bretagne, et personne ne le sait mieux que toi, Lancelot.

Il me sourit et me baisa la main.

— C'est la stricte vérité. Mais s'agit-il vraiment de sauver le royaume de Bretagne ou de plaire au roi ?

— La lignée d'Arthur est l'avenir de la Grande-Bretagne.

— Peut-être. Mais l'avenir est entre les mains de Dieu. Ne me dis pas qu'Arthur te traite comme un simple ventre, car je ne te croirais pas.

Je le fixai, stupéfaite, car ses paroles ressemblaient à ce qu'un jour Arthur m'avait dit.

— Tu crois vraiment qu'il va me garder ?

— Oui, dit Lancelot, je le crois.

Je m'assis sur le lit et lui saisis la main.

— Par Dieu, j'espère que tu as raison.

17

Fidélité et trahison

ON ESCORTE avait une fière allure et elle arriva en grande pompe. Cependant, il n'y avait pas de litière, juste un cheval pour moi : Pallas, avec un harnachement doré. Le roi m'avait même fait envoyer des vêtements de monte pour que je puisse revenir au château, habillée dans ce style qui m'était devenu si familier.

Les suivantes de Viviane me coiffèrent et la Dame en personne me bénit durant une cérémonie publique avant que je ne quitte le temple. À l'extérieur, les soldats de Méléagant étaient alignés le long de la route et nous saluèrent alors que nous passions à côté d'eux. Méléagant était présent, lui aussi, somptueusement habillé, et coiffé de sa couronne. Bien que j'eusse de la peine à y croire, il me suivait toujours de ses yeux concupiscents. Je me souvins qu'il m'avait parlé des visions qui lui avaient été exposées par la précédente Dame du Lac. Peut-être qu'après être passé si près de ses désirs les plus intimes, il ne supportait pas de me laisser partir et continuait à entretenir un espoir. Je frissonnai à cette seule pensée. Le capitaine de l'escorte, qui chevauchait près de moi, amena son cheval plus près.

— N'ayez crainte, ma dame, dit-il à voix basse, nous serons bientôt débarrassés du seigneur Méléagant.

Je fus surprise en reconnaissant la voix de Ferron et vis dans sa présence la volonté personnelle d'Arthur. Si le capitaine avait été en disgrâce à cause de ma conduite inconsidérée, on lui avait redonné une chance de se racheter.

Je le saluai :

— Mon cher Ferron, je suis heureuse de vous voir ici ! Je vous prie d'oublier ma morgue lors de notre dernière rencontre. J'eus tort d'ignorer vos sages conseils. Voyez ce que cela nous a coûté !

Il parut surpris et ne put me répondre immédiatement.

— Ma reine, je... je vous prie de ne pas... La faute fut mienne, ma dame. Si j'étais, ne serait-ce qu'à moitié, un aussi bon cavalier que vous, j'aurais pu vous suivre dans le brouillard.

Soulagée, je pus rire. Son admiration paraissait sincère et son compliment, tellement inattendu, me fit du bien. Le beau soleil du mois de mai nous réchauffait et mon cœur devint plus léger.

— Comment va le roi ? lui demandai-je, sachant fort bien qu'il avait dû voir Arthur juste avant de partir.

— Le roi est en colère, dit-il, gêné, le regard sur la route.

Je m'y attendais un peu. Néanmoins je ressentis l'anxiété me gagner. Bientôt, nous arrivâmes à la fin de la chaussée du marais et débouchâmes sur la route principale qui menait à Caer Camel. Nous éperonnâmes nos montures pour le grand galop. Ce n'était plus le moment de discuter.

Quand nous arrivâmes en vue de la porte royale les trompettes retentirent. Toute l'armée d'Arthur sortit du château pour nous accueillir. Les soldats s'alignèrent le long des rues de Camaalot et chacun m'acclamait alors que je passais à côté. J'étais bouleversée par tant d'admiration. Quand, dans la haute cour, je descendis de cheval, mes yeux étaient remplis de larmes. Ferron m'accompagna dans ma montée des marches jusqu'au groupe de personnes qui se tassaient devant la porte. C'est seulement après avoir accompli ma révérence que je réalisai avec horreur qu'Arthur n'était pas présent. Le seigneur Keu m'aida à me lever. De sa forte voix, il proféra les formules habituelles de salutation.

— Bienvenue chez vous, reine Guenièvre !

Tremblante, je lui saisis la main.

— Où se trouve mon roi ? questionnai-je à voix basse. Seigneur Keu, pourquoi n'est-il pas présent ? Menez-moi à lui !

Keu, apparemment bougon, me mena à l'intérieur.

— Mes ordres sont, ma dame, répondit-il d'une voix plutôt forte, de vous mener à vos appartements, où vous pourrez attendre les ordres du roi. Il vous mandera quand il le jugera bon.

Je le fixai d'un regard atterré, mais son expression ne laissait rien transparaître. « Quand il le jugera bon ! » Mais que pouvait-il bien faire en ce moment, avec tous ces hommes dans les rues de Camaalot ?

Keu m'escorta le long des corridors jusqu'à la porte de mes appartements. La sentinelle la plus proche se tenait à dix pas de nous. Quand Keu s'inclina pour me baiser la main, il me lança un rapide clin d'œil et parla très bas.

— Il vous attend dans votre jardin, mais il faut que personne ne le sache.

Je le remerciai et courus dans ma chambre. Ailsa et tous mes gens étaient rassemblés dans l'antichambre. Ils accomplirent une révérence en me voyant entrer. Mais, dans ma course, je ne m'arrêtai pas.

— Ma dame ! s'écria Ailsa, stupéfaite.

— Plus tard ! lui répondis-je sans me retourner. Je souhaite être seule. Attendez que je vous rappelle.

Je me précipitai dans l'escalier qui menait à ma chambre. Quoi qu'ils pensent, que j'étais en colère, terrifiée ou bien humiliée, je m'en moquais. Je devais voir Arthur. S'il désirait une entrevue privée, il ne pouvait pas choisir un meilleur endroit. Mes jardins n'étaient accessibles que depuis ma chambre à coucher, et aucun homme ne pouvait y pénétrer sauf en passant par les appartements du roi. J'atteignis enfin ma terrasse. Je m'arrêtai et pris une profonde inspiration pour me calmer. Tant de choses dépendaient de la manière dont se dérouleraient nos retrouvailles !

Arthur était au fond du jardin, debout de trois quarts, et regardait le jet d'eau de la fontaine. Je le contemplai à cet instant précis comme quelqu'un que je voyais pour la première fois. Il avait vingt-cinq ans : dans la fleur de l'âge, haut roi du royaume de la Grande-Bretagne depuis onze longues années. La royauté faisait partie intégrante de sa personnalité. Il était grand et bien fait de sa personne, avec une belle silhouette et il bougeait avec une grâce naturelle. Rasé de près avec une peau blanche, c'était un bel homme mais d'un caractère un peu rude, à la manière de ses soldats. Ce qui le mettait vraiment à part, c'était ce petit quelque chose : sa lumière intérieure, son port de tête, son intégrité, sa sérénité. Il savait qui il était et ce qu'il faisait. C'est ainsi que je le vis, à cet instant, et j'en fus bouleversée.

Je descendis d'un pas léger l'escalier et traversai le jardin vers lui. Le bruit de l'eau de la fontaine cacha le son de mes pas. Il ne m'entendit pas jusqu'à ce que je sois juste à côté de lui. Ainsi, je pus voir sa véritable réaction et juger de son cœur.

Il se retourna et son visage s'éclaira.

— Guenièvre !

Je m'agenouillai à ses pieds et pris sa main, pressant mes lèvres sur le gros rubis des Pendragon.

— Mon seigneur Arthur !

Il me releva de ses deux mains et me tint contre lui, ses mains dans mes cheveux. Il les défit avec un art consommé, tout en me susurrant à l'oreille des mots tendres :

— Tu m'as tant manqué ! Tu t'es vraiment remise de cette épreuve ? Quand tu t'en sentiras capable, j'aimerais que tu me racontes tout. Vraiment tout.

— Je te dirai tout. Mais d'abord, Arthur...

Il posa ses lèvres sur les miennes pour que je ne parle plus. Je m'abandonnai à ses ardeurs. Je me sentais en sécurité dans ses bras. Il était ma Bretagne et mon chez moi.

— Ah, Gwen, dit-il, s'écartant un peu pour me laisser respirer, pourras-tu un jour me pardonner de t'avoir abandonnée comme ça sur l'Ynys Witrin ? J'étais mort d'inquiétude. Devoir continuer à vivre comme si de rien n'était alors que tu étais en Avalon, encerclée par la soldatesque de ce Méléagant ! Je n'étais même pas certain qu'il tiendrait sa promesse et te relâcherait. Si je l'avais forcé, eh bien... j'aurais gagné la guerre, mais je risquais de perdre cette bataille. Je me devais de suivre les conseils de Merlin, donc de me comporter envers Méléagant comme s'il était un homme courtois, ce qu'il n'a jamais été. Il croit que je ne m'intéresse qu'à ton honneur, il avait donc moins à perdre en te rendant à moi. Je devais feindre l'indifférence, dit-il avec une pointe de colère dans la voix. Je devais offrir un peu d'espoir à ce scélérat.

Je l'attirai contre moi et posai ma tête contre sa poitrine. Puis je fermai les yeux et me laissai aller à écouter les lents et forts battements de son cœur.

— Il a prétendu, dis-je calmement, que vous alliez me répudier. Tout le monde s'en doutait. (Je vis tout son corps se raidir, mais je poursuivis.) C'est pour cela qu'il a osé le faire, plus à cause de quelques visions prothétiques d'une prêtresse... Cela n'a plus d'importance. Tu as été bien inspiré de lui parler ouvertement et de lui donner un peu d'espoir pour pouvoir me soustraire à lui. Autrement, je pense qu'il m'aurait gardée captive, en risquant la guerre.

Il leva mon menton et me regarda. Ses yeux étaient sombres, profonds et passionnés.

— Tu l'as cru ?

— Je... je... j'avais peur de lui, auparavant.

L'expression de son visage se durcit, mais sa main contre ma joue resta douce.

— Je ne le ferai pas, dit-il d'un ton brusque, tenant mon visage dans ses mains, tout en me regardant droit dans les yeux. Je ne le ferai jamais, Guenièvre. Je le jure, ici même, devant Dieu Tout-Puissant. Aussi longtemps que je serai roi, tu seras reine. Au moins, je peux t'épargner cette souffrance.

Des larmes coulèrent sur mes joues, il les embrassa, une par une.

— Arthur, murmurai-je, retenant un sanglot, je t'aime de toute mon âme.

Il ferma les yeux et se tint immobile.

— Sainte Mère de Dieu, souffla-t-il, j'ai vécu assez vieux pour t'entendre me le dire, surtout après tout ce que tu as vécu !

Il se mit à rire joyeusement et alla s'asseoir sur le banc de pierre à côté de la fontaine. Puis il m'installa sur ses genoux.

— Alors, comment va notre cher Lancelot ? J'ai eu un rapport circonstancié de dame Viviane, mais, toi, tu peux me dire les choses qu'elle ne peut pas dire.

— Il est impatient de rentrer, répondis-je, et furieux que Méléagant soit toujours en vie.

— Alors, il est presque guéri. Je m'inquiète pour Lancelot

avec Méléagant tout près. Il n'y a pas un seul être vivant sur l'Ynys Witrin qui oserait lever une épée contre lui. C'est le plus vaillant guerrier de toutes les Bretagnes.

Je lui souris.

— Il m'a dit le plus grand bien de vous, sire.

— Qui plus est, j'ai rapporté ses armes avec moi, pour sa propre protection.

Je ris.

— Il ne m'en avait pas parlé.

— Je crois bien qu'il te doit sa vie.

— Mais c'est toi qui m'as envoyée vers lui. C'était un acte noble.

— C'était plutôt un acte de désespoir, répondit-il gravement. Je voulais que tu me reviennes ; je ne peux me permettre de le perdre.

Il me prit les mains et les posa derrière son cou.

— Arthur.

— Oui ?

— Je dois te dire. À propos de Méléagant...

— Ah oui, de quoi l'accuses-tu ?

— D'enlèvement.

— C'est tout ? Pas de... de viol ?

— Non. Il ne m'a pas prise de force. J'ai pu échapper à ce destin... de justesse. Mais j'en ai réchappé.

Il eut un très grand et lent soupir.

— Personne ne te l'a dit ? m'écriai-je. T'ont-ils laissé croire que...

— Personne n'était certain. Lancelot était alité et inconscient. Merlin a disparu.

— Mais, Arthur, enfin, si tu doutais... Tu veux dire que tu as promis de me garder alors qu'en même temps tu pouvais t'attendre à l'impensable ?

Son visage se fit grave, mais ses yeux restaient doux et réconfortants.

— Oui. Rien de ce que Méléagant pouvait te faire n'aurait changé ce qu'il y a entre nous. Il aurait dû te tuer pour me séparer de toi. Pour tout le reste, ce ne sont que des ragots sans importance. J'ai eu, durant ces dernières années, pas mal de temps à consacrer à la réflexion à ce sujet. Tu vois de quoi je veux parler. Mais je n'en ai pas le loisir, ma Gwen. La vie n'est pas uniquement faite pour avoir des enfants, et je ne souhaite pas vivre sans toi. (L'emprise de ses bras autour de ma taille devint plus forte.) Une vie de roi peut être terriblement solitaire. Je suis si souvent loin de toi... Je crois que j'ai mérité le droit de revenir chez moi dans les bras de la femme que j'ai choisie.

J'embrassai sa gorge et mis ma tête sur son épaule.

— Tu es la générosité même. Tu es le seul homme de toute la chrétienté pour qui cela n'aurait fait aucune différence.

— Oh, que si, cela fait une différence, répondit-il avec de la colère dans la voix. Non pas pour toi, mais pour Méléagant. La différence qu'il y a entre la mort assurée et la chance que je lui laisse de demander grâce.

— Que vas-tu faire ?

— Je vais simplement l'accuser du crime qu'il a commis. Nous verrons bien comment il se défend. Je voulais d'abord qu'il soit éliminé, mais ce n'est pas la meilleure des solutions.

Nous restâmes silencieux un moment. Ma conscience me tourmentait. Mais Arthur paraissait en paix avec lui-même.

— Arthur, dis-je finalement, il y a une chose en plus que je souhaite te raconter à propos de Méléagant. Viviane m'a assuré que tu dois l'entendre.

Il se raidit, mais je n'arrivais pas à déterminer dans son expression s'il savait ou non.

— J'ai tenté de retenir Méléagant aussi longtemps que j'ai pu, repris-je lentement. Mais il arriva qu'il ne pouvait plus attendre. À la nuit tombée, il... il... Oh, Arthur ! Il a posé ses mains et ses lèvres sur moi et m'a déshabillée à moitié. Mais, à ce moment, il vit une lueur, c'était le signal de ses complices. Il sortit. J'aurais dû alors me rhabiller, mon seigneur, oui, je sais. Mais j'étais comme paralysée... J'avais si peur que je ne pouvais pas bouger.

— Oui, dit-il d'une voix tendue. J'ai constaté souvent la même chose chez des hommes après le combat.

— Je ne savais plus rien, je ne voyais pas le temps passer. J'étais, ainsi, debout quand... quand Lancelot est entré... Il me rhabilla, mon seigneur, et les sensations impures disparurent de mon esprit.

Ses doigts se posèrent sur mes lèvres pour m'empêcher de

parler et je lui en fus reconnaissante. Après un long silence, pendant lequel nous ne nous regardions pas, il me parla. Il y avait de la douleur dans sa voix.

— Il est mon ami. Il m'a rendu un grand service et il y a presque perdu la vie pour moi. S'il a pu te... alléger ton cœur, ma Guenièvre, je ne peux que l'en remercier.

Une telle générosité était incroyable. Je baissai la tête et laissai les larmes couler sur mes joues. J'avais mal, si mal pour lui.

— Il m'a dit, murmurai-je, que vous ne me répudieriez pas.

— Il me connaît bien.

Je le serrai très fort dans mes bras et pressai ma joue humide contre son visage.

— Sire, j'aurais tant aimé que les choses ne se passent pas ainsi. J'aurais tant aimé vous épargner cela !

— Merci, Guenièvre. Mais nous n'y pouvons plus rien, à présent. Nous le savons tous les trois. Notre confiance réciproque est ce qui compte le plus.

— Nous ne la briserons jamais, lui promis-je, alors que j'étais là sur ses genoux, dans ce jardin, avec des larmes coulant sur mon visage et mon cœur trop lourd pour dire quoi que ce soit d'autre.

Finalement, il se leva et se mit à marcher de son pas lent devant la fontaine. Je ne pouvais pas imaginer ce que nous aurions pu ajouter.

— Ma chère Guenièvre, dit-il enfin, tu as été courageuse et honnête avec moi et tu m'as avoué des choses que je n'ai pas aimé entendre. Mais à présent, à mon tour, j'ai peur de devoir t'apprendre des choses désagréables.

— Comment cela, sire ?

— Tu te souviens que j'ai dû cacher ma colère à Méléagant et feindre l'indifférence face à ton sort pour lui donner un espoir, en te laissant là-bas si longtemps et en t'envoyant vers Lancelot.

— Oui.

— J'avais deux bonnes raisons pour ce faire. En envoyant messire Ferron à ma place et en laissant le seigneur Keu t'accueillir, je me devais de faire croire que j'étais en froid avec toi, pas seulement pour tromper Méléagant, mais également pour tromper son complice, ici, à Camaalot.

J'étais très surprise.

— Un complice ?

Il me jeta un coup d'œil rapide. Il avait changé. Son regard était dur et fort, son visage était fermé. Je ne l'avais encore jamais vu aussi en colère.

— Par quel autre moyen Méléagant se serait-il trouvé au bon endroit au bon moment ? Il n'a pas pu vous suivre dans le brouillard. Il savait dans quelle direction vous alliez. Qui plus est, il avait eu des informations qui lui firent croire que s'il parvenait à te capturer il pourrait te garder, car je pouvais fort bien me désintéresser de ton sort. Dieu sait que les ragots à notre sujet sont allés bon train au cours de toute cette année.

Il eut un haussement d'épaules en signe de mépris, puis poursuivit :

— Un messager a été signalé à la porte royale juste avant que ton groupe ne parte et après que le seigneur Keu eut été mis au courant de tes intentions.

— Tu ne suspectes pas le seigneur Keu ?

— Non, sauf si les circonstances étaient contre lui. Qui a pu entendre tes paroles, alors ?

Je me remémorai attentivement l'épisode. Ma réponse pouvait avoir de graves conséquences pour certaines personnes.

— Six de mes dames de compagnie, répondis-je enfin, et je les nommai toutes.

— Ah ! dit-il, satisfait. Ainsi, donc, Elaine était bien présente.

— Arthur ! m'écriai-je en attrapant son bras. Tu ne vas pas suspecter Elaine !

— Tes sentiments pour Elaine sont comparables à ceux que je nourris à l'égard du seigneur Keu. Vous avez grandi ensemble. Elle est comme une sœur. Mais réfléchis bien à cela, Guenièvre. La confiance entre vous est-elle si forte que ça ?

— Doux seigneur, je... je ne pense pas différemment.

— Je reste persuadé que c'est réciproque, dit-il.

La douceur de sa voix me fit étrangement peur.

— Il est arrivé quelque chose ? m'écriai-je soudain. Dis-moi.

Il me fit asseoir sur le banc et se plaça juste devant moi, me tenant les deux mains.

— Sais-tu pourquoi elle a toujours refusé tous les prétendants, même mes meilleurs chevaliers, et qu'elle ne s'est jamais mariée ?

J'en eus le souffle coupé. Je levai la tête pour le regarder en face.

— Oui. Mais toi... tu sais ?

Il acquiesça. Je me retrouvai sans voix, attendant la suite.

— Je l'ai trouvée l'autre nuit dans mon lit, dit-il simplement. Cela s'est passé deux semaines après ta disparition. Un instant, mais juste un instant, je crus que c'était toi. Elle sait imiter ta voix. Un bref instant, je m'imaginai que tu avais pu t'enfuir et te glisser discrètement dans mon lit. Un pur fantasme... Un instant fugace, te dis-je. Je sus la vérité immédiatement après lui avoir touché les cheveux. Mais à ce moment... (Il hésita et je vis son visage devenir rouge de honte. Je fixai les pierres du jardin et m'accrochai à ses mains.) Elle montra sa vraie nature. Elle dit des choses que je ne veux pas répéter devant toi. En vérité, je crois qu'elle n'est pas saine d'esprit.

Je secouai la tête.

— Non, Arthur. Ce n'est que l'expression de ses sentiments profonds. Elle a toujours été ainsi. Ce n'est pas nouveau.

— Tu dois faire en sorte de la tenir éloignée de moi ! (La phrase sortit de lui avec force, puis il soupira et s'assit à côté de moi.) Ce que j'essaye de te dire, ma Gwen, c'est que je crois bien qu'elle t'a trahie. Quelle qu'en soit la raison. Je pense qu'elle t'a livrée à Méléagant.

Je ne dis rien. C'était impossible. Je ne voulais pas croire ça d'Elaine. Qu'elle était amoureuse d'Arthur, oui. Qu'elle ait vraiment voulu me supplanter, non. Mais elle s'était glissée dans le lit du roi...

— Es-tu certain que c'était bien Elaine ? demandai-je, accablée.

— Oui, répondit-il tristement.

— C'est arrivé quand ?

— Il y a une semaine. Après que je t'ai envoyée auprès de messire Lancelot. À tous, il sembla que j'avais accepté ton destin et que je ne tenais plus à toi, ce qui était le plan, puisse Dieu me pardonner cette fourberie. (Il passa une main sur son front.) Je ne l'avais pas suspectée, jusqu'à ce que se produise cet événement. Mais je n'en doute plus, à présent. Ce que je veux savoir c'est si tu souhaites faire ce qu'il faut personnellement ou si tu veux que ce soit moi. Je t'en laisse juge.

— Si c'est Elaine... Elle ne sait pas que tu m'as pardonné ?

— Te pardonner ? (Il me sourit tendrement, et m'effleura la joue.) Tu n'as rien fait qui aurait pu m'offenser.

— Je veux dire... tu as promis... elle ne peut donc pas savoir que tu ne me répudieras pas ?

— Non. C'est l'un des points du subterfuge, pour que le traître ne connaisse pas mes véritables sentiments envers toi. C'est pour cela que j'ai souhaité te rencontrer secrètement, en un lieu où même Elaine ne puisse nous espionner.

— Alors, laisse-moi lui parler, je lui dois bien ça.

— Je pensais bien que tu dirais cela. Ce ne sera pas une chose agréable, Guenièvre.

Je parvins à lui sourire.

— C'est sûr et certain. Dans quel état d'esprit vous êtes-vous quittés ? Le même qu'auparavant ?

Pour la première fois, je vis Arthur très gêné. Il ne savait pas quoi me répondre.

— J'ai eu l'impression que ses sentiments à mon égard n'avaient pas changé. Mais enfin, elle est aussi en colère contre moi.

— Assurément elle l'est, puisque tu t'es refusé à elle. Tu n'as pas besoin de m'en dire d'avantage. Je sais quelle conduite adopter.

Arthur se leva et me prit dans ses bras, laissant courir ses doigts dans mes cheveux défaits.

— Sois la bienvenue, ma reine. Nous avons raté ton anniversaire. Tu as vingt ans, à présent, et tu es la plus extraordinaire des femmes.

— Merci, mon seigneur.

— Tu feras plus attention à toi, dorénavant, n'est-ce pas ?

Pour mon bien. Et tu ne mettras plus en danger mes capitaines à travers toutes sortes d'épreuves inhumaines ?

Je lui souris.

— Non, mon seigneur.

— Qu'est-ce qu'il t'a pris de partir comme cela, l'autre jour ? (Je détournai le regard ; mon sourire avait disparu.) Ce n'est pas grave, dit-il vivement. Je vois que c'est bien ce que je pensais.

— Prendre l'instant comme il vient sans se plaindre ; ce qui sera sera, dis-je lentement, le regardant à nouveau. Je sais que, peut-être, je ne pourrai jamais te donner d'enfant. Je ne le supporterai, je crois, que si toi aussi tu le peux. Donne-moi un peu de ta force.

Il eut un grand soupir, comme si quelque chose de profondément emprisonné en lui avait pu enfin s'échapper.

— C'est une journée emplie de miracles, souffla-t-il et il m'embrassa.

Finalement, il me lâcha et redressa les épaules.

— Je dois repartir le premier, dit-il. Ainsi, je me trouverai dans une autre aile du palais quand tu retourneras à tes appartements. Donne-moi dix minutes. Je te verrai à la fête, ce soir.

— Quelle fête, sire ?

Un petit sourire illumina son visage.

— Les chevaliers de la Table ronde organisent une fête en l'honneur de leur reine. Vous êtes leur douce amie, vous ne le saviez pas ? J'en profiterai pour annoncer que vous êtes ma reine pour toute la vie. Durant le Conseil, j'inculperai Méléagant. Il vaudrait mieux que vous voyiez Elaine avant.

— Aussitôt après votre départ.

— Sage décision.

Il me salua et partit.

Après être rentrée, j'appelai immédiatement Ailsa pour qu'elle aille me chercher ma robe bleue : « C'est la préférée du roi, non ? » Puis elle me lava et me coiffa les cheveux. Elle parfuma ma robe avec de l'extrait de jasmin que le roi s'était procuré dans les terres du sud et accrocha dans mes cheveux de petites perles et un filet de petits saphirs, un présent du roi également. Quand tous les préparatifs furent accomplis, je m'assis sur mon banc de couture et demandai à Ailsa de me laisser.

— Car, lui dis-je, sans vraiment mentir, j'attends les ordres du roi.

Elle ne m'avait posé aucune question, mais elle était pâle et passablement effrayée ; je fus désolée de ne pouvoir la rassurer plus que ça. Alors qu'elle était sur le pas de la porte, je l'arrêtai.

— Ailsa, si dame Elaine est disposée, et si elle le veut bien, je souhaiterais la voir. Que personne d'autre ne vienne nous déranger.

— Très bien, ma dame.

Elaine vint immédiatement. Quand elle me vit, assise sur le banc, vêtue de la robe préférée d'Arthur, en plein milieu de l'après-midi comme pour une fête, propre et parfumée, ses yeux s'illuminèrent et mon cœur devint triste.

— Gwen ! cria-t-elle, se précipitant vers moi et m'enlaçant. Oh, comme je suis contente de te revoir enfin ! Cela a dû être un calvaire. As-tu vu le roi ? Est-il très en colère ?

Je m'étais assise de façon que mon visage restât dans l'ombre. Elaine prit mon absence de nervosité comme un signe de la crainte des réactions du roi.

— Je croyais que tu pourrais me le dire, répondis-je. Je... j'ai entendu des rumeurs.

— Il est furieux contre Méléagant, bien sûr, confessa-t-elle en s'asseyant sur des coussins à mes pieds.

La lumière de ma porte-fenêtre, donnant sur la terrasse, tombait sur son visage levé vers moi.

— C'était une insulte à son honneur. Mais il sera vengé... Que t'est-il arrivé, Gwen ? Tout ce que nous savons ne sont que des rumeurs. Enfin, si tu te sens capable d'en parler...

— Qu'as-tu entendu ?

— Que Lancelot t'a sauvée avec l'aide de Merlin. Mais qu'il est arrivé trop tard pour te sauver du... du pire.

Elle m'observait intensément, j'en eus des frissons dans tout le corps.

— On pourrait le dire, effectivement, répondis-je et le triomphe que je pus lire, un instant, sur son visage était comme un poignard dans mon cœur. Sans la vision de Merlin et le courage de Lancelot, je serais... peut-être encore là-bas.

Elle eut la présence d'esprit de hausser les épaules.

— Lancelot a-t-il été gravement blessé ? poursuivit-elle. On dit qu'il était mourant, jusqu'à ce que tu viennes et le ranimes.

— On a exagéré, lui répondis-je.

— Cela a dû être terriblement difficile, Gwen, de le voir si près de la mort et tout cela à cause de toi.

— Oui, ce fut très difficile.

Elle prit ma main pour me réconforter ; si elle ressentait mes tremblements, elle les ignora.

— Tu étais présente quand il revint à lui ? Lui as-tu dit ce que tu as sur le cœur ? demanda-t-elle d'une voix affreusement plaintive. C'était comme si vous pouviez voler un peu de temps pour vous deux.

— Elaine, répondis-je, que dois-je faire ? J'ai entendu des choses sur le roi... qu'il serait... qu'il est prêt à demander l'annulation de notre mariage. Dis-moi que ce n'est pas vrai ! Que puis-je faire pour regagner ses faveurs ?

Elle sourit.

— Tu as mis toutes les chances de ton côté. Nous savons qu'il ne te résiste pas quand tu mets du bleu ! (Elle se leva alors et fit le tour de la pièce.) Sérieusement, Gwen, à ta place je ferais attention. J'ai eu un entretien privé avec le roi... Tu te trouves sur un terrain glissant. Il est possible qu'il te répudie. Il en a parlé avec l'évêque.

C'était un mensonge éhonté, et elle me le jeta à la figure sans la moindre hésitation.

— L'évêque ? dis-je à voix basse.

Elle se tourna vers moi. L'excitation dans ses yeux contrastait avec la tristesse feinte de son visage.

— Oh, Gwen ! Pardonne-moi. Je voulais simplement dire... Mais je ne sais pas ce qui va se passer. Il faut te préparer. Après tout, quel futur peut espérer le royaume de Grande-Bretagne si le roi n'a pas d'héritier ?

Elle s'approcha et me prit la main. Mais je ne pus m'empêcher de reculer ma main, refusant son contact.

— Es-tu sûre et certaine qu'il a pris sa décision ?

— Non. Personne n'est sûr. Mais Arthur m'a indiqué, quand nous en avons discuté... qu'il était grand temps de tourner la page et de laisser le passé derrière lui. Écoute,

Gwen. (Elle se mit à genoux devant moi et me fixa intensément.) Te souviens-tu quand nous étions en Galles ? Comme tu étais heureuse avec Lancelot, et comment tu regrettais de ne pas être sa fiancée plutôt que celle d'Arthur ? Aujourd'hui, c'est possible, cela pourra se faire et sans disgrâce ! Le roi va accuser Méléagant d'enlèvement et de viol, et, dès qu'il aura vengé son honneur, il te libérera des chaînes du mariage que tu n'as jamais voulu porter. Lancelot profitera de l'occasion, si je peux dire, pour se marier avec toi. Penses-y. Gwen ! Tes rêves les plus fous se réaliseront. Tu vas pouvoir te marier avec ton véritable amoureux.

Elle s'arrêta, hors d'haleine, très excitée. Je ne parvenais plus à la regarder en face. Je me levai et sortis, luttant pour avoir suffisamment de force pour lui répondre.

— Tu as tout arrangé, n'est-ce pas Elaine ? (Elle leva la tête en percevant le nouveau ton de ma voix et devint immobile.) Comment as-tu fait pour entrer en contact avec Méléagant ? Est-ce lors de la fête des Moissons ? Quand je t'ai avoué à quel point il s'était mal conduit avec moi... Qui servait de messager entre vous ? Le roi veut que tu me le dises.

Elle blêmit.

— Mais de quoi parles-tu ?

— Je t'ai confié mes plus intimes secrets. Elaine. Je t'ai aimée comme une sœur. Que m'as-tu donc fait ?

— Gwen, murmura-t-elle, je suis innocente.

Je me retournai pour faire face.

— Tu dois savoir, dis-je, qu'avant de te parler, je me suis entretenue une heure entière avec le roi Arthur.

Un changement presque imperceptible se fit en elle. L'étonnement quitta ses traits avec les derniers restes de chaleur et de jeunesse. Elle me parut soudain vieille et dure.

— Arthur me l'a fait comprendre, Elaine. Très clairement comprendre. Tout ce que tu viens de me dire est faux. Tu viens de commettre ta dernière erreur. Il ne va pas me répudier. Il ne te prendra jamais pour épouse, même si je meurs. Tiens-le-toi pour dit.

C'était cruel, mais Elaine n'avait jamais pu supporter ne serait-ce que la moindre des critiques en silence.

— Tu ne le mérites pas ! lâcha-t-elle. Tu es stérile !

Laisse-le-moi pour qu'il puisse enfin épouser une femme qui lui donnera des enfants mâles !

— C'est son choix. Et il ne le fera pas. Il me l'a dit.

— Tu es souillée, s'écria-t-elle. N'entache pas son honneur ! Gwen, ne le prive pas de son avenir !

— Si je suis souillée, répliquai-je avec détachement, qui m'a donc salie ainsi ? Comment pourrais-tu être dévouée à Arthur, si tu conspires pour évincer sa femme légitime ?

— Je n'ai rien fait ! s'écria-t-elle. Tu ne peux rien prouver !

— Je pourrais demander au seigneur Méléagant, quand il sera ici pour être jugé, qui était son complice.

Son visage devint rouge de colère et elle s'approcha de moi.

— Vous n'oserez pas ! Vous n'oserez pas exposer votre déshonneur publiquement !

Je la regardai avec une véritable pitié.

— C'est sur ça que tu comptais pour te protéger. J'ai peine à le croire. (Je revins au pied de mon lit et je m'accrochai aux barreaux pour ne pas m'effondrer.) Je suppose que c'est le moment de te dire que Méléagant ne m'a pas violée.

— Lâche ! vociféra-t-elle, puis elle plaqua une main sur sa bouche, alors que des larmes lui venaient aux yeux.

— Il a bien essayé, Dieu m'est témoin, mais il en fut empêché par les événements. J'ai tout raconté au roi. Je te le dis pour que tu saches bien à quel point ta cause est sans espoir.

— Je n'ai pas besoin de me défendre ! s'écria-t-elle et je vis que ses dernières résistances avaient cédé. Essaye donc de m'accuser ! Je m'en fiche ! Tu es forte et puissante, toi qui as été accueillie par ma mère alors que tu n'étais qu'une orpheline, toujours gâtée et choyée comme personne ! Personne ne te refusait rien ! Tu m'as tout pris, même ce pitoyable Irlandais ! Tout ce que je désirais, on te le donnait à toi ! Dès mon enfance, j'étais éprise d'Arthur, pas toi. C'est moi qui aurais dû être la reine, pas toi ! Je peux porter plein de fils, moi, je le sais, tout comme ma mère. Ce n'est pas juste ! Tu vas le détruire ! Toi, toi... il t'aime juste pour ta beauté. Tu n'as rien fait pour le mériter. Tu es amoureuse de cet... cet Armoricain au nez cassé qui empeste à toute heure le crottin de cheval ! Oh, mon Dieu ! Je n'en puis plus ! Tue-moi et qu'on en finisse !

Elle s'effondra sur le sol, sanglotant, alors que je me tenais à côté d'elle, silencieuse, dans l'expectative. Mais comme personne ne vint pour la calmer et la réconforter, ses pleurs diminuèrent et se transformèrent en de faibles hoquets réguliers.

Je pus m'exprimer à nouveau.

— C'est donc cela, le véritable pourquoi de ton ressentiment ? N'as-tu rien appris ? La beauté est un don de Dieu. J'aurais cru qu'avec le temps tu aurais retenu la leçon : c'est difficile de la porter et elle est aussi dangereuse qu'une épée à double tranchant. Tu es une très belle femme, Elaine... Comme si tu ne le savais pas. Regarde le prix que nous avons eu à payer, toi, Méléagant, Lancelot, Arthur et moi ! C'est la première chose que les gens voient, mais bien peu parviennent à aller au-delà des apparences. Pour la moitié des habitants de cette île, hommes et femmes, je ne suis qu'une icône, une parure, un objet sans prix, rien de plus. Faite pour le plaisir du roi, pour qu'il en dispose quand bon lui semble ! Si Arthur me considérait de la sorte, ou bien Lancelot, je me serais précipitée dans le lac d'Avalon pour me suicider ! Mon Dieu ! Que de fois j'y ai songé : si j'étais banale et si les hommes ne m'admiraient pas, que la vie aurait été simple et douce pour moi ! Même toi, Elaine, qui me connaîs depuis mon enfance, tu ne sais pas qui je suis au fond de moi. Et je découvre que c'est juste pour cela ! Sainte Mère de Dieu ! Que ne donnerais-je pas pour être jugée d'après mes actes et mes dires et pas en fonction de mon joli visage !

Je m'arrêtai, déglutissant péniblement, m'efforçant de ne pas pleurer. Elaine s'était bouché les oreilles, refusant de m'écouter.

— Je n'ai rien fait, dis-je lentement, pour que tu me traites ainsi, Elaine. Je t'ai aimée comme une sœur. Nous avons partagé le même lit, et je t'ai confié mes secrets sur l'oreiller. Ces choses, je ne peux et ne veux les oublier. Pour ta traîtrise, qui m'attriste jusqu'au tréfonds de mon cœur, je te bannis de la cour. Je vais te renvoyer chez tes parents, Alyse et Pellinor, le plus tôt possible. Peut-être qu'un jour tu trouveras un mari dans quelque recoin du royaume de Galles.

— Guenièvre. (Elle leva la tête vers moi et je pus observer son visage gonflé et ses yeux rougis.) N'aimes-tu pas Lancelot ?

Je m'assis brusquement sur le lit, toute tremblante.

— Tu sais que si.

— Alors, pourquoi rejettes-tu la seule chance que tu auras jamais de l'épouser ? Je t'ai, en réalité, rendu un grand service, si seulement tu voulais bien le comprendre.

— Cela déshonorerait Arthur. Je ne sais si je peux te l'expliquer, Elaine. Sans Arthur, Lancelot et moi, nous ne serions pas ce que nous sommes. L'affection que nous nous portons mutuellement et l'amour que j'éprouve pour le roi, je ne peux pas les exprimer autrement. Mais je le sais, nous le savons tous les deux, dans cette cabane, quand je me suis retrouvée seule, nous aurions pu être amants, si facilement... Ne vois-tu pas, Elaine ? Tu parles d'honneur, mais je ne crois pas que tu saches ce que c'est.

Elle s'affala encore une fois par terre, complètement défaite.

— Tu ne peux pas les avoir tous les deux, bredouilla-t-elle. Ce n'est pas juste.

— Je te renvoie chez tes parents, dis-je après un silence.

— Je t'en prie, Gwen, cria-t-elle pitoyablement, frappant le sol, je t'en prie, laisse-moi demeurer ici jusqu'au solstice. Renvoie-moi avec une escorte. Mon père sera si en colère quand il saura que je t'ai offensée ! Laisse-moi rester à la cour jusqu'au solstice.

— M'offenser ? Elaine, tu m'as trahie !

Elle tremblait et ne disait plus rien pour le nier plus longtemps.

— Je devrais te faire fouetter. Méléagant, ton complice, devra être puni publiquement, que cela lui plaise ou non. C'est injuste que tu en réchappes aussi facilement. Mais autrefois, oui, il y a longtemps, tu fus chère à mon cœur, Elaine, et je ne puis l'oublier complètement. Tu es libre de demeurer ici jusqu'aux festivités du solstice. Mais le jour d'après, tu partiras. Il y a cependant une condition.

Le masque fourbe avait recouvert ses véritables traits qui disparurent lentement. Elle attendait dans la peur. Elle avait conçu un nouveau plan, c'était certain, mais mes seules préoccupations étaient de protéger le roi.

— Tu n'as désormais plus le droit d'être près de nous, de nous voir ou de nous parler, le roi ou moi. Tu prendras tous tes repas dans ta chambre, seule. Si l'un de nous t'entrevoit dans les couloirs, tu seras bannie dans l'instant.

Elle blêmit en entendant mes paroles, mais je ressentis qu'en réalité elle était soulagée.

— Tu es cruelle, murmura-t-elle.

Toutefois il n'y avait aucun sentiment particulier dans le son de sa voix. Son esprit était déjà ailleurs.

— Va et dis à Ailsa que je veux la voir immédiatement.

Elaine sortit de la pièce et je crus pour toujours de ma vie. Avec Ailsa, je m'occupai de faire en sorte qu'Elaine soit consignée dans ses appartements, sous bonne garde.

Devant la Table ronde, Méléagant fut officiellement accusé de l'enlèvement de la reine et il lui fut mandé de venir s'expliquer dans les trois jours à la chambre du Conseil pour répondre à l'accusation, sinon le haut roi lui déclarerait la guerre et lui confisquerait ses terres.

Je m'inquiétais pour la sécurité de Lancelot, mais pas pour le haut roi, qui me rassura. Cette nuit-là, quand il me retrouva pour m'emmener à la fête, il me demanda des nouvelles d'Elaine et je lui racontai ce qui s'était passé et ce que j'avais décidé de faire.

— Ma pauvre Gwen, je vois que tu as souffert. Je peux facilement imaginer les choses qu'elle t'a dites.

— Je ne pensais pas qu'elle était comme cela.

— Souvent ce sont les plus proches qui en savent le moins. Que vas-tu faire d'elle ?

— Je la renverrai au pays de Galles après le solstice.

— Trois semaines ? Cela est très généreux de ta part.

— Elle m'a suppliée piteusement de rester jusque-là. Et je ne peux pas totalement oublier ce que nous avons été l'une pour l'autre.

Il me sourit.

— Tu es trop bonne. Ne me dis pas qu'elle veut assister avec nous à l'anniversaire. Elle doit avoir une autre raison. Fais attention qu'elle ne tire pas avantage de ta clémence.

— En vérité, mon seigneur, dis-je lentement, je ne peux pas me résoudre à la renvoyer au pays de Galles. Cela briserait le cœur de ce pauvre roi Pellinor et Alyse ne me le pardonnerait jamais. Je connais bien Elaine : d'ici trois semaines, elle se sera trouvé un mari, et, quand elle partira, ce ne sera pas en disgrâce. Pellinor et Alyse seront déçus, mais toi, Elaine et moi saurons la vérité. Je ne me préoccupe pas de savoir si elle échappera à la disgrâce publique, tant que je ne la revois plus.

Il me regarda, approbateur.

— Une remarque judicieuse, dame Guenièvre. C'est bien pensé. Tu n'es qu'une femme, mais tu es diplomate.

— J'ai vingt ans, sire ! protestai-je en souriant, enchantée par ses louanges. Je suis aussi âgée que vous quand vous m'avez épousée. Vous considériez-vous comme un garçon, à cet âge, après six ans de règne ?

Il rit et mit une main autour de ma taille.

— Mais tu n'as pas d'âge, Gwen. Merlin m'a dit que tel était ton destin. Tu seras jeune comme aujourd'hui même quand tu auras quarante ans. Tu es ma petite reine.

Oui, mais une reine sans enfant, pensai-je tristement.

De ces réflexions, je ne dis rien à Arthur, pour le préserver.

18

Le traître

TROIS JOURS plus tard, le roi Méléagant du Somerset arriva à Camaalot, avec une petite armée, également accompagné du chevalier Lancelot. Ils furent accueillis par messire Keu puis escortés jusqu'à la salle de la table ronde, où Méléagant s'assit sur le siège des Doléances, juste en face du haut roi. C'est beaucoup plus tard que Beduyr me rapporta tout ce qui s'y était dit, ne m'épargnant aucun détail ; je voulais tout savoir.

En réponse aux accusations du roi concernant mon enlèvement, Méléagant répondit qu'il m'avait en fait sauvée après que mon cheval eut glissé sur la rive boueuse. N'ayant aperçu personne aux alentours, il m'avait emmenée dans une cabane de chasse, où il avait tenté de me soigner. À ce moment, il n'avait pas de serviteurs avec lui. C'est pourquoi, il fit sécher mes vêtements trempés et me nourrit de ses propres mains. Il était sur le point de partir pour Avalon quérir des serviteurs avec une barque, quand la flotte d'Arthur se présenta dans l'estuaire.

— C'est faux ! s'écria Lancelot, se mettant péniblement debout. Vous vous trouviez toujours sur l'île quand les navires apparurent à l'horizon ! Vos gens vous signalèrent son arrivée du Tor !

— Quels gens ? demanda Méléagant.

— Et ce n'est pas une vulgaire cabane de chasse, sire,

continua Lancelot, qui ne voulait pas accuser dame Seulte sans preuves. Elle est meublée, avec des fourrures, du vin et des chandeliers dorés ! Il avait aménagé le lieu, sire ! Il avait prévu de l'amener là-bas !

Un murmure parcourut toute la salle. Les chevaliers observaient le visage froid comme la pierre du roi Arthur. Chacun attendait la réponse de Méléagant.

Il se leva pour leur répondre.

— Vous mentez, seigneur Lancelot ! Je n'ai jamais posé la main sur la reine. L'endroit n'est qu'un misérable cabanon, rien de plus. Venez donc, mes seigneurs, je peux vous le faire visiter.

— Nul doute qu'il est à présent tout à fait semblable à vos dires ! s'écria Lancelot. Vous avez eu tout le loisir de remettre les choses en bon ordre ! Mais, mon seigneur Arthur, elles étaient dans l'état que j'ai décrit, la nuit de l'arrivée de Méléagant ! J'étais présent !

— C'est exact, répondit Méléagant, d'une voix dangereusement douce. Oui, n'oublions pas, mes seigneurs, que messire Lancelot était aussi présent sur les lieux. (Il leva une main et fit signe à ses serviteurs d'apporter une grosse sacoche en toile. Il se défendait vaillamment face à Arthur.) Pendant que j'étais parti pour chercher de l'aide, sire, dit-il froidement, ce surexcité se précipita sur la reine. (Il sortit de la sacoche une pile froissée de draps nauséabonds, tachés de sang et de vin.) J'ai trouvé ces draps sur le lit, le lendemain matin. Je jure par Llyr, Lluden, Bilis et la Grande Déesse, que je n'ai jamais été dans les draps ! Mais je peux vous dire qui s'y est vautré. (Il se tourna vers Lancelot et dit d'une voix hargneuse :) S'il y a eu un viol, c'est vous, mon seigneur, qui êtes le coupable ! Vous étiez blessé et vous avez abondamment saigné ; vous vous êtes retrouvé dans la cabane alors que j'étais sorti, donc seul avec la reine ! (Il se tourna vers Arthur.) Depuis des années, il l'aime de toute son âme, sire. Il est grand temps que vous le sachiez. Et voici la preuve de sa traîtrise !

Il tint bien haut les draps ensanglantés. Les chevaliers étaient muets de stupéfaction. Arthur se leva, le visage gris de colère. La plainte étranglée de Lancelot déchira le silence. Il se jeta à travers la table et saisit Méléagant à la gorge.

— Monstre ! Traître ! Scélérat ! Je vais te tuer, espèce d'ignoble âme damnée !

Méléagant tomba lourdement sur le sol, Lancelot pesait sur lui de tout son poids. Dans une rage incommensurable, Lancelot, devenu incontrôlable, ne voyait plus rien autour de lui. Heureusement que le bon roi Arthur avait interdit les armes dans la salle du Conseil, sinon c'eût été une véritable boucherie ! Les chevaliers séparèrent Lancelot et Méléagant. Ils les tinrent éloignés l'un de l'autre, alors qu'ils s'insultaient copieusement. Finalement, Arthur ordonna le silence.

Lancelot tomba à genoux, grimaçant de douleur.

— Arthur ! Arthur, mon seigneur roi ! Je suis innocent de ces accusations ! Je le jure par le Sang du Christ !

Le haut roi vint en face de Lancelot, agenouillé, et lui tendit la main.

— Lève-toi, Lancelot. Je sais que tu es innocent de ce forfait. Ni toi ni la reine n'auriez pu me cacher un tel crime !

Dans le silence absolu qui suivit ces paroles, Méléagant jeta son gant sur la table.

— Je ne me laisserai pas traiter de menteur sans répondre ! Arthur de Bretagne, je vous propose un combat pour que vous prouviez vos accusations ! Rejoignez-moi sur le champ d'honneur, le jour de votre choix. Je vous montrerai ce qu'est la justice.

Tout le monde dans la pièce retint son souffle. Lancelot baisa l'anneau d'Arthur et lui prit la main.

— Laissez-moi le combattre, roi Arthur ! Je le battrai, même blessé ! Oh, je vous en supplie, noble sire ! Laissez-moi laver le nom de la reine de toute tache !

Arthur, aussi gris et froid qu'une statue de pierre, retira brusquement sa main.

— Pourquoi donc ? L'honneur de la reine ne repose que sur moi. (Il se tourna vers Méléagant.) J'accepte votre combat, seigneur Méléagant. Sur le champ d'honneur, je vous affronterai. La reine vous accuse d'enlèvement. Quant à moi, je vous accuse de salir son nom. Messire Keu, je vous charge de l'organisation du combat.

Méléagant s'inclina, satisfait, et sortit de la chambre du Conseil. Un brouhaha infernal s'éleva dans la pièce. Les chevaliers s'agglutinèrent autour du roi, parlant tous en même temps, protestant contre le fait que le roi allait mettre en danger sa vie pour laver un affront et satisfaire l'honneur d'un vulgaire maraud. Tous demandèrent de pouvoir se battre à la place du roi. Finalement, quand les choses se calmèrent un peu, le roi leur adressa la parole.

— Je vous remercie tous pour votre offre. Mais je vous demande de bien réfléchir à ce que vous feriez à ma place. Venger l'honneur de la reine me revient de droit, à moi et à personne d'autre.

Beduyr composa deux lais sur les événements dans la chambre du Conseil. Le récit complet et véridique, il le composa pour Arthur, puis un autre pour Lancelot. Celui-ci ne pouvait pardonner à Méléagant de l'avoir accusé en public. Il était persuadé que c'était à cause de sa blessure qu'Arthur lui avait interdit de se battre. Pour adoucir sa mauvaise humeur et pour lui plaire, Beduyr récrivit l'histoire. Il changea la rage folle de Lancelot dans la salle du Conseil en une grande victoire sur Méléagant au combat, comment il lui coupa la tête en deux d'un coup terrible et débarrassa le royaume de ce mauvais démon. Lancelot adorait entendre cette histoire et, en vérité, c'était une très belle chanson, bien qu'elle fût fausse. Des années plus tard, je l'entendis à nouveau, contée par de jeunes bardes, comme si elle était vraie, mais personne de ceux qui connaissent Arthur n'y croit.

Tout le monde, moi y compris, était horrifié de voir que le roi Arthur allait risquer sa vie. Pour lui, c'était une sorte de délivrance de pouvoir se battre à nouveau. Il détestait Méléagant, mais il voulait surtout se montrer sous son jour de guerrier après toutes ces années. Il y avait un grand nombre de jeunes soldats qui n'avaient jamais vu l'épée du roi, Excalibur, ailleurs qu'accrochée au mur de la salle de la table ronde. Pour eux, l'épée de la Bretagne était un symbole, car ils n'avaient pas connu les dures années de la guerre, quand Excalibur flamboyait contre les hordes saxonnes, toujours victorieuse. Alors finalement, me dis-je, c'était une chose juste. Le roi en tirait aussi de la satisfaction.

Le début de la journée fut nuageux et froid ; une certaine humidité dans l'air laissait présager une prochaine averse. Tous les habitants de Camaalot s'assemblèrent pour regarder le roi défendre mon honneur. De là-haut, je pouvais voir la masse des gens se précipiter à travers les rues, devant les échoppes fermées et les marchés vidés de leurs étalages pour rejoindre la foule sur le champ clos, hors des murs de la ville. Je passai ma journée à les observer de la tour sud-est, la plupart du temps agenouillée, priant le Seigneur d'épargner la vie de mon roi. Je ne pouvais imaginer la Grande-Bretagne sans lui. Les bannières qui flottaient si souvent et si gaiement sur la ville de Camaalot pendaient tristement, dans cette atmosphère immobile. Mais j'avais peur que nous ayons une tempête avant la fin de la journée. C'était une bonne journée pour mourir, pensai-je tout à coup. Je me signais prestement.

Soucieuse, je descendis dans mes appartements pour attendre qu'on m'escorte jusqu'au champ. Toutes les femmes allaient s'y rendre, sauf Elaine. Mais j'étais la seule de ma maisnie à ne pas vouloir y aller. Je n'avais pas le choix : j'étais à l'origine de ce malheur et je devais me montrer. Je priai : « Sainte Marie, mère de Dieu, empêchez-moi d'être si arrogante à l'avenir ! » Il m'était insupportable d'avoir mis ainsi en danger la vie de mon roi.

Lancelot, dans une armure noire, vint me chercher à midi. Il était accompagné par un groupe de chevaliers escortant mes dames de compagnie. Son voyage d'Ynys Witrin, plus l'altercation avec Méléagant avaient provoqué une inflammation à sa jambe. Il devait marcher appuyé d'un côté sur une béquille en bois et de l'autre sur mon bras, mais il était déterminé à y aller. Lentement, nous quittâmes le palais et descendîmes les rues de la ville jusqu'aux lices, alors que le peuple nous observait avec des regards curieux et nous saluait à notre passage.

Lancelot claudiquait à côté de moi, bougonnant sans arrêt, ne faisant aucun effort pour être sociable.

Je tentai de lui manifester une certaine gratitude.

— Je vous remercie, seigneur Lancelot, de m'avoir ainsi défendue au Conseil. Mon seigneur Beduyr m'a raconté votre altercation avec Méléagant et votre réponse si prompte. Je vous en sais gré, mon seigneur Lancelot. Ce n'est pas la première fois que vous protégez si admirablement mon honneur.

— Je vous prie de ne pas me remercier, répondit-il. C'est entièrement ma faute si Méléagant a osé ainsi vous accuser. Si seulement j'avais pu m'occuper de ce satané bâtard ! Si je ne m'étais pas autant fourvoyé...

— Fourvoyé ? m'écriai-je. Vous m'avez sauvée d'un destin horrible que je n'aurais pu supporter ! Vous m'insultez en croyant que ce n'était que peu de chose !

Cela le sortit de sa bouderie, et il me regarda.

— Ce n'est pas ce que je voulais dire, Guenièvre. Vous connaissez mon cœur, ma gente dame. Mais Méléagant m'a accusé devant le roi et tous les chevaliers du péché que j'ai si peur de commettre un jour...

— Le haut roi savait que ce n'était qu'un mensonge.

— Oui, mais... presque un mensonge.

— Arrêtez, je vous en prie. Vous êtes innocent et Arthur le sait bien.

— Mais Méléagant m'a accusé et je ne peux pas laver cela moi-même ! Par Dieu, je donnerais mon bras droit pour me battre contre ce scélérat ! Je suis réduit à rester ainsi sans rien faire pendant qu'Arthur va se battre pour votre nom.

— Lancelot ! Il est mon mari. C'est son droit le plus strict.

— Mais...

— Qui, croyez-vous, m'a envoyée vers vous ? Qui met en premier votre santé avant la sienne ? Il sait de quoi il vous est redevable.

— Mais, ma dame, je...

— Pour l'amour de Dieu ! m'écriai-je, serrant son bras. Arrêtez de ne penser qu'à vous et pensez un peu au roi Arthur ! Le roi Méléagant fait le double de sa taille !

— Mais voyons, dame Guenièvre ! s'exclama Lancelot. Vous tremblez comme une feuille dans le vent ! Assurément, vous ne tremblez pas pour le roi ?

— Bien sûr que si ! Pas vous ?

Il parut amusé.

— Peur pour Arthur ? Non, ma dame, certainement pas. Il ne peut perdre.

— Comment le savez-vous ? Il est fait de chair et de sang, à l'instar de tous les hommes.

— Il ne perdra pas son combat contre Méléagant. (Lancelot parlait avec une ferme assurance.) Méléagant sait très bien qu'il a menti. Dans son cœur, il s'attend à être vaincu. Il sait qu'il mourra.

— Puissent ces croyances se réaliser.

— Oui, maugréa Lancelot. Qui plus est, si Arthur devait mourir aujourd'hui, Merlin le saurait et il serait présent. Mais comme vous pouvez le constater, il n'est pas là. Donc, tout va bien.

Mais quand il prononça ces paroles, « mourir aujourd'hui », il se signa et je dus réprimer un tressaillement.

— Vous croyez alors à la magie de l'épée ? Oui, cela me paraît naturel. Vous l'avez vue à l'œuvre si souvent.

— Oui-da, elle m'a sauvé plus d'une fois de la hache des Saxons. Mais il ne se battra pas avec Excalibur aujourd'hui.

— Quoi ? (Je m'arrêtai si brusquement qu'il faillit perdre l'équilibre et ne se rattrapa que de justesse.) Pas avec Excalibur ? Quelle est donc cette folie ?

Lancelot, voyant mon grand désarroi, s'adressa à moi très posément.

— L'épée est censée préserver la Grande-Bretagne de ses ennemis. Méléagant est un Breton. Il...

— Il est un ennemi d'Arthur, dis-je, et Arthur, c'est la Grande-Bretagne.

Lancelot se pinça les lèvres pour ne pas sourire.

— Personne ne le conteste. Allons, calmez-vous, dame Guenièvre. Vos doigts vont finir par laisser une marque sur mon bras.

— Je vous prie de m'excuser, dis-je en rougissant, relâchant ma main. Je ne suis pas tout à fait moi-même, aujourd'hui. Ce matin, j'ai eu le pressentiment d'un désastre imminent et je n'arrive pas à me départir de mes angoisses.

— Bon, eh bien, poursuivons notre chemin ! Nous nous sommes séparés de notre groupe et les gens commencent à nous dévisager. N'ayez nulle crainte en ce qui concerne le roi Arthur. Il sait bien mieux manier l'épée que Méléagant. Quelle que soit cette épée.

— Et il est bien meilleur cavalier aussi.

— Ah, eh bien... commença Lancelot, gêné.

Je scrutai son visage.

— Vous n'allez pas me dire, à présent, qu'ils ne vont pas se battre à cheval ?

— On a déjà tout arrangé, Gwen. Vous ne pouvez rien y changer. Arthur sait que Méléagant ne possède pas de cheval qui puisse se comparer aux nôtres. Nous les élevons depuis dix ans, et, lui, il en attrape des sauvages dans les collines.

— Il doit trouver que ce serait injuste, dis-je amèrement. Qu'est-ce que la justice vient faire ici ? Il s'agit d'une revanche. Je suis surprise qu'il ne s'attache pas une main derrière le dos pour compenser les faibles qualités de combattant du roi Méléagant.

Lancelot ne disait rien et, petit à petit, mon humeur se fit plus tempérée et je compris l'injustice de mes protestations. Lancelot perçut parfaitement mes pensées.

— La victoire du roi doit être bien comprise de tous, dit-il lentement. C'est important pour son honneur aux yeux du peuple, aussi bien que pour lui-même. Faire ainsi étalage de sa supériorité ne lui aurait pas convenu. Le combat doit être égal.

— Mais Méléagant est bien plus grand que lui. Et il est courageux.

— Il est prétentieux.

— Pourtant, il a osé m'enlever.

— Ses pulsions ont été plus fortes que sa peur.

Lancelot détourna vivement le regard. Je savais bien à quoi il pensait. Il était toujours prompt à s'accuser lui-même.

— L'amour ce n'est pas la même chose que le désir, murmurai-je doucement.

— Merci, ma Gwen.

Nous marchâmes en silence jusqu'à ce que nous arrivions en vue du champ clos. Au bout des lices, sur une estrade, on avait construit un petit pavillon dans lequel on mit des chaises. C'était là qu'habituellement s'asseyait le roi avec sa maisnie pour regarder les tournois durant les festivités tout au long de l'année. Les escaliers pour monter sur l'estrade étaient petits et, comme Lancelot me demanda de le précéder, je fus la première à y poser le pied. La foule se mit à crier et à applaudir à tout rompre, levant les bas vers le ciel. Vainement, je cherchai Arthur du regard, mais je ne le vis nulle part.

Lancelot arrivant derrière moi, dit :

— Gwen, ils vous acclament !

Étonnée, je regardai le peuple :

— La reine ! La reine !

Les visages joyeux étaient tournés vers moi et les regards étaient vifs. Je me sentis à la fois heureuse et indigne de tant d'attention. Je baissai la tête puis accomplis une profonde révérence. Les cris ne firent que croître ; je me tournai vers Lancelot, ne sachant plus quoi faire.

— Que me veulent-ils ? Je ne sais pas quoi faire.

— Ils veulent juste vous voir. Vous êtes leur reine, ils vous aiment. Ils vous ont presque perdue. Le haut roi ressent exactement la même chose et moi aussi.

Finalement, je m'assis, mes dames de compagnie montèrent les marches et se disséminèrent sur l'estrade des deux côtés. Le seigneur Keu vint se poster debout derrière moi, et Lancelot s'assit dans le fauteuil du roi en tant que son représentant légal durant le combat. Les chevaliers se mirent autour du pavillon, à leur place habituelle. Quand tout le monde fut arrivé, graduellement, la foule se calma. À l'autre extrémité du champ apparurent soudain les combattants, accompagnés chacun par un écuyer portant les armes.

Arthur avait son armure de combat, de grosses braies de cuir avec des bottes, une imposante tunique en cuir renforcé avec de l'airain et un casque de cuir avec une couronne dorée dessus. Que Méléagant pût ainsi regarder le roi sans broncher dépassait l'entendement. Lui qui aimait tant le faste était habillé très simplement. Il était venu uniquement pour se battre.

Beduyr et Arthur arrivèrent au centre du terrain. Quand Méléagant et son écuyer parurent à leur tour, le roi lui adressa la parole, mais nous étions trop loin pour entendre ce qu'ils se dirent. La réponse de Méléagant fut brève. Puis il se tourna vers son écuyer et prit son épée et sa dague. Arthur se tourna vers Beduyr et fit de même. Les deux écuyers quittèrent le champ, Arthur se retrouva seul face à Méléagant.

Un grand cri monta de la foule rassemblée. Les deux hommes commencèrent à s'observer en tournant, comme deux chiens en chaleur convoitant une chienne. J'agrippai le bras de Lancelot.

— N'y a-t-il pas un moyen d'arrêter le combat maintenant ? dis-je dans un souffle.

Il me jeta un coup d'œil.

— C'est votre mari. C'est son droit.

— Ah ! jetai-je au visage de Lancelot. Puisse Dieu le protéger !

— Amen. Allons, calmez-vous, Gwen. Regardez comme ils s'observent et se jugent.

J'avais grandi dans une maison avec cinq frères, j'avais assisté à nombre de combats, mais jamais entre de si bons guerriers. Les soldats de Pellinor étaient bien entraînés, mais je ne les avais jamais aperçus au combat. Jamais encore je n'avais vu deux hommes se battre avec l'intention de s'éliminer l'un l'autre. Leurs deux styles étaient bien distincts avant même qu'ils n'assènent leur premier coup. Arthur bougeait avec une grâce et une assurance naturelles. Et on voyait la rage et le désespoir qui animaient Méléagant. Il mesurait plusieurs têtes de plus qu'Arthur, mais il était aussi beaucoup plus lent ; cependant, si l'un de ses coups portait, il serait mortel.

Chacun son tour, ils assenaient un coup, l'esquivant ou l'arrêtant. C'était lent ; chacun jaugeait la qualité de l'arme et son adversaire. Puis soudain tout changea. Méléagant esquiva un coup puis leva son épée pour frapper. Arthur para puis recula. La foule hurla. J'attrapai le bras de Lancelot. Méléagant poussa son attaque en avant, faisant tournoyer son épée, avançant toujours. Arthur recula, d'abord d'un côté puis de l'autre. Ils s'éloignaient de nous, mais je pouvais entendre les râles d'effort de Méléagant.

— Qu'est-ce qu'il est en train de faire ? m'écriai-je.

— Regardez bien, me répondit Lancelot, les yeux rivés sur son roi. Il va le tourner d'ici une minute. Ce sera un jeu d'enfant.

Méléagant leva une nouvelle fois son épée, Arthur l'évita en se baissant et se porta en avant. Méléagant se tourna, en rage.

Lancelot eut un petit rire.

— Vous avez vu ?

— Je ne vois rien d'amusant. Il aurait pu le tuer.

— Il aurait pu, Gwen, mais il ne l'a pas fait.

J'enviais son calme. Immédiatement, la tactique de Méléagant changea. Il se rapprocha du roi, puis donna un coup rapide sur le côté, raccourcissant ses attaques. On pouvait deviner facilement dans quelle direction il allait frapper. Arthur parait ses coups les uns après les autres. Une fois ou deux, ils accrochèrent leurs épées et se retrouvèrent au corps à corps. Je vis qu'Arthur parlait à Méléagant, mais je ne parvins pas à deviner ce qu'il pouvait lui dire, au milieu du champ. Le poids de Méléagant était suffisant pour repousser le roi. Ils avancèrent vers nous. Soudain, Méléagant sauta de côté avec une surprenante agilité et frappa de bas en haut. Je ne pus retenir mon cri. Mais Arthur fut tout aussi leste, évita le coup d'un mouvement de son corps et se jeta vers l'avant sur Méléagant, arrêtant le coup juste au niveau de sa hanche.

— Mon Dieu ! murmurai-je.

Mais Lancelot était tout excité.

— Vous avez vu ? C'est moi qui lui ai appris ce mouvement, mais il ne l'avait encore jamais exécuté aussi bien face à moi. Il a dû s'entraîner dur.

— Seigneur Lancelot, il ne s'agit pas d'un jeu ! m'écriai-je, furieuse.

Lancelot, voyant mon désarroi, se calma immédiatement.

Le combat se poursuivait. Ils firent le tour du champ en s'affrontant toujours, souvent en tournant en cercle, avec la populace criant des encouragements. Méléagant attaquait toujours. Pour apaiser mes craintes, Lancelot me raconta l'histoire de l'épée avec laquelle le roi se battait, comment elle avait été forgée ici, à Camaalot, par un maître forgeron originaire du Nord lointain, un homme de grand talent qui savait créer une lame vivante à partir de fer en quatre jours. Mais pour l'arme du roi, il avait travaillé durant un mois entier. La lame était souple et dure, chauffée dans les fournaises les plus chaudes imaginables et refroidie dans l'eau glacée tout juste fondue de blocs de glace découpés durant l'hiver et préservés avec soin dans de la paille. La poignée avait été spécialement conçue pour la main du roi. Le forgeron avait jugé que, même si la lame se brisait ou se craquelait, Arthur pourrait tuer avec le morceau restant.

Lancelot parvint à me distraire un bref instant, et, quand je reportai mon attention sur le combat, je remarquai que les mouvements s'étaient considérablement accélérés. Méléagant était très en colère.

— Il s'imagine que le haut roi s'amuse avec lui, dis-je, tentant de comprendre ce qui se passait.

Lancelot ne répondit pas. Quand je le regardai, je vis qu'il observait anxieusement le ciel chargé de nuages.

— J'espère qu'il ne va pas pleuvoir, dit-il.

— Pourquoi ?

— Le sol deviendrait très glissant.

— Cela favoriserait l'un ou l'autre ?

— Cela favorise souvent le combattant le plus lourd. Oh, non, Gwen, pardonnez-moi ! Je n'aurais pas dû vous le dire. Regardez comme Méléagant s'est fatigué. C'est pour cela qu'il a hâte d'en finir. Méléagant a plus de trente ans et il aime la bonne chère. Le roi est en pleine forme. Ne vous inquiétez pas, je vous en prie.

Mais c'était trop tard pour me rassurer. Je regardais, morte d'inquiétude, alors que les coups devenaient plus secs et plus vicieux. Arthur fut le premier à faire couler le sang, une taillade sur l'avant-bras de Méléagant. Furieux, ce dernier commença à frapper dans tous les sens, et cette tactique, avec des coups imprévisibles, le rendait plus dangereux qu'avant. Le sang coulait librement de la plaie et trempait le sol. Arthur se poussa pour éviter un coup, son pied glissa et l'épée de Méléagant lui tomba dessus. Je crois bien que je criai. Lancelot se leva à moitié de sa chaise. La foule retint son souffle. Mais Arthur roula de côté et le coup atterrit dans l'herbe mouillée, rasant de justesse son bras. L'épée de Méléagant, emportée par son mouvement et son poids, resta fichée quelques instants dans la terre. Le haut roi se remit debout, l'épée levée. Les gens crièrent, prêts pour le coup final. Mais Arthur ne fit que mettre la pointe de son épée sur le cœur de Méléagant, puis lui parla.

— Qu'est-ce qu'il fait ? s'écria Lancelot. Finis-le, Arthur, avant que la pluie se mette à tomber.

Méléagant put enfin retirer son épée et recula, croisant le fer avec l'épée du roi. Il cria quelque chose en signe de défi et je vis les épaules d'Arthur se redresser. Puis le roi reprit son attaque, mais Méléagant ne recula pas. Arthur taillait dur, mais Méléagant, qui craignait pour sa vie, se battait avec vélocité. Il y avait du sang sur la manche du roi.

— Ce n'est pas le bras qui manie l'épée, me dit Lancelot, comme si cela pouvait me rassurer.

Les deux hommes continuaient à se fatiguer. Méléagant

utilisa son poids pour peser sur le roi, sachant qu'Arthur ne pourrait pas le supporter très longtemps. Je commençais à crier silencieusement, désespérée. Lorsque Méléagant poussa vivement le roi, Lancelot se mit debout en hurlant et tous les chevaliers tirèrent leur épée. C'était l'acte vil d'un lâche. Méléagant devait vraiment être désespéré. Le roi s'affaissa, mais en tombant il put donner un coup qui fit sortir l'épée de la main de Méléagant. Elle retomba au loin. Méléagant tira sa dague et la lança.

— Beduyr ! cria Lancelot. Sus à Méléagant !

Mais Beduyr se précipitait déjà sur le champ. La dague s'enfonça dans l'épaule d'Arthur et du sang imprégna immédiatement la tunique. Les gens criaient de désarroi. À la grande surprise de tous, y compris de Méléagant, Arthur se mit sur ses genoux et pointa son épée sur son agresseur. L'imposant gaillard se recula rapidement, trop rapidement, et l'un de ses pieds glissa sur l'herbe ensanglantée. En un instant le roi se leva, son épée sur la gorge de Méléagant. Tous ceux qui regardaient retinrent leur souffle.

Mais, au lieu de le tuer, le roi lui adressa encore la parole. Méléagant était désarmé à présent, vaincu, et il était bien obligé d'écouter. Quand le roi eut fini de parler, Méléagant fit oui de la tête, lentement, et mit un genou en terre. La foule hurla qu'on l'exécute, et tous furent déçus en constatant cet acte de soumission à l'autorité ; en tant que tel, il fut accepté.

Arthur posa le plat de l'épée sur l'épaule de Méléagant et prononça les paroles consacrées qui liaient un homme à son seigneur. Méléagant était dorénavant le vassal d'Arthur. Durant tout ce temps, la dague de Méléagant était toujours plantée dans la tunique du roi et je pleurai en la voyant. Je ne savais pas, ayant toujours eu horreur des hospices, que c'était bien plus sûr de la laisser ainsi. C'est en l'enlevant que l'on pouvait mettre en danger la vie du blessé. Le roi posa une main sur Méléagant, qui se leva. Soudain Arthur chancela et tomba, inconscient.

Méléagant le soutint avec ses grands bras et le porta hors du champ. La foule s'ouvrit nerveusement et les laissa passer. Le visage de Lancelot devint blême quand il vit Méléagant approcher du pavillon avec le haut roi inconscient. Les chevaliers d'Arthur entourèrent Méléagant, l'épée tirée, mais il les ignora. Il regardait Lancelot.

— Où dois-je emmener mon seigneur ? demanda-t-il. Il a besoin de soins.

Le peuple laissa éclater sa joie, puis tout le monde également. Lancelot poussa un soupir qui venait du plus profond de son âme.

— Suivez Beduyr, roi Méléagant. Keu va appeler les médecins.

À ce moment, le ciel s'ouvrit et il commença à pleuvoir des trombes d'eau, mais personne ne parut s'en préoccuper.

Méléagant attendit près du lit du roi jusqu'à ce que la dague qu'il lui avait plantée soit enlevée. Puis il rassembla ses troupes et s'en retourna honorablement chez lui.

À partir de ce jour, il fut l'allié fidèle du roi Arthur, et son plus grand appui dans le Sud-Ouest. Il ne voulut entendre aucune récrimination contre le roi Arthur. En sa présence, ses gens faisaient attention à ce qu'ils disaient. Il ne me regarda jamais plus.

Tard dans la nuit, quand les médecins eurent terminé et que le roi se trouvait couché, enveloppé de bandages et se reposait, Lancelot et moi, reçûmes l'autorisation de lui rendre visite. On lui avait donné un breuvage de plantes médicinales pour calmer la douleur et le faire dormir ; il était somnolent.

Au lieu de féliciter Arthur pour sa victoire, Lancelot était indigné.

— Pourquoi l'avez-vous laissé en vie ? Vous l'aviez à votre merci, par trois fois, et vous l'avez laissé en vie. Il aurait pu vous tuer.

Arthur sourit.

— C'est bon de vous revoir.

Lancelot leva les bras au ciel et se détourna pour cacher son émoi. Mais, moi, je n'avais pas besoin de cacher mes sentiments.

— Arthur !

Je m'agenouillai près de sa tête, et il posa sa main valide sur moi.

— Comment ça va, Gwen ? On dirait que tu as beaucoup crié.

Je fis oui de la tête puis embrassai sa main, incapable de parler.

— Comme si vous l'ignoriez ! s'exclama Lancelot. Tout le monde sait à présent vers qui penche son cœur... Quel roi vous faites ! Rendez-vous compte ! Aujourd'hui, vous avez transformé un ennemi en un allié et fait taire toutes les rumeurs qui circulaient dans le royaume. Je vous félicite.

— Grâce à Dieu ! Il était grand temps ! (Arthur sourit, puis bâilla.) J'ai fait usage de tout ce que vous m'avez appris, n'est-ce pas ? Méléagant n'a jamais eu l'intention de me tuer, ou il n'aurait pas donné ce coup si maladroit.

Lancelot désapprouva avec un signe tête, puis s'approcha du lit.

— Vous avez bien fait, dit-il sur un ton bourru.

Ils parlèrent un moment de stratégie militaire pendant que je lui tenais la main et priais silencieusement, remerciant Dieu. Finalement, le roi s'endormit. Lancelot se leva. Il rencontra mon regard.

— Je vais rester un peu avec lui, dis-je doucement.

Il acquiesça et s'avança vers la porte. Puis il se retourna et regarda à nouveau Arthur, les yeux emplis d'admiration.

— Voici un roi, dit-il.

19

Le solstice

Au bout de quelques semaines, l'épaule d'Arthur et le genou de Lancelot guérirent en même temps. Au solstice, ils étaient à nouveau sur pied. Pendant ce temps, la ville de Camaalot était plongée dans de grands préparatifs en prévision des célébrations. Le solstice d'été était un jour sacré depuis des temps immémoriaux. La population celtique de la Grande-Bretagne n'avait pas abandonné sa commémoration quand le Dieu des chrétiens avait supplanté la religion des anciens dieux. Puisque le haut roi et moi avions été mariés en ce jour si particulier, l'évêque en avait fait un jour saint. Ainsi les païens et les chrétiens pouvaient célébrer ensemble cet événement. Celles et ceux qui, parmi les dames et seigneurs de la Bretagne le pouvaient, accoururent à Camaalot. Ils plantèrent leurs tentes ou bien construisirent leurs pavillons dans les prés et les champs.

Il devait y avoir des compétitions d'adresse et autres prouesses d'armes entre les participants. Les chevaliers ayant remporté les compétitions seraient admis parmi les compagnons du haut roi Arthur. Et, bien sûr, il y aurait des courses de chevaux. La compétition entre les femmes était moins codifiée, peut-être, mais tout aussi âprement disputée. Les dames mariées montraient les unes aux autres leurs plus belles robes et magnifiques bijoux, et aussi leurs filles. Les demoiselles faisaient leur possible face aux jeunes hommes. Tout le monde savait qu'un homme, tombant amoureux, n'avait besoin que de marcher le long de l'allée des pavillons pour trouver de quoi satisfaire ses lubies. Nombre de demoiselles trouvèrent des maris de cette façon, je dois bien l'avouer.

À ma grande surprise, Elaine n'était toujours pas mariée. Elle était toujours sous bonne garde, c'est vrai, mais pas sans la possibilité d'avoir des contacts avec des hommes. Je fis attention à bien rester hors des quartiers des femmes, à plusieurs reprises, pour qu'elle puisse avoir quelques heures de liberté. Mais, quand je questionnai les gardes, je découvris qu'elle n'avait pas bougé de ses quartiers au cours de ces trois semaines, et cela me surprit. Apparemment, elle préférait rentrer chez elle en disgrâce plutôt que d'épouser quelqu'un d'autre que le haut roi. J'aurais pu lui dire qu'épouser un homme que l'on ne connaît pas est un risque calculé et que parfois l'amour peut venir après, mais elle ne m'aurait pas écoutée, de toute façon.

Je tentai d'obtenir des informations par Ailsa, puisqu'elle connaissait bien Grannic. Mais tout ce qu'elle avait pu découvrir, c'était qu'Elaine chantait et faisait de la couture. Le fait qu'elle chantât ne présageait rien de bon ; soit elle était devenue folle, soit elle avait échafaudé un plan. Mais pourquoi faisait-elle de la couture ? Je ne lui avais rien demandé. Je souhaitai qu'Ailsa en apprenne un peu plus au sujet de la chose. Malheureusement, Grannic ne savait presque rien. Quand elle était en présence d'Elaine, celle-ci ne s'occupait que de menus travaux sans importance, des coussins par exemple. Mais les deux ou trois fois où Grannic avait réussi à la surprendre, Elaine travaillait sur quelque chose de totalement différent qu'elle s'empressait de cacher. Grannic ne put rien découvrir de plus, sauf que le tissu était bleu.

Finalement, je me lassai de tenter de découvrir les projets d'Elaine et ne m'occupai plus que des préparatifs. Accueillir toutes les personnalités qui débarquaient à Camaalot n'était pas une affaire simple. On devait être aimable avec tout le monde, même avec ceux qui ne venaient que pour quémander quelques faveurs au roi.

Arthur et moi, nous passions la plus grande partie de nos

journées à recevoir les nouveaux arrivants. La plupart des nuits, Arthur était en réunion avec les chevaliers, puisque c'était le seul moment qu'il lui restait de libre pour des discussions sérieuses. Les obligations quotidiennes devenaient de plus en plus fastidieuses et pesantes, je devais constamment sourire et saluer, subir les regards de nombreux étrangers, mais je le supportais car Arthur était à mes côtés et l'endurait aussi. Sa récente victoire sur Méléagant en faisait une figure encore plus glorieuse aux yeux de ses sujets, et de nombreux admirateurs le suivaient partout. Nous commençâmes à attendre avec impatience l'arrivée du solstice pour enfin être délivrés de ces chaînes qui nous retenaient prisonniers.

Lancelot passait la majeure partie de son temps aux écuries, supervisant les derniers entraînements des chevaux du roi. Je m'y rendais souvent pour le regarder ou rendre visite à Zéphyr dans son box. Elle était à présent une jument de grande valeur. Elle avait porté quatre poulains de Nestor. L'aîné était devenu le cheval le plus rapide des écuries royales. C'est sur lui que se concentrait Lancelot.

J'aimais bien me tenir appuyée contre la barrière, à observer Zéphyr et les juments dans une admiration béate, alors que les poulains de l'année batifolaient et couraient tout autour d'elles. L'une des juments, à la robe marron, était stérile. Habituellement, on ne gardait pas ces chevaux ensemble, car souvent les juments stériles avaient un comportement agressif envers les poulains et attaquaient les poulinières. Mais cette jument avait été acceptée par le troupeau. Elle était gentille avec les poulains et les surveillait, les protégeant du danger, s'interposant dans les combats, les conduisant à leur abreuvoir quand ils ne parvenaient pas à en trouver le chemin.

Quand on perdait une jument après un poulinage, on lui confiait toujours le poulain pour qu'elle s'en occupe. Son nom était Netta. Au cours des trois années où je l'avais vue évoluer, je n'avais jamais décelé une marque de mauvaise humeur chez elle. Elle était appréciée par les juments aussi bien que par les poulains. J'avais cueilli une pomme pour Zéphyr dans le verger. Mais, après réflexion, je l'avais coupée en deux pour en donner la moitié à Netta. Elle me la prit gentiment et mit ses naseaux contre moi en signe de remerciement. Je ris et la repoussai.

— Tu passes du bon temps, n'est-ce pas, ma fille Tes journées sont occupées et ton travail est important. Tu protèges ta ligne, aussi. Tu es heureuse.

Lancelot arriva alors que je grattais le cheval derrière les oreilles et le caressais gentiment.

— Bonne vieille Netta. Je lui ai peut-être trouvé un foyer finalement. L'une des sœurs d'Érec...

— Non ! m'écriai-je sans réfléchir. (Lancelot me regarda d'un air perplexe. Je devins toute rouge.)

— Je vous prie de m'excuser. Je n'avais pas l'intention de crier.

— Mais que se passe-t-il, Gwen ?

— N'y aurait-il pas une autre jument qui pourrait convenir pour la sœur d'Érec ?

— Je le suppose, mais pourquoi ? On n'a pas besoin de Netta ici.

— Mais si, voyons ! Ce n'est pas parce qu'elle ne peut pas pouliner ; n'avez-vous pas remarqué comme elle s'occupe des poulains ? Comme les autres pouliches lui font confiance ? Comme les chevaux ne se battent jamais quand elle est présente ? C'est la plus importante des juments de l'écurie, si seulement vous lui prêtiez plus d'attention. Je ne crois pas qu'elle soit inutile parce qu'elle est stérile. De plus, je... je me suis entichée d'elle.

Très doucement, il s'approcha de moi et me prit les mains. Il y avait des larmes au coin de ses yeux.

— Alors elle peut rester. Je ne savais pas...

— Je n'ai pas besoin de votre pitié ! sifflai-je, le visage empourpré.

Il me prit dans ses bras, comme cela, en plein jour, alors que des dizaines d'yeux pouvaient nous observer.

— Je n'ai pas pitié de vous. Mais cela me brise le cœur.

Je posai la tête contre son épaule et me mis à pleurer. Je ne savais pas pourquoi il m'était si aisé de partager mes peines avec Lancelot alors que je faisais tout pour les cacher à Arthur.

Je me ressaisis après un moment. Quand je levai la tête,

tous les palefreniers avaient disparu. Lancelot sortit un mouchoir et essuya les larmes sur mon visage.

— Il faut laisser du temps, dit-il. Toutes les blessures guérissent avec le temps.

— Merci, Lancelot. D'habitude, je... je ne suis pas aussi prompte à pleurer. Ça doit être la nervosité des préparatifs. S'il vous plaît, n'en dites rien à Arthur. Cela pourrait le contrarier.

— Je ne parle pas de vous avec Arthur. Vous êtes le seul sujet que l'on évite. Par accord mutuel.

— Puisse Dieu me pardonner. Je n'ai jamais eu l'intention de me mettre entre vous. Seigneur Lancelot, faites que cela ne se produise pas, je vous en supplie.

Il posa délicatement les lèvres sur mon front.

— On ne peut plus rien y faire. Mais la confiance est intacte.

Quand, pour la dernière fois, avais-je entendu Arthur proférer ces paroles ?

Enfin, le jour arriva : il était splendide. Le soleil brillait dans un ciel d'azur sans nuages. Une brise fraîche soufflait avec force. C'était un de ces moments du mois de juin que nous aimions tant.

Arthur se glissa dans ma chambre au petit matin, encore habillé de la veille, et me réveilla.

— Bonjour, Gwen. Le jour se lève.

Je bâillai et m'étirai, puis, finalement, j'ouvris les yeux.

— Quoi, vous êtes déjà debout mon seigneur ?

— Je ne me suis pas couché. Je n'en ai pas eu le temps. J'ai dû recevoir un messager du Lothian, tard dans la nuit.

Je m'assis.

— Pourquoi pas Tydwyl ? Assurément, il peut s'occuper de ce qui reste des alliés d'Aguisel ?

— Non, pas Tydwyl, répondit-il, souriant, puis il changea de sujet. J'avais à m'occuper de quelque chose d'autre. Keu...

— C'était quelque chose qui ne pouvait pas attendre ? dis-je, souriante, mais en lui coupant tout de même la parole.

Je lui pris la main et la portai à mes lèvres.

Il rougit et hésita, puis se pencha promptement et m'embrassa.

— Je l'aurais bien souhaité. Ah, Gwen nous avons eu si peu de temps !

— Ce sera vite terminé.

— Cette nuit, dit-il avec force. On m'a demandé de te réveiller. Keu m'a rapporté qu'Alyse et Pellinor campaient sous les murs de Glaston. Ils sont en route pour venir ici. Que veux-tu faire d'Elaine ?

C'était la première fois qu'en trois semaines il prononçait son nom. Je rencontrai son regard.

— Il va falloir lui annoncer la nouvelle. Quand vont-il arriver ?

— Ce devrait être un peu après midi. Tu les as mandés ?

— Non. Je ne l'ai pas fait, suivant les volontés d'Elaine. Ils ont dû venir sans rien savoir de ce qui se tramait. Le roi Pellinor ne t'a envoyé aucun message ?

— Seulement un message banal, avec les salutations et les félicitations d'usage.

— Ah, bon. Bien, il va falloir les recevoir alors. Fais en sorte que Keu me les envoie dès leur arrivée.

— Bonne idée. Je le ferai.

Il s'arrêta, à moitié tourné pour partir, et posa sur moi un long regard langoureux.

— La façon dont tu te tiens juste là, devant moi, dit-il, facétieux, les cheveux ébouriffés et à peine réveillée... Oh ! nos cinq années semblent n'être juste qu'un court instant.

Il tourna les talons et sortit.

Je rassemblai mon courage et me rendis chez Elaine. J'avais eu peur qu'elle ne me supplie de lui laisser la liberté pour la journée, pour faire plaisir à ses parents. Mais, à ma grande surprise, elle refusa de les voir.

— Dis-leur ce que tu veux, lança-t-elle sur un ton de défi. Je ne veux pas les voir. Dis que je suis malade ou morte. Cela n'a pas d'importance pour moi.

— Comment cela ? Tu partiras avec eux demain, en vie et bien portante.

Elle retroussa les lèvres, mais c'était plus un rictus qu'un véritable sourire.

— Nous verrons bien.

Je la quittai avec un mauvais pressentiment, mais, même si

j'avais eu le temps d'y réfléchir sereinement, je n'aurais jamais pu deviner ce qu'elle avait préparé.

Nous passâmes la matinée à l'église, habillés de nos vêtements les plus raffinés, blanc et or, avec toutes les sortes de dentelles et autres ornements que nous possédions. Arthur portait sa couronne et moi la mienne. L'évêque nous bénit et demanda que tous prient pour que nous soyons heureux et que nous ayons des descendants. Arthur me serrait la main. À la fin cela devenait assez fastidieux.

Puis nous sortîmes en une longue procession, avec tous les seigneurs et les dames qui nous suivaient à travers les rues de Camaalot jusqu'au pavillon. Nous restâmes tout l'après-midi à regarder le spectacle. Keu avait fait travailler les cuisiniers durant des jours ; on nous servit du sanglier rôti et du chevreuil cuit dans des gros foyers dans la terre, des perdrix mijotées dans de grands chaudrons.

Pendant le déroulement des jeux, les serviteurs passaient avec les viandes et les boissons parmi la foule rassemblée, ainsi chacun pouvait prendre part au repas du roi. C'était un grand honneur, car une petite centaine de convives, uniquement, pourraient participer au repas cette nuit-là. De la sorte, Arthur permettait que tous fassent un moment partie de sa maisnie. Keu s'était surpassé. Le repas était excellent, les sauces succulentes. Quand il se joignit à nous, au milieu de l'après-midi, je le remerciai grandement.

— Si vous ne coupez pas le vin avec un peu plus d'eau, dis-je en riant, il n'y aura bientôt plus personne debout pour assister à la fête du roi, cette nuit.

Il eut un grand sourire.

— Merci, ma dame. Je vais m'en occuper. Dame Elaine m'a demandé si elle pouvait obtenir la permission de célébrer ce jour avec une outre de vin. Elle vous supplie aussi de lui pardonner sa grossièreté de ce matin.

Keu me parla sans expression ; je connaissais son opinion sur Elaine. Une fois, il lui avait proposé sa main, et son refus n'avait pas été des plus courtois.

— Vous pouvez lui en faire porter une, messire Keu. Sans eau. Ce sera mieux ainsi, peut-être. Elle quittera Camaalot demain matin.

— C'est arrangé. Le roi Pellinor et la reine Alyse viennent

juste d'arriver, ma dame. On a monté leur tente dans l'allée. Le roi m'a informé que je devais les faire venir devant vous. Vous voulez les voir ici, ou dois-je les conduire à la salle de réception ?

Je jetai un coup d'œil vers Arthur. Il regardait avec intérêt les participants.

— Amenez-les ici, je vous prie, seigneur Keu. J'espère qu'ils pourront se distraire en regardant les jeux.

Nous fîmes de la place pour deux personnes sur l'estrade, et quand Alyse et Pellinor arrivèrent, je les accueillis chaleureusement. Pellinor me serra longuement dans ses bras et Alyse m'embrassa avec transport. Ils étaient enchantés de se trouver conviés à assister aux festivités dans le pavillon du roi. Je fis de mon mieux pour qu'ils ne manquent ni de nourriture ni de vin. Pellinor fut immédiatement captivé par les joutes. Alyse me questionna au sujet de sa fille.

— Hélas, ma dame, elle est un peu souffrante. Elle a demandé à ne pas recevoir de visiteurs aujourd'hui. Mais vous pourrez la voir demain matin.

Alyse me regarda avec un air dur, mais ne dit rien. Elle me connaissait depuis mon enfance et savait très bien interpréter les expressions de mon visage ; mais, si elle devinait mon mensonge, elle tint sa langue. Heureuse de sa discrétion, je détournai la conversation vers le cours des affaires au pays de Galles.

— Je vous apporte de graves nouvelles des Norgales, dame Guenièvre, dit lentement Alyse. Votre frère, le roi Gwarthgydd, a perdu sa femme et ses filles à cause de la peste... Ne soyez pas chagrinée, ma chérie, car il ne semble pas trop souffrir. Il vient de se fiancer avec la fille du roi Powys. Chose qu'il aurait dû faire depuis de longues années.

— Pourtant, je suis bien triste pour Gwillim, qui vient de perdre sa mère et ses sœurs ! La peste, dame Alyse, c'est la première fois que j'en entends parler ! L'épidémie s'est-elle étendue ?

— Non, me répondit-elle en levant un sourcil. Elle n'a touché personne d'autre aux Norgales. On m'a aussi raconté qu'elles seraient mortes à cause d'un mauvais sort et non pas de la peste. (Je retins mon souffle. Les yeux d'Alyse se plissèrent.) Vous savez donc quelque chose à ce sujet ?

— Non, je ne sais rien ! Et je ne crois pas que les gens puissent mourir à cause d'un sort !

Elle me sourit.

— Puissiez-vous ne jamais croiser le chemin d'un druide et apprendre le contraire.

Puis, comme si elle voulait faire pénitence à cause de cette remarque, elle se signa rapidement et dévia la conversation vers un tout autre sujet. Elle avait entendu des bruits concernant mon enlèvement et le duel du roi avec Méléagant. Elle posa des questions. Je lui répondis ce que tout le monde savait déjà, mais ne fis pas mention du rôle d'Elaine. Je ne sais pas pourquoi je n'osais pas tout lui raconter ; par lâcheté, je suppose, car, le lendemain matin, elle l'apprendrait. Mais, dans mon cœur, j'espérais toujours qu'Elaine accomplirait quelque chose qui m'éviterait cela.

Si Alyse remarqua mon malaise, elle eut la délicatesse de ne pas en faire mention, pas plus qu'elle ne fit allusion à ma silhouette jeune et menue, à l'instar de tant d'autres, qui masquaient leur désapprobation sous d'élogieuses paroles. Pour tout cela, je lui étais doublement reconnaissante. Je fis mon possible pour discuter un moment avec elle.

Le moment des courses de chevaux arriva enfin et Alyse se retira avec la majorité des femmes, alors que la foule devenait un peu plus excitée. J'étais l'une des rares femmes à m'attarder. Il y avait sept courses éliminatoires, trois tours du champ le long des drapeaux, puis la course finale entre les sept gagnants. Le poulain de Zéphyr était sur le départ. Il avait du sang étranger en lui. C'était une bonne course, bien conduite. Lancelot était fier du cavalier, un garçon de onze ans qu'il avait entraîné en personne et, bien sûr, il était très satisfait du poulain, dont il était entièrement responsable.

Le roi l'honora devant la foule en lui présentant une nouvelle épée avec une poignée incrustée de pierres précieuses, forgée par le maître qui avait fabriqué ses armes. Lancelot était sans voix, et je souriais avec joie de voir les deux hommes s'enlacer si chaleureusement, alors que la foule criait et applaudissait.

Nous sommes revenus au château à pied, tous les trois, bras dessus, bras dessous. Ce fut l'un des moments les plus heureux de ma vie, je m'en rendis bien compte.

Nous avions deux heures à nous avant le début des festivités. Je demandai à Ailsa de me laver et de brosser mes cheveux. J'entendis le roi dans sa chambre et j'espérais qu'il pourrait entrer, mais je perçus aussi la voix de Lancelot et je compris qu'il était en grande conversation.

Je sortis sur la terrasse pour chantonner alors que la lumière baissait lentement dans le ciel et qu'Ailsa brossait mes cheveux. Finalement, quand je rentrai pour prendre un peu de repos, je n'entendis plus de voix et je pensai qu'ils étaient partis. En réalité, ils étaient en train d'écouter. Car, une fois que je fus restée allongée un moment, silencieusement, je les entendis à nouveau. Ils se remirent à discuter mais à voix basse, pour ne pas me réveiller. Deux hommes si courtois ! Où aurais-je pu en trouver de pareils sur cette terre ?

Au moment où l'on allumait les lampes, Ailsa me réveilla et sortit mes nouveaux habits. Ils avaient été cousus à partir d'un rouleau de lourde soie qu'Arthur avait fait venir de l'Est pour me l'offrir à Noël. Elle avait une couleur fascinante, d'un bleu saphir, avec des inclusions vermeilles et, à la lumière des torches, elle produisait des reflets améthyste. J'avais découpé le tissu moi-même et mis mes dames à la couture. La coupe était simple et droite, sans nulle fantaisie ou dentelle. J'avais cousu le corselet avec des fils pourpres, ainsi le dessin des dragons tissé n'était visible qu'à la lumière des lampes, et seulement si on se tenait tout près. Il s'agissait de faire plaisir à celui qui m'avait offert le tissu. Arthur ne l'avait jamais vu. Cette nuit, c'était la première fois que j'allais l'arborer.

Ailsa tint le vêtement devant elle et s'esclaffa.

— Même si je faisais la moitié de ma taille, je ne pourrais pas le porter. Il a été coupé pour un garçon.

— Ailsa, aussi loin que je m'en souvienne, tu m'as toujours dit ça.

— Oui, répondit-elle, et depuis que je vous connais, c'est la stricte vérité. Mais heureusement, poursuivit-elle rapidement, pour s'éloigner du terrain dangereux, le corselet est court dans cette robe. Vous êtes souvent trop timide dans ce domaine.

— Le roi l'appréciera, je crois.

— Pour sûr ! gloussa-t-elle. Dieu le bénisse. Et la manière dont il vous regarde...

— Et, continuai-je fermement, c'est pour être porté le soir. Aujourd'hui, on admet de telles choses. Je n'aurais pas pu porter cela quand j'avais dix-sept ans. Tu ne crois pas, Ailsa ?

— Je ne vois pas pourquoi. Il aurait aimé vous voir dans un tel vêtement. C'est un homme dans tous les sens du terme. Notre roi est et a toujours été – puisse-t-il être béni là où il est – comme Uther, son père. Voilà un homme qui aimait les femmes ! Ne vous ai-je pas raconté que...

Je soupirai et souris. Elle était à nouveau partie pour me raconter ses histoires préférées sur Uther Pendragon et ses aventures galantes. Il n'y avait rien à faire, elle parlait de ce sujet quand elle avait un peu bu. Je me tins tranquille pendant qu'elle m'habillait tout en racontant ses histoires. Je bénissais le ciel que le fils d'Uther montrât un peu plus de retenue que son père. Je me demandais où Alyse et Pellinor allaient être placés durant le dîner. Ailsa m'assit sur un tabouret et commença à me coiffer.

— Vous devriez voir ce que dame Alissa a fait du tissu que vous lui avez donné, dit-elle tout d'un coup. C'est très joli, je trouve, oui, avec des bordures sur le jupon et des dentelles autour du décolleté.

Je tremblai soudainement alors qu'une pensée me vint :

— Est-ce qu'Elaine a pu se procurer les chutes de la soie ?

— Pourquoi ? Oui, bien sûr, ma dame. Vous les lui avez données de votre propre main. Franchement, la couleur ne lui va pas, ses yeux sont bien trop clairs.

— Croyez-vous que c'est ce qu'elle cousait ? Le morceau de tissu bleu que Grannic a vu ?

— Je ne mettrais pas toute ma confiance en Grannic, ma dame. Elle a toujours eu un peu de mal à distinguer le bleu du vert. Je crois que demoiselle Elaine est en train de se fabriquer une cotte à partir de ces tissus. Je doute qu'il y en ait suffisamment pour une robe.

— Je me le demande.

Je mis ces pensées de côté. Quelle différence cela pouvait-il bien faire ? Ma suspicion à l'égard d'Elaine empoisonnait toutes mes pensées. Je devais l'oublier pour mon bien.

Ailsa finit de coiffer mes cheveux simplement, sans aucune

parure, car la couronne d'Ygerne se suffisait à elle-même. À la place du grand saphir qu'Arthur m'avait offert, je portais autour du cou un délicat collier ayant appartenu à Ygerne, fait d'améthystes et d'une rivière de perles. Ces pierres rehaussaient les deux couleurs de la robe, et la vision que j'offrais dans le bronze dépoli me ravit.

— C'est très beau ! m'écriai-je de ravissement. Il va l'adorer.

— Oui, vous êtes belle, dit une voix derrière moi. Et, en vérité, il l'apprécie vraiment.

Je me retournai.

— Arthur !

Ailsa accomplit une révérence et se retira de la chambre en reculant.

Le roi se tenait à côté de la courtine. Il souriait en m'observant.

— Êtes-vous réelle ou une apparition divine ? Quelle est donc cette magie ?

Je rougis à ses compliments.

— Mon seigneur, c'est le tissu que vous m'aviez offert à Noël. J'ai cousu cette robe pour votre plaisir. Je suis heureuse si j'y suis parvenue.

— Ce n'est pas la robe, répondit-il, s'approchant de moi et laissant courir un doigt le long de ma nuque jusqu'à ma poitrine. La soie ne peut seule produire un tel effet sur un homme.

Je baissai les yeux. Ailsa, si elle avait été présente, aurait reconnu en cet instant son Uther dans le visage du fils. Mais Arthur n'était pas Uther. Il m'embrassa doucement le cou et se recula.

— Si seulement je pouvais arrêter le temps ! Je suis venu pour voir si tu étais prête. Nous devons y aller.

Malicieusement, je lui souris.

— Je suis en effet prête, mon seigneur.

Il accomplit un tour sur lui-même et fit mine de s'en aller, puis se retourna et eut un grand sourire.

— Tu n'es qu'une sorcière ! Si tu me tentes comme ça, je pense que je ne vais pas pouvoir tenir très longtemps. Nous serons en retard pour le dîner et tout le monde nous attend. Nous allons nous faire réprimander.

Je me mis à rire.

— Le grand Arthur ne saurait plus se contrôler ? Il se peut bien que j'aime voir ça.

Il me regarda avec des yeux de braise.

— Par le Taureau Sacré ! souffla-t-il. Ainsi donc, tu vas le voir ! (Il prit une grande inspiration et parvint à sourire.) Mais plus tard ! (Il revint vers moi et m'offrit son bras.) Ce que ton apparition va faire au pauvre Lancelot, je n'ose même pas l'imaginer. C'est cruel, tu sais.

J'étais abasourdie qu'il ose aborder le sujet. Je me demandais, dans un sentiment mêlé de satisfaction et d'espoir, s'ils n'étaient pas parvenus à une sorte de pacte. S'ils pouvaient enfin me supporter entre eux d'une manière plus paisible.

Je posai la main sur son bras.

— Je me conduirai bien. Allons-y.

La salle était pleine quand nous y pénétrâmes. Tous se levèrent et nous acclamèrent jusqu'à ce que nous nous asseyions. Le roi avait placé Lancelot à sa droite, la place d'honneur, alors que, moi, j'étais assise à sa gauche. Alyse et Pellinor étaient un peu plus loin à la table, trop loin pour que je puisse leur parler. Keu avait tout organisé admirablement. Le regard de Lancelot brûlait comme un brasier, mais il était trop loin de moi pour me parler en tête à tête. Juste à côté de moi, était assis Beduyr, un véritable ami. Arthur avait raison, Lancelot souffrait.

Dès le début, je sentis que cette nuit avait quelque chose de spécial. Ce n'était pas juste ma robe, ou cette célébration, ou la pleine lune, ou la douce brise du mois de juin. L'air était chargé d'espérance. C'était le sourire de l'ange avant que ne s'abattent les foudres divines.

La fête fut grandiose et dura longtemps. Avec Arthur, je fis le tour des tables pour saluer les invités et échanger quelques mots. Quand je revins à ma place, Beduyr soupira profondément.

— Vous incarnez la perfection, ce soir, comme pour vous venger, Gwen. Pardonnez-moi, mais j'eusse souhaité que vous ne portiez pas cette robe.

— Pas vous, Bedyur. Ce n'est que du tissu.

— C'est de la magie, par Mithra ! Il n'y pas un seul homme qui, dans cette salle, ne soit envoûté !

— Balivernes ! rétorquai-je. Mettez un peu d'eau dans votre vin, ça vous fera du bien. (Puis je remarquai l'expression sur son visage.) Il y a quelque chose ? Le roi m'a presque suppliée de ne pas la mettre.

— Pour le bien de Lancelot, sans doute.

— Je vous en prie, messire Beduyr.

Il redressa la tête comme un chien qui goûte l'air ambiant.

— Je ne sais ce que c'est, mais il y a, ce soir, comme une atmosphère étrange.

— Vous aussi, vous le ressentez ?

Il bougea sur sa chaise, mal à l'aise.

— J'aurais aimé que Merlin soit présent.

— Sur ce sujet, nos opinions divergent. Je suis satisfaite qu'il ne soit pas là. Il ne m'apprécie pas beaucoup, vous savez.

Mais Beduyr paraissait préoccupé.

— Ce n'est pas vous, ma dame, mais juste votre destinée. Il ne pense constamment qu'à une seule personne : son roi.

J'étais bouche bée, incapable d'en croire mes oreilles. Il venait délibérément d'évoquer ma blessure secrète ! Mon corps commença à trembler et je ne pus l'en empêcher.

— Comment puis-je changer ma destinée, mon seigneur ! Dites-le moi, et je le ferai ! J'échangerais avec joie ma place avec la plus laide putain de la Grande-Bretagne si cela pouvait apporter un enfant au roi !

Mes paroles résonnèrent apparemment dans la salle. Les têtes pivotèrent. Arthur et Lancelot se retournèrent brusquement.

— Que se passe-t-il, seigneur Beduyr ? demanda Arthur.

— Un moment, sire. (Beduyr se tourna vers moi avec une gravité sereine et prit ma main.) Gwen, regardez-moi. (Je levai les yeux et le regardai à travers mes larmes. Son visage était empli d'amour, et il parla bas, d'une voix sereine et tendre.) Vous savez, vous devez le savoir à présent que ce n'est pas possible. (Arthur se détourna hâtivement et recommença à parler avec Lancelot ; les autres suivirent leur exemple et à nouveau la salle se remplit de bruits de voix.) Merlin l'a toujours su. Et sachez aussi ceci, cela vous chagrine un millier de fois plus que cela ne peine le roi. Il n'a pas le temps pour des enfants. Écoutez, Guenièvre, je vais vous révéler un secret. Une fois, Merlin m'a dit que c'est vous qui assurerez la gloire à Arthur. Votre destinée, que vous maudissez comme une perfidie, permettra à Arthur de se tenir seul dans la gloire et, grâce à vous, sa renommée sera éternelle.

Je le regardai, les yeux écarquillés, alors qu'il me révélait ces choses.

Il sourit aimablement.

— Vous voyez, même ce terrible nuage noir possède des bords dorés. Prenez le roi comme il est et oubliez le reste. C'est entre les mains des dieux. En ce qui concerne Merlin, j'aurais souhaité qu'il soit présent car l'air, cette nuit, est magique.

Je sentis la main d'Arthur sur mon bras.

— Cela suffit. Vous a-t-il dérangée, dame Guenièvre ? De quoi s'agit-il ?

Je me retournai vers lui, tout à coup légère et libérée d'un grand poids. Je savais que, désormais, je pouvais le servir ! Je touchai sa joue et lui souris.

— Dérangée ? Non, mon seigneur. Il vient de m'offrir un cadeau très précieux.

Il parut très surpris.

— Je le vois bien. Puis-je savoir de quoi il s'agit ?

Je secouai la tête.

— Je ne crois pas que je puisse vous le dire.

Il prit ma main, ses yeux sombres brillant.

— Alors, je ne vous le demanderai pas. Il me suffit de vous voir comme vous êtes à présent !

Lancelot, debout, leva son verre.

— À la reine ! s'écria-t-il.

Tout le monde se leva et cria :

— À la reine !

Les hommes frappèrent des pieds, poussèrent des hourras puis burent et je vis des larmes dans les yeux des dames qui étaient à côté de moi. Je me demandais ce que tout le monde pouvait bien avoir ce soir-là ?

Soudain, Grannic apparut avec un gobelet de vin nouveau. Le roi et Lancelot burent à ma santé et je bus à la leur. Il y eut beaucoup de brouhaha et de cris dans la salle et il se passa un certain temps avant que tous se calment et que les bardes entrent. C'est seulement alors que je trouvai étrange que Grannic soit présente. Je la remarquai qui se tenait près du mur avec les autres serviteurs. Je la priai de venir. Elle devint blanche comme un linge.

— Pourquoi es-tu ici, Grannic ? Pourquoi n'es-tu pas avec ta maîtresse ?

Elle accomplit une profonde révérence.

— Dame Elaine m'a renvoyée de son service pour cette nuit, ma reine. Elle a dit qu'elle n'avait plus besoin de moi. J'ai... j'ai donc pensé que ce serait bien que je vienne dans la salle pour aider.

Elle tremblait en me parlant et deux petites taches roses apparurent sur ses joues ridées. Elle parut terrifiée en s'apercevant que je ne la croyais pas, mais, juste à ce moment, le barde pinça sa harpe et je la renvoyai. Je me dis que j'aurais tout le loisir de connaître la vérité un peu plus tard.

Le barde, un grand maître dans son art, originaire des terres franques, jouait admirablement et chantait d'une voix lancinante, sur une tonalité parfaite. Petit à petit, je ressentis un changement dans l'atmosphère de la pièce, comme si un orage d'été sans pluie fondait sur nous, lançant ses feux aveuglants. Les couleurs se firent plus fortes, la tête chauve du barde me parut entourée de lumière. Je ressentis des fourmillements et une vague d'excitation parcourut tout mon corps. Je me mis à respirer plus rapidement et à observer les gens autour de moi ; personne d'autre ne paraissait affecté. Je tentai de me concentrer sur le barde. Mais je n'arrivai pas à diriger mes pensées vers lui. Je n'arrêtais pas de repenser à la cabane de Méléagant, quand Lancelot m'avais prise dans ses bras, m'avais embrassée et que ses mains avaient caressé mes seins. Éperdue, je me tournai vers le roi. Il fit de même. Je compris instantanément qu'il ressentait la même chose que moi, car l'âme de son père vacillait dans ses yeux et ses mâchoires étaient serrées dans un terrible effort.

— Seigneur, murmurai-je fiévreusement, je suis malade. Je dois me retirer.

— Reste un moment, me répondit-il dans un murmure.

— Mais, Arthur... je crois qu'Elaine a empoisonné le vin !

Son visage s'illumina d'un large sourire, il leva son gobelet rempli d'eau, pour se cacher derrière.

— Ce n'est qu'un aphrodisiaque, murmura-t-il. Un puissant aphrodisiaque. Je vois que tu en ressens les effets. Ne t'es-tu jamais sentie de la sorte ?

— Comment, mon seigneur, je... je, bégayai-je, choquée.

Il me fit signe de me taire, m'empêchant de mentir. Derrière lui, Lancelot était assis, les coudes sur la table, le visage enfoui dans ses paumes, râlant doucement. Manifestement, il avait aussi bu le vin. Grannic avait disposé trois coupes sur son plateau.

— Si Elaine est la responsable, c'est le comble, reprit le roi à voix basse, car, cette nuit, nous n'en avons vraiment pas besoin. Attends jusqu'à la fin de la représentation du barde, si tu le peux. Je te promets que je ne serai pas long à venir te rejoindre.

Ce fut l'une des choses les plus difficiles que j'eus à accomplir dans ma vie : rester assise, là, tranquillement, comme une dame, alors que mon corps se consumait de désir et de passion. Je tentai de repenser à Elaine, car je ne doutais pas que ce cadeau était le sien. Mais pourquoi avait-elle fait cela ? La drogue m'empêchait de réfléchir. J'avais des envies d'étreintes torrides, mais je ne pouvais pas les assouvir. Je voulais partir, courir, mais je devais rester là sans bouger. Quelle délicieuse torture nous dûmes endurer ! Être si bouleversée par une avalanche de désir mais devoir y résister !

À la dernière note du barde, je me levai et accomplis une profonde révérence devant le roi. Il était depuis longtemps habitué à se contrôler parfaitement ; pourtant il eut beaucoup de peine à détacher son regard de mon corselet, pour le porter vers mon visage.

— Avec votre permission, mon seigneur, je vais me retirer.

Il acquiesça.

— Partez, dit-il rudement.

Lancelot me regarda une unique fois et je me sentis comme brûlée aux endroits où il avait posé son regard. Il réprima un cri et enfouit à nouveau son visage dans ses mains. Je m'enfuis de la salle. À contrecœur, les autres dames me suivirent. Plus tard, à la suite du départ précipité de la moitié de son assistance, le barde fut récompensé généreusement. On lui assura que la reine s'était sentie mal, tout simplement.

Je courus dans ma chambre et appelai Ailsa pour qu'elle m'apporte de l'eau, qu'elle défasse mes cheveux et délace mon corselet. En dépit de tout, je trouvai qu'elle ne faisait rien suffisamment vite. Je faisais les cent pas et m'agitais en tous sens. Je m'emportais contre Elaine et aussi contre le roi et sa lenteur à me rejoindre. Ailsa ne disait rien, mais je vis ses yeux rieurs. Je refusai de porter ma chemise de nuit, et m'enveloppai dans un drap, puis renvoyai ma servante.

— Je vais attendre dans la chambre du roi, proclamai-je avec toute la dignité dont j'étais capable.

Mais je ne devais pas être trop digne, car je l'entendis glousser de rire en descendant l'escalier. J'attendis le roi un moment qui me parut durer une éternité avant que je ne perçoive ses pas. Dans la chambre en bas, il renvoya Varric d'un ton sec et monta les marches trois par trois. À la porte, il se débarrassa promptement de son bliaud.

— Arthur !

Je me précipitai dans ses bras, folle de désir à force de l'attendre. Il m'embrassa sauvagement et puis soudain se détourna.

— Attends, Gwen.

— Attends ?

Il eut un large sourire.

— Les effets du philtre mettront des heures avant de disparaître, tu sais. Rien de ce nous allons faire ne changera cela.

— Je t'en supplie, Arthur...

— Attends. Je veux savoir si tu pensais vraiment ce que tu as dit à Beduyr tout à l'heure dans la salle. Regarde-moi dans les yeux et redis-le-moi.

J'inspirai profondément et le regardai droit dans les yeux :

— J'échangerais avec plaisir ma place avec la plus laide des putains de la Bretagne, si cela pouvait t'apporter un enfant.

Son visage se radoucit, et très tendrement il posa ses mains sur mes cheveux.

— Je ne voudrais d'un tel échange pour rien au monde, dit-il doucement.

J'ouvris la bouche pour répondre, mais je rencontrai ses lèvres et le feu de la passion nous enveloppa.

Je me réveillai au milieu de la nuit avec une idée en tête. Elle m'était venue toute faite et dans ses moindres détails. Je restais persuadée que c'était à cause d'elle que je m'étais réveillée.

La pièce était sombre et silencieuse. À côté de moi, Arthur dormait paisiblement. J'enfilai une robe et traversai la pièce jusqu'à la carafe d'eau ; boire beaucoup de vin m'avait donné terriblement soif. Je versai l'eau dans le gobelet d'argent et bus d'un trait. Les effets secondaires de la drogue m'avaient laissée étourdie et fatiguée. Je versai un second verre pour le roi, quand il se réveillerait, et le portai à côté du lit. Arthur remua puis ouvrit les yeux.

— Voici pour mon seigneur. Contre la soif.

Il sourit rêveusement.

— Je t'en prie, non. Je me sens comme un vieillard.

Je rougis à sa plaisanterie.

— C'est seulement de l'eau.

— Je sais. Excuse-moi. Merci d'y avoir pensé. (Il but avidement, puis s'assit dans le lit, l'air rassasié.) Bien, alors, Gwen, qu'est-ce que tu penses des aphrodisiaques ?

Je baissai le regard, toute rouge.

— Je m'en serais bien passée, répondis-je, puis je levai vite le regard pour voir si je ne l'avais pas offensé. Non pas que je n'aie pas apprécié, sire...

Il se mit à rire, et me prit la main.

— Ce n'est pas grave. Je vois ce que tu veux dire. Je suis d'accord avec toi. C'est mieux sans, quand on peut s'en passer.

J'étais heureuse qu'il me comprenne. J'espérais qu'il me comprendrait aussi bien quand je lui exposerais mon idée. C'était maintenant où jamais, il était détendu, fatigué et satisfait.

— Arthur...

— Ma dame ?

— Je voudrais te demander une faveur.

— Je te l'accorde volontiers. Laquelle ?

— Ne me fais pas de promesse avant de m'avoir écoutée.

— Ma chérie, si c'est toi qui me le demandes, cela ne peut pas être indécent. Je te l'accorde.

— Non, ce n'est pas indécent, dis-je lentement, mais,

comme cela te touche personnellement, et de plus près que moi, tu pourrais ne pas l'accepter.

Il se concentra attentivement.

— De quoi s'agit-il, Gwen ?

J'étais sur un terrain glissant. Soudainement, je devins très nerveuse. Je serrai mes mains l'une contre l'autre fortement. Il n'y avait aucun retour en arrière possible.

— Arthur, est-il vrai que tu as un fils ?

Il se figea, pas un muscle ne tressaillait sur son visage. Je ne m'arrêtai qu'un bref instant, puis poursuivis rapidement.

— Quand j'étais plus jeune, au pays de Galles, j'ai entendu des rumeurs. Un fils serait né à la reine Morgause. Il aurait été caché au roi Lot. Un garçon conçu à Caer Eden, la nuit de cette bataille qui t'a amené sur le trône de la Grande-Bretagne. Est-ce la vérité ? Est-il ton fils ?

Ses yeux me transperçaient, et malgré ma détermination, je tremblais. Il n'avait jamais abordé ce sujet avec moi. C'était son terrible secret et je l'avais, volontairement et sans son accord, porté à la lumière du jour. Je n'avais aucune idée de sa réaction. Il respirait à peine, puis, au bout d'un moment il parvint à me répondre.

— Oui.

— Est-ce que tu sais où il se trouve en ce moment ?

— Oui.

— Alors, continuai-je, en exhalant un soupir chevrotant, voici ma demande. Mande-le. Fais-le venir à Camaalot. Sa place est à tes côtés. Il doit avoir douze ou treize ans ; il est grand temps qu'il prenne sa place. Le royaume l'acceptera, et moi, mon Arthur, je l'accueillerai comme mon propre fils.

Durant un long moment, il resta mortellement immobile. Puis, lentement, il me prit dans ses bras et m'attira sur sa poitrine. Il me tint fort contre lui, le visage posé sur mes cheveux. Je sentis ses lèvres sur mon oreille, mais je n'entendis aucun mot. Il me tint, ainsi, un long moment. Finalement, il desserra son étreinte, je constatai alors que ses yeux étaient sans larmes et que son visage était illuminé d'allégresse. Je me demandai s'il n'était pas en train de prier.

— Guenièvre, dit-il à voix basse, tu as touché mon cœur par deux fois, cette nuit. Ta générosité m'a confondu. Comment peux-tu savoir que, depuis longtemps, je voulais te demander cette grande faveur ? Mais j'avais peur de te blesser.

— Je ne le savais pas, mon seigneur.

— Je voulais tout faire pour t'épargner une blessure. Comment peux-tu être certaine que tu supporteras ce garçon à tes côtés ?

— Je le sais, mon seigneur. En mon âme et conscience, je le veux près de moi, s'il est bien de toi.

— Oh, oui, il est de moi. (Il répondit avec de l'amertume dans la voix et évita de me regarder en face.) Connais-tu la vérité ? Sais-tu que sa mère est... ma sœur ?

— Demi-sœur, sire. Oui, je le sais. J'en avais parlé avec le seigneur Lancelot quand il est venu à moi au pays de Galles.

Il écarquilla les yeux en m'entendant.

— Avant que nous nous connaissions ? Alors que je n'étais qu'un intimidant étranger pour toi ? Je t'avais donné une bonne raison pour que tu me rejettes. Et puisque ton cœur penchait ailleurs, pourquoi ne l'as-tu pas fait ?

— Lancelot m'a dit que tu avais péché par ignorance. Tout le monde peut être amené à le faire. Comment aurais-je pu te condamner ?

— Mais c'est un si grand péché !

Je haussai les épaules.

— Peut-être que la grandeur du péché reflète la grandeur de l'homme. Tu ne pouvais pas commettre un péché mineur, Arthur. Cela ne te ressemble pas.

Il détourna le regard.

— Je ne mérite pas tant d'indulgence. La luxure fut la plus forte, cette nuit-là. Pourtant, elle n'était qu'une inconnue pour moi.

— Tu avais à peine quatorze ans. Tu devrais te le pardonner.

Son regard se fit plus léger et il soupira.

— Peut-être, quand je connaîtrai ce garçon, me le permettrai-je.

— Alors, tu vas le faire venir ?

— Je n'ai pensé à rien d'autre depuis que le messager est arrivé la nuit dernière. Depuis des années, j'ai introduit un espion dans la maisnie de sa mère pour découvrir où elle avait caché ce garçon. Mais elle l'a bien gardé au secret. Seulement, depuis la nuit dernière, je sais enfin où il se trouve.

Ainsi, mes pensées avaient été directement inspirées par Dieu ! Je remarquai qu'Arthur n'arrivait pas à prononcer le nom à voix haute, comme Lancelot m'en avait prévenue autrefois.

— Mais pourquoi as-tu pensé à cette histoire, Gwen ? demanda-t-il. Qu'est-ce qui a fait que tes pensées ont pris ce chemin ?

— Je ne sais pas, mon seigneur. À moins que... à moins que ce ne soit ma visite à Netta ou les paroles de Beduyr.

— Ah, oui, Beduyr. Il t'a guérie quand moi, je ne le pouvais pas. Qu'est-ce qu'il t'a dit ?

Je baissai le regard. Il n'y avait pas moyen de le lui avouer.

— Il m'a expliqué qu'il existait d'autres moyens de te servir que de porter tes fils.

— Il t'a parlé de ce garçon ?

— Oh non, mon seigneur, ce n'est pas cela. Il m'a parlé du futur. C'est... il... il... vraiment, je ne peux pas...

— Ça ne fait rien. C'est entre toi et Beduyr. Tout ce qui compte pour moi, c'est que tu sois à nouveau avec moi.

— Ai-je donc été si inconsidérée ? Je ne m'en étais pas rendu compte.

Il me sourit tendrement.

— Qui est Netta ?

— Ne me demande pas de te l'expliquer. Mais Netta est une jument.

Il rit.

— J'aurais dû m'en douter. Bien, laissons cela. Je ne t'en demanderai pas plus.

Mes pensées revinrent au garçon, comme probablement celles d'Arthur, car, quand je lui adressai à nouveau la parole, il enchaîna comme si nous n'avions pas changé de sujet.

— Quel est son nom ?

— Mordred, ce qui signifie dans la langue d'Orcanie : « roi de la mer ».

Il paraissait anxieux. Je me penchai en avant et pris sa main.

— Dis-moi ce que tu sais. Quel genre de garçon est-il ?

— D'après les rapports de mes espions, il est calme,

réservé, contemplatif. L'exception parmi les autres princes. Le bâtard.

— Quels princes ? Il y a d'autres enfants ?

— Quatre par Lot. Gauvain est le plus âgé, il doit avoir dix ans. Je ne sais rien d'eux, sauf qu'ils sont plutôt petits pour leur âge. Leur père n'est pas grand, et ils ont les cheveux roux, comme leur mère.

— Et Mordred ? Comment est-il ?

— Il est grand, répondit le roi, avec les cheveux noirs. Agile et leste, avec un esprit vif et d'une patience proverbiale. (Il s'arrêta, son regard perdu dans le lointain.) Il ressemble peut-être à Ambroise ou même à Maximus, avec les yeux noirs et les traits romains...

— Mordred doit être remarquable, comme un cygne parmi des canards, poursuivis-je. Quelle est l'explication que l'on a donnée à sa présence ? Est-ce que tout le monde sait ?

— Personne ne sait. Même Morgause ne souhaite pas que l'on se souvienne de ce déshonneur. Elle prétend qu'il a été conçu par un roi des Elfes ou un démon convoqué par sa magie, un Esprit des Anciens ou un serpent de mer. Elle change sa version aussi souvent que la marée. Mordred ne doit rien savoir très certainement. Il vit comme un bâtard avec ses demi-frères, les princes d'Orcanie. Un serviteur, pas un prince. Il doit souffrir.

— Autrefois, tu es passé toi-même par ce chemin.

Cette remarque le ramena à lui et il dit brusquement :

— Oui. Mais Hector est un homme au cœur généreux, une grande âme, et sa femme est une femme très aimante, une bonne chrétienne. Morgause est une... une sorcière.

— Alors nous devons faire le maximum qu'il puisse partir de là-bas.

Posément, il fit oui de la tête.

— Mais cela doit être accompli avec discernement, pour que personne n'en soupçonne les raisons. Rends-toi, compte Gwen ! Quel poids terrible je suis obligé de faire porter à mon fils ! L'histoire que je vais devoir lui raconter ! S'il m'est pénible de l'avouer, imagine-toi à quel point ce sera difficile pour lui de l'entendre. Je ne veux pas qu'il s'en doute avant que je ne la lui explique. C'est dangereux. Dieu sait qu'il a des raisons de me haïr, dit-il lentement. Qui pourrait l'en blâmer ? Je crois qu'il faudrait que je fasse venir ses frères avec lui pour les laisser servir, ici, comme écuyers ou comme valets afin de gagner du temps.

— Tu pourrais faire ça, Arthur ? Peux-tu lui prendre ses enfants ?

Son visage se durcit soudain, ses yeux devinrent froids.

— Cela me procurerait un grand plaisir.

On pouvait sentir sa haine, une obstination et de la possessivité. Même les Saxons, il ne les détestait pas. Je posai légèrement ma main sur son bras :

— Arthur, lui murmurai-je, est-elle responsable du massacre de Dunpelder ?

Ses yeux glissèrent sur mon visage et puis se détournèrent, et j'eus peur en voyant leur expression.

— Oui.

Il tressaillit et serra contre lui les peaux d'ours, bien que la nuit fût chaude.

— Et ce n'est pas tout.

J'attendis, alors qu'il luttait pour trouver ses mots.

— Elle est en train de tuer Merlin, alors que nous parlons en ce moment. Elle lui a administré autrefois un breuvage empoisonné, et, bien que cela ne l'ait pas tué immédiatement, cela insuffla la mort en lui. Il se meurt et il le sait. Il est retourné dans son pays natal, dans les collines du pays de Galles, pour trouver le salut.

Je retins mon souffle.

— C'est vrai ? Merlin l'a-t-il admis ?

Arthur eut un autre regard acéré.

— Non. Il n'a rien avoué. Mais, moi, je le sais.

J'observai longuement son visage. C'était la vérité. Je pensais qu'une mauvaise action laissait une tache sur le coupable. Voilà longtemps, dans son innocence, il avait commis un terrible péché. À présent, cela le rongeait comme un ver, envahissant toutes ses pensées.

— Il est resté tout un hiver dans la forêt de Calédonie, juste dans une cave, sans rien, avec des peaux pour se couvrir. Assurément, c'est à cause de cela qu'il est devenu fou.

Arthur se refusait à me regarder.

— Être simplement dans la forêt, cela l'aurait rendu fou ? Non. Il avait vu la sorcière trois jours auparavant.

— Est-ce que Merlin l'a confessé ? Il l'a accusée ?

— Non. Mais je sais que c'est vrai.

Je lui pris la main et la baisai.

— Meurtrière... murmurai-je. As-tu des preuves qu'elle ait donné l'ordre ?

— Bien sûr que non ! répondit-il. Lot a donné l'ordre. Mais une fois qu'il l'a épousée, Lot n'a rien fait de sa propre initiative sauf sur les champs de bataille. C'est ce qui le rend si impitoyable. Je vois la raison de toutes tes questions, Guenièvre. Mais il est inutile de t'apitoyer sur Morgause. Je ne l'accuse pas au-delà de ce qu'elle mérite. Elle est mauvaise.

Je n'osai pas le pousser plus loin. Il resta assis, sans bouger, les yeux perdus dans le lointain. Je posai une main sur sa joue.

— Pardonne-moi, Arthur... Arthur ?

Il ne m'écoutait pas ; toute la chaleur de notre nuit d'amour s'était perdue dans la froide horreur de son enfer intérieur.

— Emreis, murmurai-je. (Immédiatement, il se tourna, surpris, et puis la vie revint dans ses yeux.) C'était la volonté de Dieu, mon amour, que Mordred vienne au monde. Ce qui sera sera. Le passé est le passé.

Il faillit me sourire.

— À présent, c'est à ton tour de me réconforter.

— J'espère bien que j'y parviens. (Je lui saisis la main.) Peux-tu le faire venir ici, avec tous ses frères, sans éveiller les soupçons ? Je ne suis pas la seule à avoir entendu les rumeurs.

— Tu es loin de la vérité, dit-il avec une moue. Je crois parfois qu'il n'y a pas une seule personne qui n'en ait pas entendu parler. Je vais essayer de trouver une excuse pour le faire venir ici. (Il sourit et m'attira à lui.) Sois bénie, ma petite Gwen, pour avoir pu ainsi chasser mes idées noires. Tu auras droit à un cadeau.

Ses lèvres trouvèrent les miennes, et je me laissai aller à son baiser. Son visage était d'une gravité mortelle alors qu'il évoquait la reine Morgause ; son exaltation était infiniment préférable à sa froideur.

Soudain, nous entendîmes des pas lourds frappant le sol des appartements du roi.

— Majesté ! Roi Arthur !

C'était la voix de Keu. Il était dans un état de panique presque incontrôlable.

— Par ici, seigneur Keu ! Je suis là !

Le roi sauta du lit et attrapa sa robe de chambre, alors que Keu montait précipitamment les escaliers. Sur le pas de la porte, il mit un genou en terre. Je n'avais pas même bougé du lit ; je n'en avais pas eu le temps.

— Sire, pardonnez-moi, je suis porteur de mauvaises nouvelles.

Il tendit de ses doigts tremblants un rouleau de parchemin.

— Raconte-moi, répondit calmement Arthur.

— Mon seigneur, le courrier... Mon très aimé seigneur, Merlin est mort.

Je retins mon souffle. Arthur n'eut aucune réaction, comme s'il n'avait rien entendu. Il prit le parchemin et en brisa le sceau, puis le lut. Quand il leva le regard, son visage était un masque, seuls ses yeux reflétaient un grand désarroi.

— Nous partons pour le pays de Galles, immédiatement. (Il nomma ceux des chevaliers qui devaient l'accompagner.) Informe le seigneur Lancelot.

Keu se mit à trembler ostensiblement. Arthur ne bougeait pas plus qu'une pierre.

— Mon seigneur, nous ne parvenons pas à le trouver.

— Retrouve-le, lâcha Arthur, montrant les premiers signes d'énervement. Laisse-nous. Envoie-moi Varric.

Keu disparut prestement. Arthur ne bougeait toujours pas. Lentement, je me levai pour m'approcher de lui. Il détacha sa robe et se saisit, absent, de son bliaud. Je connaissais cet état. C'était celui dans lequel je m'étais trouvée après le départ de Méléagant. Varric arriva. Il s'était habillé en toute hâte et était hors d'haleine. Doucement, il prit le bliaud des mains du roi.

— Non, mon seigneur, il vous faut votre cotte de voyage, pas ce bliaud de cérémonie. Le trajet sera salissant, je le crains, à cette période de l'année. Un manteau léger. Nous y voilà.

Il parlait posément, d'une voix calme et aimable, puis il me jeta un coup d'œil interrogateur et regarda vers l'outre de vin.

Retrouvant mes esprits, je remplis un gobelet et le portai aux lèvres d'Arthur.

— Buvez, mon seigneur.

Mais c'était comme s'il ne m'avait pas entendue. J'effleurai son épaule, où la blessure faite par l'arme de Méléagant saillait, rouge et laide, sur sa peau tannée.

— Je vous en prie, Arthur, buvez. Cela vous aidera.

Obéissant, il avala. Puis il me fit signe de m'éloigner alors que Varric lui passait la cotte par-dessus la tête. En quelques minutes, Varric l'avait entièrement habillé. Il attacha une cape sur ses épaules avec la broche au dragon en or émaillé. Arthur marcha lentement vers la porte.

Il regarda dans notre direction, l'air absent, puis dit :

— Priez pour moi.

Il sortit, et Varric s'inclina bien bas.

— Ma dame…

— Vous veillerez sur lui, Varric ?

— Oui, ma dame.

— Ne le laissez pas seul.

— Non, ma dame. Ne vous inquiétez pas. Je serai auprès de lui.

Il descendit précipitamment les escaliers à la suite du roi.

Durant ces dernières années, il y avait eu de nombreuses annonces de la mort de Merlin. Mais, celle-là, Arthur semblait y prêter foi. Pourtant, elle ne me paraissait pas plus vraisemblable. Merlin avait guidé la Bretagne et ses rois bien avant que nous ne naissions ! Je recherchai du regard le parchemin. Je le vis roulé sur le sol à l'endroit précis où Arthur l'avait laissé choir. Il s'agissait seulement de quelques mots, mais qui allaient droit à l'essentiel. Il était signé Viviane.

20

Par les charmes et par l'épée

JE M'ÉVEILLAI en percevant des bruits étouffés et des chuchotements désordonnés, mais très pressants.

— Ma Dame ! Ma dame ! Reine Guenièvre ! Réveillez-vous. Oh, s'il vous plaît, réveillez-vous !

J'ouvris les yeux et me trouvais nez à nez avec le visage embarrassé de Bran. Soudain, je me souvins que j'étais allongée dans le lit du roi. Le soleil matinal se déversait à travers la fenêtre ouverte. Je tirai les peaux d'ours pour me recouvrir entièrement. Les événements de la nuit écoulée me revinrent en mémoire. Cependant, pour tout dire, cela me paraissait plutôt lointain et assez brumeux.

— Le roi est parti, Bran ? Ou l'ai-je rêvé ?

Son regard restait obstinément rivé sur le sol.

— Il est parti pour le pays de Galles, ma dame.

— Où est Ailsa ?

— Elle vous cherche, ma dame. Nous sommes tous à votre recherche.

— Pourtant, je n'ai pas bougé d'ici de toute la nuit.

Bran avala bruyamment sa salive. Il lui arrivait parfois d'afficher l'expression d'un jeune adolescent, et c'était présentement cette tête qu'il arborait devant moi.

— Personne n'y a pensé... Je veux dire, après que le roi fut parti... son départ...

Je lui adressai un grand sourire. Je compris que j'avais

enfreint les convenances, mais cela ne me concernait nullement.

— Son lit était chaud, alors que le mien était froid, répondis-je, cachant mon bâillement et réprimant une envie de m'étirer. Ça a été une sacrée nuit !

— Ma dame, dois-je vous envoyer Ailsa ?

— Oui, messire Bran, je vous prie, à moins que vous ne vouliez vous substituer à elle ?

Il rougit jusqu'à la racine des ses cheveux et recula, chancelant.

— Veuillez me pardonner, ma dame !

Je ris de bon cœur.

— Je me sens d'humeur taquine, ce matin, messire Bran. Je ne faisais que plaisanter. Je ne voulais pas vous choquer. Je souhaiterais aussi parler avec le messager qui est arrivé ce matin. Dites à messire Keu de me l'envoyer, dès qu'il se sera suffisamment reposé.

— Ma dame, s'il vous plaît, tout le monde était à votre recherche dans la maison. Le seigneur Lancelot souhaite vous parler.

— Oh ? Eh bien, vous m'avez retrouvée. Alors, rien ne presse, non ? Lancelot est le protecteur de la reine jusqu'au retour du roi. Il souhaite simplement me rappeler mes obligations de la journée.

Bran secoua la tête en signe de dénégation.

— Je ne le crois pas, ma dame. Quand je l'ai vu, il avait l'air bien bizarre. Seigneur Keu a dit que quelque chose ne tournait pas rond.

— Il a peut être eu du mal à digérer le vin que nous bûmes, hier soir. Envoyez-moi Ailsa tout de suite et demandez au seigneur Keu s'il veut bien monter me voir d'ici une demi-heure. Est-ce clair ?

Il parvint à produire un timide sourire.

— Je vais aller leur dire que je vous ai retrouvée.

D'après son comportement, je compris que quelque chose n'allait pas. Puis, quand Ailsa entra, d'un air affairé, j'en fus convaincue. Elle me sermonna pour avoir dormi, seule, dans le lit du roi, me lava et m'habilla en toute hâte, tout en m'entretenant de sujets futiles.

— Ailsa, dis-je, n'y tenant plus, qu'essaies-tu si fort de ne pas me dire ? Je ne t'ai jamais entendue parler autant pour ne rien dire.

Ses mains se mirent à trembler, alors qu'elle m'attachait les cheveux, mais elle ne répondit pas.

— Mais pour l'amour de Dieu, que se passe-t-il ? Quelque chose est-il arrivé au roi ?

— Non, non, répondit-elle. Pas au roi, Mais... Je ne peux pas... Le seigneur Lancelot vous le dira, moi je ne peux pas.

Je commençai à mon tour à avoir peur. Mais puisque ni Arthur ni Lancelot n'avait été blessé, je n'arrivais pas à m'imaginer quelle catastrophe avait bien pu arriver pour que tout le monde craigne tant de m'en parler.

Après qu'Ailsa eut terminé, je sortis à la recherche de Keu. Je le trouvai dans le corridor. Il se précipita vers moi dès qu'il me vit. Ses pas étaient pesants et son visage sombre.

— Reine Guenièvre.

Il s'inclina profondément.

— Je sais. Le seigneur Lancelot souhaite me voir. Menez-moi à lui, s'il vous plaît.

Keu hésita.

— Il souhaite vous voir seule, ma dame. Je pense que cela serait mieux, en effet. Il m'a proposé votre jardin.

Je le regardai, surprise, et mon angoisse monta d'un cran. Keu était au courant des événements, mais même lui avait peur de m'en parler.

— Alors, envoyez-le-moi.

Il s'éclaircit la gorge, nerveux.

— Ah, ma dame. Je crains que ce ne soit pas bien vu s'il entrait dans les appartements du roi durant son absence.

Eh bien, voilà qui était dit. J'avais oublié tous ces ragots dans le palais. Je sortis une clef de ma bourse.

— Donnez-lui ceci. Il s'agit de la clef de la porte de mon jardin. Qu'il aille dans la tour sud, à la poterne. Il n'aura qu'à passer par un recoin du jardin des femmes, sans se faire remarquer. Je l'attendrai.

Je mis Ailsa et Alissa comme gardes devant les escaliers menant à ma chambre à coucher et me retrouvai dans mon jardin, l'esprit fébrile, dans l'attente. C'était une nouvelle et magnifique journée, belle et chaude, emplie d'agréables odeurs.

Je m'assis sur le banc de pierre, derrière la fontaine d'où je pouvais observer le jardin sur toute sa longueur, et tentai de me calmer en attendant Lancelot.

Il ne me fit pas attendre trop longtemps. Je le vis arriver vers moi, du pas hésitant du coupable devant son bourreau. Je commençais à craindre le pire. Il était propre et rasé de près. Son pourpoint était neuf. Le repentir se lisait sur son visage.

Il tomba à genoux devant moi et pressa ma main contre ses lèvres, baisant mes doigts. Puis il prit ma paume et la posa contre son visage. Il leva ensuite son regard vers moi. J'étais interloquée. Il avait les larmes aux yeux.

— Que se passe-t-il, Lancelot ? Que s'est-il passé ! Mon Dieu, quelle catastrophe est advenue ! Dites-le-moi !

— Oh, dame Guenièvre ! Je ne suis qu'un mécréant ! murmura-t-il. Un infâme scélérat. Mon Dieu, ayez pitié de moi ! Car je pense que jamais vous ne me pardonnerez.

Je soupirai, exaspérée. Il s'accusait de tous les péchés du monde et battait sa coulpe fréquemment.

— Mon Dieu, Lancelot, vous me faites peur ! Vous êtes bien sain et sauf, n'est-ce pas ? Avez-vous tué quelqu'un ? Est-ce que votre vie est en jeu ? Bon, très bien. Alors, qu'avez-vous fait, cette fois ? Cela ne peut pas être si terrible que cela.

Pourtant, il rougit fortement et détourna le regard, pressant ma main. Quelle était la chose qui pouvait l'embarrasser autant ?

— Guenièvre, commença-t-il, me regardant enfin en face, tenant fermement mes deux mains contre son cœur, lumière de ma vie, je n'en aimerai jamais une autre. Vous devez me croire et savoir ce que je ressens, avant que je vous narre le reste. Je paierai toute ma vie ma lubricité de cette nuit, et cela n'est que normal, mais elle n'aura jamais mon cœur.

Mon cœur justement me faisait mal, tellement il battait fort.

— Avant que je t'explique comment les choses se sont passées, je dois vous dire... Je dois te dire, Gwen... Je suis fiancé.

— Non !

Le mot sortit de moi en un cri rauque : j'observais son

visage horrifié. Mais il tint mes mains fortement, et je ne pus me lever pour fuir. Il constata ma colère et se tint tout près de moi.

— Mais enfin, ce n'était pas nécessaire ! Tu es allé trop loin. À cause d'une seule nuit ! Tu n'as besoin de te marier avec une fille de passage...

— Elle est noble, répondit-il fermement, et son père et sa mère étaient là quand Keu nous découvrit au petit matin. Je ne peux rien y faire. Je ne pouvais pas la déshonorer encore davantage.

Je vis des larmes couler sur ses joues.

— Coucher avec toi, ce n'est pas déshonorant, murmurai-je. Oh, Lancelot, ne me laisse pas ! Je t'en supplie ! Je t'aime tant !

Il ne put se contrôler davantage, enfouit son visage contre mes genoux et mit ses bras autour de moi. Je me penchai sur lui et l'embrassai. Dans mon cœur, je savais que c'était cruel. Il avait vingt-cinq ans. La plupart des hommes de son âge avaient déjà des enfants qui étaient valets ou écuyers de chevaliers. Il ne pouvait rester célibataire toute sa vie. Le lui demander aurait été injuste. Mais l'idée de le perdre m'était insupportable. Il était un homme d'honneur et il avait donné sa parole. Cela lui brisait le cœur.

Un long moment, nous restâmes ainsi, enlacés. Avec un terrible effort, je parvins à prononcer les mots nécessaires.

— Ce qui est dit est dit. As-tu donné ta parole à son père ?

Il leva la tête et acquiesça.

— Alors... alors, il n'y a rien que je puisse faire.

— Je ne t'ai pas tout avoué.

— Comment cela, pas tout avoué ? m'écriai-je... Qu'est-ce qu'il pourrait y avoir de plus ? Tu me quittes... ne m'en dis pas plus !

Il se leva lentement et fit les cent pas autour de la fontaine. Ce n'était pas juste de me faire penser à Arthur comme ça. Je le regardais marcher sans oser m'imaginer la suite. Il était malheureux, cela au moins, c'était clair. Mais il avait peur pourtant. Quelle était donc la chose qui aurait pu me faire souffrir encore plus ?

— Quand le roi a quitté la salle, la nuit dernière,

commença-t-il, je partis peu de temps après lui. J'étais avec Beduyr. Il était fatigué et partit se coucher, mais moi... Moi, je ne pouvais pas. (Comme je tentais de prendre une respiration pour lui dire que je comprenais, il leva une main pour m'arrêter. Je compris qu'il n'arriverait pas à tout me raconter s'il ne le faisait pas d'un seul trait.) Je n'ai jamais eu l'intention de me trouver une fille. Je voulais simplement me rafraîchir en marchant un peu. La nuit était claire. Je me rendis d'abord dans l'écurie. Le poulain se portait bien et Lionel s'y trouvait encore. Je décidai de faire le tour de l'esplanade. En réalité, je l'ai fait en courant. (J'acquiesçai, me souvenant de l'énergie fantastique que procurait la potion. Pendant qu'il courait, cette nuit, j'étais dans les bras du roi. Je ne pouvais pas me permettre de le juger.) Je fus enfin fatigué de courir. Mais les choses ne s'amélioraient pas vraiment. Je m'arrêtai pour reprendre mon souffle. Je me sentais assez mal et tentai de reprendre un peu mes esprits. Je ne savais plus où j'étais. Je rentrai des lices pour me diriger vers le mur d'enceinte et les torches. Je pensais que si je les atteignais, je retrouverais mon chemin. Dans ma tête, je revoyais mon pays natal, la Petite Bretagne, et les rues de la ville de Benoïc, où j'avais grandi. Mais quand je parvins aux lumières, plus rien ne me sembla familier. Il y avait des filles tout autour. Une larronnesse vint à moi, une brune. Elle caressa mon bras. Mais je ne pus le supporter. Le simple frôlement de ses doigts me mettait en feu. Oh, comme je vous désirais alors, Guenièvre ! Votre visage était constamment devant moi, comme durant toute cette nuit. Il me sembla alors que vous deviez me chercher vous aussi, si vous m'aimiez. Vous alliez trouver un moyen de vous échapper de l'emprise du roi pour venir me rejoindre. (Il s'arrêta de marcher et se cacha le visage dans les mains.) Puisse Dieu Tout-Puissant me pardonner ! Je m'échappai de l'étreinte de la fille et courus. Je ne savais plus où j'allais. Je vous cherchais. J'étais... poussé par... par une force pour vous trouver. Soudain, je levai la tête et vous étiez là ! Vous étiez devant moi.

Je retins mon souffle, et ses yeux rencontrèrent les miens.

— Elle me parla avec votre voix. « Lancelot », me dit elle, je te retrouve enfin. C'était ce que j'espérais entendre.

— Elle était blonde ? demandai-je d'une voix rauque.

— Elle était belle et blonde. Elle portait un voile bleu sur la tête, qui cachait presque entièrement son visage. Mais elle était blonde. Et elle parla avec votre voix.

— Et ses vêtements ? dis-je, tremblante, me retenant contre le banc.

Il attendit, silencieux, un long moment avant de répondre.

— Elle portait vos vêtements. Ceux que je vous avais vue porter, une heure plus tôt à peine. Cette robe qui m'avait rendu fou. C'était la même.

Je le regardai, horrifiée.

— Elle se tenait devant l'entrée d'une tente et me fit signe de la suivre à l'intérieur. Elle marchait comme vous. À l'intérieur, la lumière était faible. Il y avait une chambre préparée. Elle... elle ne dit presque rien. Mais, il se trouve que... je ne lui laissai pas beaucoup de temps. (Il s'essuya le front et eut une profonde et douloureuse inspiration.) Je n'en dirai pas davantage. Quand Keu me réveilla ce matin, ma vision s'était éclaircie et je pus distinguer son visage.

Je levai ma main pour lui dire d'arrêter.

— Non, ne dis rien ! Non, Lancelot !

— Guenièvre, je suis fiancé à Elaine.

— Ah ! hurlai-je, puis je m'évanouis.

Il me releva et me tint dans ses bras. Le contact de ses mains me réanima et je le repoussai.

— Tu ne le feras pas ! dis-je en tremblant. Je te l'interdis ! Elle t'a trompé, Lancelot, ne le vois-tu pas ? Elle nous a tous trompés ! Oh, mon Dieu !

Je reculai prestement, tenant ma tête malade, souhaitant mourir.

Maintenant, je comprenais, trop clairement, ce qu'Elaine avait ourdi ; elle avait tout préparé, quand elle était restée sur le sol et avait déclaré que je ne pourrais pas les avoir tous les deux, Lancelot et Arthur. Quel plan intelligent elle avait conçu ! Coudre un vêtement comme celui qu'elle savait que je porterais ce soir-là, envoyer un courrier secret à ses parents qui étaient arrivés en toute innocence (elle m'avait suppliée de ne pas leur demander de venir), et puis la potion, son coup de génie. Elle avait voulu nous rendre à moitié fous, s'assurant ainsi que je quitterais la salle, tôt avec le roi, pour passer toute la soirée avec lui, laissant Lancelot seul et vulnérable. Quelle vengeance ! Elle devait me haïr au plus haut point ! Mais le pire était qu'elle n'aimait pas Lancelot. Il ne l'intéressait nullement. Elle voulait juste me l'enlever. Néanmoins, elle le connaissait assez bien. Elle devinait que j'aurais pu persuader le roi Pellinor de ne pas tenir sa promesse. Elle ne pensait pas que la présence de ses parents serait suffisante. Mais elle savait que l'honneur de Lancelot l'attacherait à elle quand elle le séduisit et l'entraîna dans la tente du roi Pellinor.

— Je t'interdis, repris-je plus calmement, me retournant vers lui. Ne sois pas trompé par elle. Tu te prépares un avenir empli de souffrances. Une putain te servirait mieux et apporterait plus d'honneur à ta maison. Il n'y a pas une once de bonté en elle, Lancelot, je la connais mieux que toi. Elle avait prévu de te séduire — elle a envoyé le vin — uniquement parce qu'elle éprouve beaucoup de haine. Je parlerai à Pellinor. Tu es libéré de ta promesse.

Il paraissait avoir mal. Je savais ce qu'il pensait : ces mots n'étaient pas dignes de moi, mais il était venu, prêt à affronter la colère d'une femme.

— Néanmoins, dit-il, je le dois.

— Tu ne le feras pas. Le roi ne le permettra pas. Tu devras obtenir sa permission.

— Il sera de retour dans une semaine. Je la lui demanderai alors.

Enfin, je compris. Arthur la lui donnerait, car il serait question de la demeure de Lanascol, gouvernée au nom de Lancelot par son frère, Galantin, depuis la mort de leur père. Arthur considérait Lancelot comme un futur monarque qui lui serait un allié précieux et voyait tout le bien qu'il pourrait retirer d'un roi fort en Gaule. Arthur envisageait la possibilité d'entraîner les futurs fils de Lancelot en tant que loyaux chevaliers. À la pensée qu'Elaine porterait les fils de Lancelot, je me mis à crier d'effroi.

— Non ! Cela ne sera pas ! Je ne pourrai pas le supporter ! Cela me tuera, Lancelot, aussi sûr que tu te tiens, là, devant moi ! Prends pitié, mon amour, et ne fais pas une chose pareille !

Il s'avança soudain et me prit par les épaules. Il y avait des larmes dans ses yeux.

— Tu ne comprends pas ! Je... je l'ai prise trois fois ! Elle était vierge !

— Lancelot ! m'écriai-je, plaquant mes mains sur mes oreilles. Épargne-moi ces détails scabreux ! Que me veux-tu ? Je ne puis le supporter !

— Mais comprends-moi ! cria-t-il d'une voix âpre. Je ne suis pas un homme cruel, mais... je lui ai causé du tort et du chagrin à cause de mon impatience. Je ne me suis pas conduit en homme courtois. Je suis responsable.

— Elle s'est vengée.

— Je lui dois plus que cela.

— Pas ta vie, quand même.

— Mon nom, au moins, oui. Pour la sauver de la honte, si elle tombait enceinte.

— Oh, mon Dieu !

Je refermai les yeux en entendant ces paroles, et tentai de m'empêcher de fondre en larmes.

— Ne dis pas que tu m'aimes ! m'écriai-je. Tu savais très bien que ce n'était pas moi que tu avais trouvée. Tu savais que j'étais avec le roi.

Le blesser ne me faisait que plus de mal ; il ne voulait pas se défendre. Il recevait mes coups, l'un après l'autre, sans se plaindre.

— Oui, dit-il lentement, les bras ballants le long de son corps. Je suppose qu'au fond de moi je le savais. J'avais remarqué la manière dont tu avais regardé Arthur. C'est pour cela que j'avais quitté la salle juste après lui. Je ne pouvais pas supporter l'idée qu'il... Mais laissons cela. Tu en es amoureuse, à présent. Et Dieu sait que c'est comme cela que les choses doivent être. Il a le don de savoir montrer son amour. Et la nuit dernière, tu le désirais. C'est ce qui me fit réagir aussi... ardemment avec Elaine. Je me languissais de t'avoir dans mes bras et de coucher avec toi ! Je le confesse devant Dieu. Alors, quand je vis quelqu'un qui te ressemblait, je me cachai la vérité et crus à cette fable. Je suis coupable, acheva-t-il.

Je tombai à genoux et pris sa main, la couvrant de mes pleurs et la pressant contre ma poitrine.

— Ô noble Lancelot ! Pardonne-moi, je t'en prie. Je ne

suis qu'une femme, et blessée jusqu'au tréfonds de mon âme. Je n'avais pas le droit de te parler ainsi !

Il me souleva dans ses bras et me porta sur le banc. Je pleurai contre son épaule, mes bras autour de son cou. Il me laissa sur ses genoux et attendit.

— Elle ne te mérite pas, murmurai-je, et tu le regretteras.

Mais je savais qu'il ne changerait pas d'avis. Quand mes sanglots baissèrent d'intensité, il m'adressa à nouveau la parole.

— Je vais l'emmener en Petite Bretagne. J'ai été trop longtemps absent. Elle m'a dit que vous vous étiez disputées et que ses déplacements sont limités. Je me dois de te demander, Gwen, de la laisser partir.

Je reculai et l'observai. Je réalisai qu'il n'avait pas la moindre idée de l'implication d'Elaine dans l'affaire avec Méléagant. Et comment l'aurait-il pu ? À moins que le roi ne lui en ait parlé ? Car, moi, je ne lui avais rien dit et il se trouvait sur l'Ynys Witrin quand la fourberie d'Elaine avait été révélée au grand jour. J'avais donc une arme en ma possession, je le compris instantanément. Je pouvais tout empêcher si je lui disais, ici et maintenant, ce qu'elle avait fait. Il ne se marierait jamais avec une femme qui m'avait trahie pour Méléagant. J'ouvrais la bouche pour parler quand je vis le revers de la médaille : comment se sentirait-il en sachant la vérité ? Il aurait l'impression d'avoir couché avec le serpent, et sa honte détruirait son âme, comme la honte de Morgause avait détruit Arthur.

Le supplice de l'attente raviva ma colère.

— Elle t'a dit pourquoi nous nous étions disputées ?

— Oui.

Je sursautai, mais il poursuivit :

— Elle a dit que tu avais découvert son grand amour pour le roi et que tu l'avais accusée de lubricité, ce qu'elle a admis.

— Lancelot, lui demandai-je avec insistance, cela me ressemble-t-il ? Tout le monde aime Arthur. Emprisonnerais-je une femme simplement à cause de cela ?

Il parut troublé puis haussa les épaules.

— Avant notre discussion, j'aurais pensé que cela ne te ressemblait pas. Mais je dois dire que je ne comprends pas bien les femmes. Si cette histoire n'est pas vraie, quelle est donc la vérité ?

Je fus bien récompensée de l'avoir blessé. Que pouvais-je, dire à présent ?

— C'est une partie de la vérité, répondis-je finalement. Mais il ne s'agit pas que de cela. Elle tira avantage de sa situation auprès de moi pour mener ses propres entreprises et obtenir une audience privée avec le roi. Je ne sais pas exactement ce qui s'est passé, mais le roi était très fâché et a demandé que cela ne se reproduise plus. C'est tout à fait stupide, je le crains, et j'avais l'intention de la renvoyer chez elle, au pays de Galles. Elle devait partir aujourd'hui.

— Alors, elle est en résidence surveillée sur les ordres d'Arthur ?

— Elle n'était pas assez surveillée ! m'écriai-je, puis je baissai la tête. Non, les ordres émanaient de moi. Je... je me suis sentie personnellement trahie. C'est une chose que les femmes ne se pardonnent jamais entre elles.

— Bon, elle n'a pas ton intelligence, Gwen, ou ton assurance. Mais si la cause de tout cet embarras est son amour pour le roi, ne peux-tu le lui pardonner ? Je vais l'emmener au loin, là où elle ne pourra plus jamais poser son regard sur lui. La question est réglée.

— Elle ne t'aime pas, mon cœur, et elle ne t'aimera jamais.

L'ombre d'un sourire passa sur ses lèvres.

— Et je ne l'aimerai jamais. (J'avais mal pour lui. C'était un avenir de poussière et de cendres qu'il se préparait.) Tu la relâcheras, Gwen ? Pour moi, je t'en prie... Laisse-la demeurer avec ses parents jusqu'au mariage. Tu n'auras pas besoin de la voir, si cela te fait souffrir.

À nouveau, mes larmes se mirent à couler. Je m'appuyai contre lui, brisée et lasse.

— Oui, murmurai-je. Je vais donner les ordres.

Il me serra plus fort contre lui.

— Quand Arthur rentrera, je lui ferai une demande officielle. Je devrai partir avant que les vents d'automne n'empêchent la navigation.

Je fermai les yeux. Tout était dit. C'était la fin.

— Te reverrai-je un jour ?

— Bien sûr que tu me reverras, répondit-il, m'écartant un

peu pour pouvoir me baiser les joues. Je reviendrai quand la mer sera à nouveau navigable, et, cette fois, avec mon frère, Galantin. Je resterai avec toi durant trois saisons sur quatre, pendant que le roi s'occupera de ses affaires. Il est mon seigneur autant que mon ami. Je lui dois assistance. Et je souhaite rester son ami. (Il sourit presque et caressa doucement mes cheveux.) Mais, encore plus qu'Arthur, j'ai besoin de toi. Je reviendrai.

Il m'embrassa et je me serrai contre lui, éprouvant du désir. Ses lèvres étaient chaudes et avides. Durant un bref instant, je ne pensai plus à rien. Mais ce n'était qu'une douce conclusion à un moment atroce que nous avions enduré. Cela ne changeait rien.

Quand le roi revint, tout Camaalot était en effervescence, bruissant des rumeurs sur Lancelot et Elaine. Je l'avais laissée sous la garde d'Alyse et de Pellinor, qui la surveillaient de près, pressentant un grave problème. Je ne peux pas dire que Lancelot passait beaucoup de temps avec elle, une visite de courtoisie dans l'après-midi, parfois, car, presque tout son temps, il le passait avec moi. Il ne montrait aucune signe de vouloir retourner dans le lit d'Elaine. Mais il était allé voir l'évêque et les rumeurs se propagèrent de plus belle.

Divers autres racontars, concernant Arthur, circulaient très vite aussi, un peu trop d'ailleurs. On disait Merlin mort. Le roi se serait rendu dans la caverne du vieux mage en Galles du Sud et l'aurait retrouvé froid et bleui, comme Viviane l'avait dit. Le pouvoir magique du lieu avait empêché sa putréfaction. Arthur avait passé trois jours et trois nuits avec lui, dans l'espoir qu'il serait encore vivant et qu'il se réveillerait. Mais finalement, il avait dû accepter la dure réalité.

Il remplit la caverne de trésors extraordinaires ; de tous les environs, les gens apportèrent des présents et le roi offrit à Merlin ses possessions de Caerléon, pour qu'il puisse rejoindre dignement les dieux. Ensuite, pour protéger la tombe d'éventuels pillards, il ordonna de faire tomber les rochers surplombant l'entrée pour boucher la caverne et enterrer Merlin profondément sous la colline. Ainsi fut fait. Le roi ne parla pas à âme qui vive après que ce fut accompli, et il chevaucha en silence jusque chez lui.

Il était toujours dans le même état d'esprit quand il rentra à Camaalot. Keu l'attendait avec la garde en haut des marches. Je l'observais de la fenêtre de la chambre d'Alyse qui donnait sur la haute cour. Je me rappelais la première fois que je l'avais vu, mais aujourd'hui il se mouvait comme un somnambule et non pas comme un meneur d'hommes. Il ne parla avec personne et descendit de cheval, puis laissa tomber les rênes et se rendit jusqu'aux marches qu'il monta. Keu lui adressa les paroles de bienvenue habituelles, mais le roi ne lui répondit pas ; il passa à côté de lui et entra dans le château sans même lui jeter un regard.

Dame Viviane était venue avec le roi. Elle se trouvait juste derrière, à cheval. Elle observait le roi avec un visage préoccupé. Même Pellès, qui était à côté d'elle et qui allait l'épouser dans un mois, ne put détacher son regard d'Arthur. Tous les soldats semblaient interloqués et Lancelot, qui se tenait près de Keu, leva le regard dans ma direction et secoua tristement la tête.

Je revins dans mes appartements, au cas où le roi ressentirait le besoin de me voir. Je restai près de la courtine et entendis ses pas dans les escaliers. Ils étaient lents et lourds. Je perçus les voix de Varric et de Bran, et des mouvements dans sa chambre mais pas sa voix. Le roi ne disait rien. Quand tout fut redevenu silencieux, j'attendis un long moment. Mais je ne distinguais toujours rien. Je n'étais même plus sûre qu'il fût là, bien que je ne l'aie pas entendu quitter sa chambre. Je décidai d'entrer. N'avait-il pas dit que je serais toujours la bienvenue ? Je repoussai le bord de la courtine, mais ce que je vis m'empêcha de faire un pas de plus. Il s'était dévêtu jusqu'à la taille et il se tenait agenouillé comme un repentant devant son lit. Il me tournait le dos, sa tête contre les couvertures, ses longs bras étalés sur le lit avec les mains jointes. Il priait.

J'allai voir Lancelot. Les chevaliers venaient juste de terminer une réunion, et Lancelot me mit au courant de la situation. Alors que le pays de Galles était généralement en paix, un messager du Rheged était parvenu au roi à Caerléon alors que celui-ci assemblait les objets pour constituer le trésor funéraire de Merlin. Il avait écouté le message mais n'avait donné aucun ordre. Beduyr affirmait même qu'il n'était pas certain que le roi ait vraiment compris la teneur du message.

Le roi Urien disait que Caw de Strathclyde venait de mourir, laissant son royaume dans un état d'anarchie. Bien qu'il fût âgé, sa mort avait surpris tout le monde. Il avait douze fils et cinq filles ; les aînés étaient des jumeaux âgés de trente ans, plutôt imprévisibles. Son fils le plus sensé était le troisième né, un certain Hapgar, le fils préféré du roi. Mais Caw était mort si soudainement qu'il n'avait pas eu le temps de désigner son successeur. Urien, qui était le voisin immédiat du Strathclyde, racontait que les fils se battaient entre eux et que plus personne n'était en sécurité hors des murs de son château. Les fils d'Urien, du premier lit, avaient organisé des patrouilles à cheval le long de la frontière. La fille d'Urien et de la reine Morgane, Morgain, âgée de sept ans, avait été enlevée au cours d'un bref voyage non loin de la frontière et retenue toute une semaine par Heuil, l'aîné des jumeaux. Elle avait été violée à plusieurs reprises. Le roi Urien l'avait récupérée vivante, mais sa colère était immense, et si le haut roi n'intervenait pas immédiatement, il y aurait la guerre.

C'étaient de terribles nouvelles, en effet. Mais ce qu'il y avait de pire dans tout cela était aussi que Beduyr doutait que le roi guérisse de son chagrin avant qu'il ne soit trop tard.

— Il était dans le même état quand Merlin disparut, il y a quelques années de cela, juste avant que sa première reine ne décède, raconta Beduyr, se tordant les mains. Nous avons pensé que le mage était mort. Le roi est alors resté profondément déprimé pendant des mois. Nous avions les Saxons sur le dos, alors il entreprit une chevauchée pour les combattre. Mais, là, c'est bien pire. Il y a là un conflit intérieur que seul le haut roi peut résoudre. Caw avait prêté allégeance mais aucun de ses fils n'avait plié le genou devant Arthur. Ce n'est pas un problème que vous ou moi pouvons résoudre à sa place.

— Y a-t-il un danger que les Saxons, percevant la division dans le royaume de Bretagne, puissent tenter de défier nos forces ? lui demandai-je.

L'inquiétude de Beduyr devint plus perceptible.

— Je n'y avais pas pensé, confessa-t-il. Mais, connaissant les Saxons, cela me paraît plus que probable.

— Cerdic surveille ses frontières de très près, remarqua Lancelot, et j'ai cru comprendre qu'il avait quelques bons espions. Je ne doute pas qu'il sache déjà la nouvelle, si elle a cinq jours.

Beduyr haussa les épaules

— Arthur ne voulait pas qu'on le presse. Il fit ses adieux au vieil homme comme il le fallait, je lui accorde ça. Mais cela prit du temps. Il n'arrivait pas à le laisser. La moitié d'une journée, il est resté devant la grotte, seul, comme s'il ne parvenait pas à se détacher.

Je touchai le bras de Beduyr.

— Souvenez-vous, lui déclarai-je, que personne, parmi nous, n'a connu la vie sans Merlin, le roi encore moins que nous. Il dut lui sembler qu'il avait perdu un père, un ami, un conseiller expérimenté, et plus encore, un confident fidèle de son cœur. Il est seul à présent, pour la première fois de sa vie, je crois.

Lancelot se ressaisit.

— Il n'est pas seul.

Je le regardai droit dans les yeux.

— Vous allez nous quitter pour Lanascol, mon seigneur, avec l'automne. Il reste Beduyr, Keu, Viviane et moi. Mais aucun de nous ne peut remplacer Merlin.

Lancelot prit la claque sans rougir. Beduyr nous observait avec intérêt mais ne fit aucun commentaire. Normalement, personne, à part moi, ne connaissait les plans de Lancelot, jusqu'à ce qu'il les ait confirmés au roi. Il semblait plutôt improbable que cela se produise bientôt.

Deux semaines s'écoulèrent et rien ne changea. Les messagers en provenance du roi Urien se firent plus pressants. Il y avait à présent des escarmouches sur la frontière ; Urien se contentait de se défendre, mais son armée réclamait du sang pour venger la petite princesse. Arthur quittait à peine sa chambre. Il prenait ses repas dans celle-ci et n'apparaissait plus dans la salle. Varric nous dit qu'il ne mangeait pas suffisamment.

Le reste de Camaalot paraissait marcher sur place, attendant. Les gens avaient peur, les soldats étaient anxieux. Lancelot, satisfait de n'être plus le protecteur de la reine puisque le haut roi était de retour, représentait ce dernier durant les Conseils quand il restait confiné dans ses appartements. Je m'asseyais à côté de lui dans la salle, mais les conversations étaient viciées.

Alyse et Pellinor étaient là toutes les nuits, abasourdis, et je n'arrivais pas à me forcer à leur parler. Elaine n'était pas avec eux, non par honte, j'en étais sûre, mais pour éviter ma colère. J'avais toujours la possibilité de contrecarrer ses plans, cela, elle le savait probablement.

Je me souvenais du jour où Ailsa me dit, tout en brossant mes cheveux, qu'Elaine était malade tous les matins. Grannic semblait très excitée à cette idée, et toutes les femmes en parlaient. Je me tordis sur ma chaise, attrapai la main d'Ailsa et en pris la brosse.

— Partez ! criai-je. Allez-vous-en, laissez-moi. Comment osez-vous colporter ces mensonges jusque dans ma chambre ! Partez ! Je ne veux plus vous voir !

La pauvre Ailsa ne fit que raser les murs alors que je fulminais dans ma chambre, maudissant le cruel destin et suppliant Dieu de me prendre la vie. Finalement, ma colère se mua en désespoir et je m'écroulai sur le sol, où Ailsa me ramassa et me chantonna de douces paroles affectueuses alors que je pleurais toutes les larmes de mon corps.

— Ce n'est pas juste ! Elle, en une seule nuit... alors que moi... Ailsa, toutes ces années ! Je la déteste, je la hais ! Si je la trouve, une seule fois, en face de moi, m'écriai-je, je la tue !

— Allons, allons, prêcha Ailsa, écartant les cheveux de mon visage. Vous feriez ça vous, vraiment ? Pour amener le déshonneur sur vous et tous ceux que vous aimez ? Ce n'est pas vous, ma dame. Tout le monde vous cite comme un exemple de force.

— Moi ? répondis-je. Mon Dieu, mais alors, nous sommes perdus, car je n'en ai aucune !

— Vous êtes plus forte que vous ne le supposez, répondit-elle. Ma dame, dans cinq ans, ceci vous semblera une petite chose, en regardant en arrière. Que cela ne vous touche pas trop.

— Une petite chose ! Oh, Ailsa ! Ce ne pourra jamais être une petite chose ! Elle aura toujours son enfant près d'elle — l'enfant de Lancelot ! — et moi, j'aurai quoi ?

— Vous êtes la reine, ma dame. Oh ! Gwen, ma petite Gwen, comment accepter cela ? Vous ne pourriez pas porter ses enfants. Mais que demandez-vous à Lancelot ? Qu'il ne se marie jamais et n'ait pas d'enfant, pour votre bien ?

— Non, murmurai-je. Oui. Non. Oh, Ailsa, je dois être mauvaise, car au fond de mon âme c'est ce que je souhaite, son cœur m'appartient, je ne veux pas le partager. Il n'y a aucun amour entre eux, Ailsa. Tout cela est injuste, si injuste !

— Serait-il juste qu'il renonce à son avenir et refuse un héritier à son royaume ? Qu'il reste à Camaalot et vénère une femme qu'il ne pourra jamais avoir ?

Je fermai les yeux et mis mon visage contre son épaule.

— Arrête ! je t'en supplie ! Je sais que je ne peux pas le lui demander. Je l'aime, mais ce... ceci ... c'est injuste !

Elle embrassa mon front et me serra dans ses bras.

— Si vous l'aimez vraiment comme le roi vous aime, vous le laisserez partir et cueillir le bonheur qu'il peut avoir avec elle. Vous aurez toujours son cœur.

— Je n'ai pas la patience d'Arthur, m'écriai-je, ni sa clémence. Et... et il... il ne pourrait se comporter comme moi !

— Il garde sa douleur à l'intérieur, ma dame. Mais elle est quand même là.

Elle semblait très sûre d'elle. Cela me rassura de penser à Arthur et me fit me sentir un peu honteuse. J'avais oublié les malheurs de mon roi, souffrant dans la pièce d'à côté. Qu'il ne soit pas entré quand je criais et pleurais en disait long sur sa souffrance. Comment aurais-je pu l'oublier ?

— Mais je ne suis qu'une femme, murmurai-je, et je n'ai pas sa force.

— Vous êtes entre de bonnes mains, affirma-t-elle, et vous devez apprendre à contrôler vos pleurs pour son bien. Je vais vous faire un bon gruau pour que vous puissiez bien dormir. Nous devrions nous débarrasser des marques de larmes avant que d'aller dans la salle.

Ailsa utilisa ce qu'elle savait de la magie des potions, des onguents, des charmes et de la brosse à cheveux. Mais, Lancelot, qui me rencontra à côté de la salle, comprit immédiatement que j'avais pleuré.

— Gwen, qu'est-ce qui se passe ? me demanda-t-il.

Je secouai la tête et plaçai ma main sur son bras.

— Je ne peux pas te le dire. Ça ira.

Alors que nous entrions dans la salle et que tout le monde se levait pour nous accueillir, je m'arrêtai, figée dans mes mouvements. Elaine se tenait là, devant ses parents, souriante et suffisante, ses mains protectrices placées sur son petit ventre, me regardant droit dans les yeux. Il lui était égal que Lancelot m'aimât ; elle voulait juste que je sache qu'elle était bien tombée enceinte au cours de sa première nuit avec lui. Je pouvais me tenir à ses côtés de très près, il était à elle. Je sentis le sang refluer de mon visage et j'agrippai le bras de Lancelot.

— Qu'y a-t-il, Gwen ?

— Vous... vous m'aviez promis, mon seigneur, répliquai-je, tentant désespérément de retenir mes larmes, vous m'aviez promis que je ne la reverrais plus jamais. Emmenez-la ou alors emmenez-moi hors d'ici. Je ne peux la supporter avec moi dans cette pièce !

Il était mécontent mais je ne voulais pas bouger de place et tout le monde attendait.

— Mon Dieu, Gwen, que dois-je faire ? Tout le monde est rassemblé.

Je levai mon visage vers lui et rencontrai son regard.

— Choisissez, Lancelot. Choisissez l'une d'entre nous. L'une de nous doit partir.

Finalement, il acquiesça et annonça, dépité :

— Je vais la faire sortir. Mais d'abord, laissez-moi vous faire asseoir.

Il me conduisit à ma place, mais je ne m'assis pas et tout le monde resta debout. Beduyr saisit mon bras pour arrêter mon tremblement. Mon regard se portait tout droit de l'autre côté de la salle, à travers les fenêtres. Du coin de l'œil, je vis Lancelot se diriger vers la table d'Elaine, lui parler à voix basse et lui offrir son bras. Alyse était furieuse et Pellinor abasourdi. Elaine, qui souriait triomphalement, accomplit une jolie révérence dans ma direction et s'appuya au bras de Lancelot, qui la fit sortir. L'immobilité tomba sur la salle. Beduyr tira doucement sur mon bras et, finalement, s'assit. On servit le repas.

Elaine resta hors de ma vue après cela, et chacun marcha plus doucement autour de moi. Vis-à-vis de Lancelot, j'étais tour à tour furieuse et repentante, froidement indignée ou complaisante à mon égard, et Arthur était absent. Comment Lancelot arrivait à supporter cela, je ne saurais le dire. Et qu'il ne me déteste pas à cause de ma conduite inqualifiable, ni ne me punisse pour mes mots cruels, témoigne de sa grandeur d'âme et de l'amour puissant qu'il me portait.

Au moins deux messagers arrivèrent, porteurs des nouvelles qu'on redoutait tant. Les forces d'Urien s'amassaient pour une attaque ; le roi d'Elmet, le roi de Tydwyl, le gouverneur du Lothian nommé par Arthur durant l'exil de Morgause en Orcanie, furent attirés dans le conflit. On prédisait que, dans les jours prochains, tout le Nord de la Grande-Bretagne allait s'entre-déchirer. Cerdic, roi des Saxons de l'Ouest, regroupait tranquillement ses forces près de la frontière du royaume. Jusqu'à présent, elles ne faisaient que patrouiller, mais leur nombre grossissait. Les Saxons attendaient comme des loups devant la tanière du sanglier, prêts à attaquer le vainqueur qui sortirait affaibli par la bataille.

Les chevaliers étaient surexcités, frustrés et anxieux. Viviane avait tenté de voir le roi, mais il ne supportait même pas d'entendre son nom. Keu, Beduyr et Lancelot avaient essayé à plusieurs reprises de lui parler, mais ils avaient tous été éconduits. Ils me prirent à part pour un conciliabule. Ils me supplièrent de tâcher de voir le roi et de tout faire pour le sortir de son état léthargique.

— Mais voyons, mes seigneurs, leur répondis-je, c'est le lendemain de son arrivée et il a fait dire à Varric qu'il ne me souhaitait plus, moi non plus, dans sa chambre. Ce n'était pas la demande d'un mari, mais les ordres d'un roi.

Lancelot prit ma main. Il était blême.

— Nous vous demandons, dame Guenièvre, de lui désobéir. Pour le salut du royaume de Bretagne. Il est tellement plongé dans son chagrin qu'il ne sait plus dans quelle situation périlleuse il se trouve. Il vous en remerciera quand il sera redevenu lui-même.

Ils étaient tous les trois si inquiets que, finalement, j'acceptai. Il est vrai que l'état du royaume n'était pas brillant. C'était quelque chose qu'Arthur aurait pu résoudre facilement, trois semaines plus tôt, simplement en se rendant au

Strathclyde. Mais aujourd'hui, personne ne pouvait le dire. Il était déjà, peut-être, trop tard.

— Apportez-moi son épée, dis-je, après avoir réfléchi, et sa ceinture. Que Varric me donne sa plus belle cape avec la broche au dragon.

Tous les trois se regardèrent.

— Quel est votre plan, ma dame ? demanda Beduyr, sceptique.

— En vérité, je ne sais pas encore. Mais j'ai une petite idée. Je ne tenterai pas de m'adresser à son cœur mais à son honneur. Je vais prétendre que je conduirai les troupes au combat à sa place.

Keu écarquilla les yeux. Beduyr était figé. Lancelot sourit, satisfait.

— Mais vous ne pouvez pas, vous êtes une femme ! Vous ne devez pas toucher l'épée, s'écria Keu, épouvanté. Personne ne peut la manier, sauf le roi en personne !

— Et pourquoi cela, je vous prie ? demandai-je. Merlin a-t-il placé une malédiction sur l'épée ?

— Non, non, répondit Beduyr immédiatement. Merlin ne jetait jamais de malédiction. Mais c'est la tradition qui le rapporte. L'épée a été forgée pour Arthur, il y a des centaines d'années de cela, et lui seul peut la toucher.

— Sornettes ! Il s'agit de l'épée de l'empereur Maximus qui est mon aïeul aussi bien que le sien. Merlin l'a touchée, et certainement des dizaines de serviteurs avant lui… Bon, je crois bien que je vais essayer. Peut-être que de la voir entre mes mains va le choquer suffisamment, comme cette idée vous a choqués. Qu'en pensez-vous ?

Keu se calma quand il comprit qu'il ne s'agissait que d'une ruse et que je n'avais nullement l'intention de conduire l'ost du roi à la guerre. Beduyr et Lancelot acquiescèrent.

— Si le plan échoue, reprit Lancelot, nous partirons vers le Nord sans lui. Nous vous emmènerons avec nous. Car je crois que votre idée est encore meilleure que ce que vous croyez.

Keu était abasourdi. Lancelot se retourna vers ses compagnons pour mettre au point les détails du plan. Il fut convenu que les affaires du roi me seraient portées dans mes appartement durant le dîner, alors que la salle de la table ronde serait vide pour que les chevaliers ne remarquent pas l'absence de l'épée. Elle était suspendue au-dessus du siège du roi. Puis, dans la soirée, au moment que je choisirais, je devrais essayer de voir le roi.

Ils me laissèrent seule avec Lancelot. J'étais nerveuse, je me disais que j'aurais mieux fait de me taire, ou alors ils ne l'auraient pas accepté. Mais je ne voyais pas d'autre moyen. Nous parlâmes un petit moment de ce qui se passerait si le plan échouait. Lancelot était le commandant en second et c'est lui qui devrait, peut-être, commander l'ost du haut roi. Il partirait vers le Nord pour aider Urien. Mais la menace saxonne ne pouvait pas être ignorée et l'ost devrait être divisé, avec un important contingent laissé à Camaalot sous le commandement de Beduyr. Les soldats devraient se faire voir le long de la frontière avec les Saxons pour décourager toute velléité d'attaque jusqu'au retour de Lancelot. C'était risqué. Si Cerdic était malin, il pourrait comprendre ce que le déploiement signifiait et en profiter pour attaquer.

Nous parlâmes de choses et d'autres, et puis nous nous préparâmes à partir. À la porte, je m'arrêtai et me retournai vers Lancelot. En trois semaines, nous nous étions longuement entretenus, mais le nom d'Elaine n'avait jamais été évoqué. Je ne savais même pas s'il l'avait vue, sauf pour la faire sortir de la salle.

— Je dois vous congratuler, seigneur Lancelot.

Il parut dérouté et surpris par mon ton si formel. Je compris qu'il ne savait pas.

— Pourquoi ? demanda-t-il. Je n'ai rien fait.

— Ne savez-vous donc pas que votre fiancée porte votre enfant ? murmurai-je.

Il recula, comme frappé, et pâlit. J'étais en même temps ravie et attristée que cela ne lui apporte aucune joie.

— Mais comment, par Dieu, le savez-vous ? souffla-t-il. On ne m'a rien dit.

— Je sais. Je l'aurais su même si cela ne transparaissait pas sur son visage. Demandez-lui si ce n'est pas vrai.

Il déglutit péniblement et secoua la tête.

— J'imagine que c'est vrai. Je l'aurais appris tôt ou tard. Gardons cela pour nous jusqu'à ce que les bruits de cette tromperie soient dernière nous. Entre nous, cela n'a guère d'importance.

Je me fis plus conciliante et parlai plus gentiment.

— Je vous l'annonce, au cas où vous craindriez que je ne le dise à Arthur, si, ainsi, je puis me faire entendre de lui. Vous avez déjà attendu trois semaines pour demander la permission, et si nous partons en guerre... Si vous attendez trop longtemps, le monde entier verra pourquoi vous l'épousez.

Ses yeux brillaient, il porta ma main à ses lèvres.

— Vous êtes une âme charitable, Guenièvre. Mais je ne souhaite pas que vous plaidiez ma cause auprès du roi. Je lui parlerai. Pas de ça. Mais je le ferai. Si vous arrivez à le faire descendre, je lui parlerai. En ce qui concerne le reste, je m'en moque si le monde entier sait pourquoi je l'épouse.

Je souris à ses propos et nous nous séparâmes en bons termes.

Quand je regagnai ma chambre après le dîner, je trouvai toutes les affaires prêtes. Mes meilleurs vêtements de monte étaient posés sur le lit avec la cape du roi et sa broche d'or émaillée. Je caressai sa surface lisse, le dragon rouge de la Bretagne dont Arthur tirait son surnom. Et cela me revint à nouveau, ce sentiment déconcertant, que cet homme était si important pour le monde. Il en était le centre, et nous tous, comme des fantômes, nous tournions autour de lui.

Sur le petit banc, reposait l'épée, la lame dans le fourreau. Elle paraissait énorme. Le fourreau était d'un très vieux cuir, si ancien et si huilé qu'il paraissait très souple au toucher. L'objet était en équilibre, ce qui donnait l'impression qu'il était tout petit ; la grosse pierre sur le pommeau scintillait dans la lumière des lampes. La ceinture de pierreries, à laquelle l'arme était habituellement accrochée, reposait délicatement sur le sol. La seule chose que je savais était que l'épée ne devait impérativement jamais toucher le sol. J'étendis ma main pour l'effleurer, mais je n'allai pas au bout et m'abstins. Je n'osais pas. C'était un objet magique, possédant un pouvoir, posé là devant moi. Dans la faible lumière, il rayonnait de sa puissance intérieure. Il ne m'appartenait pas.

Je me retournai et réfléchis de nouveau à mon plan. Peut-être n'était-il pas sage de l'exécuter ? Je me dis que je devais d'abord découvrir dans quel état d'esprit était le roi et voir ce qu'il se passerait. Avec un profond soulagement, j'appelai Ailsa pour qu'elle défasse mes cheveux et les prépare pour la nuit. Je me rendrais dans sa chambre vêtue de la chemise de nuit que je portais pour notre nuit de noces, cette chemise blanche qu'Elaine avait cousue. Cela rappellerait peut-être à Arthur quelques bons souvenirs et le divertirait un peu. En tout cas, je n'ignorais pas l'effet que produirait cette tenue, et je me sentis plus confiante.

Une fois prête, mes cheveux furent bien brossés et défaits comme Arthur les aimait, j'ordonnai à Ailsa de m'attendre dans ma chambre. Je m'approchai de la courtine. Je ne perçus aucun bruit. Je la soulevai un peu, pris une profonde inspiration et entrai.

Je ne le vis pas tout de suite. On aurait dit une pièce vide. Le feu était éteint dans l'âtre, les mèches n'avaient pas été nettoyées et la lampe à huile à triple feux brûlait en dégageant de la fumée. Rien ne bougeait. J'étais sur le point de m'en aller, déçue, quand je l'aperçus devant la dernière fenêtre, regardant en bas. Je faillis pousser un cri. Était-ce donc le roi, cette blanche silhouette ? Comment trois semaines de jeûne avaient-elles pu autant changer un homme ? Il était encore habillé comme un pécheur. Une simple bure recouvrait son corps autrefois musculeux et à présent décharné. Ses clavicules faisaient une ombre sur ses épaules ; j'aurais pu compter ses côtes.

— Arthur ! dis-je dans un sanglot, et il se tourna brusquement vers moi.

— Allez-vous-en ! Je ne veux pas que vous soyez ici.

— Peut-être bien, dis-je doucement, mais je ne peux vous obéir.

Détournant mon regard de lui, je pris un silex pour allumer le feu. Les braises rougeoyèrent à nouveau. Je saisis la lampe, nettoyai les mèches, puis la rallumai. Elle donna une lumière dorée, la pièce parut plus chaude. Je revins chercher l'outre de vin et l'attachai pour qu'elle se réchauffe au-dessus des braises. La carafe d'eau était vide, je la remplis avec la mienne. Il ne laissait pas Varric s'occuper de lui.

C'est à ce moment que Varric choisit d'entrer dans l'antichambre. Je lui dis doucement de m'apporter une soupe, de la viande de bœuf, une tranche de pain frais, du poulet froid, du fromage et quelques fruits, ainsi que de l'eau chaude, du savon et des serviettes. Il mit ses mains en avant en signe d'impuissance.

— Ma dame, j'ai déjà essayé. Mais il ne me permet pas d'entrer dans sa chambre.

Il se sentait honteux, j'en étais certaine, de l'état du roi.

— Ce n'est pas grave. Apportez-moi le tout et je m'en chargerai.

Je balayai la chambre et refis le lit avec des draps propres qu'Ailsa m'apporta. Je ne le regardais jamais directement. Il fallait que ce soit lui qui tente de parler avec moi s'il en avait envie, mais il gardait le silence et restait le dos tourné, face à la fenêtre. Varric revint avec Keu, Beduyr et Lancelot juste derrière. Je ne leur laissai pas le temps de monter l'escalier mais descendis directement dans l'antichambre et leur pris le bassin d'eau chaude, qui était bien lourd, les serviettes et le savon. J'eus un peu de mal à monter mais, finalement, je mis les serviettes sur le petit tabouret.

— Venez, sire, dis-je. Mettez-vous là, s'il vous plaît. Il est temps de prendre votre bain.

Il se détourna de la fenêtre, contrarié.

— Laissez-moi, Guenièvre.

— Non, sire. Je ne le peux.

Pour la première fois, je vis une étincelle de colère dans ses yeux.

— Que signifie cette rébellion ? J'ai dit : partez.

— Venez vous asseoir ici, sire. Vous avez besoin d'un bain.

— Vous n'êtes pas ma servante de bain. Il suffit.

— Vous devez me permettre de m'occuper de vous. Cette tâche me revient.

Il me jeta un coup d'œil déplaisant, puis vint s'asseoir. Je suppose qu'il pensait que je ne le ferais pas. Mais je le lavai, de ses cheveux sales jusqu'à ses pieds crasseux. Je le séchai entièrement et fouillai dans son coffre à la recherche d'une chemise propre.

— Là ! dis-je quand il se tint propre et habillé devant moi. Vous ressemblez déjà plus au seigneur que je sers.

— Vous avez montré votre dévotion. Partez, maintenant.

— Non, sire. Je ne peux pas.

J'emportai le bassin d'eau sale jusqu'au palier, où Varric me le reprit des mains. Le plateau du repas m'attendait, recouvert d'un linge fin. Je le remontai et le mis sur la table d'écriture d'Arthur.

— Je vous ordonne de partir.

Son visage était sévère. Il était en colère, outré, mais en même temps malheureux et faible.

Je pris une profonde inspiration.

— Mangez, je vous prie, le repas que je viens de vous apporter. Asseyez-vous ici, je vais vous servir.

Je soulevai le linge pour qu'il puisse juger de la nourriture.

— Guenièvre ! Je suis ton roi ! Obéis-moi !

Je levai la tête pour le défier.

— Vous étiez mon roi, sire. Mais vous n'avez pas fait grand-chose, ces temps-ci, qui puisse le prouver. Vous avez laissé retomber le fardeau et confié à vos amis le soin de le porter à votre place. Je leur obéis, maintenant.

Il parut abasourdi et abandonna le combat. J'avais si mal de constater sa capitulation ! C'était si peu dans sa nature !

— Tu ne comprends pas.

— Asseyez-vous et mangez.

— Je refuse.

— Alors, je ne partirai pas.

Nous restâmes ainsi, face à face. Cela me rappelait mes combats, quand j'étais enfant, avec Gwillim, qui, habituellement, se terminaient avec l'arrivée d'un adulte dans la pièce, ce qui mettait fin à notre dispute. Mais il n'y avait personne pour arranger les choses entre nous.

Il marcha lentement vers la table.

— Si je mange, tu partiras ?

— Oui.

Il s'assit et commença à avaler de la nourriture. Il mangea, d'abord lentement et je ne lui servis que de l'eau, puis, quand il se sentit mieux et parut avoir plus d'appétit, je lui mis un peu de vin dans son eau. Finalement, il mangea tout, nettoya ses doigts dans le bol et les essuya avec une serviette. Il n'y avait rien d'autre dans son regard que de la peine.

— Laisse-moi maintenant, Gwen.

Je m'assis sur le bord de la table.

— J'ai promis et je le ferai. Mais explique-moi d'abord une chose que je ne comprends pas. Pourquoi agis-tu comme ça ? Ce n'est pas ton style de rester prostré alors que la Bretagne tombe en morceaux. Le long et patient labeur de ces cinq dernières années est sur le point d'être anéanti. Il doit y avoir une raison à cela. Qu'attends-tu ?

À ma grande surprise, il me répondit :

— Un signe, dit-il. Un signe de Dieu. De n'importe quel dieu.

— Quel… quel genre de signe ? (Il me surprenait énormément. Mais je me souvins qu'il avait grandi dans l'ombre de Merlin et était habitué aux phénomènes surnaturels.) Est-ce un présage que vous attendez ?

Il secoua la tête en signe de dénégation. Il avait le regard hagard, avec une pointe de peur. C'est ce qui faisait qu'il avait l'air si différent ; je n'avais jamais vu la peur dans ses yeux, auparavant.

— Pourquoi ne demandes-tu pas à Viviane ? C'est elle qui détient le pouvoir, à présent.

Il se leva, en colère.

— Je vous interdis de prononcer ce nom. Elle l'a trahi. En fin de compte, elle l'a trahi.

Je pris une profonde inspiration et dis calmement :

— Comment le savez-vous, sire ?

Avec un cri venu de son cœur, il se prit la tête dans les mains et se détourna de moi. Il s'agita lourdement sur le lit, se penchant en avant, mettant ses coudes sur ses cuisses. Je m'approchai de lui sans bruit et me tins à côté de lui, compatissant à son chagrin et à la douleur qu'il éprouvait.

— Merlin, me l'a dit, répondit-il finalement, à voix basse Il m'a dit que c'était sa destinée de mourir trahi par une femme. Il m'a dit que tel était son destin.

— Pourtant, il s'y est rendu de son plein gré, n'est-ce pas ? (Je tremblais de ma propre témérité. Mais il ne fit que hausser les épaules. Ce n'était donc que cela qui le préoccupait tant.) Qu'y a-t-il, Arthur ? demandai-je doucement. Merlin a-t-il vu quelque chose d'autre ?

C'était juste une question gratuite, mais elle atteignit son but. Il se leva prestement et marcha vers la fenêtre. Je crus un moment qu'il allait à nouveau me demander de partir, mais les malheurs deviennent souvent plus légers quand on les partage, et après un conflit intérieur, il poursuivit :

— Il avait vu qu'il partirait vivant vers sa tombe ! dit-il, et l'horreur de la chose le fit trembler. C'était la seule chose, à ma connaissance, qui lui faisait peur. Et c'est moi qui l'ai enterré. Si... si je l'ai enterré vivant, l'homme que j'aimais plus qu'un père... J'ai attendu trois jours, pour être sûr. Il ne respirait pas, mais il ne se décomposait pas non plus. Je ne savais pas si c'était un effet de sa magie, si les dieux qu'il servait protégeaient sa chair. Ou si... si, peut-être, il était toujours en vie et que je n'avais pu en percevoir les signes. Mais je ne pouvais pas laisser le peuple dans l'attente et je devais prendre une décision. Je l'ai enterré pour que nul ne puisse l'atteindre, profondément dans la colline. Mais s'il était en vie... (Il s'arrêta. C'était donc cette peur qui le consumait.) Il ne pourra jamais en sortir.

— Je comprends.

C'était, en effet, une pensée terrible. Les prédictions de Merlin n'avaient jamais été démenties, comme chacun le savait.

— Ainsi, vous avez demandé à Dieu de vous envoyer un signe pour savoir s'il était vraiment mort ?

— Dieu des chrétiens. Mithra. La Déesse Mère. Les Anciens Esprits. N'importe lequel qui puisse m'entendre.

— Ce devra être quelle sorte de signe ?

— Comment puis-je le savoir ? Mais je le reconnaîtrai quand il se produira.

— Ne peux-tu pas... ne pouvez-vous pas accepter, sire, le fait que Merlin savait à quoi il s'exposait, et que vous ne pouvez rien y faire ? S'il l'avait prévu, cela devait advenir. Vous n'êtes pas à blâmer.

Son sourire était amer.

— Vraiment ? Vous feriez bien de me laisser. Partez, maintenant. Je souhaite rester seul.

Je me trouvais à côté du rideau mais je ne me retournai pas pour sortir.

— Sire, le royaume est divisé. Urien est parti en guerre. Laissez ces pensées noires et reprenez les armes. La Grande-Bretagne a besoin de vous.

Mais il me tournait obstinément le dos.

— La Grande-Bretagne va devoir se passer de moi.

J'avais le souffle coupé. Il avait seulement partagé ses

peines avec moi, et ne les avait pas mises de côté. Je compris que je devrais faire plus. Je rentrai dans ma chambre et demandai à Ailsa de m'aider à mettre mes vêtements de monte et d'apprêter mes cheveux en conséquence. Elle m'obéit en silence. Je ne lui avais rien révélé de mon plan. Et, bien qu'elle remarquât les affaires du roi dans ma chambre et dût être emplie de curiosité, elle ne dit rien. Je pensais que c'était l'épée qui l'empêchait de parler ; en effet, sa simple présence remplissait la pièce de sa terrible majesté, et je ne dis pas grand-chose non plus.

Quand je fus habillée, j'enfilai la cape du roi. Les doigts d'Ailsa tremblaient alors qu'elle fermait sur mon épaule la broche avec le dragon. La cape était lourde et trop longue pour moi, elle traînait par terre. J'attrapai un grand pan avec ma main gauche, mais cela fut difficile avec la ceinture de l'épée. Elle était très longue et nous ne pûmes l'ajuster autour de ma petite taille. Plus d'une fois, l'épée toucha presque le sol.

— Ce n'est pas si grave, murmurai-je. Il va falloir que je sorte l'épée et que je la tienne.

Ailsa serrait fermement ses amulettes, les yeux écarquillés, mais se taisait.

Je pris le fourreau et mis la main sur la poignée. C'était lisse et froid. Doucement, je tirai l'épée, et nous retînmes notre souffle alors que la lame, vivante, reflétait la lumière des lampes et nous la renvoyait, remplissant la pièce d'une lumière triomphale. Elle était très lourde et tremblait dans ma poigne, comme un être vivant recherchant l'action. C'était maintenant ou jamais. Je tirai la courtine et entrai dans la pièce.

— Roi Arthur ! criai-je.

Quand il se retourna, je levai l'épée vers ma tête en signe de salut, comme j'avais vu les soldats le faire.

Il me regarda, stupéfait.

— Si vous ne voulez pas conduire vos troupes pour sauver la Bretagne, je le ferai à votre place. Je ne la laisserai pas sombrer dans la nuit, et même si je ne suis qu'une femme, je suis capable de sacrifier ma vie, tout comme vous. Les hommes me suivront.

— Posez cette épée.

Il n'arrivait pas à détacher ses yeux de l'épée. La vision qu'il avait de moi, la tenant à bout de bras, le transperça jusqu'au tréfonds de son être.

Je la tins bien haute. Ainsi, son poids était plus facile à supporter, cela me faisait moins mal au bras.

— Non, sire, si je la laissais choir, elle tomberait lourdement sur le sol. Venez donc me la prendre vous-même.

En quatre grandes enjambées, il fut sur moi et m'arracha presque l'épée des mains. Il se tint immobile. Mon bras était comme mort, alors que le bras d'Arthur s'animait d'une nouvelle vie. C'était comme si le pouvoir de la lame courait dans le pommeau puis dans son corps, réveillant la flamme endormie. Son visage changea : ses marques de douleur et de peine s'évanouirent pour laisser place à sa vivacité légendaire. Ses yeux pétillaient de joie. Il regarda son épée avec dévotion et se signa. Involontairement, des larmes de remerciement montèrent à mes yeux. Il l'interpréta comme le signe qu'il attendait, ainsi que je l'avais espéré.

— Qu'ai-je donc fait ? dit-il soudain.

De l'autre côté la pièce, sur le palier, juste derrière la porte ouverte, Beduyr, Keu et Lancelot s'étaient agenouillés, bouche bée. Il les aperçut et les salua profondément.

— Mes chevaliers, si vous pouvez trouver la force dans vos cœurs de me pardonner, je vous en remercie. Je n'avais pas l'intention d'abdiquer, mais je vois, à présent, que c'est ce qui s'est passé. J'étais faible et je me suis laissé aveugler. Mais cette femme m'a ouvert les yeux.

Il se tourna vers moi. Il me parla alors exactement comme il venait de le faire avec ses chevaliers : d'homme à homme.

— Accepte mes remerciements, Guenièvre. Nous en reparlerons plus tard. Et, à présent, puis-je prendre cette cape qui traîne par terre ?

Sa bouche fit une petite grimace, ses yeux étaient rieurs. Je retirai prestement la cape, alors que les chevaliers se précipitaient dans la chambre, se mettant à parler tous en même temps. Varric ouvrit la malle pour essayer d'y trouver les vêtements de voyage.

Les trompettes résonnèrent alors qu'ils partaient, les feux

d'alarme furent allumés pour annoncer la venue du haut roi. Il plaça Lancelot à ses côtés et envoya Beduyr commander les patrouilles le long des côtes saxonnes.

— Notre reine, proclama-t-il, est désormais sa propre protectrice.

21

L'adieu

LE HAUT ROI arriva juste à temps. Urien était un monarque expérimenté, il connaissait les vertus de la patience et il décida d'attendre le plus longtemps possible. Quand il devint clair que Heuil avait décidé de monter sur le trône du Strathclyde, et qu'il aurait l'aide de son jumeau, ses frères se rassemblèrent et choisirent leur camp. La plupart se joignirent à lui, voyant qu'une fois qu'ils se seraient débarrassés d'Urien ils pourraient discuter avec Heuil pour obtenir chacun un peu plus de privilèges. Cependant, Hapgar s'enfuit au Rheged avec deux de ses jeunes frères et fit alliance avec Urien, dégoûté non seulement par l'attitude infâme de Heuil mais aussi par sa mesquinerie maladive. Le haut roi arriva juste avant que n'éclate entre les royaumes la bataille fatidique. Hapgar s'agenouilla devant Arthur pour lui prêter allégeance. Puis Arthur lui porta la collée et en fit son homme lige.

Contre des chefs comme Urien, Lancelot ou Arthur, les forces strathclydiennes n'avaient que très peu de chances de succès. Beaucoup de soldats désertèrent dès qu'ils virent flotter le gonfalon de Pendragon, comprenant à qui ils avaient affaire. Mais Heuil et ses frères se battirent avec courage, n'ayant plus rien à perdre. Les jumeaux furent tués au combat. Hapgar put finalement monter sur le trône. À la fin de la journée, tous les frères devinrent les hommes liges du haut roi et jurèrent fraternité au royaume du Rheged.

Ainsi, ces longues semaines d'inquiétude se terminèrent plutôt abruptement. Les Saxons n'attaquèrent pas. Ils savaient que leurs ennemis étaient en pleine possession de leurs moyens militaires. Beduyr rentra bien avant le haut roi. À Camaalot tout était calme. Le roi Pellès avait épousé dame Viviane, mais, tous deux, ils avaient décidé de demeurer à Camaalot. En effet, Viviane ne voulait partir, soit pour le sanctuaire de la Déesse sur l'Ynys Witrin, soit dans le château de Pellès sur les Îles-du-Fleuve, qu'après s'être entretenue avec le haut roi. Je pus discuter avec elle une fois au sujet de Merlin. Je voulais entendre ce qu'elle pensait de la disparition du mage et aussi si elle savait ce que le roi pensait d'elle.

— Oui, je sais que Merlin a prophétisé qu'une trahison marquerait son ultime disparition, admit-elle de sa douce voix. Mais il m'a tout donné volontairement. Pas uniquement ses pouvoirs, aussi sa mémoire. Tout ce qui se trouvait dans son esprit est désormais dans le mien. Je possède l'ensemble de son savoir. Je sais également que le haut roi croit que je l'ai trahi. Mais j'ignore ce qu'il entend exactement par là. S'agit-il du fait que j'ai pris les dernières pensées de Merlin, alors qu'il n'était pas encore mort ? (Elle s'arrêta de parler alors que je frissonnais. L'image qu'elle venait d'évoquer n'était pas des plus agréables.) Ou désigne-t-il par là le fait que j'ai couché avec le roi Pellès alors que Merlin vivait encore… Ces deux choses peuvent être considérées comme des trahisons. Mais en vérité, dame Guenièvre, dans aucune de ces deux choses il n'y avait de mauvaises intentions. J'ai énormément aimé Merlin, comme père, conseiller, maître et homme. J'ai fait ce qu'il m'a demandé. Il voulait que je prenne tout de lui, mais le temps nous a manqué.

Je me dis que si elle tentait de se justifier face à moi c'est qu'elle se sentait coupable de quelque chose. J'essayai donc de la percer à jour.

— Ainsi, il est mort, c'est bien vrai. Il n'est pas simplement endormi ?

Elle se tourna vers moi, choquée.

— Bien entendu. Comment en serait-il autrement ?

— Vous ne connaissez donc pas l'autre prophétie ? Que Merlin devait partir encore vivant vers sa tombe ?

Elle prit une profonde inspiration et ses yeux se remplirent de larmes.

— Ainsi, dit-elle doucement, c'était donc ça. J'ai ressenti, vers la fin, qu'il ne me laissait pas tout voir. Il y avait un mur. Même en employant mes pouvoirs, je ne parvins pas à voir derrière lui. Dieu m'en est témoin. (Elle se leva, tremblante, visiblement bouleversée.) Ce n'est pas possible ! J'ai senti sa mort venir. Puisse la Grande Mère me donner la force... Arthur ne me le pardonnerait jamais, et il ne me ferait plus jamais confiance, si c'est la vérité.

— Dame Viviane, vous êtes tout simplement humaine. Avant que vous ne rencontriez le roi, à son retour, laissez-moi lui parler. Je sais que votre désarroi n'est pas feint. Laissez-moi vous préparer le terrain. Bientôt, il aura besoin de vous. Après tout, c'était bien ce que voulait Merlin.

Elle acquiesça.

— Je vous en remercie. (Puis elle me jeta un coup d'œil de biais et dit, hésitante :)

— Savez-vous pourquoi le roi a envoyé un navire au royaume d'Orcanie ?

— Oui. Pour faire revenir son fils.

Elle soupira lentement puis sourit.

— Je suis contente qu'enfin cette histoire vous ait été révélée.

— C'est moi qui l'ai demandé.

— Voilà qui est très généreux de votre part. Mais je me demande, justement, si vous savez ce que vous accomplissez de la sorte.

— S'il est bien le fils d'Arthur, tout ce que je souhaite, c'est qu'il soit à mes côtés.

Elle haussa les épaules.

— Qu'il en soit donc ainsi. Mais ne soyez pas désolée pour sa mère. Soyez plutôt certaine qu'il faut laisser la reine Morgause là où elle est. Un véritable désastre s'abattrait sur nous tous si jamais elle parvenait à entrer en contact avec ses fils.

— Viviane, vous êtes trop cruelle ! Ce sont ses enfants, après tout !

Elle me regarda de ses yeux sombres et froids.

— Elle ne possède pas plus d'amour maternel qu'une couleuvre. Plus tôt elle sera morte, mieux ce sera.
— Elle est du même sang que le roi. Serait-elle mauvaise à ce point ?
Le sourire de Viviane était amer.
— Elle l'est, fut sa seule réponse.

Le roi arriva par un lourd après-midi, un peu après la mi-été. Toute la ville se pressa pour l'accueillir. Il avait du travail à rattraper, un mois complet de pétitions à écouter, des comptes rendus à entendre de la part de ses commandants et chevaliers errants. Il fut occupé toute la journée.
Il recevait toujours d'abord ces derniers. Il s'agissait de ses compagnons les plus fidèles, et qui comprenaient le mieux ses principes de justice. Ils voyageaient dans toute la Bretagne, souvent des mois durant, rendant visite aux vassaux et barons, écoutant leurs doléances et les pétitions du peuple. Ils dispensaient la justice du haut roi dans l'ensemble des provinces. Ils étaient porteurs du sceau royal et d'une lettre patente seulement pour une période bien déterminée. La lettre était toujours datée, et ainsi ils avaient moins la possibilité de devenir corrompus en exerçant leur pouvoir trop longtemps. Tout homme qui était mécontent de leurs jugements pouvait s'adresser directement au haut roi à Camaalot. De la sorte, Arthur espérait unifier les lois et coutumes en quelque chose d'approchant des lois romaines. Il voulait les mêmes lois pour tous. Alors, qu'auparavant, elles différaient de royaume en royaume, reposant le plus souvent sur les caprices du seigneur local.
Quand, à la fin de son service, un chevalier revenait, il faisait durant le Conseil un rapport détaillé au roi, ainsi Arthur pouvait apprécier ses compétences. Ensuite, Arthur recevait les messagers ou les envoyait quand cela était nécessaire. Puis il écoutait les pétitions de tous ceux, humbles ou barons, qui étaient venus pour obtenir justice.
Toute la journée, Viviane et moi nous attendîmes pour le voir. Il travailla sans s'arrêter jusqu'à midi, puis appela ses compagnons pour un Conseil qui dura jusqu'au dîner.
Quand je pus enfin le voir, à la sortie de la chambre du Conseil, je le trouvai changé. Il avait pris du poids,

modérément, son amour pour la vie était revenu. Il en avait fini avec ses peurs et paraissait serein.

— Bienvenu, sire, dis-je, avec une révérence. Nous sommes enchantés de vous savoir de retour.

Il me sourit et me prit par la taille pour m'attirer près de lui, bien que ses barons soient tout autour de nous.

— Comment allez-vous, Gwen ? C'est merveilleux de vous voir. J'aimerais m'entretenir avec vous un moment, si vous pouviez m'attendre encore un peu. Je serai avec vous vers le milieu de la nuit, pas avant, je le crains.

— Je vous attendrai, sire.

— As-tu oublié mon nom ? me chuchota-t-il, se penchant pour m'embrasser.

— Je vous attendrai, roi Arthur, répondis-je, mi-amusée, mi-surprise.

Alors que les portes s'ouvraient, Lancelot, qui se tenait derrière nous, toussota légèrement. Arthur eut un petit rire, relâcha son étreinte, puis m'offrit son bras.

— Je manque à tous mes devoirs, dit-il d'un ton faussement grave. (Il fit signe à Lancelot de se placer de l'autre côté et posa un bras sur ses épaules.)

— Le roi de Lanascol m'a sauvé la vie une fois de plus au Strathclyde, dit-il en me regardant fixement. (Il se tourna vers Lancelot.) Grand merci, encore une fois, mon ami.

Ainsi, tous trois, nous fîmes notre entrée dans la salle, côte à côte, mais mon cœur était lourd. En s'adressant à Lancelot en tant que roi de Lanascol, Arthur me faisait savoir que ce chevalier avait fait sa demande et qu'elle avait été acceptée. Je m'y attendais un peu, mais je fus attristée de l'apprendre et je ne parvins pas à partager la joie du roi.

Après le dîner, Arthur fit mander Viviane. Le roi s'était arrêté à Caerléon durant trois jours au cours de son voyage du Strathclyde vers le sud et avait chevauché une fois encore jusqu'à la caverne de Merlin. Il avait appelé, mais n'avait reçu pour toute réponse que l'écho de sa voix, renvoyé par les collines. Tout était calme et tranquille. Cela le rassura un peu et quand il s'en alla, il avait pu dominer sa peine. Viviane et Arthur conversèrent ensemble un long moment.

Après cela, il convoqua une réunion des compagnons, et

Lancelot y annonça la nouvelle à tous ; la date de son mariage fut fixée.

Pendant ce temps, j'étais dans mon jardin, la nuit était chaude, et une brise rafraîchissante soufflait autour de la fontaine. La lune, dans son premier quartier, se leva tard, puis monta haut dans le ciel avant que le roi ne vienne à moi.

Il marchait sur le chemin d'un pas léger et quand je me levai pour l'accueillir, il me prit dans ses bras et m'embrassa.

— Bonsoir, Gwen. Merci d'avoir attendu.

— Comment cela s'est-il passé avec Viviane ? Elle aimait infiniment Merlin et elle ne voulait pas le trahir, si c'est de cela qu'elle vous a parlé. Elle ne connaissait pas la prophétie que vous redoutiez tant.

Il me mena jusqu'au banc et nous nous assîmes côte à côte.

— Je sais. Vous n'avez pas besoin de la défendre. Je me suis excusé pour ma mauvaise conduite. J'ai eu le temps d'y réfléchir, à tête reposée, et je me rends compte qu'elle est la dernière personne qui aurait souhaité voir Merlin malade. Si elle affirme ne pas en avoir eu connaissance, elle ne savait pas. Merlin devait vouloir que les choses se passent ainsi. En tout cas, ce n'est pas pour cette raison que je l'ai mandée. Je voulais en apprendre plus sur les derniers moments... et avoir son avis sur ce que nous devrions faire concernant Morgain.

— Oui ?

J'y avais aussi réfléchi de mon côté. Elle était la nièce du roi et il devait y avoir un moyen d'aider la pauvre enfant.

— Urien nous a accueillis dans son château après la bataille. Il a montré un grand bon sens dans la résolution de la crise avec les fils de Caw. Je lui ai montré toute l'affection que j'avais pour lui. Pendant que j'étais là-bas il m'a emmené voir sa fille.

Dans la blafarde lumière de la lune, son visage était sombre, mais sa voix empreinte de tristesse.

— Elle a si peur, la pauvre enfant ! Elle a peur de tout ce qui bouge. Elle a même peur de son ombre. Elle craint tous les hommes, y compris son père. Et son père redoute, non sans raison, que sa fille ne retrouve jamais ses esprits. J'ai demandé à Viviane des détails à propos de la maison de guérison des Dames, où Lancelot a séjourné quand il a été gravement blessé. Je voulais savoir si elle croyait que les sages femmes, là-bas, pouvaient aider cette enfant.

— Qu'a-t-elle répondu ? Assurément, elles peuvent faire quelque chose.

— Elle a dit qu'elles pouvaient l'aider, mais cela doit attendre. Du temps doit passer. Certaines choses doivent se produire.

Il paraissait contrarié, et j'en déduisis que Viviane avait eu une vision en sa présence.

— Qu'a-t-elle vu ? demandai-je.

— Tu lis dans mes pensées, Gwen ?

Je souris.

— Je te connais bien.

— Oui, tu me connais bien, il est vrai. Elle m'a prié d'être patient. « Tout vient à point à qui sait attendre, » m'a-t-elle dit. Un des dictons favoris de Merlin. Je me demande jusqu'à quel point elle savait qu'elle l'imitait... Enfin. J'attendrai et je garderai à l'esprit cette pauvre enfant. Elle est bien jeune pour être séparée de sa mère. Même si Morgane est plus intéressée par la sorcellerie que par ses enfants.

Voilà qui était nouveau pour moi.

— Avez-vous eu un entretien avec la reine Morgane, mon seigneur ?

— Non. Je ne le souhaitais pas. Elle n'a pas rendu la vie facile à Urien qui est un homme de valeur, lui. Elle le fait souffrir simplement parce qu'il a l'insigne honneur d'être mon beau-frère.

Je compris qu'Arthur n'avait aucune raison de se sentir proche de sa sœur. Ils avaient été séparés et Arthur ne l'avait vue pour la première fois qu'après être devenu haut roi. Néanmoins, cela me faisait frémir de l'entendre parler d'elle de manière si froide.

Dans la nuit, il était devenu une ombre plus noire que l'environnement. Je tendis ma main pour prendre la sienne.

— Viviane m'a dit que vous aviez décidé de faire venir les princes d'Orcanie.

— Oui. Mais j'ai décidé, aussi, que leur mère resterait en exil. C'est une sorcière, Gwen, et son pouvoir sur les hommes est énorme. Il faut le voir pour le croire. Même les sages hommes reconnaissent ses pouvoirs maléfiques, et ils accomplissent sans savoir pourquoi ses moindres désirs, et apparemment de leur plein gré. Je ne pourrai pas lui faire confiance ici, en Bretagne. Si je la ramenais dans le Sud, je risquerais d'être obligé de faire certaines choses que je regretterais ensuite.

— Vous ne la tuerez pas !

— Pour amener une sanglante dispute sur nous ? Non, par Dieu. Je veux que les fils de Lot deviennent mes chevaliers liges, qu'ils se battent pour moi, et non pas contre moi. Je vais les mettre sous les ordres de Lancelot pour qu'il les entraîne. Ils seront en charge des marches du Nord en mon nom quand ils seront en âge. S'ils sont bien les fils de Lot, ils apprécieront ça autant que les canards apprécient l'eau. Mais je dois les avoir jeunes, sinon elle empoisonnerait leur esprit et les monterait contre moi. Si elle n'a pas déjà commencé.

— Et Mordred ? Vas-tu lui accorder un traitement de faveur ou le traiteras-tu comme les autres ? Quelle sera sa place ici ?

— Ah, je ne sais pas encore. Il faut que je voie ce garçon. Tant de choses dépendent de lui.

— Quand seront-ils ici ?

— Disons dans deux mois, tout au plus. Enfin, je l'espère... C'est dur d'attendre, sachant qu'ils ne vont plus tarder. J'ai hâte de rattraper toutes ces années perdues.

— Mais vous le dites vous-même, vous ne pouviez pas l'avoir à vos côtés, murmurai-je, car je percevais l'amour parental dans sa voix et ressentais à nouveau cette vieille douleur familière.

Arthur me connaissait bien. Il comprit instantanément, et mit son bras autour de moi puis m'assit sur ses genoux.

— Gwen, dit-il doucement, il sera votre cadeau pour moi. Quelles que soient les choses qui se passent entre nous quand il arrivera ici, qu'il puisse ou non m'accepter en tant que son père et roi, je vous aimerai toujours très tendrement pour ce cadeau. Sans vous, je ne l'aurais jamais connu.

— Mais sans moi, peut-être l'auriez-vous connu plus tôt.

Je tremblais en pensant que s'il n'avait pas eu peur de me contrarier, si je n'avais pas été aussi sensible, il aurait pu demander voilà bien longtemps à revoir son fils.

— Je n'en crois rien. Si ma femme était tombée enceinte,

je ne l'aurais jamais connu. Il serait perdu pour moi. (Il me serra plus fort contre lui et je posai ma tête contre son épaule. Force et paix s'écoulaient de lui vers moi, et mirent mon cœur au repos.) Si tu avais été différente, Gwen, tout aurait été différent aussi. Mon royaume ne serait pas ce qu'il est. Je ne t'ai pas encore remerciée pour cela.

— Je ne suis pas la seule responsable, lui rétorquai-je. Tout le monde a tenté de te venir en aide. Beduyr, Keu, Viviane... Lancelot. Nous avons imaginé un plan ensemble.

— Mais tu as eu plus de courage qu'eux tous réunis, dit-il calmement. Vous m'avez désobéi ouvertement et m'avez mis en face de mes responsabilités. Quand tu m'as affirmé que je n'étais plus ton souverain, je ne pourrais pas te décrire ce que cela m'a fait.

— Ce n'est pas ce qui te fit changer d'avis.

— Non. Mais cela y a grandement contribué. Toi seule as eu le courage de tenir l'épée. Personne d'autre n'aurait osé. Mes soldats pensent que tu as quelque pouvoir magique, et moi... je ne sais que croire.

— J'ai agi en complète ignorance, Arthur. Je ne cherchais qu'à t'impressionner.

Je remarquai qu'il me souriait.

— Tu as réussi. Mais je fus abasourdi que tu puisses la tenir, qu'elle restât dans tes mains.

— Elle était lourde, répondis-je, me souvenant de l'étrange sensation, et difficile à tenir, pour une femme. À chaque instant, j'espérais que tu me la reprennes. Elle frémissait comme un être vivant à la recherche de ton emprise.

Il laissa échapper une longue expiration que je crus être de contentement.

— Ainsi donc, tu as ressenti son âme ? Je me posais justement la question. Mais je ne n'osais rien te demander. Tous les guerriers croient que les bonnes épées possèdent un souffle de vie dans la lame. Mais cette épée-là — et c'est très connu — cette épée-là porte la marque des dieux. Pas étonnant que mes chevaliers aient eu peur que tu la touches. Je me demande pourquoi ils t'ont laissée faire.

— J'ai repoussé l'échéance aussi longtemps que j'ai pu. Mais il fallait agir.

— Oui. Dieu sait que c'est vrai. Je t'ai forcée à le faire.

Il se tint immobile et je sus qu'il ressentait à mon égard plus de gratitude qu'il ne pouvait en exprimer. Et puis sans prévenir, doucement, des ténèbres la question fusa :

— Guenièvre, pourras-tu le supporter... Ta séparation avec Lancelot ?

Je me figeai. Je souhaitais ardemment alors ne pas être assise sur ses genoux, car il pouvait ressentir mes tremblements et le moindre de mes tressaillements.

— Mon seigneur, murmurai-je, je vous en prie.

— Il m'a rapporté ce qu'il t'avait dit. J'en ai déduit que tu ne lui avais pas avoué la véritable raison de la disgrâce d'Elaine. (Il attendait, mais je n'arrivais pas à lui parler.) Je lui ai permis de l'épouser et de l'emmener au loin. Mais j'étais bien triste, ce faisant. Pas seulement à cause de toi, mais aussi à cause de lui.

— Sire...

Je tremblais, alors que des larmes coulaient sur mes joues. Il me prit tendrement dans ses bras.

— Pourquoi ne lui as-tu rien dit, Gwen ? Cela l'aurait retenu ici. Cela aurait ruiné les manigances d'Elaine. Ce sont des choses qu'un homme apprécie de savoir sur la femme qu'il a l'intention d'épouser.

Je secouai la tête.

— Il avait déjà couché avec... avec elle. C'était trop tard. Si... si je lui avais tout dit... Tu sais comment il est, Arthur, quand il s'agit de son honneur. Il ne se le serait jamais pardonné. La honte l'aurait poursuivi toute sa vie.

— Ah ! C'est bien pour cela que je lui ai rien dit non plus. (Il me serra plus fort, et m'offrit la chance de contrôler mes pleurs.) C'est peut-être mieux de cette façon, ajouta-t-il après un silence. J'ai questionné Viviane à ce propos, mais elle a affirmé qu'elle ne sait rien à son sujet. Cela pourrait bien s'achever. Il reviendra... Le mariage est fixé pour la semaine prochaine. Il m'a demandé de te l'annoncer.

— Oh, s'il te plaît ! murmurai-je, caressant sa main. Je t'en prie, Arthur, ne m'oblige pas à y assister. Je ne le pourrai pas... je n'arriverai pas à jouer cette mascarade... Je ne pourrai pas le regarder s'unir à Elaine.

— Tu es excusée. J'irai. Mais, crois-moi, je n'y trouve nulle joie.

— Grand merci... Quand a-t-il l'intention de partir ?

— Dans un mois. Peut être un peu plus tard. Cela dépendra d'Elaine. Tu sais, elle avait tout prévu. Mais elle a été étonnée d'apprendre qu'il l'emmène en Petite Bretagne. Apparemment, elle pensait qu'elle resterait ici pour te persécuter jusqu'à la fin de tes jours. Lancelot m'a dit qu'elle était très mécontente de devoir partir.

Si je n'avais été aussi malheureuse, j'en aurais ri.

— Elle pensait pouvoir compter sur l'honneur de Lancelot pour se l'attacher. À présent, elle doit se plier aux lois de la nature, c'est plutôt honorable. Tous les fils de la lignée de Lancelot sont nés à Lanascol. Elle aurait dû le savoir. Mais quand on parle d'Elaine...

Il soupira.

— Ainsi donc, tu le savais. C'était la dernière chose qui me restait sur le cœur et que je voulais te dire. Je n'en ai pas soufflé mot à Lancelot, mais des bruits circulent depuis que je suis rentré. Et puis Beduyr me l'a confirmé. Elle est vraiment enceinte.

Je me mordis fort la lèvre.

— Je l'ai su avant Lancelot.

— Bien, je vois que tu comprends. (Le ton de sa voix changea, je sentis ses lèvres sur mes cheveux.) La femme que j'ai toujours voulue pour épouse devait être une femme amusante, gentille et avec une voix douce vers qui je pourrais revenir me reposer. Quand je t'ai vue, j'ai remercié les dieux pour ta grâce et ta beauté. Mais tant d'esprit, une telle loyauté, un tel amour sont des choses que jamais je n'aurais espérées. C'est un merveilleux présent que tu m'as fait.

— Seigneur, dis-je dans un souffle, au bord des larmes, ce sont des présents que l'on offre très facilement à un homme tel que vous.

Il me serra plus fort contre lui et posa ses lèvres sur mon visage.

— Le solstice est passé depuis un mois maintenant, dit-il doucement. J'ai gâché tant de temps !

Lancelot et Elaine se marièrent en présence du haut roi. Je fis savoir que j'étais souffrante et ne vins pas assister à la cérémonie. Je ne parvins à tromper personne. À partir de cet instant, Elaine s'assit à la gauche de Lancelot à la table. C'était son droit, et je ne pouvais rien y faire. Elle comptait si peu pour lui. Alyse et Pellinor resteraient à Camaalot en tant qu'invités du roi, jusqu'à ce qu'il fût temps pour eux de partir. Leur départ était prévu pour la mi-octobre, quand les vents ne seraient plus contraires, mais on ne put le différer bien longtemps encore, et finalement le jour arriva. Le roi m'avait promis un entretien en tête à tête avec Lancelot avant son départ. Mais avec tous ces préparatifs, j'avais peur qu'on ne trouve pas de temps. Elaine tenta de tout faire pour l'empêcher de me voir. À trois reprises, durant les trois derniers jours, j'essayai de lui voler quelques instants et, par trois fois, elle contrecarra mes plans. Elle le suivait partout et le cajolait éhontément en public. Elle le fixait de ses grands yeux bleus et elle lui rappelait constamment quelles étaient les obligations d'un époux envers son épouse.

Je faisais les cent pas dans ma chambre, alors que la matinée tirait à sa fin, la tête pleine des choses que je souhaitais lui dire. J'avais l'impression que j'allais exploser si je ne parvenais pas à lui parler bientôt.

Finalement, un serviteur vint et m'annonça que messire Lancelot m'attendait dans la bibliothèque royale. Je me précipitai de mes appartements vers notre rendez-vous. Mais quand je parvins à la bibliothèque, je la trouvai silencieuse, plongée dans l'obscurité. La porte du jardin était entrouverte et je sortis dehors dans le matin frais éclairé par un soleil blafard. J'appelai son nom. Non loin de là, les jardiniers travaillaient sur les plantations d'hiver. Le chef jardinier se leva pour me saluer.

— Je suis navré, ma reine, mais messire Lancelot n'est point ici. (Il paraissait confus et fixait nerveusement le sol.) Nous sommes là depuis le lever du soleil et personne parmi nous ne l'a vu. J'ai cru comprendre qu'il était avec le roi.

— Alors, où se trouve le roi ? questionnai-je, impatiente.

Je me demandai qui avait bien pu envoyer ce jeune serviteur avec son message. Ne serait-il pas impossible, me demandai-je en moi-même, qu'Elaine ait essayé de me flouer une fois de plus ?

— Bon, ce n'est rien. Je vous demande pardon de vous avoir dérangé dans votre tâche. Merci pour cette nouvelle. Ce n'est pas votre faute si ce n'est pas ce que j'aurais voulu entendre. Je vais tenter de trouver le roi toute seule.

Je me précipitai dans ma chambre, mais cette fois avec une attitude plus digne. Je n'avais pas apprécié les regards entendus des jardiniers.

— Ailsa ! m'écriai-je de derrière la porte.

Mais personne ne me répondit. Rapidement, je montai dans ma chambre et m'arrêtai net sur le seuil. Sur ma terrasse, enveloppée dans une cape de voyage et aussi froide qu'elle pouvait l'être se tenait Elaine. Elle me tournait le dos, et regardait en bas vers mon jardin. Je cillai par deux fois et secouai la tête de droite à gauche, mais ce n'était pas une apparition.

— Elaine !

Elle se tourna vivement, m'apercevant elle sourit lentement de contentement.

— Que faites-vous ici ? Sortez immédiatement ! Comment osez-vous ?

Son sourire ne fit que grandir. Elle leva sa main gantée et montra du doigt mon lit.

— Je suis venue ici vous rendre vos cadeaux.

Toutes les choses que j'avais faites de mes mains pour elle au cours de ces années ou que je lui avais achetées se trouvaient là, déposées sur le lit. Je m'approchai, éberluée. Il y avait sa robe jaune — sa préférée — que je lui avais brodée avec des étoiles, il y avait huit ou dix ans de cela peut-être. Et le châle de laine, avec son nom, qui la tenait au chaud durant les froides nuits galloises. Le coquillage que j'avais trouvé sur la plage et que j'avais poli, et qui lui parlait le langage de la mer quand elle le mettait à son oreille, la bourse de cuir que j'avais teinte et cousue pour contenir ses petits trésors, les braies de cuir, les taies d'oreiller, les bracelets, les pendentifs et divers bibelots, les coussins et les chaussons, tout était là.

Je tendis une main tremblante et pris un peigne de corne — il était si beau ! Je l'avais gravé aux Norgales, l'hiver où mon père était tombé malade. Je l'avais fait pour plaire à ma nouvelle cousine, avec qui, m'avait-on dit, je devais devenir amie. D'un doigt tremblant, j'effleurai la lettre E gravée sur le bord : un travail d'enfant, peut-être, mais réalisé avec les meilleures intentions du monde, avec amour et espoir à chaque encoche. Même cela, elle n'en voulait plus !

Délicatement, je remis le peigne sur le lit.

— Si vous n'en voulez plus, je les garde. Ces choses signifient encore quelque chose pour moi.

— Je n'en veux plus.

Elle se détourna avec un haussement d'épaule, afin de me montrer son indifférence, puis reporta son regard sur le jardin.

Je m'approchai d'elle.

— Est-ce vous qui avez envoyé le serviteur dans ma chambre pour me faire descendre ?

— Bien entendu.

— Je vois. Puisque vous en avez fini avec ce que vous aviez à faire et bien quittez ces lieux, à présent. Vous êtes ici sans ma permission.

Elle fit comme si elle n'avait rien entendu, mais tritura son gant plus fortement.

— Je me moque de vos permissions. Vous êtes bien trop arrogante, Guenièvre. En devenant la haute reine, votre tête a considérablement enflé. J'attends simplement mon mari. Il est avec Arthur.

Je suivis son regard et remarquai, tout au fond du jardin, Lancelot et Arthur. Le bras d'Arthur était posé sur l'épaule de Lancelot qui tenait la taille du roi. Ils marchaient, plongés dans une grande conversation. J'aurais souri à cette scène si Elaine n'avait pas été à côté de moi.

— Veuillez l'attendre en un autre lieu.

— Pour que vous puissiez vous entretenir avec lui ? En aucun cas.

— De quoi avez-vous peur ? Que croyez-vous que je vais lui dire qui vous effraie tant ?

Lentement, elle se tourna et me regarda droit dans les yeux. L'air automnal ou peut-être sa grossesse donnait à sa peau laiteuse une apparence de bonne santé. Déjà, on pouvait entrevoir la femme qu'elle serait : dure, froide et sans merci.

— Je ne vous crains point, Guenièvre. Vous n'irez pas le lui dire maintenant. Je vous tiens éloignée de lui simplement parce que vous souhaitez vous entretenir avec lui.

Je retins mon souffle et fis un pas en arrière.

— Elaine, que t'est-il arrivé ? Tu n'étais pas si cruelle auparavant !

— Je suis comme je l'ai toujours été. C'est vous qui avez changé. Vous avez oublié comment vous avez pu devenir ce que vous êtes.

— Et que s'est-il passé autrefois ?

Elle haussa les épaules et eut à nouveau ce froid et impersonnel sourire.

— Les Norgales étaient un petit et ténébreux royaume païen. Vous êtes arrivée de ces lieux dans la lumière du royaume de Gwynedd, terre chrétienne. Si vous n'aviez pas accompli ce périple, jamais Arthur ne vous aurait remarquée. Vous ne nous avez jamais rendu notre dû. Une fois arrivée à Camaalot, vous nous avez oubliées totalement, ainsi que tous nos bienfaits.

— Comment osez-vous proférer de telles paroles ? Il se trouve que Pellinor...

— Je ne parle point, m'interrompit-elle avec indifférence, de Pellinor, mais de ma mère et de moi. Vous avez fait en sorte que le roi se détourne de nous pour servir vos propres buts égoïstes...

— J'aurais détourné le roi, moi ?

— ...et pour satisfaire vos envies de pouvoir. Vous l'auriez mieux servi en vous écartant. Vous l'avez enfermé dans un avenir aussi étroit que le vôtre. Et pourquoi ? Parce que vous vouliez être reine !

— Ce n'est pas vrai. Demandez donc à Arthur, si vous l'osez. Je... je... je ne peux rien contre ma destinée. Arthur a choisi son destin de son plein gré !

Cette fois, elle sourit de satisfaction et s'approcha de moi, me repoussant contre la balustrade.

— Il l'a effectivement fait. Il a pris bien plus qu'il ne le croit. Écoutez-moi attentivement. J'ai quelque chose de très important à vous dire avant de partir. J'ai une espionne dans Ynys Witrin — cela vous le saviez — qui sert le Sanctuaire de la Dame quand elle n'est pas dans le lit de Méléagant. Mais même avec tout l'or que je lui donne, elle n'a pas voulu rester au service de l'insupportable Viviane. Cependant, les nouvelles qu'elle m'a rapportées sont sans prix. Avez-vous déjà entendu parler de l'oracle de la Grande Déesse ?

— Que voulez-vous vous dire... ? Aux Norgales, nous les appelons les Saintes Prophéties. Quand...

— Par trois fois, tous les trois ans, quand la pleine lune se lève, la nuit de l'équinoxe, la grande prêtresse monte sur le Tor, pour faire un sacrifice sur le Rocher Noir. Elle tient le cristal sacré face à la pleine lune. Dans le cristal, si elle en est digne, elle a une vision du futur.

— Oui, je le sais. C'est ainsi que la venue d'Arthur fut annoncée.

— Eh bien. (Elle se pencha vers moi jusqu'à ce que je sente son souffle sur mon cou.) Il y a un mois de cela, Viviane a vu un futur qu'elle ne veut pas révéler au roi. Tout le sanctuaire bruit de commérages. Viviane s'est enfermée et ne veut parler à personne.

Je savais Elaine capable de toutes sortes de mensonges ; je connaissais ses motivations et la profondeur de sa haine, mais ces révélations me firent l'effet d'un coup de poignard dans le dos. Je reculai. Depuis le retour d'Arthur, personne n'avait vu ne serait-ce qu'un cheveu de dame Viviane.

La voix d'Elaine devint un murmure enjoué :

— La roue tourne et le monde est en train de changer. Ceux qui sont faibles vont grandir en puissance, mais le puissant périra. Un prince noir d'Outre-Monde surgira et occira le Dragon. Un grand serpent sortira des flots et avalera les décombres de ce dernier. Le Dragon sera porté à travers les mers et enterré dans du verre. Pour toujours.

Je bouchai mes oreilles avec mes mains pour ne pas entendre ses paroles.

— Tout cela, Guenièvre, résultera du fait que le roi a choisi de vous garder.

— Non ! Non !

— Et le fils de Lancelot (elle me nargua en ouvrant sa cape et posa bien en évidence ses mains sur le haut de son ventre rond), avec son épée ensanglantée, dans une ire légitime renouvellera la Lumière de la Bretagne avant qu'elle ne disparaisse à jamais dans les ténèbres. Vous vivrez pour voir tout cela. Rien ne vous sera épargné !

J'étais détruite, mes genoux ne me soutenaient plus.

— Ce n'est pas possible ! Ce n'est pas possible ! Vous ne proférez ces paroles que dans le but de me blesser ! Eh bien, allez-y ! Faites-moi mal, alors, finissons-en. Mais Arthur, il faut épargner Arthur !

Elle commença à rire doucement.

— Il ne s'agit pas de mes visions, femme folle. Me supplier ne servira à rien. Je vous ai dit cela pour que vous sachiez maintenant quel destin vous avez amené sur lui. Vous auriez dû m'écouter alors que vous le pouviez encore.

— Je ne vous crois pas ! Je ne peux pas vous croire ! Vous le convoitez toujours, et ne recherchez qu'un moyen de me faire du mal. Sortez, Elaine. Je ne puis supporter de vous voir plus longtemps.

— Croyez ce qu'il vous plaira. Je ne dois en rien vous obéir. Quand mon mari m'appellera alors je m'en irai. Vous ne pourrez pas lui parler ou avoir sa compagnie avant que je parte. Et une fois que nous serons partis, plus jamais vous ne le reverrez.

J'étais effarée ; je lui attrapai le bras.

— Il m'avait promis ! Il l'avait promis au roi !

Elle enleva mon bras du sien et sourit, reposant ses mains sur son ventre.

— C'est moi qui ai été sa promise et j'ai quelque moyen de le retenir.

Je me mis à crier et le visage d'Elaine s'assombrit.

— Sale petite traînée, tu le veux toujours ! Tu les veux tous les deux !

Sans penser, je lui donnai une claque au visage.

— Mon Dieu ! s'écria-t-elle. Quand j'en aurai terminé avec toi, ni l'un ni l'autre ne voudra te regarder en face.

Elle enleva ses gants et exhiba ses mains. Ses ongles avaient été taillés comme des griffes.

— Allez, vas-y ! m'écriai-je. Fais-le ! Tu me rendras service. Mais défigure-moi donc. Par Dieu, pourquoi hésites-tu ? Fais-le maintenant !

Elle leva sa main pour frapper. Je levai la tête pour recevoir le coup quand Arthur saisit violemment le poignet d'Elaine. Lancelot, blême, montait précipitamment les marches derrière le haut roi.

Contenue par la prise d'Arthur, Elaine se colla contre lui, tentant par tous les moyens de l'embrasser. Il eut un mouvement de recul et la repoussa.

— C'est moi que vous auriez dû choisir, sire ! s'écria-t-elle.

— Non, dit Arthur, tournant la tête pour essuyer sa bouche contre sa manche, pas pour le prix de mon âme.

— Elaine !

Lancelot la tira fermement ; elle se débattait férocement.

— Ne me touche pas ! Ou je t'ouvre le visage en deux.

— Que vous arrive-t-il ? Êtes-vous souffrante ? Reprenez-vous et retrouvez vos esprits !

— Ne m'accusez pas de manquer d'esprit, messire Lancelot ! (Elle se mit à rire.) Quel hypocrite vous faites ! Vous convoitez la reine mais couchez avec moi. Est-ce cela avoir de l'esprit ?

— Elaine ! m'écriai-je. Comment osez-vous ?

Elle se tourna vers moi : un sourire cruel barrait toujours son visage.

— Je suis obligée, contre ma volonté, de quitter la Grande-Bretagne. Vous allez voir avec quel calme j'abandonne ce pays. Défendez-le à vos risques et périls, Guenièvre. Lancelot est votre amant. Tout le monde le sait, à part le roi.

Les deux hommes ne bougèrent plus. Tombant à genoux, je mis mon visage dans mes mains.

— Doux Jésus, mais que nous veux-tu ?

— Quel que soit le minable petit récit que vous avez imaginé pour sauver votre honneur, je connais la vérité, moi. Je sais ce qui s'est passé dans la cabane de Méléagant. Et je ferai en sorte que le monde entier l'apprenne, si je suis obligée de partir.

— Arthur ! lança Lancelot, le visage empourpré. Je jure par les Saintes Écritures que je n'ai...

Arthur, de sa main, lui fit signe de se taire.

— Je le sais bien. Et elle aussi, d'ailleurs.

— Si jamais vous proférez encore ne serait-ce qu'un mot contre la reine, s'écria Lancelot, posté devant Elaine, je jure que je vous le ferai payer de votre vie.

— Quelle bravoure !

Et elle cracha par terre.

Il lui attrapa le bras. Elaine se jeta sur son visage. Il fut rapide, mais pas suffisamment pour éviter un ongle qui laissa une trace sanglante sur sa nuque.

— Lâche-moi !

Il l'ignora et tordit, sans ménagement, les mains d'Elaine derrière son dos.

— Faites attention que la plaie ne s'infecte pas, m'écriai-je. Ses ongles m'étaient destinés. Ils pourraient être empoisonnés.

— Vous êtes ma femme, Elaine, dit Lancelot d'une voix solennelle. Essayez de vous en souvenir.

— Je vous aime tant, répondit Elaine, pleine de mépris, luttant contre sa prise.

Je fermai les yeux et détournai le regard.

— Oh, mon Dieu ! Comment as-tu pu l'épouser, Lancelot ? Comment as-tu pu faire cela ?

La main d'Arthur se posa sur mon épaule et il plaqua ses doigts contre ma bouche pour empêcher que d'autres mots ne sortent.

— Lancelot ! lança Elaine, de grosses larmes sur ses joues. Toujours Lancelot ! Personne ne s'intéresse à ce que je ressens, moi ! Exilée loin de ma terre natale, séparée de mes parents et de mon roi, tout ça pourquoi ? Parce qu'un homme vous aime et ne sait pas plus commander à ses instincts qu'un cerf en rut !

— Cela suffit ! intervint Arthur. Je m'inquiète de votre état présent mais nullement de votre avenir. Vous l'avez choisi, Elaine, avec vos deux yeux grands ouverts. N'essayez pas de nous faire croire que vous êtes mal traitée. Ça ne prend pas. Les choses pourraient très facilement aller beaucoup plus mal pour vous.

Elle comprit la menace voilée et baissa les yeux.

— Allez vous reposer un peu. Le voyage risque d'être long.

Elaine le regarda et ouvertement lui lança un regard langoureux.

— Arthur, murmura-t-elle, laisse-la partir. Elle scellera ta perte !

Lancelot plaqua une main sur la bouche d'Elaine mais elle la repoussa.

— Dites-le-lui, Gwen. Dites-le-lui si vous l'osez !

Avec colère, Lancelot la souleva et la porta sur son épaule à travers la chambre.

— Lancelot ! Sont-ce là tes adieux ?

Parvenu à la porte, il me jeta un regard rapide de désir et

de regret, puis il descendit l'escalier. Je baissai la tête et me mis à pleurer.

— Gwen.

Arthur vint à l'endroit de la pièce où j'étais tombée et s'agenouilla juste à côté de moi.

— Sèche tes larmes. Tu le reverras. Il reviendra.

Je pris sa main et la portai à mes lèvres, baisant sa bague.

— Sire, pardonnez-moi. Je n'aurais jamais dû l'amener ici !

— Ce n'est pas ta faute, Gwen. Je lui pardonne... Pauvre Elaine, si jeune et si bien née. Mais elle ne pourra pas trouver le bonheur dans cette vie. Elle ne sait pas comment faire.

— Je ne lui pardonnerai jamais !

— Mais si, tu lui pardonneras, avec le temps. Laisse passer un peu de temps.

Je levai la tête et fixai ses yeux sombres, sensuels et réconfortants.

— Il faut m'aider, Arthur. Donne-moi suffisamment de force.

Il mit son bras autour de moi et me soutint gentiment.

— Qu'y a-t-il ? me dit-il doucement. Tu dois me dire de quoi il s'agit.

— Rien, rien voyons ! Je ne sais pas de quoi tu parles.

Il eut un petit rire.

— Ce que tu es mauvaise menteuse ! Tu as le don de la vérité ancré en toi, que tu le veuilles ou non, et je peux te lire à livre ouvert, tout est sur ton visage. Elaine t'a dit quelque chose qu'elle voulait que j'entende. Quelque chose que tu crains de me rapporter.

J'observai le plafond de ma chambre en me demandant comment il allait se sentir quand il saurait. Son bras m'enserra plus fort, gentiment.

— Dis-moi.

— C'est Viviane qui aurait dû te parler.

— Ah, fit-il, mais son visage resta impassible. C'est à propos de l'oracle. Je m'en doutais un peu.

— Est-elle venue te voir ?

— Pas encore. Mais elle viendra.

— En es-tu certain ?

— Oui, en vérité. Ne t'inquiète pas, Guenièvre. Viviane

n'a rien entr'aperçu que Merlin n'ait pas déjà prévu. Sois courageuse, raconte-le-moi.

— A-t-il vu de grands bouleversements ? Un serpent sortant de la mer ? Et un... prince noir démoniaque qui te... qui vous occira ?

Il retint son souffle, puis expira péniblement. Mais son visage resta serein, son regard était perdu au loin.

— Oui, dit-il enfin, il a vu tout cela.

— Et t'a-t-il dit aussi... que tout cela arriverait parce que tu as choisi de me garder auprès de toi ? Pas étonnant que Merlin m'ait haïe durant toutes ces années !

— De quoi parles-tu ? Merlin, te haïr ? Il n'y a jamais eu de haine chez cet homme, même pour ses ennemis. C'est ce qu'Elaine t'a dit ? As-tu bien réfléchi à la personne qui t'a raconté toutes ses choses ?

— Alors... ce n'est pas vrai que tu vas mourir à cause de moi ?

Il se mit à rire fortement.

— Mais non, pas du tout ! Bien au contraire. Mon destin, si l'on en croit Merlin, était écrit dans les astres bien avant que tu ne naisses.

— Mais alors quelle est la signification de l'oracle, mon roi ? Disparaîtras-tu en mer ? Oh, Arthur, je ne veux plus que tu montes sur un bateau !

Il sourit à mes propos et secoua la tête.

— Tout cela arrivera dans un futur lointain, ma Gwen. Qu'il en soit donc ainsi.

— Et... et le fils de Lancelot, Merlin l'a-t-il vu aussi ?

Il fronça les sourcils et son attention augmenta.

— Qu'y a-t-il concernant le fils de Lancelot ?

— Il maniera une épée ensanglantée et apportera la Lumière des Justes au royaume de Bretagne, avant que... avant qu'elle... enfin, non, c'est tout.

— À ma connaissance, Merlin n'a rien vu concernant Lancelot. Es-tu certaine que cela faisait partie de l'oracle ? Ne serait-ce pas plutôt quelque chose qu'Elaine aurait imaginé ?

— À ce que je sais, elle a tout imaginé.

Il eut un sourire et m'embrassa tendrement.

— Le royaume de la Grande-Bretagne ne disparaîtra pas

dans les ténèbres. Tu n'as pas besoin de me dire que c'est la chose que tu crains le plus.

— Tu le savais donc ?

— J'avais entendu des bruits. Mais cela, Guenièvre, Merlin l'a vu, et souvent. C'est une vérité. Un jour, quand nous ne serons plus que des souvenirs dans les lais des bardes, la Grande-Bretagne sera la plus noble terre au monde. Et toi et moi, si nous sommes persévérants, nous aurons contribué à sa gloire.

Je repensai aux paroles de Beduyr.

— Pour toujours ? murmurai-je.

Ses yeux brillaient.

— Si tu veux. Enfin, pour très longtemps. Nul roi ne peut en demander plus. Tu vois, c'est pour cela que je ne m'inquiète pas pour l'avenir.

Je le regardai et lui souris.

— Même vous, mon seigneur, vous croyez aux visions qui vous agréent !

Il me répondit par son large sourire.

— Tous les rois le font. C'est ça, la bonne politique.

— Oh, Arthur, fais que ton fils arrive ici le plus vite possible ! Si, tous ensemble, nous voulons bâtir un patrimoine durable pour la Grande-Bretagne, nous devons commencer son éducation au plus vite !

Derrière le regard d'Arthur, quelque chose se mit en mouvement. Il m'attira à lui.

— Il arrive... Prions le Seigneur qu'il soit un bon souverain.

Impression réalisée sur CAMERON par

BUSSIÈRE CAMEDAN IMPRIMERIES

GROUPE CPI

à Saint-Amand-Montrond (Cher)
en mars 2002

N° d'impression : 021444/1.
Dépôt légal : mars 2002.

Imprimé en France